GOTTFRIED NEBE

‚Hoffnung' bei Paulus

Elpis und ihre Synonyme im
Zusammenhang der Eschatologie

VANDENHOECK & RUPRECHT
IN GÖTTINGEN

Studien zur Umwelt des Neuen Testaments

Herausgegeben von Christoph Burchard,
Gert Jeremias, Heinz-Wolfgang Kuhn
und Hartmut Stegemann

Band 16

Meinen Eltern

CIP-Kurztitelaufnahme der Deutschen Bibliothek

Nebe, Gottfried:
Hoffnung bei Paulus : Elpis u. ihre Synonyme im Zusammenhang d. Eschatologie / Gottfried Nebe. — Göttingen : Vandenhoeck und Ruprecht, 1983. —
(Studien zur Umwelt des Neuen Testaments ; Bd. 16)
ISBN 3-525-53368-3
NE: GT

VORWORT

Die vorliegende Untersuchung ist die stark überarbeitete Fassung meiner Dissertation, die im WS 1976/1977 unter dem Titel "'Hoffnung' bei Paulus. Sprachliche und theologische Untersuchungen zu ἐλπίς und ihren Synonymen" von der Evangelisch-Theologischen Fakultät der Ruprecht-Karl Universität zu Heidelberg angenommen worden ist. Die Überarbeitung ist im Sommer 1979 (April bis September) geschehen. Ich habe dabei stark gekürzt und gestrafft, Punkt 13 hinzugefügt, die bis dahin neu erschienene Literatur eingearbeitet. Seitdem erschienene Literatur konnte nur noch sporadisch berücksichtigt werden. Die für mein Thema wichtige Arbeit von K.M.Woschitz über "Elpis/Hoffnung" lag mir im Sommer 1979 noch nicht vor. Deshalb bin ich auf sie im Anhang in einem zusätzlichen Punkt 15 kurz eingegangen. Die Grundthesen zu Hoffnung und Eschatologie haben sich bei der Überarbeitung im Sommer 1979 nicht geändert. Sie sind, soweit ich sehe, auch nicht durch seitdem erschienene Beiträge in Frage gestellt.

Zu danken habe ich im Rückblick auf den Weg vom Beginn bis zum Abschluß und zur Veröffentlichung der Dissertation vielen, von denen hier besonders genannt seien: Herr Prof. D.Dr.K.G.Kuhn, bei dem sie begonnen worden ist, Herr Prof.Dr.G.Sauter, bei dem ich entscheidende theologische Anstöße und fördernde Begleitung erfahren habe, Herr Prof.Dr.Chr.Burchard, der die Schlußphase der Dissertation selbstlos und aufopferungsvoll, gesprächsbereit und einfühlungsvoll betreut und das Referat erstellt hat, Herr Prof.Dr.H.Thyen, der das Korreferat verfaßt hat, Herr Prof.Dr.H.-W.Kuhn, dessen Arbeitsergebnisse zur Eschatologie der Gemeindelieder von Qumran mich von Anfang an begleitet haben und der den Weg zur Veröffentlichung in vieler Hinsicht mit großem Einsatz unterstützt hat, das Heidelberger Doktorandenkolloquium der Herren Proff.K.Berger, Chr.Burchard, H.-W.Kuhn, H.Thyen, mein Bruder Gerhard-Wilhelm Nebe, mit dem ich vieles (vor allem die Qumrantexte und das Semitische betreffend) durchgesprochen habe. Stellvertretend für viele andere, bei denen ich in der Theologie und in ihrem Umfeld gelernt habe, möchte ich noch Herrn Prof.D.C.Westermann und Herrn Prof.Dr.W. von Soden anführen. Den Herausgebern der Reihe "Studien zur Umwelt des Neuen Testaments" sei für die Aufnahme in die Reihe gedankt, Herrn stud. theol. A.Sikner für die mühevolle Arbeit bei dem Korrekturenlesen und der Erstellung des Registers, der Universität Heidelberg für ein zweijähriges (GFG-)Doktorandenstipendium, der Evangelischen Kirche von Westfalen für einen Druckkostenzuschuß. Ich widme das Buch meinen Eltern im Gedenken an das mannigfache Gute und Schöne, das ich bisher durch sie erfahren durfte, zumal sie mir in entscheidender Stunde der Arbeit an der Dissertation unter die Arme gegriffen haben.

Zum Inhalt meiner Ausführungen möchte ich noch folgendes vorausschicken: Im Blick auf die sprachliche Grundlegung werden einige Leser vielleicht die spezielle Berücksichtigung der modernen Linguistik
vermissen. Ich habe ihre Terminologie und Schematik deshalb nicht in
größerem Umfang aufgenommen, weil ich gemerkt habe, daß das für
unseren Fall nicht besonders weiterhilft. Einige Leser werden vielleicht bemängeln, daß im Verhältnis zum at.-religionsgeschichtlichen
Bereich das frühe Christentum in den Schichten vor Paulus weithin
nicht in vergleichbarer Breite dargestellt worden ist. Ich halte durchaus viel von solcher traditions- und überlieferungsgeschichtlichen
Fragerichtung. Doch habe ich festgestellt, daß bei der Interpretation
der paulinischen Hoffnungsaussagen hier zuerst einmal der at.-reli-
gionsgeschichtliche Bereich in den Blick rückt, weil gerade in dieser
Richtung die theologischen Schwerpunkte des Paulus markant hervortreten (vgl. R.Bultmanns Paulusinterpretation, insofern Bultmann den
Paulus zwar vom Kerygma der hellenistischen Gemeinde her versteht,
im Blick auf die Eschatologie und speziell die "Gerechtigkeit" aber von
der Abgrenzung zum Judentum ausgeht, - TheolNT §16 ff). Im übrigen
bin ich mir bewußt, für das Problem "Hoffnung" zwar die theologisch
zunächst wesentlichen Fragen, aber noch längst nicht alle Fragen aufgegriffen und bearbeitet zu haben. So wäre z.B. im Blick auf die Eschatologie dem noch genauer nachzugehen, inwiefern Paulus bei der
von mir erarbeiteten Prozeß-Eschatologie traditionsgeschichtlich in die
frühe Gemeinde hinein (vgl. z.B. P.Hoffmann über den Wendepunkt
der Zeiten, den Beginn der Endzeit, den Anbruch des Eschaton im Denken der Q-Gruppe, - Studien S.60 ff) und zurück bis zu Jesus (vgl.
J.Jeremias über die "sich realisierende Eschatologie") verwurzelt ist.
Auch wäre der Stellenwert der Rechtfertigungslehre des Paulus im Zusammenhang mit der Eschatologie noch weiter abzuleuchten. Vielleicht
ergibt sich dann, daß das Zentrum und das Feld der Eschatologie noch
in viel stärkerem Maße von der Rechtfertigungslehre bestimmt sind,
als es sich aus meiner Untersuchung ergibt.

Bochum, den 10. August 1982

INHALT

HINFÜHRUNG

1. FORSCHUNGSGESCHICHTLICHE HORIZONTE

In den letzten Jahren ist das Thema "Hoffnung" überaus aktuell geworden[1]. Es wundert, daß eine ausreichende, neuere exegetische Behandlung des Problems "Hoffnung bei Paulus" fehlt. Deshalb wendet sich die vorliegende Arbeit diesem Thema zu. Zunächst sollen die forschungsgeschichtlich wesentlichen Horizonte abgesteckt werden.

1.1. Das Thema "Hoffnung bei Paulus" in der Forschung von der Mitte des 19.Jh. bis vor R.BULTMANN

Bereits 1856 ist ἐλπίς thematisch unter dem Gesichtspunkt "De vi ac notione vocabuli ελπις in Novo Testamento" untersucht worden, und zwar von O.ZÖCKLER. Diese Arbeit geht philologisch-exegetisch vor, indem sie sich an einer Vokabelbasis orientiert. Das ist auch insofern wichtig, als Zöckler schließlich noch eine Elpologie im theologischen Lehrsystem neben Dogmatik und Ethik herausgestellt hat[2]. Die Frage nach dem "Begriff", der "Vorstellung" (notio) erinnert an die "Lehrbegriff"-Methode in Darstellungen der TheolNT, aber auch an einen "Hoffnungsbegriff", wie wir ihn später bei BULTMANN finden. Die sprachwissenschaftlichen und einleitungswissenschaftlichen Ergebnisse sind im einzelnen für heutige Sicht problematisch. Ohnehin wird Paulus nur u.a. bedacht. Die ausdrückliche Ausgrenzung eines allgemeinen und eines at. Horizonts ist bemerkenswert. Trotz der Berücksichtigung einer großen Sprachverzweigung sind die zwischentestamentliche Zeit und das beginnende Christentum in der Schicht vor und neben den Aposteln Petrus, Paulus und Johannes thematisch nicht für sich bedacht worden. Hier zeigt es sich, daß die Religionsgeschichtliche Schule und die Formgeschichte z. Z. dieser Arbeit Zöcklers noch nicht wichtig geworden waren[3]. Schließlich sollte nicht übersehen werden, daß sich schon Zöckler ausdrücklich gegen eine Auffassung wendet, für die Hoffnung bei Paulus nur ein Moment des Glaubens ist[4].

Weitere Arbeiten aus diesem Zeitraum können hier aus sachlichen Gründen übergangen werden[5]. Selbst F.C.BAUR tritt hier zurück[6]. Es scheint sich bei ihm der Einfluß G.W.F.Hegels bemerkbar zu machen, unter dem das Interesse ein anderes ist[7]. Doch ist Baur wegen des Ausgehens von dem "Begriff"[8] und der geschichtlichen Vermittlung für die folgende Zeit wichtig geworden. Vielleicht ist wegen solcher Desiderate das Vorgehen Zöcklers als bewußte Gegenposition gegen Zeittendenzen anzusehen.

Die Auffassungen Zöcklers haben nun in der Folgezeit offensichtlich wenig gewirkt, wie sich an der Aufnahme seiner Arbeit über ἐλπίς zeigt[9].

Überhaupt gilt für die liberale Theologie, die Religionsgeschichtliche Schule und weitere theologisch-exegetische Konzeptionen vom Ende des 19. bis zum Anfang des 20.Jh., daß unser Thema keine nennenswerte Förderung erhalten hat[10]. Selbst Spezialartikel in Nachschlagewerken bleiben in der Regel allzu pauschal, bringen aber u.U. bedenkenswerte Einzelbeobachtungen, wie etwa zum Verhältnis Hoffnung allgemein und theologisch, zu ihrer Zuordnung zu Glaube und Ethik, zu psychologischen Aspekten, zum Verhältnis von Wörtern und Sache[11]. So kann man sich mit guten Gründen dem Urteil Grafes (1912) anschließen: "Eine empfehlenswerte Monographie über 'Hoffnung im NT' gibt es nicht. Auch die Darstellungen der nt.lichen Theologie enthalten meistens nur kurze und gelegentliche Bemerkungen zu diesem Begriff."[12]

Kurz darauf in der Zeit des 1. Weltkrieges ist dann A.POTT in die Bresche gesprungen. Er hat dabei die Beziehung von Hoffen und Glauben im NT untersucht[13]. Exegetisch kommt die vorher eingetretene Entwicklung insofern zum Tragen, als nun die spätjüdische Literatur als Voraussetzung herangezogen wird, also wohl unter dem Eindruck der religionsgeschichtlichen Fragestellung, aber zugleich sozusagen im Gegenschlag auf Kosten des AT[14]. Ferner werden die einzelnen Schriften und Persönlichkeiten des NT für sich und gruppiert in geschichtlicher Entwicklung analysiert und schließlich zusammenfassend dargestellt[15]. Schon die Logiaquelle und das Sondergut in den Synoptikern werden bedacht[16] und - theologisch geradezu bezeichnend - Jesus, Paulus und Johannes als Höhepunkte herausgestellt[17]. Die psychologische Fragestellung und dabei die Verbindung von Hoffen und Glauben sind für die Zeit Potts charakteristisch[18]. In diesen Gesamtrahmen ordnen sich die Ausführungen zu Paulus ein. Ebenfalls dort sind der Entwicklungsgedanke und die psychologische Fragestellung wichtig. In unseren Augen ist beides in vielem problematisch. Doch ist eine Beziehung von Hoffen und Glauben im NT immerhin noch am ehesten bei Paulus zu bedenken. Eine Beschränkung auf den Akt führt Pott faktisch aber nicht streng durch. Das Ausgehen für das Hoffen nur von ἐλπίζειν und ἐλπίς erscheint angesichts weiterer Synonyme als zu kurz. Die Bedeutungsangaben in den Tabellen vor den einzelnen Schriften sind häufig semantisch recht nützlich[19], erweisen sich bei genauerem Zusehen aber z.T. als problematisch, wenn man sie als Bedeutungen im eigentlichen Sinne ansieht. Gleichwohl legt diese Arbeit Potts im Blick auf die Problemstellung der Zeit forschungsgeschichtlich charakteristische Schwerpunkte. Auch könnten dabei die oft wenig einheitlich und zwingend erscheinenden Ergebnisse gerade ein Zeichen für die Spannungen und die Zerrissenheit in der Exegese damals darstellen[20]. So sollte man diesen Beitrag Potts nicht ausschließlich negativ beurteilen[21].

In derartiger Lage der nt. Wissenschaft ist es nicht verwunderlich, daß A.SCHWEITZER damals betont nach einer Einheit in der Theologie des Paulus über die Eschatologie gefragt hat. Er will sie dabei nicht aus dem Griechischen sondern aus dem Jüdisch-Urchristlichen begreifen. So meint er, diese Einheit über die Aufnahme der spätjüdischen Apokalyptik und ihre Modifizierung zu einer eschatologischen Mystik zu finden[22]. Sind diese Thesen, die zudem das Problem von Zukunftsvorstellungen wichtig werden lassen, seitdem in der Paulusforschung und nt. Wissenschaft ein positiv oder negativ leitender Interpretationshorizont geblieben, so gilt aber schon für Schweitzer selbst, daß dies nur zu gelegentlichen und unreflektiert bleibenden Äußerungen über die Hoffnung geführt hat[23]. Überhaupt müssen in der nun folgenden Zeit bis auf Bultmann Desiderata bemängelt werden. Das bedeutet aber nicht, daß das Thema "Hoffnung" für die Paulusbriefe gar nicht bedacht worden wäre. Teils geschah das im Rahmen einer Weiterpflege älterer, aus dem 19. und beginnenden 20. Jh. aufgegebener Problemstellungen, wobei sich vielfach schon ältere Ergebnisse wiederholten. Teils verstellten aber auch die Ausgangspunkte bei "Mystik", "Religion" u.ä. mit ihren Tendenzen zu einer Gewichtsverlagerung auf die Gegenwart die Frage nach der Hoffnung, mag dabei durchaus eschatologisches Gedankengut bei Paulus beobachtet worden sein. In diesem Rahmen ist auf gelegentliche oder insgesamt gesehen wenig austragende Äußerungen bei P.FEINE[24], J.KAFTAN[25], H.SCHMIDT[26], H.E.WEBER[27] und T.ZAHN[28] hinzuweisen[29]. Daneben beschäftigen sich einige Forscher immerhin mit dem Hoffnungsproblem selbst. So befaßt sich mit dem Teilaspekt der Trias bei Paulus nach den älteren kontroversen Arbeiten von R.REITZENSTEIN[30] und A.VON HARNACK[31] besonders A.BRIEGER[32]. Das Verhältnis zwischen Lehramt und Bibelforschung im röm.-kath. Bereich steuert U.HOLZMEISTER im Blick auf die Parusieerwartung in den Paulusbriefen an[33], wobei zwischen Erwartung und Hoffnung betont unterschieden wird[34]. Schon kurz vor Pott wandte sich J. DE GUIBERT dem Gebrauch von ἐλπίς und seiner Synonyme im NT zu[35], machte also eine größere Zahl von Vokabeln endlich zum direkten Thema[36]. Er könnte für die besondere Berücksichtigung der LXX in der späteren Forschungsgeschichte bei Bultmann u.a. wichtig geworden sein[37]. Thematisch hat sich C.SPICQ dem Hoffnungsproblem im NT zugewendet[38]. Doch will sein Buch nicht streng exegetisch sein[39]. Die Ausführungen zu Paulus erscheinen als dogmatisch und theologiegeschichtlich sehr vorgeprägt[40]. So bleibt dieser ganze Zeitraum insgesamt gesehen ohne ein zwingendes, einheitliches oder besonders ausgeprägtes forschungsgeschichtliches Ergebnis.

In dieses Bild ordnet sich auch A.SCHLATTER ein. Soweit mit bekannt ist, ist die Hoffnung selbst in Schlatters Arbeiten nicht thematisch bedacht worden. Das gilt z.B. für sein Buch über den Glauben im NT[41] und für seine TheolNT. Allerdings stellt die TheolNT gerade im Blick auf Paulus die Hoffnung immerhin im Rahmen der Schlatterschen Unterscheidung von Denkakt und Lebensakt bewußt als Wille, nicht nur als eschatologische Theorie heraus[42]. Der at.-jüd. Hintergrund ist für Schlatter wichtig[43]. Der Weg von Jesus zu Paulus wird im Blick auf Denk- und Willensformen nicht literarisch, sondern über die Gemeinde gesehen[44].

Blickt man schließlich auf Beiträge, die durch die dialektische Theologie und ihren starken Einfluß geprägt sind[45], so zeigt sich zwar, daß für das Problem "Hoffnung" im Rahmen von Kategorien wie "Zeit-Ewigkeit", "geschichtlich", "personal", "christlicher Glaube", "Zukünftigkeit Gottes" durchaus wichtige und überlegte Äußerungen vorliegen, die auch Paulus[46] betreffen. Dabei sind hinsichtlich des nt.-paulinischen Horizonts (jüd.) Apokalyptik, (hellenistische) Gnosis, Mythos u.ä. theologisch fraglich geworden[47], wenngleich später die mit dem Entmythologisierungsprogramm Bultmanns gestellten Fragen durchaus unterschiedlich beantwortet worden sind[48]. Insgesamt gesehen hat all das aber außer bei Bultmann nicht zu einer thematisch exegetischen Behandlung des Hoffnungsproblems im NT und speziell bei Paulus geführt.

1.2. R.BULTMANN (und K.H.RENGSTORF)

Anknüpfend an viele Fragen der bisherigen Geschichte der Forschung hat sich R.BULTMANN dann thematisch dem Problem "Hoffnung" zugewendet, und zwar einmal mehr exegetisch[49] und zum anderen mehr systematisch-hermeneutisch[50].

Aus dem ThW-Art. ist hier die Darstellung zu ἐλπίς, ἐλπίζω wichtig[51]. Zwar wird Paulus nur u.a. behandelt. Doch besitzt er einen großen Stellenwert[52]. Es wird wesentlich nach einem "Hoffnungsbegriff" vorgegangen[53]. Insofern bleibt dieser Artikel nicht bei semantischen Aspekten im engeren Sinn, und werden nicht lediglich die Vokabeln und ihr Sprachgebrauch untersucht. Vielmehr wird nach einem Gedankenkomplex und nach einer bestimmten Struktur gefragt[54]. Genauer gesehen stellt Bultmann zwei "Hoffnungsbegriffe" einander gegenüber, nämlich den griechischen, bei dem die ἐλπίς das vom Menschen aus entworfene Zukunftsbild enthalte[55], und den at., bei dem die Hoffnung sich nicht ein bestimmtes Zukunftsbild entwerfe, sondern in dem ganz allgemeinen Vertrauen auf Gottes Schutz und Hilfe bestehe[56]. In der Tradition des letzteren steht für Bultmann das NT[57], mithin ebenfalls Paulus. Das zeigt sich auch durch den Vergleich der wesentlichen Momente der Hoffnung als theologisch orientierter im AT[58] und NT[59], wo sich trotz einiger Unterschiede doch eine grundsätzliche Übereinstimmung darstellt. Der Blick in die Quellen ergibt jedoch insgesamt einen variableren Sprachgebrauch in der Antike, speziell auch im AT und NT, als das bei Bultmann deutlich wird[60]. Deshalb kann man nun mit guten Gründen für das Gegenüber der beiden "Hoffnungsbegriffe" sowohl eine Antithetik auf dem Boden der dialektischen Theologie mit ihrer Religionskritik, Kulturkritik u.ä. als auch das Gegenüber beim Objektivierungsproblem, wie es besonders über M.Heidegger für Bultmann wichtig geworden ist, als direkt oder als unterschwellig leitend vermuten, und zwar gleichsam in einer Synthese. Berücksichtigt man ferner die Bedeutung des at. "Hoffnungsbegriffs", und zwar in den Konsequenzen für die Eschatologie, sowie überhaupt die zentralen theologischen Auffassungen Bultmanns, so scheint sich erst recht das Programm von Entmytholo-

gisierung und existentialer Interpretation als wichtiger Hintergrund an-
zudeuten[61]. So kommt auch die Tendenz zum Zusammenfallen von Grund
und Gegenstand bzw. Inhalt der Hoffnung in den Blick[62], für Bultmann
an diesem Punkt allerdings gerade in Übereinstimmung mit den Tendenzen der Aussagen im AT und NT[63]. Außerdem gerät er nun durch das
Herausarbeiten der beiden "Hoffnungsbegriffe" selbst in die Nähe der
"Lehrbegriff"-Methode, und zwar trotz seiner Kritik am "Lehrbegriff" in
der nt. Wissenschaft[64].

Durch den Beitrag von K.H.RENGSTORF[65] wird dieser Artikel dann auch
noch in einer weiteren Weise wichtig, und zwar vor allem methodisch.
Rengstorf betont eingangs, daß dem rabb. Judentum eine ἐλπίς, ἐλπίζειν
usw. parallele Wortgruppe fehle und diese Beobachtung auf die Notwendigkeit der Analyse der rabb. Zukunftserwartung nach ihrem Inhalt mit dem
Ziel führe, von hier aus den auffälligen sprachlichen Befund zu klären[66].
Meine Analysen im Raum des rabb. Schrifttums haben aber ergeben, daß
sich hier der Einsatz bei einer Vokabelbasis doch lohnt[67]. Außerdem haben die jüngst gefundenen Qumrantexte gezeigt, daß die Situation im "palästinischen Spätjudentum" überhaupt verheißungsvoller ist. Die Ausführungen Rengstorfs gehen nun wegen der Antithetik, die durch die Frage
der Heilsgewißheit im Zusammenhang des Rechtfertigungsproblems auf-
bricht, sachlich in eine ähnliche Richtung, wie sie in der Unterscheidung
zweier "Hoffnungsbegriffe" bei Bultmann eingeschlagen wird. Insofern stehen die an sich unterschiedlich erscheinenden Beiträge Bultmanns und
Rengstorfs letztlich doch zusammen auf der Basis paulinisch-reformatori-
scher Tradition[68]. Rengstorfs Teil wirft aber scharf das Problem des Verhältnisses von Wort und Sache, Orientierung an einer Hoffnungsstruktur
bzw. Hoffnungsthematik allgemein und Ausgehen von einer Vokabelbasis
auf. Bultmanns "Hoffnungsbegriffe" gehen zwar auch in Richtung einer
Struktur[69], bleiben aber sachlich angemessener im Umkreis der Wörter
wie ἐλπίς. Fraglich ist bei all dem aber, ob die berücksichtigte Vokabelbasis für die Behandlung des Hoffnungsproblems als ganzem ausreicht[70].

Tritt im ThW-Art. die Beziehung der Hoffnung zum Glauben nicht so direkt hervor[71], so wird das bei der Paulusdarstellung Bultmanns in TheolNT
jedoch in größerem Maße deutlich und als die Interpretation leitend offenbar. Allerdings wird auch dort die Vokabelbasis nicht erweitert, aber auch
nicht verlassen. Indem die paulinische Theologie an der πίστις orientiert
wird, wodurch schon die eschatologische Zukunft zurücktreten dürfte[72]
und zwangsläufig die Hoffnung als eigenständige Größe verlorenzugehen
droht, wird die ἐλπίς von der πίστις her verstanden[73], und zwar in Äußerungen, die für die ἐλπίς selbst markant sind:

"Eben dieses, daß der Glaube von sich selbst weggerichtet ist, kommt auch
dadurch zum Ausdruck, daß die πίστις zugleich ἐλπίς ist. ... Diese ἐλπίς
ist das Frei- und Offensein für die Zukunft, da der Glaubende die Sorge
um sich selbst und damit um seine Zukunft im Gehorsam Gott anheimgestellt
hat."[74] "Solcher ἐλπίς korrespondiert aber in eigentümlicher Weise der

φόβος, der ein unentbehrliches konstitutives Element in der πίστις ist, sofern er die Richtung des Blickes des Glaubenden auf Gottes χάρις sichert."[75] "Gehören ἐλπίς und φόβος gleichermaßen zur Struktur der πίστις, so heißt das nicht, daß christliches Sein ein Schwanken zwischen Hoffnung und Furcht ist; vielmehr gehören ἐλπίς und φόβος als Korrelate zu einander: eben weil der Glaube ἐλπίς ist, ist er auch φόβος und umgekehrt."[76]

Anschließend wird auf das gläubige Sein als Bewegung zwischen dem "nicht mehr" und dem "noch nicht" hingewiesen[77]. Blickt man nun auf die Stellen mit ἐλπίζειν und ἐλπίς in den Paulusbriefen, so wird an keiner eine genuine Beziehung zum φόβος hervorgehoben, aber auch keine gemeinsame Relation zur πίστις. Hier kann man fragen, ob sich nicht wegen der betonten Koordination von ἐλπίς und φόβος ein Einfluß M. Heideggers zeigt, und zwar auf einem Hintergrund bis zur Antike[78]. Doch muß auch noch der at.-jüd. Bereich bedacht werden[79], so daß bei Bultmann die Voraussetzungen hier schillernd bleiben. Das Verfügbarkeitsproblem wird in diesem Zusammenhang aber auf jeden Fall wieder deutlich. An anderer Stelle in TheolNT wird die künftige ζωή auf die ἐλπίς bezogen[80]. Auf diese Weise kommt zumindest dort die eschatologische Zukunft besser zu ihrem Recht. Allerdings ist ζωή bei Paulus terminologisch nicht Objekt von ἐλπίς und synonymen Wörtern, so daß sich erneut die Frage nach der Übereinstimmung mit dem paulinischen Sachverhalt stellt.

In der Rundfunkdiskussion zieht Bultmann die bisher schon deutlich gewordenen theologisch-hermeneutischen Linien in Richtung auf Entmythologisierung und existentiale Interpretation stärker aus[81]. Zugleich bekommen sie noch Ergänzungen im religionsgeschichtlichen, theologiegeschichtlichen und geistesgeschichtlichen Bereich, exegetisch gesehen nun allerdings auf Kosten der Vokabelbasis und z.T. auch der gezielten Orientierung an Paulus. Dadurch wird das bisher schon gewonnene Bild abgerundet. Auch hier zeigt sich, daß Bultmann eschatologisch-zukünftige Aussagen im NT und bei Paulus durchaus sieht, das Schwergewicht aber in der Interpretation dann theologisch anders legt[82].

Für einen zusammenfassenden Rückblick auf diese Ausführungen Bultmanns (und Rengstorfs) ergeben sich als Aspekte und Probleme: 1. Die beiden gegensätzlichen "Hoffnungsbegriffe" auf dem Boden der Antithetik der dialektischen Theologie, der Rechtfertigungslehre, des Objektivierungsproblems und im Zusammenhang mit Entmythologisierung und existentialer Interpretation, und zwar entsprechend einem vermeintlichen Gefälle in den biblischen Texten[83]. 2. Das Problem eines "Hoffnungsbegriffs" auf dem Hintergrund der an sich von Bultmann kritisierten "Lehrbegriff"-Methode. 3. Das Verhältnis von Wort und Sache, Vokabel und Struktur ("Begriff"), Ausgehen von einer Vokabelbasis und einer allgemeineren Hoffnungsstruktur. 4. Das Problem des Umfangs einer Vokabelbasis. 5. Das AT als besonderer Boden, eine Kritik an der Apokalyptik und ein Zurückstellen des "Spätjudentums" überhaupt, dennoch ein geschichtlich den Kanon des AT

und NT übergreifender Horizont[84]. 6. Das Verständnis der Hoffnung vom
Glauben her. 7. Die Verbindung von Hoffnung und Furcht auf der Basis
der Rechtfertigungslehre und Unverfügbarkeit des Heils und zugleich wohl
unter dem Einfluß M.Heideggers, und zwar auf einem Hintergrund bis zurück zur Antike und zum AT. 8. Die Einbettung in die Eschatologie.
9. Die Tendenz zum Zusammenfallen von Grund und Gegenstand bzw. Inhalt wie beim Glauben[85].

Auf diese Weise[86] wird noch einmal deutlich, wie sehr sich bei Bultmann
(und Rengstorf) die durch die vorangehende Forschungsgeschichte gestellten Fragen bündeln und im Sinn einer in sich geschlossen erscheinenden Konzeption beantwortet werden. So stoßen wir hier auf einen, wenn
nicht den wesentlichen Dreh- und Angelpunkt der Forschungsgeschichte.
Für die folgende Zeit werden nun die Fragen aufgeworfen, ob und wie die
methodischen Gesichtspunkte und Ergebnisse sowie das problematisch Ge-
bliebene aufgenommen, verfeinert, gelöst, modifiziert, kritisiert, abgelehnt
oder widerlegt worden sind.

1.3. Beiträge im Einflußbereich programmatischer Anstöße von R.BULTMANN bis zur "Philosophie der Hoffnung" und "Theologie der Hoffnung"

Der weitere Gang der Forschung ist einerseits durch programmatisch bleibende Äußerungen bestimmt, die weithin noch im theologischen Kontakt zu
Bultmanns Konzeption stehen. Dabei wurde vielfach vom Hoffnungsproblem
selbst stärker zu Bereichen wie Eschatologie, Entmythologisierung, Anthropologie als seinen Horizonten weitergegangen. Dadurch sind enger exegetische Gesichtspunkte für die Paulusbriefe weniger gezielt dargestellt, als
vielmehr programmatisch angerissen worden. Blicken wir auf dafür wichtige und exemplarische Beiträge, so stellen in der schon genannten Rundfunkdiskussion G.BORNKAMM[87] und F.K.SCHUMANN[88] an Bultmann Fragen wie nach der Geschichte Gottes in Christus und der Weltgeschichte
(vgl. Röm 8) im Verhältnis zur Geschichtlichkeit des Menschen oder nach
dem Mythosproblem, so daß "die christliche Hoffnung" allgemein und bei
Paulus weithin mehr im Hintergrund bleibt oder ihr Umfeld und ihre hermeneutischen Aspekte beleuchtet werden.

J.KÖRNER hat bei seiner Untersuchung des Begriffs des Eschatologischen
in der Theologie Bultmanns[89] auch auf die Paulusinterpretation geschaut[90].
Dabei hat er im Blick auf die eschatologische Zukunft von M.Luthers "Auflösung der Antithese simul justus simul peccator in die Formel: peccatores
in re, justi autem in spe" her an Bultmanns Auffassungen Kritik anzubrin-
gen versucht[91]. Ferner hat er das Verhältnis von πίστις und ἐλπίς in
Bultmanns Paulusdarstellung entsprechend kritisch anvisiert[92]. Doch bleibt
bei all dem die Nähe zum Sachverhalt bei Paulus noch eine offene Frage, da
Körner weniger die Texte selbst analysiert[93].

In den Bahnen Bultmanns geht E.FUCHS weiter[94]. Mehr beiläufig meint
E.JÜNGEL: "Die paulinische Rechtfertigungslehre ist als theologischer
Entwurf eine Theologie der Hoffnung." Allerdings kommt bei Jüngel die
eschatologische Zukunft im Verhältnis zu Bultmann stärker wieder zu ihrem theologischen Recht[95]. Zwar haben E.KÄSEMANN und P.STUHLMA-
CHER ausdrücklich Kritik an einer existential-anthropologischen Verengung bei Bultmann geübt. Doch sind m.W. auch sie hier nur zu program-
matischen Äußerungen und Aufgabenstellungen gekommen[96]. In dieses
Gesamtbild ordnet sich unter exegetischem Gesichtspunkt auch W.PANNEN-
BERG trotz eines Ausgehens von Apokalyptik und Universalgeschichte
ein[97]. Selbst bei O.CULLMANN ist der Sachverhalt grundsätzlich nicht
anders, wenn er die Bedeutung der Heilsgeschichte und der Spannung
zwischen "schon" und "noch nicht" herausstellt und sich mit der Hoffnung auch exegetisch befaßt[98].

So zeigen diese Beispiele, daß dieser Bereich der Forschung seit Bultmann insgesamt mehr Aufgaben als Antworten gegeben hat. Das dürfte
z.T. daran liegen, daß die Kritik an Bultmann vor allem in grundsätzlich
theologisch-hermeneutischer und allgemein exegetischer Weise ansetzte,
während eine genaue exegetische Aufarbeitung der anstehenden Fragen
vor der vielleicht abschreckenden Aufgabe stand, das breite Material und
die weiten Horizonte, die Bultmann (zusammen mit Rengstorf) dargestellt
hatte, erneut aufzugreifen und von da aus dann weiterzugehen. Zudem
waren mittlerweile für die Umwelt des NT wichtige Textfunde gemacht worden[99], neue Arbeiten für das AT[100], die rabb. Überlieferung[101] und die
heidnische Antike[102] oder das NT sonst[103] verfaßt worden, so daß die Forschung wieder in Fluß geriet, ohne daß sich die Möglichkeit erneut abschließender Ergebnisse anzeigte. Es sind auch bei diesen neuen Untersuchungen wieder methodische Probleme im Blick auf ein Ausgehen von einer Vokabelbasis und einer allgemeineren Hoffnungsstruktur aufgetreten[104].

Besonders ist aber noch auf H.CONZELMANN hinzuweisen. Er hat sich dem
Problem "Hoffnung" direkt zugewendet. Einmal hat er die Hoffnung gedrängt
in einem Art. für das NT bedacht[105]. Der Einfluß Bultmanns ist dabei noch
wesentlich. Zugleich deuten sich aber schon Differenzierungen an. Dabei
entfernt sich Conzelmann z.T. von einer Vokabelbasis, ohne das methodisch abzuklären[106]. Werden in diesem Beitrag schon die Paulusbriefe besonders berücksichtigt[107], so geht Conzelmann dann in seiner TheolNT
extra auf "Die Hoffnung" in der Theologie des Paulus ein[108]. Obwohl hier
im Aufriß ein Unterschied zu Bultmanns TheolNT besteht, so ist Conzelmann doch wieder der Meinung: "Auch die Hoffnung ist einfach Auslegung
des Glaubens."[109] Das ergibt sich ihm auf der Grundlage von ausdrücklich
durchgeführten Überlegungen über das Verhältnis von Erwartetem und Erwartung, das Problem der Zeit und die Funktion der Trias, eine Abgrenzung gegen Apokalyptik und Mystik[110]. Dabei wird für ihn durch diese
Bestimmung der Hoffnung das Ausbrechen in subjektiv-psychologische
oder in objektiv-apokalyptische Phantasie verhindert[111]. Anschließend
geht er dann weiter zu einer allgemeineren Hoffnungsstruktur, wie seine
Behandlung von 1 Kor 15 und 2 Kor 5,1-10 zeigt[112].

Im Raum der ökumenischen Bewegung ist hier die Evanston-Konferenz
programmatisch gewesen, die 1954 als Weltkirchenkonferenz unter dem
Leitthema "Christ - the Hope of the World" stattgefunden hat[113]. Wie
ihr Leitthema selbst, so sind allerdings auch ihr Verlauf und ihre Wirkung für das Hoffnungsproblem vielfach pauschal und für den Sachverhalt bei Paulus entsprechend allgemein geblieben[114]. Im Bereich der
röm.-kath. Exegese ist auf einen nachhaltigen Einfluß der thomistischen
Tradition hinzuweisen, der jedoch auch Trübungen des paulinischen Sachverhalts gebracht hat[115].

Schließlich stellt sich die besondere Frage, ob und wie die jüngst aktuell
gewordene "Philosophie der Hoffnung" und "Theologie der Hoffnung"
Anstöße für die Paulusinterpretation gebracht haben. Eingebaute Ausführungen zum NT oder zu Paulus bei J.MOLTMANN[116] oder F.KER-
STIENS[117] bleiben in der Regel zu pauschal. Doch sind methodisch bedenkenswert Anregungen und Überlegungen bei G.SAUTER[118]. Eine direkte Vermittlung paulinischer und Blochscher Denkschemata und Terminologie versucht bei der Paulusexegese A. GRABNER-HAIDER[119]. Einen
kritischen Vergleich zwischen Paulus und E.Bloch hat H.KIMMERLE unter-
nommen, allerdings nicht in einer exegetisch orientierten Arbeit, wohl
aber im Blick auf E.Blochs "Prinzip Hoffnung" aus philosophischer und
theologischer Sicht[120]. Insgesamt gesehen haben die Anstöße durch die
"Philosophie der Hoffnung" und "Theologie der Hoffnung" aber noch nicht
zu einer eingehenden exegetischen Behandlung des Hoffnungsproblems
im NT oder speziell bei Paulus geführt[121], zumal allzu leicht auf die Fragen von Ontologie und Eschatologie zugespitzt wird[122]. Von hier aus stellen sich also weiterhin wichtige Forschungsaufgaben[123].

1.4. Die im engeren Sinn exegetische Literatur der neueren Zeit

Die Beobachtung, daß bei den gerade genannten Beiträgen eine Programmatik oder Pauschalität auf Kosten einer genauen exegetischen Erhebung
vorherrschend geblieben ist, läßt fragen, ob das nicht auch daran gelegen hat, daß nicht fundamental von einer Vokabelbasis ausgegangen worden
ist. Diese Forderung scheint mir ein wesentliches Fazit der bisher dargestellten Forschungsgeschichte zu sein, will man zu genaueren Ergebnissen
für das Hoffnungsproblem bei Paulus kommen. Blickt man unter diesem Gesichtspunkt auf die neuere Zeit seit Bultmann, so bleiben hier nur noch
exegetisch im engeren Sinn vorgehende Arbeiten zu nennen[124]. Indem in
ihnen die nt. Wissenschaft mehr oder weniger nüchtern, sorgfältig und un-
beeindruckt von großen Programmen arbeitete, wurden einzelne für das
Hoffnungsproblem bei Paulus wichtige Wörter untersucht[125], wurde aber
auch darüber hinaus eine breitere Vokabelbasis erkannt und analysiert[126].
Allerdings ergeben sich im Blick auf die Wortwahl Probleme, nicht zuletzt
deshalb, weil man in den Bahnen Bultmanns bleibend auch noch Wörter des
Vertrauens und der Geduld mit heranzog[127]. Zum anderen wurde beobachtet, daß "Hoffnung" in den Paulusbriefen als ein besonderes Verhalten her-

vortritt[128]. Doch auch hier blieb vielfach der Einfluß Bultmanns bestimmend[129], oder es wirkten andere Verstehensvoraussetzungen ein[130].
Zum dritten sah man die Bedeutung von Objekten. Hier ließ die Exegese seitdem derartige Horizonte wieder stärker und differenziert zu ihrem Recht kommen[131]. Dabei wurden sowohl das Verhalten als auch die Gegenstände der "Hoffnung" berücksichtigt[132]. Zum vierten wurde überhaupt eine Verzahnung im Kontext und sachlich eine solche mit Motiven, Gründen, Heilszusammenhängen bis hin zur Liebe Gottes, zum Christusereignis, zum Pneuma, zur Heilsgeschichte, zur Eschatologie beobachtet und dargestellt[133]. An dieser Stelle ergaben sich aber durch unterschiedliche Interpretationsvoraussetzungen recht verschiedene Darstellungen. Schließlich wurden wieder geschichtliche Differenzierungen berücksichtigt, nämlich der historische Ort der "Hoffnung" in den einzelnen Paulusbriefen im Rahmen der vita Pauli[134] oder sonst Unterschiede zwischen den einzelnen Briefen[135]. Eine Synthese nach Sachgesichtspunkten konnte sich anschließen[136]. Doch gerade hier wirkten sich vielfach nicht nur dogmatisch-philosophische, sondern auch einleitungswissenschaftliche Vorentscheidungen für die Ergebnisse aus[137].

So weist die im engeren Sinn exegetische Literatur der neueren Zeit durchaus Fortschritte in der Methode, der Differenzierung und den einzelexegetischen Ergebnissen auf, die bei der Weiterarbeit über das Problem "Hoffnung bei Paulus" zu beherzigen sind[138]. Doch ist trotzdem insgesamt gesehen die exegetische und theologische Höhenlage Bultmanns sowie die Verdichtung der Probleme wie bei ihm nicht wiedergewonnen worden. Das zeigt auch schon der häufige Rückgriff auf die Strukturmomente des nt. "Hoffnungsbegriffs" Bultmanns.

2. DIE GENAUE FRAGESTELLUNG

Der Blick auf die Forschungsgeschichte hat einmal deutlich gemacht, wie sich die Paulusinterpretation hinsichtlich des Hoffnungsproblems häufig in überkommenen oder zeitgenössischen Voraussetzungen verfangen hat. Zum anderen dürfte sich ergeben haben, daß die Genauigkeit der Übereinstimmung mit dem paulinischen Sachverhalt in dem Maße zugenommen hat, wie von einer angemessenen Vokabelbasis ausgegangen wurde. Hier weist die Forschungsgeschichte ein. Vor allem aber führt nun eine Sachbeobachtung in den Paulusbriefen in dieser Richtung weiter. Diese betrifft das Verhältnis von Zukunft und Hoffnung. Da Hoffnung konstitutiv auf die Zukunft bezogen ist, stellt sich nämlich die Frage, ob beides einfach miteinander identifiziert werden darf, ob also das Hoffnungsproblem und das Zukunftsproblem identisch sind. Schaut man auf die Aussagen mit Wörtern wie ἐλπίς und ἐλπίζειν bei Paulus, so zeigt sich, daß Zukunftsaspekte einmal als Objekte dieser Wörter, dann aber auch parallel dazu als Objekte etwa von εἰδέναι, πεποιθέναι oder thetisch ausgesagt werden können (vgl. 2 Kor

1,7; Phil 2,19. 23 f; 1 Thess 4,13 ff). Von hier aus wird es fraglich, ob
alle Zukunft bei Paulus durch die Klassifizierung "Hoffnung" genau genommen gedeckt wird. Deshalb werden wir uns im folgenden bei unserer
Frage nach der Hoffnung ausschließlich an einer entsprechenden Vokabelbasis orientieren. Wir werden dabei bei ἐλπίς und ἐλπίζειν als dem ver-
heißungsvollsten Ansatzpunkt für das Problem "Hoffnung bei Paulus" einsetzen und von da aus nach weiteren Synonymen fragen. Dann gilt es an
sich, den Gesichtspunkten des Gebrauchs dieser Wörter im jeweiligen Kontext überhaupt nachzugehen, und zwar im Zusammenhang der einzelnen
Briefe und der Theologie des Paulus.

Nun ergeben sich durch solch ein Programm jedoch insgesamt zahlreiche
und umfangreiche Problembereiche. Deshalb werden wir uns im folgenden
beschränken. Zuerst werden wir sprachliche Analysen durchführen. Sie
betreffen zunächst das Vokabular in semantischer Hinsicht und in seinem
grammatischen und stilistischen Gebrauch. Dann werden wir literarische
Gesichtspunkte und Formgeschichte in den Blick nehmen, um überhaupt
nach den Sprachformen zu fragen, in denen das Vokabular verwendet
wird. All diese Analysen sind erst einmal nötig, um die paulinische Redeweise von der "Hoffnung" zunächst allgemein zu umgrenzen. Es wird sich
zeigen, daß wir von da aus noch nicht zu den wesentlichen Schaltstellen
der paulinischen Aussagen vorstoßen. Das geschieht erst durch eine speziell theologische Betrachtung. Deshalb werden wir uns dann gezielt theologischen Problemen zuwenden. Und zwar werden dabei vor allem die Objekte,
Aktprobleme und die eschatologische Einbettung der "Hoffnung" behandelt. Durch den Gebrauch des Hoffnungsvokabulars kommen nämlich sowohl ein Akt der Hoffnung als auch Objekte der Hoffnung nicht nur allgemein[1], sondern auch theologisch betrachtet zentral in den Blick. Die Beschränkung nur auf den Akt der Hoffnung erweist sich in der Durchführung der Untersuchung als problematisch. Das zeigen z.B. die Beiträge
von Pott und Terstiege, die bei ihrer Frage nach dem "Hoffen" immer wieder die Objekte mit heranziehen. Diese Beschränkung legt sich aber auch
wegen der Fragen nicht nahe, die Bultmanns Arbeiten für die Forschungsgeschichte aufgeworfen haben. Unter Berücksichtigung der paulinischen
Aussagen und der forschungsgeschichtlichen Situation empfiehlt es sich
nun aber auch nicht, bei der Betrachtung von spes qua speratur, spes
quae speratur und ihres gegenseitigen Verhältnisses stehen zu bleiben.
Vielmehr muß auch noch nach übergeordneten Zusammenhängen gefragt
werden, in die die "Hoffnung" eingelagert ist, zu denen sie in Beziehung
steht. Wenn solche die "Hoffnung" übergreifenden Relationen nämlich nicht
beachtet werden, dann fällt es z.B. schwer, das Verhältnis der "Hoffnung"
der Christen zu der der κτίσις in Röm 8,19 ff genau zu erarbeiten. Bei
diesem Fragenkomplex der übergreifenden Relationen wird nun vor allem
die Eschatologie theologisch wichtig. Deshalb soll schließlich noch der
eschatologischen Einbettung der Aussagen mit ἐλπίς κτλ nachgegangen werden. Sie stellt den wichtigsten übergreifenden Zusammenhang und
Beziehungsbereich der "Hoffnung" bei Paulus dar[2]. Das alles ist Gegen-

stand des Teils "Theologische Untersuchung". Von den exegetischen Ergebnissen aus (vgl. das Fazit über "Hoffnung" bei Paulus) empfehlen sich
dann schließlich noch ein kurzer vergleichender Blick auf die Programme
von "Theologie der Hoffnung" und "Philosophie der Hoffnung", wie sie vor
allem J.Moltmann und E.Bloch ausgearbeitet haben, sowie einige gezielte
Bemerkungen zu Eschatologie und Geschichtsauffassung bei Paulus.

Es dürfte deutlich geworden sein, daß bei all dem die Theologie des Paulus
Gegenstand der Fragestellung ist. Zwar sind at.-religionsgeschichtliche,
traditionsgeschichtliche und formgeschichtliche Zugänge zu den Aussagen
des Paulus wichtig. Auch spielen situationsbezogene, persönliche und
seelsorgerliche Schwerpunkte eine Rolle. Trotzdem meine ich, daß wir
Paulus hier in erster Linie als theologisch denkenden Christen ernst zu
nehmen haben, daß also die Aussagen des Paulus mit ἐλπίς und synonymen
Wörtern zuallererst im Sinn einer Theologie des Paulus anzugehen sind.
Als paulinische Textbasis werden im folgenden nur die als sicher echt an-
zusehenden Paulusbriefe herangezogen, d.h. die paulinischen Homologumena, nämlich Röm, 1 Kor, 2 Kor, Gal, Phil, 1 Thess, Phlm[3]. Sie stammen
"aus der Zeit der Höhe und des Ausgangs der Missionstätigkeit des Apostels"[4], also aus den Jahren ab 50 n.Chr. Die Theologie des Paulus ist
bereits ausgereift.

Schließlich sind noch einige Bemerkungen zur verwendeten Terminologie
zu machen. Zwischen Klassifizierungen wie Vokabel, Wort und Wörtern,
Begriff, Terminus oder Terminologie, Synonymen u.ä. werde ich nicht
streng scheiden, da sich das im Blick auf die Paulusbriefe nicht völlig
durchhalten läßt[5]. Religionsgeschichtlich umstritten gewordene Termini
wie "Spätjudentum"[6] können wegen ihres Gebrauchs in der Literatur nicht
ganz vermieden werden. Ich bemühe mich aber, bei meinen eigenen Aussagen jeweils differenziert von "antikem Judentum", "Frühjudentum" u.ä.
zu sprechen. Vor allem nun werfen die Ausdrücke "Eschatologie" und
"eschatologisch" Fragen auf, und zwar sowohl von den Paulusbriefen
selbst als auch von der Sekundärliteratur her. Hier tut sich ein weites
Problemfeld auf. Die Ausdrücke finden sich zwar bei Paulus nicht[7]. Doch
liegt das Sachproblem bei ihm vor. So möchte ich für den folgenden Gebrauch dieser Ausdrücke, aber zugleich auch schon im Vorblick auf die
Sachverhalte vorausschicken, daß ich diese Termini als Bezeichnung eines
neuen Heilsgeschehens und Heilshandelns Gottes in Antithetik zu Altem,
und zwar durch einen Bruch hindurch[8] und mit dem Ziel und Ergebnis
eines endgültigen Heils, verstehe. Dabei hat sich geschichtlich von den at.
Propheten[9] bis zur jüd. Apokalyptik[10] eine zunehmende Verschärfung bis
zu einem dualistischen non plus ultra ergeben[11], für das dann vor allem
das Gegenüber der beiden Äone charakteristisch ist. Das NT und Paulus
stehen auf diesem Boden, weisen aber zugleich Modifizierungen demgegenüber auf. Das betrifft vor allem eschatologisch-gegenwärtiges Heil[12] und
die konkrete Ausgestaltung der Christologie[13]. Wenn ich im folgenden
von "eschatologisch-zukünftig" im christlichen Sinn rede, meine ich damit
die mit der Wiederkunft Jesu Christi anbrechende "Zeit", die von der je-

weiligen Gegenwart bis dahin abgegrenzt werden muß, wie schon das Gegenüber von πίστις und εἶδος bei Paulus in 2 Kor 5,7 mit seinem Beitrag für "eschatologisch-gegenwärtiges" und "eschatologisch-zukünftiges" Heil zeigt. Nun kann aber das Problem der Eschatologie trotz der sachlichen Breite der in der jüd. Apokalyptik verarbeiteten Gedanken auch bei Paulus nicht allein im Rahmen jüd. Apokalyptik und verwandten eschatologischen Denkens gesehen werden. So ist an Stellen wie Röm 8,24 f; 1 Kor 13,8 ff; 2 Kor 3,7 ff (vgl. 3,1 ff) auch noch ein synkretistischer Einfluß wichtig, der vor allem hellenistische Aspekte einbringt. Dabei kann auch dafür eine Bezeichnung "eschatologisch" nicht fallengelassen werden, schon insofern es im antiken Judentum und trotz aller Umprägung auch bei Paulus im Rahmen des frühen Christentums in nicht mehr völlig lösbarer Verbindung mit apokalyptischem und verwandtem genuin eschatologischem Denken vorliegt, so daß in gewisser Weise bereits eine selbständige Größe entstanden ist[14]. Überhaupt sind in diesem Zusammenhang das Weltbild, die Geschichtsauffassung sowie das Raum- und Zeitverständnis all dieser antiken Bereiche ein weiterhin insgesamt noch offenes Problem, zu dem auch die vorliegende Arbeit einen Beitrag leisten soll.

3. SPRACHLICHE GRUNDLEGUNG

3.1. Das Vokabular (ἐλπίζειν und ἐλπίς, ἀναμένειν, ἐκδέχεσθαι und ἀπεκδέχεσθαι, ἀποκαραδοκία und ihr Zusammenhang als Synonyme)

Der verheißungsvollste Einstieg zum paulinischen Problem "Hoffnung" liegt bei ἐλπίς und ἐλπίζειν. Paulus verwendet das Verb in Röm 8,24[1].25; 15,12.24; 1 Kor 13,7; 15,19; 16,7; 2 Kor 1,10.13; 5,11; 8,5; 13,6; Phil 2,19.23; Phlm 22 (d.h. 15 mal); das Substantiv in Röm 4,18 (2 mal); 5,2.4.5; 8,20.24 (3 mal); 12,12; 15,4.13 (2 mal); 1 Kor 9,10 (2 mal)[2]; 13,13; 2 Kor 1,7; 3,12; 10,15; Gal 5,5; Phil 1,20; 1 Thess 1,3; 2,19; 4,13; 5,8 (d.h. 25 mal). Andere Ableitungen von diesem Wortstamm bringt er nicht.

Betrachtet man Etymologie[3] und Wortbildung[4] dieser beiden Vokabeln, so erweist sich das nur begrenzt als auswertbar[5]. Immerhin kommen aber bis zurück zur Wurzel ein intentionales, speziell voluntatives, emotionales und in Ansätzen intellektuelles oder vielleicht auch rationales Moment in den Blick.

Als Bedeutungen werden in der Regel "Erwartung, Hoffnung, Meinung, Furcht" angegeben[6]. Allerdings könnte als Grundbedeutung für die ältesten Stellen (vgl. ἔλπεσθαι) "meinen" oder besser noch "schätzen" im Sinn induktiven Denkens erwogen werden[7]. Auf jeden Fall läßt sich zumindest seit der Zeit Platons[8] oder unmittelbar danach[9], seit den Anfängen des Hellenismus ein besonderes Gewicht oder sogar Übergewicht für die Bedeutung "Hoffnung" in der Gräzität erkennen. In der Zeit des Hellenis-

mus wird das dann offensichtlich immer stärker[10]. Das gilt auch, je näher
wir dem NT kommen[11]. Es wird die Tendenz deutlich, daß wir in der Umwelt des Paulus (vgl. 1. den hellenistisch-römischen Bereich als engere
oder weitere Umwelt des NT[12], 2. das antike Judentum mit der LXX inklusive ihrer Apokryphen[13], mit den at. Pseudepigraphen und weiteren Quellen[14], mit den Schriftstellerpersönlichkeiten Philo von Alexandrien[15] und
Flavius Josephus[16], 3. das beginnende Christentum mit den apostolischen
Vätern[17], den frühchristlichen Apologeten[18] und dem Rest des NT außerhalb der Paulusbriefe[19]) bei unseren beiden Vokabeln[20] offensichtlich auf
ein Übergewicht oder zumindest ein besonderes Gewicht des positiven
Sinns "hoffen" i.U. zu "meinen, fürchten, erwarten" stoßen. Dabei zeigt
sich eine Zukunftseinstellung, die im Sinn von Wollen und Wünschen auf
einen angenehmen und mehr oder weniger gut für möglich gehaltenen Gegenstand ausgerichtet ist. Im Substantiv kommt zudem das Objekt u.U.
ausdrücklich ein. Doch können sich im Rahmen der jeweiligen Denkvoraussetzungen oder Zusammenhänge im einzelnen verschiedene Ausprägungen
ergeben, so daß etwa der subjektive Entwurf des Hoffenden oder die Bestimmung des Hoffens durch das Erhoffte besonders hervortreten. Auch
kann man sich öfter darüber streiten, ob an einzelnen Stellen nicht auch
durch "erwarten" und "Erwartung" mit einer u.U. mehr oder weniger starken oder verblaßten rationalen, neutralen und wahrscheinlichkeitsbestimm-
ten Zukunftseinstellung gedeutet werden sollte. Dabei sind die jeweiligen
Denkvoraussetzungen wichtig. Vor allem ist das Glücks- und Heilsverständ-
nis semantisch von Belang. Denn darauf führe ich das besondere Gewicht
des Sinns "Hoffnung" zurück. Dabei halte ich es für unwahrscheinlich,
daß das griechisch sprechende frühe Christentum etwa nur an einen at.
Hoffnungsbegriff[21] und nicht auch allgemeiner an das Hervortreten der positiven Bedeutung "Hoffnung" in der Geschichte der Gräzität angeknüpft
hätte[22].

In den Paulusbriefen legt sich für ἐλπίζειν an 13 Stellen als bester Sinn
"hoffen" oder "erhoffen" nahe. Bei Reisefragen treten deutlich ein Wünschen, Wollen, Planen, Vorstellen sowie ein Zutrauen in Richtung auf die
Zukunft, aber zugleich auch eine Berücksichtigung der Offenheit der Ereignisse trotz des eigenen Handelns hervor. Hier stoßen wir klar auf den
Sinn "hoffen", wie er in der Gräzität ausgebildet worden ist (vgl. Röm 15,
24; 16,7; Phil 2,19.23; Phlm 22, z.T. mit den parallelen Wendungen
ἐπιποθίαν ἔχειν, θέλειν, πεποιθέναι). Ähnliches finden wir bei Aussagen über persönliche Beziehungen (vgl. 2 Kor 1,13; 13,6). Theologische
Zusätze wie in 1 Kor 16,7; Phil 2,19 bringen besondere Nuancierungen
von Zuversicht, Zutrauen, Zurückhaltung und Korrekturbereitschaft[23].
Überhaupt werden rezeptive Aspekte bei aller Intention deutlich. Gerade
Zutrauen und Zuversicht spielen dann erst recht in speziell theologischen
Aussagen eine wichtige Rolle (vgl. Röm 15,12; 2 Kor 1,10). Das Gegenüber
zu βλέπειν in Röm 8,24c.25a weist auf abstrakt-übertragene Gesichtspunkte.
In 1 Kor 15,19 und Phil 2,19 wird deutlich, daß es ein falsches verkürztes
und ein richtiges volles ἐλπίζειν für Paulus gibt, wobei die Art der Objekt-

beziehung offensichtlich wichtig ist. So erweist sich in ἐλπίζειν als
"hoffen" eine Intention in voluntativ-emotionaler Ausrichtung (vgl.
Vorstellen, Wollen, Wünschen) als leitend. In sie können die einzelnen
Differenzierungen des Sinns eingeordnet werden.

Dagegen ist in 2 Kor 5,11 eine Abbiegung des Begriffs "hoffen" nach dem
von "meinen" vermutet worden[24]. Doch ist m.E. auch hier statt "meinen"
oder "erwarten" der Sinn "hoffen" vorzuziehen, und zwar unter Berücksichtigung der persönlichen Spannungen zwischen Paulus und den Korinthern sowie der Kommunikationsdistanz von Korinth zu Paulus[25]. Dagegen können in 2 Kor 8,5 sogar die Bedeutungen "meinen", "erwarten",
"hoffen" und "fürchten" erwogen werden. Eine Entscheidung ist schwierig. Am glattesten ist aber der Sinn: "Der Ertrag war höher als erwartet." Das ist zudem angesichts der Wortgeschichte "das kleinere Übel"[26].
So ist das die einzige Stelle, die beim Verb ausschert und zugleich eine
größere semantische Breite andeutet.

Auch bei ἐλπίς legt sich an den meisten Stellen wieder als bester Sinn
"Hoffnung" oder nun auch noch "Hoffnungsgut" nahe. Nur Röm 4,18
(1 mal); 1 Kor 9,10 (2 mal); 2 Kor 1,7 sind nicht dazuzuzählen.

In Röm 4,18 ist die beste Interpretation die, die dem ersten ἐλπίς die Bedeutung "Erwartung" und dem zweiten die Bedeutung "Hoffnung" zuschreibt. Für das zweite ergibt sich das aufgrund der positiven Beziehung
zum πιστεύειν und von da aus zur göttlichen Nachkommenverheißung.
Wegen der Formulierung ist nun das erste ἐλπίς antithetisch zum zweiten
gemeint. Es bezieht sich so auf das Fehlen biologischer Möglichkeiten der
Fortpflanzung bei Abraham und seiner Frau Sara (vgl. V.19). Deshalb
ist die Bedeutung "Erwartung" angebracht, da Abraham aufgrund der gegebenen Möglichkeiten für die Zukunft weiterfolgert[27]. Diese "Erwartung"
hat Abraham niedergehalten, wie aus der Formulierung des Paulus zu
schließen ist, so daß nun die vorliegende scharfe Antithese entstanden
ist. Man könnte zwar für das erste ἐλπίς auch noch die Bedeutung "Be-
fürchtung" erwägen, so daß sie psychologisch pointiert der "Hoffnung"
gegenübertreten würde[28]. Da nun die Antithese "Furcht und Hoffnung"
bei Paulus sonst nicht hervortritt und wohl auch eine andere Wortwahl er-
fordern würde, erscheint auch von hier aus "Erwartung" als bester Sinn.
Außerdem ist die Wendung παρ᾽ἐλπίδα in diesem Verständnis in der antiken Gräzität beliebt[29] und eine Bedeutungsspaltung in ἐλπίς nicht erst
bei Paulus zu beobachten[30]. Allerdings entwickelt nach meinem Einblick
in die Quellen erst Paulus eine solch scharfe Gegenüberstellung durch
dieses Oxymoron in Röm 4,18, wohl nicht zuletzt auf dem Boden seiner
Eschatologie und des Gottesverhältnisses (vgl. V.17)[31].

In 1 Kor 9,10 können die zwei ἐλπίς durch "Erwartung" (vgl. den Anspruch des Lohnes aufgrund eines Arbeitsverhältnisses) oder "Hoffnung"
(vgl. Mißernten u.ä. in der Landwirtschaft und ein entsprechendes sub-
jektiv-emotionales Moment) gedeutet werden. Doch ist im ganzen Zusammenhang ab V.6 der Sinn "Erwartung" vorzuziehen[32].

In 2 Kor 1,7 ist eine eindeutige Entscheidung zwischen "Hoffnung" und "Erwartung" noch schwieriger. Das liegt nicht zuletzt an der elliptischen Konstruktion. Wenn man den Gegenstand von ἐλπίς in dem anschließenden οὕτως-Satz enthalten sieht, so ergibt sich eine Nähe zum Wissen und von daher vielleicht eher die Bedeutung "Erwartung". Diese Beziehung halte ich im Kontext an sich für die beste Lösung. Sonst kann nur allgemeiner eine "feste" bzw. "gewisse" ἐλπίς des Paulus für die Korinther gemeint sein, mag man nun an ihr eschatologisches Heil oder ihr weiteres irdisches Leben denken. Andererseits deuten die persönlichen Verhältnisse und vor allem das βεβαία auf "Hoffnung". Deshalb möchte ich dem letzteren Sinn doch schließlich den Vorzug geben[33] und im ganzen V.7 mit einer sprunghaften Gedankenbewegung rechnen[34], die zugleich eine sachliche Beziehung der ἐλπίς auf den οὕτως-Satz durchaus zuläßt. Schließlich mag diese Stelle auf dem Hintergrund eines sprachlichen Gefälles in der Gräzität und bei Paulus verstärkt in Richtung "Hoffnung" gedeutet werden[35]. Das ändert aber nichts daran, daß unser Substantiv in den Paulusbriefen auch die Bedeutung "Erwartung" besitzt, und zwar sogar ganz pointiert.

Schauen wir nun noch etwas auf die Stellen mit der Bedeutung "Hoffnung". Indem im Substantiv der Gegenstand selbst mitenthalten sein kann, läßt sich bei Paulus aber noch eine Weiterentwicklung in dieser Richtung beobachten, bei der ein Sinn "Hoffnungsgut" wichtig wird. Das ist in Gal 5,5 trotz anderer Auffassungen[36] die beste Lösung. Schon der Akkusativ des Inhalts zum besonderen Ausdruck der eschatologischen Zukünftigkeit der δικαιοσύνη[37] und der apokalyptische Horizont[38] sprechen dafür. Unverfügbarkeit und Offenheit angesichts des noch ausstehenden Endgerichts werden auf diese Weise deutlich[39].

Dagegen ist in Röm 8,24b nicht direkt durch "Hoffnungsgut" zu interpretieren[40], und zwar wegen V.24 f als ganzem (vgl. V.20 f). In V.24a ist das Substantiv vor allem als Akt der "Hoffnung" zu sehen, wenn man der solchermaßen glattesten Interpretation "zur Hoffnung hin wurden wir gerettet" folgt[41]. Dadurch kommt für diese "Hoffnung" zugleich eine stärkere Zuversicht ein, als das bei der in gewisser Weise parallelen "Hoffnung" der "Schöpfung" in V.20 f der Fall sein kann. Die Verben in V.24c.25 beschreiben deutlich den Vorgang und geben das Objekt extra an. Aus solchen Gründen ist in dem Definitionsansatz V.24b das zweite ἐλπίς sicher nicht nur als "Hoffnungsgut" anzusehen und deshalb ebenfalls nicht das erste[42]. Doch liegt bei dem ersten ἐλπίς wegen des als Passiv zu verstehenden βλεπομένη sicher eine Objektivation vor[43]. Die Schwierigkeiten ergeben sich nicht zuletzt daraus, daß mit demselben Begriff definiert wird, also definiendum und definiens dieselbe Vokabel darstellen, und zwar genauer A' ≠ A definiert wird. Trotz eines eschatologisch-dualistischen Horizontes bedeutet das semantische aber keine volle Antithese, sondern eine Differenzierung für ἐλπίς. Es zeigt sich, daß Paulus hier nicht streng logisch vorgeht und auch nicht grundsätzlich zwischen dem "Hoffen" und "Erhofften" zu unterscheiden scheint. Da so das erste ἐλπίς in V.24b hauptsächlich in die Richtung des "Erhofften" (vgl. βλεπομένη) und das zweite sicher auch besonders in die des "Hoffens" (vgl. die Verben in V.24c.25) geht, ist in V.24b i.U. zu V.24a.c.25 eine Schwebelage beachtlich. Das Gegenüber zum Sehen weist auf eine Unverfügbarkeit hin, da das "Erhoffte" nicht überschaubar vorliegt. Die Zukunftsperspektive wird hier aber weniger durch dieses Gegenüber als durch den Zusammenhang, durch ἐλπίς κτλ selbst oder auch durch den übergeordneten Rahmen der Theologie des Paulus (vgl. 2 Kor 4,18) eingebracht. Es ergibt sich für die "Hoffnung" deutlich eine abstrakt-übertragene Zuspitzung, also zumindest keine sinnfällige Orientierung, wie sie das Sehen ausdrückt[44].

Im Blick auf die ἐλπίς speziell von Christen möchte ich noch den Sinn "Hoffnung haben" mit einem entsprechend vorgegebenen Horizont und rezeptiven Momenten hervorheben (vgl. z.B. 2 Kor 3,12; 1 Thess 4,13[45]). Zutrauen und Zuversicht sind in dieser ἐλπίς charakteristisch (vgl. z.B. Röm 5,2.4 f). Daß im Zusammenhang von Intention und Emotion ein Wünschen wichtig ist, zeigt die ἐλπίς des Paulus in Phil 1,20. Allerdings lassen sich bei ἐλπίς als Zukunftseinstellung der Christen bei einem absoluten Gebrauch vielfach keine semantischen Feinheiten an den einzelnen Stellen mehr erheben. Denn Paulus verwendet das Substantiv dann unter der Voraussetzung eines Einverständnisses der Empfänger bei der Assoziation. Das geschieht auf der Grundlage eines allgemein griechischen und speziell christlichen Sprachgebrauchs, und zwar in der Bedeutung "Hoffnung" (vgl. z.B. Röm 5,4.5; 12,12; 15,4 oder die Trias-Kombination in 1 Kor 13,13).

So zeigt sich uns bei Paulus für ἐλπίζειν und ἐλπίς als "hoffen" und "Hoffnung" eine intentional-emotionale, nicht über das Kommende verfügende Zukunftseinstellung im Sinn von Wollen, Wünschen u.ä. Sie ist generell abstrakt-übertragen. Mitgegeben, aber nicht in demselben Maße betont sind zugleich intellektuell eine Vorstellung und emotional ein Zutrauen. All das liegt in den Aussagen als Konstante oder als wesentlich vor. Ich finde es nämlich nirgendwo deutlich beseitigt[46]. Im jeweiligen Zusammenhang und vor allem in der jeweiligen Objektbeziehung zeigen sich nun Differenzierungen, gleichsam als variabel oder akzidentiell im Verhältnis dazu. Dabei treten wegen der großen Zahl der theologisch-eschatologischen Aussagen Zutrauen und Zuversicht hervor, z.T. verstärkt, und zwar auf dem Boden eschatologisch angebrochenen Heils und in rezeptiv-offener Ausrichtung auf das Kommende, auf das noch ausstehende und als Horizont vorgegebene, christlich ermöglichte eschatologisch-zukünftige Heil.

Bei den Bedeutungen "erwarten" und "Erwartung" ist nun in der Grundstruktur statt der Emotion die Ratio wichtig geworden, so daß ein Kalkül und ein Folgern gegenüber einem Wünschen oder auch einem Zutrauen und einer Zuversicht hervortreten. Sonst ist aber eine abstrakt-übertragene Zukunftseinstellung als wesentlich bestehen geblieben[47].

Insgesamt gesehen ist das starke Übergewicht des Sinns "hoffen" und
"Hoffnung" bei Verb und Substantiv hervorzuheben[48]. Dennoch schimmert ein breiterer griechischer Sprachgebrauch bei beidem noch durch.
Verb und Substantiv sind abgesehen von der möglichen mehr oder weniger starken Beschreibung auch des Gegenstandes durch das Substantiv
kaum semantisch besonders voneinander zu unterscheiden. Lediglich der
häufigere mehr profane Gebrauch des Verbs könnte einen derartigen Eindruck erwecken. Schwer fällt es, in den Paulusbriefen ausschließlich semantisch eine christliche und eine nichtchristliche ἐλπίς wesentlich und
markant abzugrenzen oder gar beides einander entgegenzusetzen. Doch
ist es immerhin so, daß ἐλπίζειν und ἐλπίς auf das eigene Heil bezogen stets "hoffen" und "Hoffnung" bedeuten. - Nun zeigt das Miteinander
unserer beiden Vokabeln mit solchen in semantisch offensichtlich gleicher
Grundrichtung, wie z.B. in Röm 8,24 f; Phil 1,20, daß noch sinnverwandte Wörter thematisch werden. Dabei sind primär Synonyme wichtig. Ihrer
Ausgrenzung dient zunächst eine Orientierung an den gerade für ἐλπίζειν
und ἐλπίς angegebenen Strukturen. Sie läßt in den Paulusbriefen die Vokabeln ἀναμένειν, ἐκδέχεσθαι, ἀπεκδέχεσθαι und ἀποκαραδοκία
hervortreten[49]. Blicken wir zunächst auf ἀνα - μένειν , ein nt. hapax
legomenon in 1 Thess 1,10[50]. Sowohl das Simplex μένειν[51] als auch das
Kompositum ἀνα-μένειν[52] erhalten schon bei Homer den Sinn "warten,
harren, erwarten"[53] bzw. "abwarten, erharren, erwarten"[54]. Allerdings
wird bei Paulus i.U. zum NT sonst das Simplex nicht in der Bedeutung
"warten, erwarten" verwendet[55]. So ist bei Paulus eine Konzentration auf
unser Kompositum zu beobachten. In diesem Zusammenhang ist auch zu bedenken, daß in den Paulusbriefen ὑπομονή, und zwar vielleicht i.U. zum
NT sonst, nicht als Synonym von ἐλπίς anzusehen ist[56]. Mag ἀναμένειν
in der späteren Gräzität nicht so gebräuchlich gewesen sein[57], so wird es
doch mehr oder weniger oft im antiken Judentum[58] und beginnenden Christentum[59] verwendet, dabei u.a. als Synonym von ἐλπίζειν[60].

Der Gebrauch ist in 1 Thess 1,10 wegen des direkten Akkusativobjektes
transitiv. Im Kontext und in der Komposition[61] wird eine Intention[62], vielleicht mit einer lokalen Färbung, deutlich, ebenfalls eine Zielorientierung.
Zeitlich könnte die Vorsilbe als "wieder, zurück" im Sinn der Wiederkunft
ausgedeutet werden. Das weist auf eine Umkehrung hin, die sich auch in
dem für dieses Verb charakteristischen durativen Moment auswirkt. In diesem Rahmen schwingt auch eine schwache sinnfällige Nuance vielleicht noch
mit. Da es sich um den Zusammenhang des Missionskerygmas handelt[63],
spielt auch der Intellekt eine gewisse Rolle. Zugleich kommen Intensität und
Emotion ein (vgl. Sehnsucht, Zutrauen), wenn an die Wiederkunft und Rettung vor der zukünftigen ὀργή gedacht wird. So ergibt sich als bester Sinn
"harren auf" bzw. "warten auf" oder unter Absehung von einer rationalen
Zuspitzung vielleicht auch noch "erwarten".

Die nächsten beiden Wörter gehen auf das Simplex δέχεσθαι[64] zurück,
das "annehmen, aufnehmen" als Grundbedeutung erhält[65]. Die Grundbedeutung[66] hat nun eine große Ausfächerung erfahren, zu der auch ein

Gebrauch im Sinn unserer Synonyme gehört, nämlich als "erwarten"[67].
Das findet sich schon bei Homer, ist aber im NT nicht vorhanden und mir
in dessen näherem Umkreis nicht bekannt[68]. So ist das Simplex in den
Paulusbriefen nicht in dieser Richtung auswertbar. Aus der großen Zahl
der von δέχεσθαι in der Gräzität abgeleiteten Komposita kommen für uns
in den Paulusbriefen i.U. zum NT als ganzem[69] nur unsere beiden Komposita in Frage.

Das einfache Kompositum ἐκ - δέχεσθαι wird nur in 1 Kor 11,33; 16,11
verwendet, und zwar recht blaß, indem lediglich "warten auf" oder "erwarten" mit Personenobjekten gemeint ist. Deshalb erscheint es nicht
fruchtbar, das Präfix ἐκ-[70] in der Komposition[71] auswerten zu wollen.
Es wird aber an beiden Stellen immerhin eine Perfektivierung als Andauern des Verhaltens bis zum Ziel deutlich. Aus dem Simplex schwingt das
"Aufnehmen" durchaus noch mit, da es um Personen geht[72]. Doch sollte
schon angesichts der Wortgeschichte ein abgeschliffener Gebrauch bedacht werden. Der Blick auf die Wortgeschichte zeigt nämlich, daß das
Kompositum wie das Simplex schon bei Homer belegt ist[73]. Wenn es auch
im Sinn von "warten (auf), erwarten" dann erst im 5.Jh. v.Chr. vorkommt[74], so ist diese Bedeutung im Verhältnis zu den Paulusbriefen aber
ebenfalls schon recht alt. Allerdings wird es in der LXX nicht als Synonym
von ἐλπίζειν gebraucht[75]. Dagegen wird es durchgehend bzw. u.a. so
oder nur semantisch nahe (vgl. "abwarten") im antiken Judentum verwendet[76], stets in diesem Synonymsinn im NT sonst[77], bei den apostolischen
Vätern[78] und teils so bei den frühchristlichen Apologeten[79]. Hier folgt
Paulus offensichtlich einer semantischen Verdichtung seiner engeren Umwelt, und zwar ohne daß die LXX dabei wichtig gewesen ist.

Die Doppelpräfixbildung ἀπ - εκ - δέχεσθαι ist in der Profangräzität
selten[80]. Vor Paulus finde ich sie nur bei Hipparchos (2.Jh. v.Chr.)[81].
Dort besitzt sie den Sinn "einen Schluß ziehen" und speziell abwertend
"einen irrtümlichen Schluß ziehen"[82]. Paulus ist der erste, bei dem die
Vokabel als Synonym von ἐλπίζειν belegt ist[83]. In der anschließenden
Zeit schwanken die Bedeutungen in der Profangräzität und im Christentum außerhalb des NT zwischen dem alten hermeneutisch-intellektuellen
Sinn und dem anderen seit Paulus belegten[84]. Über die gängigen Angaben hinaus muß aus dem engeren Umkreis des Paulus noch auf TestAbr
A 16 hingewiesen werden[85]. Im NT selbst findet sich das Wort vor allem
bei Paulus selbst (Röm 8,19.23.25; 1 Kor 1,7; Gal 5,5; Phil 3,20) und
sonst noch zweimal (Hebr 9,28; 1 Petr 3,20)[86]. Bei Paulus rückt es dadurch quantitativ auf den dritten Platz. All diese Stellen im NT und im
TestAbr weisen die durch Paulus zuerst belegte Sinnrichtung auf, so daß
gefragt werden darf, ob nicht in Hebr 9,28 und 1 Petr 3,20 paulinischer
Einfluß vorliegt und in TestAbr derartiger christlicher Sprachgebrauch
eingewirkt hat. So werden wir bei ἀπεκδέχεσθαι vor allem auf den jeweiligen Sachverhalt in den Paulusbriefen selbst verwiesen. Es kommt in
der Komposition nun der Bestandteil ἀπο hinzu[87]. Überhaupt ist zu berücksichtigen, daß wir hier auf zwei Präfixe stoßen, die beide ein Ausge-

hen und eine Entfernung beschreiben, und derartige Doppelkomposita in der hellenistischen Zeit beliebt waren[88].

Es zeigt sich nun bei Paulus gegenüber dem blassen ἐκδέχεσθαι ein präziserer und theologisch wichtigerer Gebrauch, da stets eine ausgeprägte Ausrichtung auf die eschatologische Zukunft vorliegt[89]. Weil beide Wörter durchweg im Synonymbereich von ἐλπίζειν verwendet werden, kann man fragen, ob unser Doppelkompositum dabei nicht auf dem einfachen aufbaut und es intensiviert[90]. Gleichwohl gewinnt man den Eindruck, daß die Stellen bei Paulus mit einer Grundbedeutung "intensiv aus der Zukunft empfangen bzw. annehmen" zunächst semantisch durchaus angemessen angesteuert werden können, wenn zugleich das Hervortreten einer Intention berücksichtigt wird[91]. So scheint Paulus von einem formal-neutralen und allgemeinen Sinn auszugehen, wenn er das Verb stets positiv auf die Zukunft bezieht. Dabei ruft die Einbettung in den Kontext die einzelnen Bedeutungsnuancen hervor, so daß unser Verb überhaupt als sehr kontextabhängig erscheint[92]. Auf diese Weise treten im einzelnen hervor: eine intentionale und emotionale Orientierung im Sinn eines sehnsüchtigen Auf-aus-Seins (vgl. Röm 8,19; Phil 3,20; auch Röm 8,23), ein Zutrauen und eine Zuversicht (vgl. Röm 8,23; Gal 5,5; ferner 1 Kor 1,7; Phil 3,20), ein duratives Moment in Richtung zu Geduld und Ausdauer (vgl. Röm 8,25), ein terminus technicus-Charakter im Sinn einer normalen, aber durchaus auch intensiven christlichen Zukunftseinstellung (vgl. 1 Kor 1,7; ferner Gal 5,5; Phil 3,20), eine Verstärkung des Verbalbegriffs oder des Verhaltens selbst (vgl. Gal 5,5; Phil 3,20). Generell sind eine zielorientierte Intention, ein rezeptives und intensives, aber auch duratives und natürlich zeitliches Moment vorhanden. Das entspricht der Komposition[93], der einheitlichen Verwendung als Synonym von ἐλπίζειν und den zentralen Kontextbeziehungen. Für lokale, emotionale und sinnfällige[94] Aspekte, für Zutrauen und Zuversicht gilt das nicht unbedingt in demselben Maß. Ein Vorstellen ist überall vorhanden, jedoch nicht in derselben Ausgestaltung wie bei dem anderen, schon vorpaulinischen Bedeutungsstrang[95]. Obwohl auf diese Weise ἀπεκδέχεσθαι als Doppelkompositum für eine relativ breite Sinnskala offen ist[96], kann ich in den Paulusbriefen aber keine negative oder beschränkende Funktion von ἀπο- feststellen. Bei all dem ist im Rahmen einer Häufung wie in Röm 8,19 ff und Gal 5,5 neben der Intensivierung zugleich auch ein gewisser abgeschliffener Charakter des Sinns zu bedenken[97].

Schwierig zu entscheiden ist nun, ob diese Sinnausprägung der Paulusbriefe zuerst von Paulus gebildet worden ist, da er der erste Beleg dafür ist. Versucht man ein Gesamturteil, so ist zu sagen, daß Paulus das Verb wohl nicht als erster im 1 Kor synonym zu ἐλπίζειν geprägt und wahrscheinlich in dieser Bedeutung auch vorher nicht selbst aufgebracht hat. Eher hat er es, und zwar im Synonymsinn zu ἐλπίζειν, aus der Umgangssprache aufgegriffen, mag das nun die allgemein griechische oder die schon speziell christliche gewesen sein. Dabei hat er es dann deshalb in seinen Sprachgebrauch aufgenommen und in der relativ großen Häufigkeit in seinen Briefen verwendet, weil er es für einen treffenden Ausdruck der

christlichen Einstellung auf die eschatologische Zukunft hielt, zumal es
als gehobener Sprachgebrauch der hellenistischen Koine auch stilistisch
eine besondere Gewichtigkeit hervorrief.

Das Substantiv ἀπο - καρα - δοκία ist erst seit den Paulusbriefen belegt, nämlich seit Röm 8,19 und Phil 1,20[98]. Die kürzere Form καραδοκία
wird zuerst nur als schlechter bezeugte v.l. in Phil 1,20 (u.a. G) und
dann bei Aquila (2. Jh. n.Chr.)[99] überliefert. Dagegen sind die entsprechenden Verbalbildungen schon älter bezeugt, und zwar nun in zeitlicher
Reihenfolge entsprechend dem Wachsen der Komposition als καραδοκεῖν
seit Euripides und Herodot (also seit dem 5.Jh. v.Chr., mithin klassisch)
und als ἀποκαραδοκεῖν seit Polybios (2.Jh. v.Chr., mithin hellenistisch)[100]. In der engeren Umwelt des Paulus sind im Judentum καραδοκεῖν
bei Philo[101], καραδοκεῖν und ἀποκαραδοκεῖν bei Flavius Josephus[102],
καραδοκεῖν, καραδοκία und ἀποκαραδοκεῖν bei Aquila[103] zu finden.
Dagegen scheint das beginnende Christentum hier zunächst zurückzutreten[104]. Schließlich ist noch auf διακαραδοκεῖν seit Diphilus Comicus
(4./3.Jh. v.Chr.)[105] hinzuweisen.

Die Bedeutungsangaben in den Wörterbüchern spiegeln dabei eine recht
breite Sinnskala wider[106]. Es liegt nicht nur eine genuine Zukunftseinstellung vor. Aber auch im Blick auf eine Zukunftseinstellung kann semantisch so differenziert werden, daß teils gar nicht direkt im Sinn von Synonymen von ἐλπίς gedeutet wird. Oft kann über die genaue Interpretation
gestritten werden, was an der Wortkomposition und den Kontextbeziehungen liegt. So ist für die Vorsilbe ἀπο- wichtig, daß sie neben einer inten-
sivierenden Funktion (vgl. "eifrig, sehnlich u.ä.") auch eine negative
Richtung (vgl. "ängstlich") oder gar einen ganz negativen Sinn (vgl.
"Verzweiflung") bewirken kann.

Bei dem Blick auf die Einzelbestandteile fällt es schwer, aus καρα[107] und
δοκ-[108] semantisch sinnvoll eine Zusammensetzung zu gewinnen, da in
diesem Zusammenhang καρα selbst konkret bleibt und δοκ- vor allem in-
tentional-abstrakt geworden ist[109]. Denn einerseits ergibt "den Kopf annehmen bzw. aufnehmen" keinen rechten Sinn. Andererseits kann bei einer intentionalen Auffassung καρα nicht mehr ein Akkusativobjekt darstellen, sondern nur einen Dativ, und zwar vor allem instrumentell oder
modal[110]. Das ergibt als Bedeutung des ganzen Ausdrucks etwa "mit (vorgestrecktem) Kopf aufpassen"[111]. Doch ist solches umstritten geblieben[112].
Nun ist eine unbelegte Form *καραδόκος postuliert worden, und zwar als
verbales Rektionskompositum, bei dem das zweite Glied das erste regiert.
Als Bedeutung wird dafür "den Kopf vorstreckend" angenommen[113]. Dabei
ist "vorstreckend" für den Bestandteil -δοκ- in Verbindung mit καρα-
aber schon recht frei interpretiert, wie der Vergleich mit den oben dargestellten Bedeutungsmöglichkeiten des Stammes dek- zeigt[114]. Von da aus
müßte dann die Entwicklung zu καραδοκέω und ἀποκαραδοκέω weitergé-
gangen sein. Eine iterative Funktion von Verbalbildungen auf -έω oder ihre
Beschreibung des Sachverhalts "das sein, was das Grundwort bezeichnet"
sind für unseren Fall wohl weniger wichtig[115]. Von dieser verbalen Stufe

aus, vielleicht aber auch direkt schon von einem unbelegten *καραδόκος
o.ä. aus hat schließlich der Weg weiter zu καραδοκία und ἀποκαραδοκία
geführt, und zwar wohl nach Analogieverhältnissen. Die Endung -ία[116]
kann kennzeichnend für Abstrakta und speziell für Verbalabstrakta als
nomina actionis und nomina acti sein[117], was sich für die Deutung von
ἀποκαραδοκία und καραδοκία anbietet. Genaueres ist für unseren Fall
aber nur durch den Blick auf den Sachverhalt in den Paulusbriefen selbst
zu erheben. Ähnliches gilt für die Funktion der Vorsilbe ἀπο-[118]. Will
man den Weg nicht über ein postuliertes *καραδόκος sehen[119], so muß
die Entstehung der Kompositionen καραδοκ- und ἀποκαραδοκ- pauscha-
ler in dem rezeptiven und intentionalen, plastischen, konkreten und übertragenen Mischbereich der Bildungen mit δοκ- unter Aufnahme von καρα
und dann von ἀπο- vermutet werden[120]. Semantisch ist eine Entwicklung
"den Kopf vorstrecken" zu "mit vorgestrecktem Kopf hinsehen" und von
da aus dann zur zeitlichen Bedeutung "mit vorgestrecktem Kopf erwarten"
und zu mehr übertragenem Sinn "sehnlich, eifrig erwarten" durchaus annehmbar.

An beiden Stellen bei Paulus kann an sich parallel zum Sachverhalt bei
ἀπεκδέχεσθαι wieder von einer Grundbedeutung, nämlich "das Haupt
vorstrecken", ausgegangen werden, sofern die Probleme der Komposition
und die Entwicklung oder Tendenz zu einem abstrakt-übertragenen Gebrauch berücksichtigt werden, bei dem die zeitliche Zuspitzung auf die
Zukunft wesentlich ist. Denn bei Paulus liegt sowohl in Röm 8,19 als auch
in Phil 1,20 eine konstitutive Zukunftseinstellung vor, die durchweg positiv orientiert und synonym zu ἐλπίς ist. Anders als in dem paulinischen
ἐλπίς treten in ἀποκαραδοκία an beiden Stellen die Objekte selbst aber
nicht in einem besonderen Maße hervor. Das Verhalten überwiegt nämlich.
Deshalb ist von den Funktionen der Endung -ία vor allem die der actio
zu berücksichtigen[121]. Ein abstrakter Aspekt ist wahrscheinlich aber
nicht ausschließlich vorhanden (vgl. Röm 8,19). Bei den Wirkungen des
Präfixes ἀπο- lassen sich solche wie "unbestimmt", "ängstlich" und "ungewiß" in den Paulusbriefen nicht beobachten[122]. Dagegen sind intentionale und zugleich rezeptive Gesichtspunkte durchgehend leitend. Ähnliches
gilt für eine Intensität[123]. Eine Kontextabhängigkeit unseres Substantives
ist ganz deutlich. Als Bedeutung empfiehlt sich in Röm 8,19 "(mit vorgestrecktem Haupt) sehnsüchtiges, gespanntes Harren bzw. Erwarten". In
Phil 1,20 legt sich eine Wiedergabe "gespannte, eifrige Erwartung" nahe,
und·zwar neben dem intentional-emotionalen ἐλπίς (vgl. Wollen und Wünschen) vielleicht mit einem rationalen Einschlag[124].

Wie bei ἀπεκδέχεσθαι ist es ebenfalls bei ἀποκαραδοκία wieder schwierig zu entscheiden, inwieweit Paulus wortschöpferisch tätig gewesen ist.
Derartiges könnte an sich noch eher als bei ἀπεκδέχεσθαι der Fall gewesen sein. Denn die Paulusbriefe sind überhaupt der erste Beleg für
ἀποκαραδοκία. Es kommt hinzu, daß in den Paulusbriefen noch analoge
Wortbildungsverhältnisse zu bedenken sind[125]. Insgesamt gesehen vermutet man hier aber wie schon bei ἀπεκδέχεσθαι am besten, daß Paulus

ἀποκαραδοκία wahrscheinlich aus der Umgangssprache übernommen hat, und zwar besonders aus der hellenistisch geprägten[126], mag es eventuell auch schon die christliche gewesen sein. Wie ἀπεκδέχεσθαι hat er das Substantiv dann voll in sein Denken und seinen Sprachgebrauch eingebaut[127]. Allerdings verwendet Paulus es weniger eschatologisch zugespitzt als jenes Verb, aber durchaus in wichtigen Zusammenhängen, und zwar entsprechend dem gehobenen Sprachcharakter von ἀποκαραδοκία.

Es finden sich nun in den Paulusbriefen Vokabeln, die dort zwar semantisch nah zu den gerade besprochenen Wörtern erscheinen, die aber keine Synonyme von ihnen sind. Das ist z.B. bei μένειν und einigen seiner Komposita wie ἐπιμένειν, καταμένειν im speziell durativen Sinn der Fall, ferner bei γρηγορεῖν, διώκειν u.ä. durch die sinnfällige Perspektive, bei ἐπιποθεῖν, θέλειν, ζητεῖν, πεποιθέναι, πιστεύειν u.ä. durch die besonderen emotionalen und intentionalen Gesichtspunkte, bei γινώσκειν, εἰδέναι u.ä. durch die besonderen intellektuellen Aspekte[128]. So grenzen sich unsere 6 Vokabeln in dieser Richtung als Synonyme nach außen hin ab[129].

Nach innen ist bei diesen 6 Vokabeln wortgeschichtlich folgende Gruppierung zu erheben: 1. ἐλπίζειν und ἐλπίς, 2. ἀναμένειν, 3. ἐκδέχεσθαι und ἀπεκδέχεσθαι, 4. ἀποκαραδοκία. Dabei gehören die letzten beiden Gruppen über eine gemeinsame Wurzel und überhaupt über eine Wortstammverwandtschaft ebenfalls noch zusammen. Bemerkenswert ist, daß nur bei der ersten Gruppe keine Komposita vorliegen. Der Grund dafür ist wahrscheinlich darin zu sehen, daß diese Wörter z.Z. des Paulus semantisch schon so stark und differenziert als Simplex hervortraten, daß sich für Paulus eine besondere Nuancierung durch die Verwendung ihrer Komposita erübrigte. Dagegen waren μένειν und δέχεσθαι dem Paulus als Simplex anscheinend nicht ausgeprägt genug. Aus ähnlichen Gründen könnte Paulus ἀποκαραδοκία der Stufe καραδοκ- vorgezogen haben.

Wenn wir von den variablen Differenzierungen im jeweiligen Kontext absehen und die semantisch charakteristischen Strukturen betrachten, so ergibt sich folgendes:

1. Bei ἐλπίζειν und ἐλπίς zeigen sich eine emotional-voluntative Ausgestaltung der Intention im Sinn von Wollen, Wünschen u.ä., aber im theologischen Kontext auch verstärkt ein Zutrauen und eine Zuversicht in Verbindung mit besonderen rezeptiv-vorgegebenen Aspekten. An wenigen Stellen sind die beiden Begriffe ausgesprochen rational ausgeprägt.

2. Bei ἀναμένειν wird eine durative, ferner vor allem intensive Qualifizierung der Intention deutlich.

3. Bei ἀπεκδέχεσθαι tritt eine rezeptive und intensive, ferner durative Prägung der Intention hervor. Dagegen ist ἐκδέχεσθαι abgesehen vom durativen Sinn abgeblaßt.

4. Bei ἀποκαραδοκία ist eine intensiv-gespannte Ausgestaltung der Intention zu beobachten, sind z.T. noch am ehesten sinnfällig-konkrete und plastische Aspekte zu erwägen.

Als für alle diese Wörter gemeinsame Grundstruktur darf folgendes formuliert werden[130]: Für sie ist eine konstitutive und in der Regel über-
tragen-abstrakte Zukunftseinstellung wesentlich. Denn sie alle geben ausschließlich eine Zukunftseinstellung wieder. Diese ist überwiegend im
Sinn einer vox bona positiv ausgerichtet und besitzt dabei vor allem intentionale, rezeptive, emotionale, durative, intensive und intellektuelle
Momente (vgl. Wollen, Wünschen, Sehnsucht, Zutrauen, Zuversicht, Vorstellen u.ä. in den Bedeutungen wie "Hoffnung", "harren"). An einigen
wenigen Stellen ist sie aber im Sinn einer vox media neutral orientiert
(aber nur bei ἐλπίζειν und ἐλπίς)[131]. Dabei werden ausgesprochen rational kalkulierend einige der gerade genannten Momente ersetzt oder verändert (vgl. Folgern in den Bedeutungen "Erwartung" und "erwarten").
Eine Gegenstandsbeziehung ist vorhanden und kann im Substantiv ἐλπίς
selbst mit enthalten oder nahezu verselbständigt sein. Auch kann sie vorgegebene Heilshorizonte ausdrücken (vgl. "Hoffnung haben", "hoffen dürfen"). Insgesamt besitzt die Intention ein besonderes Gewicht.

In diesem Zusammenhang ist nun noch zu bedenken, daß wir in den Paulusbriefen mitunter auf eine Häufung unserer Wörter stoßen. Dieses betrifft Texte wie Röm 8,19 ff; Phil 1,20. Wenn auch insgesamt gesehen die
Differenzierungen zwischen den einzelnen Vokabeln im beschriebenen Sinn
zu erarbeiten sind, so ist trotzdem an solchen Stellen eine gewisse Austauschbarkeit dieser Vokabeln zu bedenken. Das weist uns semantisch auf
einen promiscue-Gebrauch hin, da nur diese Begriffe aus dem Wortschatz
der Paulusbriefe an solchen Stellen sinnvoll füreinander stehen können. Insofern bringt der promiscue-Gebrauch einen weiteren Grund für Zusammengehörigkeit und Zusammenhalt unserer Vokabeln als Synonyme. Er deutet zugleich aber auch eine teils schon abgeschliffen und gängig gewordene Verwendungsweise an, die als Rahmen bei der Erarbeitung der semantischen Unterschiede zu beachten bleibt.

Abschließend soll gefragt werden, inwieweit bei Paulus in der Verwendung
unserer Synonyme eine Traditionsverhaftung und Kreativität sowie ein insgesamt reflektierter Sprachgebrauch vorliegen. Obwohl Paulus bei
ἀπεκδέχεσθαι für den Synonymsinn und bei ἀποκαραδοκία für das Substantiv selbst in der Gräzität der erste Beleg ist, scheint gesagt werden zu
müssen, daß Paulus hier mit einer Neubildung nicht besonders hervorgetreten ist, insofern er wahrscheinlich auf die hellenistische Koine seiner Umwelt zurückgegriffen hat. Nur bei der LXX sind dabei literarische Einflüsse
sicher (vgl. Röm 15,12). Allerdings ist zu beachten, daß Paulus unsere
Wörter durchgehend im Sinn einer Zukunftseinstellung verwendet. Hier
darf eine semantische Konzentration durch ihn vermutet werden, zumal er
überhaupt ein schöpferisch-aktiver Mensch gewesen ist.

In stärkerem Maße darf nun aber ein besonderes Vorgehen des Paulus bei
der Wortwahl aus dem vorgegebenen Material vermutet werden. Darauf z.B.
weisen die gehobenen und vielleicht sogar etwas gekünstelt wirkenden Doppelkomposita ἀπεκδέχεσθαι und ἀποκαραδοκία, und zwar im Rahmen einer

hellenistischen Manier und zum Ausdruck wichtiger paulinischer Gedanken. Es stellt sich aber die Frage, warum Paulus die in der antiken Gräzität gängigen und sachlich wichtigen Vokabeln προσδοκᾶν und προσδοκία
nicht verwendet. Waren sie ihm zu profan und zu rational gemeint?[132]
Man hat an diesem Punkt auf eine Abgrenzung gegen geläufige griechische
Begriffe hingewiesen[133]. Doch erscheint das angesichts der Wahl von
ἐλπίζειν und ἐλπίς sowie der hellenistischen Ausdrucksweise in den Doppelkomposita ἀπεκδέχεσθαι und ἀποκαραδοκία nicht völlig überzeugend[134].

Auf diesem Hintergrund tritt dann der jeweilige Sprachgebrauch als eigene
und besondere Leistung des Paulus um so stärker hervor. Doch ist auch
hier zu bedenken, daß Paulus unsere Wörter z.T. austauschbar, promiscue
und etwas abgeschliffen gebraucht. Außerdem finden sich nur Ansätze zu
einer sprachlich reflektierten Verwendung, insofern Paulus unsere Synonyme
nicht auf der Grundlage ausdrücklicher sprachlicher und speziell semantischer Reflexionen anführt, obwohl die zeitgenössische und spätere Antike
das in einem gewissen Umfang bereits gekannt hat. Sie hat sich dabei aber
vor allem an ἐλπίς und προσδοκία orientiert[135]. Der paulinische Definitionsansatz in Röm 8,24b und das Oxymoron in Röm 4,18 zeigen zudem eine
ganz andere Stoßrichtung, wenn Paulus ausgesprochen reflektiert vorgeht.
So treffen wir bei Paulus in unserem Fall erst recht auch nicht auf ein Be-
griffssystem im Sinn einer durchgeklärten Terminologie, wie sie wissen-
schaftlichen Anforderungen genügen würde[136]. Hier zeigt es sich, daß die
Paulusbriefe Gelegenheitsschreiben darstellen, in denen Paulus unsere Wörter im Rahmen seiner situationsbestimmten, persönlichen und theologischen
Ausführungen im Vollzug bringt. In dieser Weise schreibt er einmal im
Vollzug von ἐλπίζειν κτλ und zum anderen über ἐλπίς κτλ. Bei
letzterem ist dann auch seine besondere Kreativität zu sehen[137]. Denn eine mehr oder weniger überlegte Verwendung unserer Wörter ist insofern
zu beobachten, als vor allem theologische Zusammenhänge einen theologisch
durchdachten Gebrauch aufweisen. Auf dieser Grundlage grenzen sich diese Synonyme dann auch als eine zusammenhängende Wortgruppe aus, bei
der eine Zukunftseinstellung konstitutiv ist[138] und mit einem gewissen
Recht schließlich auch von "Hoffnungswörtern" und einer "Hoffnungster-
minologie" geredet werden darf. Von da aus mag das Fehlen so wichtiger
Synonyme wie προσδοκᾶν, προσδοκία, προσδέχεσθαι vielleicht als Zufall erscheinen, da Paulus eben nicht aus einem "Duden" der Gräzität alle
wichtigen Vokabeln herausgesucht hat.

Bei den bisherigen Ausführungen wird man das Fehlen einer besonderen
Auswertung anderer Sprachen, vor allem des Hebräischen und Aramäischen,
bemängeln wollen, da sich vom AT her über die LXX und das aramäisch
sprechende frühe Christentum bis zu Paulus sprachliche Einflüsse durchgehalten haben könnten. Nun zeigt aber der Blick auf den Wortgebrauch
des Paulus, daß zumeist primär die griechische Gemeinsprache seiner engeren Umwelt, d.h. die hellenistische Koine, wichtig ist und sich von da
aus semantische Differenzierungen im jeweiligen Kontext ergeben. Nur
bei offensichtlichen Zitaten oder Anspielungen (vgl. Röm 15,12) oder an

Stellen wie 2 Kor 1,10 kann z.B. die LXX selbst stärker hervortreten.
Überhaupt rückt sie hier nicht in dem Maß in den Vordergrund, wie das
in der Forschung oft angenommen worden ist[139]. Dabei ist dann auch der
Versuch wenig erfolgreich, über die hebräische und aramäische Wortbildung und über die Bedeutungen einzelner Äquivalente in diesen Sprachen
direkt Genaueres für das Verständnis des paulinischen Sprachgebrauchs
zu erheben. Das ist nur indirekt über die Ausprägung der Heilsstrukturen möglich.

Dennoch ist der Ausblick auf andere Sprachen schließlich insofern ertragreich, als er zeigt, wie sich bei äquivalenten Wörtern ebenfalls eine Entwicklung von einem sinnfällig-konkreten und plastischen Ausgangspunkt
wie "sehen, blicken, spähen, stehen, bleiben, Spannung einer Schnur
u.ä." zu einem Sinn "hoffen, erwarten, warten (auf), harren (auf), Hoffnung, Erwartung" ergeben konnte[140]. Außerdem läßt sich bei Synonymen
in anderen Sprachen ebenfalls zwischen den einzelnen Vokabeln semantisch
unterscheiden[141]. An derartigen Punkten zeigt sich das Problem des Verhältnisses von Sache und Begriff, da sich parallel ein Sachverhalt "Hoffnung usw." ausgebildet und zur Sprache gebracht hat. Doch scheint hier
im indogermanischen und semitischen Bereich keine besondere Wurzelüber-
einstimmung oder wortgeschichtliche Verwandtschaft feststellbar zu sein,
wenn man von unseren paulinischen Synonymen zurückgeht und nach Beziehungen zu semitischen Wurzeln fragt[142].

3.2. Grammatische und stilistische Beobachtungen

In grammatischer und stilistischer Hinsicht folgt Paulus hier generell dem
zeitgenössischen Koinegriechisch. Dabei ist an einigen Punkten aber Be-
merkenswertes zu beobachten. So fehlt in den Paulusbriefen wie im NT sonst
bei ἐλπίς der Plural, der in der antiken Gräzität an sich recht häufig
ist[143]. Zwar könnte das Verhältnis Singular-Plural hier sprachlich weniger
beachtlich sein[144]. Immerhin ist dieser Sachverhalt im NT auffällig. Es
kommt hinzu, daß auch das AT den Plural im Hebräischen bei äquivalenten
Wörtern nicht kennt und er in der LXX bei ἐλπίς erst in den at. Apokryphen auftaucht[145]. Neben den theologischen Gründen dafür im AT, in der
LXX und im NT[146], und zwar vor allem i.U. zu psychologisierenden Tendenzen[147], sind aber auch sprachliche zu bedenken. Hier kann sich bei
Paulus und im NT nämlich ein Einfluß des AT und überhaupt des Hebräischen und Aramäischen durchgehalten haben[148].

Bemerkenswert ist z.T nun auch der Objektausdruck. So ist ein Akkusativobjekt bei ἀναμένειν, ἀπεκδέχεσθαι und ἐκδέχεσθαι charakteristisch
(vgl. 1 Thess 1,10; Röm 8,19.23(.25); 1 Kor 1,7; Gal 5,5; Phil 3,20;
1 Kor 11,33; 16,11). Ein ὅτι- bzw. διότι- Satz und eine Infinitivkon-
struktion sind bei ἐλπίζειν und ἐλπίς (auch mit ἔχειν verbunden)
wichtig (vgl. Röm 8,20 f; 2 Kor 1,10.13; 13,6; Phil 1,20; Phlm 22 und
Röm 15,24; 1 Kor 9,10; 16,7; 2 Kor 5,11; 10,15; Phil 2,19.23), ein Geni-
tivobjekt bei ἐλπίς (vgl. Röm 5,2; 1 Thess 1,3; 5,8). Wie sich bei

ἀποκαραδοκία gemischter die Verbindung mit einem Akkusativobjekt und
einem ὅτι-Satz zeigt (s. Röm 8,19; Phil 1,20), so sind auch bei ἐλπίζειν
noch Akkusativobjekt und präpositionales Objekt zu beobachten (vgl. Röm
8,24 f; 1 Kor 13,7; Röm 15,12; 2 Kor 1,10). Diese Aufteilung deutet darauf
hin, daß ἐλπίζειν und ἐλπίς u.U. ein etwas anderes Verhältnis zum Objekt besitzen können. Ein Futur kommt nur in ὅτι- bzw. διότι-Sätzen
vor (vgl. Röm 8,20 f; 2 Kor 1,10.13; 13,6; Phil 1,20; Phlm 22), also der
deutliche Ausdruck der Zukünftigkeit des Objekts auch vom Subjekt aus
gesehen[149]. Neben den singulären Infinitivformen des Präsens (1 Kor 9,10)
und Perfekts (2 Kor 5,11) ist der häufige Aorist (Röm 15,24; 1 Kor 16,7;
2 Kor 10,15; Phil 2,19.23) auffällig. Er drückt die Aktionsart bzw. den
Aspekt aus, und zwar als momentan bzw. punktuell[150] und nicht als Zeit-
stufenbedeutung[151]. Dem entsprechen die jeweils gemeinten Reisen u.ä.
als konkrete und kontingente Ereignisse[152]. Dadurch ist eine enge und
unmittelbare Beziehung zwischen Zukunftseinstellung und punktuell sich
einstellendem Objekt vorhanden, die besonders intentional-emotional ausgerichtet erscheint und bei der die Zeitspanne dazwischen nicht mehr als
so wichtig hervortritt[153]. Bei direktem Akkusativobjekt kann das anders
sein. In der futurischen Konstruktion mit ὅτι bzw. διότι könnte sowohl
eine Konzentration auf das Eintreffen des Objektes als auch eine besondere
Berücksichtigung der Zeitdistanz dazwischen vorliegen. Deshalb steht das
vielleicht auch sowohl bei den mehr profanen als auch bei den theologisch-
eschatologischen Aussagen.

Es ist nun noch das Problem eines speziellen at. Hintergrundes zu beden-
ken. Für den Objektausdruck bei Vokabeln der Hoffnung ist er durch
Bultmann besonders herausgestellt worden[154]. Wenngleich bei Paulus eine
Sprachprägung durch das AT (LXX) sicher vorliegt, so tritt sie für die
Objektverbindung aber quantitativ gerade nicht hervor. So sind im Blick
auf den Objektausdruck eindeutig nur Röm 15,12 und 2 Kor 1,10 zu nennen,
und zwar jeweils wegen der präpositionalen Aussagen[155]. Bei den ἐπ'ἐλπίδι-
Wendungen ist ein at. Hintergrund bis zu לבטח und seinen Wiedergaben
in der LXX nicht deutlich und zwingend anzunehmen[156]. Ἐν-Konstruktionen
(vgl. 1 Kor 15,19; Phil 2,19) stellen eher christologische ἐν-Formeln bzw.
-Floskeln als speziellen Objektausdruck in den Bahnen des AT oder der
ganzen LXX (vgl. Ps 56,2; Hos 10,13; Jdt 9,7) dar. Schließlich hat Paulus
in Röm 4,18 die at. Vorlage gerade auf eine solche Weise durch ἐλπίς erweitert, daß nicht typisch at. Sprachgebrauch vorliegt[157].

Wie wir in den Briefen des Paulus, für den "ein gutes, bisweilen gewähltes,
Vulgärgriechisch" charakteristisch ist[158], zahlreiche Stileigentümlichkeiten
antreffen, so stoßen wir im Zusammenhang der Aussagen mit unseren Vokabeln auch auf solche, z.B. auf Wortverschachtelung, Satzverschachte-
lung in besonderen Perioden, plerophore Ausdrucksweise, variationsreiche
Partikelverwendung u.ä. (vgl. Stellen wie 2 Kor 10,14 ff oder Proömienstil
wie in 1 Kor 1,4 ff[159]). Daneben finden sich ganz fahrlässige Aussageweisen oder Ellipsen (vgl. 2 Kor 1,7). Dabei wirkt sich nicht zuletzt einmal
die Persönlichkeitsstruktur des Paulus aus, für die ein Miteinander von

überlegtem und emotional-engagiertem Verhalten charakteristisch ist, zum anderen aber auch seine Existenz als Christ. Insgesamt gesehen ist dem Paulus nun sein Stil i.U. zu zahlreichen zeitgenössischen Schriftstellern nicht Selbstzweck oder besonderer Zweck, sondern dient ihm zur Darstellung seiner persönlichen, situationsbedingten und theologischen Ausführungen. Solche Eigentümlichkeiten lassen sich auch bei dem engeren Gebrauch unserer Synonyme beobachten.

Vor allem möchte ich hier auf den promiscue-Gebrauch und die Austauschbarkeit unserer Synonyme, und zwar im Rahmen ihrer Häufung, hinweisen. Diese Häufung kann im jeweiligen Kontext verschiedene Gründe haben. Dafür ist besonders auf Sachzusammenhänge (vgl. Röm 8,19 ff), Reihen (vgl. 5,2 ff), Stichwortanschlüsse (vgl. 15,12 f), Antithetik oder Verhältnisbestimmungen (vgl. 4,18; 8,24b), parallele oder wiederholende Entfaltung und Betonung der Gedanken (vgl. 1 Kor 9,10; Phil 2,19 ff) hinzuweisen. Dabei ist zu unterscheiden, ob diese Wörter syntaktisch voneinander abhängig sind (vgl. Röm 8,19; Gal 5,5) oder addiert worden sind (vgl. Phil 1,20). Doch können sie auch unabhängig voneinander in mehr oder weniger größerem Abstand stehen (vgl. 2 Kor 1,7.10.13; 1 Thess 1,3.10). Sachlich braucht nicht dasselbe gemeint zu sein (vgl. Röm 4,18; 15,12 f). Schon auf diese Weise wird eine Intensivierung und Pointierung der Aussagen deutlich. Dabei fällt auf, daß in der Häufung nirgends eine figura etymologica im engeren Sinn gebracht wird[160], sondern stattdessen wortgeschichtlich unterschiedene Vokabeln miteinander verbunden werden (vgl. Gal 5,5) oder kein entsprechendes Akkusativobjektverhältnis in der Kombination gebildet wird. Von all dem her darf für die Häufung unserer Synonyme in den Paulusbriefen sicherlich eine spezielle figurale Ausdrucksweise angenommen werden. In der Sekundärliteratur sind in dieser Richtung bereits Gesichtspunkte eines Oxymorons (Röm 4,18)[161], einer Klimax (Röm 5,3 ff)[162], eines Definitionsstils (Röm 8,24b)[163], eine besondere Phraseologie (Gal 5,5)[164] herausgestellt worden. Parallelismus liegt in 1 Kor 9,10 und Phil 1,20 vor. Nun wird man generell bei einer Häufung, vor allem bei einer Häufung in derselben Sinnrichtung, Epanadiplosis[165] oder Paronomasie[166] vermuten wollen. Auffällig ist aber, daß es sich hier nicht ausschließlich um eine Wiederholung desselben Wortes oder Wortstammes handelt. Eine Epanadiplosis im eigentlichen Sinn ist zudem hier nicht zu beobachten. Variatio ist bei Paulus nicht als einziger Grund anzunehmen. Vielleicht sollte man erwägen, ob man der Häufung unserer Synonyme bei Paulus nicht eine generelle figurale Bezeichnung figura cumulativa semantica geben darf und dem besonderen Sachverhalt im Röm 8,19; Gal 5,5 in Entsprechung zur figura etymologica im engeren Sinn die Bezeichnung figura verborum aequalium. Vielleicht reicht aber auch die Annahme einer Paronomasie im weiteren Sinn aus, wenn dabei die semantischen Schwerpunkte im Auge behalten werden. Denn derartige Stileigentümlichkeit ist auch der Gräzität sonst nicht unbekannt[167] wie auch außerhalb des Griechischen[168].

4. LITERARISCHE GESICHTSPUNKTE

Literarische Gesichtspunkte betreffen in unserem Zusammenhang vor allem
die Stellung der Aussagen mit unseren Synonymen im Briefformular und
überhaupt in den Schreiben des Paulus als literarischen Größen. Dabei wird
schnell deutlich, daß kein Paulusbrief unter einem ausdrücklichen Motto
έλπίς o.ä. steht[1] und daß unsere Wörter in den echten Schreiben des Paulus nicht im Präskript[2] und im Briefschluß vorkommen. Dagegen finden sich
in der auf das Präskript folgenden Danksagung bzw. in dem Proömium, wo
Paulus bereits stärker zur Sache kommen kann, durchaus schon theologisch
ausgeprägte, aber dabei doch noch sehr konkret und persönlich orientierte Passagen über die "Hoffnung" (s. 1 Kor 1,7[3]; 2 Kor 1,7.10; 1 Thess
1,3.10). Vielleicht sind als komplementär dazu die Aussagen zu nennen,
die bei Reiseplänen und persönlichen Nachrichten angeführt werden und
eigentlich schon mehr auf den Briefschluß zusteuern (Röm 15,24; 1 Kor
16,7.11; 2 Kor 10,15; Phil 2,19.23; Phlm 22). Sie brauchen sich nicht unmittelbar vor dem Briefschluß zu finden[4]. Instruktiv und charakteristisch ist Phlm 22[5]. Eine besondere Stellung nimmt der Briefwunsch Röm
15,13 ein. Indem er unmittelbar vor den auf den Schluß zueilenden persönlichen Ausführungen des Paulus über sich selbst steht, entspricht das
dem Eindruck eines Schlußwunsches[6]. All diese Beobachtungen machen
schon deutlich, daß Paulus Aussagen mit unseren Synonymen und die
Briefkomposition nicht streng aufeinander fixiert.

Die restlichen Stellen finden sich im Hauptteil bzw. in den Hauptteilen der
einzelnen Briefe. Das sind ungefähr zwei Drittel. Deshalb liegt der Gebrauch
von έλπίς ϰτλ in den Paulusbriefen nicht am Rande, sondern vor allem in
den zentralen Ausführungen vor. In diesen Hauptteilen ordnen sich die
restlichen Stellen nun je nach dem Aufbau mit seinen literarisch-sachli-
chen Hauptgesichtspunkten noch in paränetische Passagen (vgl. Röm 12,12;
15,4.12[7]; 1 Kor 11,33; 13,7.13; 2 Kor 8,5), theologische Sachausführun-
gen (vgl. Röm 4,18; 5,2.4.5; 1 Kor 15,19; 2 Kor 3,12; Gal 5,5; Phil 3,20 f;
1 Thess 4,13; 5,8), theologisch und persönlich oder primär nur persönlich
orientierte Aussagen (vgl. 1 Kor 9,10; 11,33; 2 Kor 1,13; 5,11; 8,5; 13,6;
Phil 1,20; 1 Thess 2,19) ein. Auch hier zeigt sich kein ausgeprägtes Schema[8]. Auf diese Weise wird deutlich, daß die Aussagen des Paulus mit έλπίς
und ihren Synonymen nicht zureichend analysiert werden können, wenn sie
ausschließlich unter engen literarischen Gesichtspunkten betrachtet werden.
Deshalb werden wir bei unserer Frage nach der "Hoffnung" bei Paulus nun
von den Paulusbriefen als geschlossenen literarischen Größen zu den Einzelaussagen weitergewiesen[9].

5. FORMGESCHICHTLICHE BETRACHTUNG

Auf diesem Weg zu den Einzelaussagen empfiehlt sich nun die formgeschicht-
liche Methode. Überdies legt sie sich durch eine Untersuchung von C.
Westermann nahe, die für das AT die Fruchtbarkeit des formgeschichtlichen Vorgehens bei der Analyse der Aussagen mit Begriffen des Hoffens,
Wartens usw. aufgewiesen hat[1]. Auch zeigen sich im Judentum bis hin zur
Überlieferung der Qumrantexte noch wichtige Aspekte in dieser Hinsicht[2].
Es wird dem Betrachter aber schnell deutlich, daß in den Paulusbriefen
nicht solch eine formgeschichtliche Verwurzelung wie im AT und dann noch
in den Qumrantexten zu beobachten ist. So fehlen bei Paulus $\dot{\epsilon}\lambda\pi\dot{\iota}\varsigma$-Sprü-
che u.ä. Stücke. Das gilt selbst für Röm 15,4[3] und 15,13, die im Kontext
als recht selbständige Einheiten hervortreten und einen katechetisch und
liturgisch geprägten Eindruck erwecken. An Stellen wie Röm 5,3-5; 12,12;
1 Thess 4,13 liegt eine zu starke Verzahnung in den Kontext vor, als daß
Motive u.ä. formgeschichtlich mit einem besonderen Ergebnis ausgewertet
werden könnten. In Phil 3,20 f[4] und 1 Kor 1,7b-9[5] sind dem Paulus über-
kommene Stücke vermutet worden. Doch ist das an diesen Stellen wie ferner z.B. in Gal 5,5 und 1 Thess 5,4 ff[6] nur schwer eindeutig und in Einzel-
heiten schlüssig nachweisbar. Überdies ist z.B. $\dot{\alpha}\pi\epsilon\varkappa\delta\dot{\epsilon}\chi\epsilon\sigma\vartheta\alpha\iota$ erst bei
Paulus in diesem zu $\dot{\epsilon}\lambda\pi\dot{\iota}\zeta\epsilon\iota\nu$ synonymen Sinn belegt. Allerdings haben
wir oben für diese Bedeutung eine Aufnahme aus der Umgangssprache be-
vorzugt angenommen, so daß von daher an sich älteres Gut postulierbar
wäre. All die genannten Unsicherheiten können auch kaum etwas an dem
grundsätzlichen Sachverhalt ändern, daß Aussagen mit Wörtern wie $\dot{\epsilon}\lambda\pi\dot{\iota}\varsigma$
in die mündliche Überlieferung und Predigt der frühen Christenheit gehört
haben. Das ist nämlich in 1 Thess 1,9 f[7] oder dann auch in 1 Kor 15,19
mehr oder weniger deutlich zu beobachten oder zu erschließen.

So zeigen die bisher angeführten Stellen schon eindrücklich, daß in den
Paulusbriefen bei den Aussagen mit unseren Synonymen formgeschichtlich
wichtiges Material durchschimmert oder eingearbeitet worden ist, mag das
dem Paulus auch nicht unbedingt bewußt gewesen sein. Dabei kann nach
Sachgesichtspunkten geordnet auf liturgisches und kultisches (vgl. Röm
4,17 f; 15,13; 1 Thess 1,10), kerygmatisches und erbauendes (vgl. 1 Thess
1,9 f; Röm 5,3-5), paränetisches (vgl. Röm 12,12; 1 Thess 5,8), kate-
chetisches (vgl. Röm 15,4; Phil 3,20 f), apologetisches und polemisches
(vgl. 1 Thess 4,13) Gut hingewiesen werden, um wichtige und charakteristische Beispiele anzuführen. Die Überschneidungen einzelner Stellen
machen noch einmal deutlich, daß es eigentlich nur noch durchschimmert.
So ergibt es sich bereits aufgrund der bisherigen Darstellung, daß unsere
Synonyme in den Paulusbriefen auf keinen Fall formgeschichtlich charakteristisch verwurzelt sind. Hier tritt stattdessen die Verfassertätigkeit des
Paulus im Rahmen der einzelnen Ausführungen seiner Briefe stärker hervor[8].

So führt uns die spezielle formgeschichtliche Betrachtung noch nicht an
die wesentlichen Gesichtspunkte der paulinischen Aussagen mit ἐλπίς
und ihren Synonymen. Diese sind vielmehr theologisch im Sinn einer Theologie des Paulus anzugehen.

6. BEOBACHTUNGEN ZUR "HOFFNUNG" IN DER ANTIKEN KULTUR UND RELIGION IM VERHÄLTNIS ZU PAULUS

Zur Einstimmung auf die theologischen Untersuchungen sollen zunächst einige Beobachtungen zur "Hoffnung" in der antiken Kultur und Religion angeführt werden. Das Problem "Hoffnung" ist in der Antike nämlich nicht nur ein paulinisches gewesen. Auch ist zu fragen, inwieweit Paulus hier ein "antiker Mensch" gewesen ist.

In der klassischen und hellenistisch-römischen Antike[1] haben nun aus der großen Zahl der Äquivalente im Sinn von "Hoffnung, Erwartung usw." vor allem ἐλπίς und spes, προσδοκία und exspectatio (vgl. die parallelen Verbalbildungen) eine zentrale Rolle gespielt. Nur bei ihnen und gegebenenfalls bei ihren Komposita treten eigentlich terminologisch und sachlich besonders reflektierte Aussagen in einem stärkeren Maß hervor. Dabei sind schließlich, ἐλπίς und spes in der Bedeutung "Hoffnung" überaus belangreich geworden. In diesem Zusammenhang sind literarische Allegorie, bildliche Darstellungen der ʾΕλπίς und Spes in der Kunst und auf Münzen, Tempel der Spes und die Göttin ʾΕλπίς, derartige Personennamen und überhaupt ἐλπίς und spes in den mannigfachen Bereichen des menschlichen Lebens zu nennen[2]. Wir stoßen auf Aussagen im Sinn eines einfachen oder kaum reflektierten Vollzugs der "Hoffnung" bis hin zur grundsätzlichen und überlegten Koordinierung von "Hoffnung" und Leben[3], "Hoffnung" und Anthropologie[4]. Dabei sind psychologische Gesichtspunkte wichtig gewesen[5], und zwar vor allem auch in der schon erwähnten Entgegensetzung von "Hoffnung" und Furcht[6]. Philosophie und Wissenschaft haben die "Hoffnung" und "Erwartung" positiv aufgenommen und bestimmt[7] oder kritisch zur "Hoffnung" Stellung genommen[8]. Generell ist der Zusammenhang von "Hoffnung" und Kultur, etwa über die τέχνη, in den Blick gekommen[9] oder auch der mit Gesellschaft und Politik[10] bis hin zu Utopien[11]. Das Verhältnis von ἐλπίς und Bildung ist erkannt worden[12]. Aber auch der Gegensatz von φύσις auf der einen Seite sowie τύχη und ἐλπίς auf der anderen Seite wurde betont, so daß das auch von hier aus zu kritischen Urteilen über die ἐλπίς führte[13].

Blicken wir in dieser Richtung auf die Paulusbriefe, so zeigt sich demgegenüber eine Verschiebung oder sogar Verengung. Denn der gerade gezeichnete Hintergrund ist eigentlich nur einmal im Sprachgebrauch[14] und zum anderen in der Konvergenz der Zugehörigkeit der "Hoffnung" zum Leben bedenkenswert. Letzteres wird bei den Reiseplänen, den persönlichen Aussagen u.ä. recht gut deutlich. Doch zeigen gerade die theologischen Zusätze bei ihnen, daß Reflexionsansätze und überhaupt die Tendenzen bei Paulus in eine ganz andere Richtung gehen. So treten in den Paulusbriefen ἐλπίς und ihre Synonyme nicht als Kulturgut hervor[15]. Bemerkenswerterweise fehlt trotz des Schöpfungsgedankens aber auch eine anthropologische Reflexion, wie sie bei Philo in Anknüpfung an das AT zu beobachten ist[16]. All das mag um so erstaunlicher erscheinen, als uns aus der römischen Kaiserzeit Münzdarstellungen der Elpis überliefert sind[17], die Verehrung der Spes unter dem Prinzipat Bestandteil der Loyalitätsreligion war[18] und Paulus überhaupt auf seinen Reisen der hellenistisch-römischen Kultur auf Schritt und Tritt begegnet sein muß. Hier hat er sich anders als Philo u.a. hellenisierende Juden, aber wohl in Übereinstimmung mit weiten Kreisen des zeitgenössischen Judentums und seiner engeren christlichen Umwelt mehr oder weniger bewußt abgegrenzt oder in dieser Richtung auch einfach kein Interesse gehabt. So stellt sich die "Hoffnung" in der antiken Kultur eigentlich nur mehr als Kontrasthintergrund dar. Aber ebenfalls im engeren Sinn jüdische Kultur tritt an diesem Punkt bei Paulus nicht hervor, wenngleich dort seit dem AT schon "Hoffnung" und menschliches Leben sogar bis zu reflektierten Äußerungen über ihren Zusammenhang[19], pädagogische[20] und psychologische[21] Aspekte wichtig geworden sind. Dabei ist besonders die Weisheit zu beachten, und zwar sogar in direkter Verhältnisbestimmung zur "Hoffnung"[22]. Derartige Grenzen des Einflusses sind aber auch z.B. im Blick auf Namen festzustellen, die im Raum der genuin jüdischen Kultur existierten[23]. Denn Paulus führt solche Namen in seinen Briefen nicht an, und zwar wahrscheinlich deshalb, weil sie in den Kreisen, zu denen er Kontakt hatte, nicht in den Vordergrund rückten oder auch gar nicht vorkamen. Auf diese Weise ergeben sich für die paulinischen Aussagen bei der Frage nach solchen Horizonten bemerkenswerte Kontraste.

Demgegenüber scheint bei enger religiösen Aspekten des geschichtlichen Umkreises sehr viel eher eine Beziehung vorzuliegen. Zwar spielt bei Paulus die Gottheit Elpis, die man wie auch Spes in der heidnischen Antike verehrte und zu der man betete[24], keine Rolle. Ähnliches gilt für Ἐλπίς als Hypostase[25] oder Äon im mythologischen und soteriologisch-kosmologischen Sinn, wie später in der Hermetik und Gnosis[26], aber auch für eine positive oder negative Beziehung der ἐλπίς zur Tyche als Gottheit oder religiös z.T. etwas abgeblaßter als Schicksalsmacht[27]. Doch findet das letztere Entsprechungen bei Reisefragen und persönlichen Problemen der Paulusbriefe, insofern auch hier Geschick, Unverfügbarkeit und Eventualitäten eine Rolle spielen. Dabei treten bei Paulus jedoch konkret Jesus Christus und Gott begrenzend, führend und bergend hervor (vgl. z.B. 2 Kor 1,10; Phil 2,19). So ist in dieser Richtung für Paulus dann auch generell keine negative Perspektive vorhanden[28]. Doch muß hier immerhin auf Strukturparallelen in der heidnischen Antike hingewiesen werden[29]. Eine sachlich engere Verwurzelung besteht aber im at.-jüdischen und frühchristlichen Bereich, schon da es sich bei Paulus theologisch um Jesus Christus und seinen Vater, den Gott des AT, handelt.

Während in den Paulusbriefen nun uneschatologische Heilsaussagen zurücktreten, leuchten sie dagegen in der Umwelt stark hervor, und zwar nicht

nur im Heidentum, sondern auch im AT und z.T. noch im Judentum[30].
Dabei liegen Soteriologie und Führung im Leben mehr oder weniger eng
ineinander[31]. Doch sollte an diesen Punkten eine pauschale Hochwertung
des AT und des Judentums vermieden werden, da wir nicht nur im AT
und Judentum auf eine besondere Angewiesenheit auf Gott[32], sondern
ebenfalls in der heidnischen Antike auf solche extremen Aussagen stoßen,
daß menschliches Handeln als ohnmächtig angesehen und allein die göttliche Hilfe herausgestellt wird[33]. Auch zeigt sich bei der "Hoffnung" auf
Gott nicht unbedingt eine religionsgeschichtliche Sonderstellung des AT[34].
Deshalb sind zumindest wichtige Strukturparallelen im Verhältnis zur
heidnischen Umwelt zu beobachten, mag dabei die konkrete personale und
geschichtliche Relation zu Gott das AT und das Judentum theologisch von
der religiösen Umwelt abgrenzen. Zudem ist es sachlich immerhin so, daß
wir gerade im AT auf besonders markante Ausprägungen des Hoffnungsproblems in theologischer Hinsicht stoßen. Dabei ist den Freunden Hiobs
sogar eine "Theologie der Hoffnung" zugeschrieben worden[35]. Das Vokabular תִּקְוָה, ἐλπίς usw., mithin die genaue Ausgestaltung der Zukunftseinstellung können in solchen Aussagen variieren. Es ist aber im Blick auf
das Heil eine subjektiv positive Ausrichtung wichtig. Zugleich sind an derartigen uneschatologischen Stellen neben reinen Heilsaussagen noch Gegenüberstellungen im Zusammenhang von Heil und Unheil zu beachten[36].

Diese wenig einheitlichen Sachverhalte und überhaupt die Grenzen ihrer
Beziehungen zu Paulus verweisen uns darauf, nun besonders den eschatologischen Aussagen nachzugehen. Dafür ist zu bedenken, daß sich die
Eschatologie in den Paulusbriefen nicht auf rein zukünftige Bereiche beschränkt (vgl. 2 Kor 5,17). Schaut man unter diesen Gesichtspunkten auf
den geschichtlichen Umkreis, so sind heidnische Jenseitsaussagen des Volks-
glaubens und der Religionen sonst[37] oder solche der Philosophie[38], Heils-
vorstellungen im Zusammenhang des Kaiserkultes u.ä. Soter-"Erwartungen"[39] nur bedingt berücksichtigenswert. Es bestehen zu starke Unterschiede zur Eschatologie in den Paulusbriefen. Auch sind der terminologische Ausdruck und dadurch die Art der Zukunftseinstellung im jeweiligen
Kontext z.T. unterschiedlich und nicht ausschließlich positiv[40]. Doch sollte ein derartiger Horizont nicht vollständig abgeblendet werden. Ein synkre-
tistisches Einströmen hellenistischen Gedankengutes ist bei Paulus immerhin
wichtig[41]. Primär treten als geschichtlicher Hintergrund aber das Judentum[42] mit einer Verwurzelung bis in das AT und das frühe Christentum
hervor. Dem ist in den späteren Ausführungen noch genauer nachzugehen.
Freilich soll hier gleich auf eine Schwierigkeit hingewiesen werden. Versucht man nämlich, im Sinn einer traditionsgeschichtlichen Schichtung von
Verkündigung Jesu, Anhänger und Sympathisanten Jesu z.Z. seines Er-
denlebens, (ältestes) nachösterliches palästinisches Christentum bzw. palästinische Urgemeinde, hellenistisches Judenchristentum, Q-Gemeinde,
vorpaulinisches und nebenpaulinisches Heidenchristentum, paulinische Gemeinden unser Thema Hoffnung und Eschatologie zu verwurzeln, etwa im
Sinn einer traditionsgeschichtlichen Entwicklung bis hin zu Paulus, so

stößt man schnell an Grenzen. Denn die Aussagen, die auf der nt. Text-
ebene in solcher Richtung vorliegen (vgl. z.B. bei Juden oder Täufer
(jüngern) Mk 15,43 par; Lk 2,25.38; Mt 11,3 par; Lk 23,8; Apg 26,6 f,
im Munde Jesu Mt 24,50 par; Lk 12,36; 21,26; Joh 5,45, bei Jesu Jüngern
Lk 24,21, auf das Urchristentum vor bzw. zugleich mit Paulus hindeutend
1 Thess 1,10; 1 Kor 15,19), sind für die ältesten jesuanischen und christlichen Schichten in der Regel historisch kritisch zu beurteilen. Der Verkündigung Jesu ist keine eschatologisch belangreiche Stelle sicher zuzuweisen. Sonst kommen etwa urchristliche Apokalyptik, Q-Gemeinde(-Tradi-
tion), hellenistisches Missionskerygma, Enthusiasmus in Paulusgemeinden
in den Blick. Dabei sind die Objekte der "Hoffnung" aber so geartet, daß
sie sich für eine traditionsgeschichtliche Näherbestimmung hier schlecht
eignen (vgl. Messias, Parusie, Totenauferweckung). Der apokalyptische
Zusammenhang Lk 21,26 hat überdies bei Mk und Lk keine par. Andere
Stellen wiederum weisen über das Christentum hinaus zum Judentum (oder
bei AT-Zitaten wie Mt 12,21/Röm 15,12; Apg 2,26 zum AT). Überhaupt
sollte gerade bei Paulus als einem Theologen und ehemaligem Pharisäer beachtet werden, daß er traditionsgeschichtlich nicht nur auf dem Boden des
Urchristentums steht, sondern u.U. geradezu theologisch selbständig
denkt und sich eigenständig und direkt mit dem Judentum (und seiner
profanen Umwelt) auseinandersetzt[43].

7. DIE OBJEKTE

Wir wollen unsere theologischen Untersuchungen zu dem Problem "Hoffnung"
bei Paulus selbst mit einem Blick auf die Objekte beginnen. Solch ein Einsatz empfiehlt sich gerade auch deshalb, weil in der Forschung der Vergangenheit die Gegenstände der "Hoffnung" vielfach nicht gebührend genug behandelt worden sind.

7.1.   Die Zeit des irdischen Lebens

7.1.1. Reisepläne u.ä.

Eine große Zahl von Stellen betrifft die Zeit des irdischen Lebens. Dabei
treten zunächst Reisepläne und Reisefragen im Blick auf Paulus und seine
Mitarbeiter, Probleme der Mission und der Seelsorge, die Kollektensammlung
für Jerusalem, das persönliche Verhältnis des Paulus zu seinen Gemeinden,
das Verhältnis von Christen untereinander u.ä. hervor. Neben Ausführungen im Sinn des christlichen Alltagslebens (vgl. 1 Kor 16,11) steuern andere bei den Fragen der Mission, der Seelsorge und des Zusammenlebens in
den christlichen Gemeinden schon eher auf soteriologische oder sonst theologisch wichtige Bereiche zu, ohne daß die Objekte selbst dadurch theologisch besonders qualifiziert zu sein brauchen (vgl. 1 Kor 11,33; 2 Kor 1,13;

5,11; 13,6). Es zeigen sich z.T. aber auch direkt theologische Aspekte, etwa durch Hinzufügungen oder durch die Einkleidung in ein besonderes Sprachgewand. So klingt in Röm 15,24 eine geistliche Förderung des Paulus an, gehört die conditio Iacobaea in 1 Kor 16,7 als Ausdruck der Macht des κύριος zum Gegenstand von ἐλπίζειν, kommen in 2 Kor 10,15 f das Wachsen des Glaubens in Korinth und überhaupt die Verkündigung des Evangeliums in den Blick, wird in Phlm 22 die Reise des Paulus zu den Empfängern als Gnadengeschenk gesehen und auf die Fürbitte bezogen. Ähnlich stehen im Dienst der Verkündigung und Seelsorge einige Objektaspekte in Phil 1,20, wo Paulus über seine Errettung aus der Gefangenschaft oder seinen Tod in ihr spricht. Sogar die Ausführungen in 1 Kor 9,10, wo es um den Lohnanspruch des Arbeiters in der Landwirtschaft beim Pflügen und Dreschen oder überhaupt um den Lohnanspruch bei solcher bäuerlicher Tätigkeit geht, stehen in einem übergeordneten Rahmen, der durch das christliche Heil bestimmt wird.

So zeigen selbst diese Stellen über Reisepläne u.ä., daß völlig profane Objekte in den Paulusbriefen nicht wichtig werden. Irgendwie ist immer eine theologische Beziehung und speziell ein Zusammenhang mit dem christlichen Heil zu beobachten. Das liegt nicht zuletzt daran, daß Paulus seine Briefe als Missionar, Seelsorger und Christ an christliche Gemeinden geschrieben hat, so daß sie stets an Problemen von Christen orientiert bleiben[1].

7.1.2. 2 Kor 1,10 u.ä. Stellen

Nun sind in den Paulusbriefen Aussagen zu beobachten, in denen sich die Objekte für den Bereich des irdischen Lebens noch stärker auf Gott und sein Wirken und u.U. entsprechend auf Jesus Christus beziehen. So geht es in 2 Kor 1,10 um die göttliche Führung im Leben des Paulus. Direkt ist dabei Gott Objekt, wie die Wendung εἰς ὃν ἠλπίκαμεν zeigt. Doch reicht der Blick dann weiter auf die durch ihn gewirkte Rettung. Es ist nämlich die geschehene Rettung des Paulus aus einer zurückliegenden und nun offensichtlich überwundenen Lebensgefahr in Asien gemeint (vgl. V. 8 ff)[2], aber dann auch die weitere Zukunft in diesem Sinn. Auf das letztere deuten die Futurformen bei καὶ ῥύσεται und [ὅτι]καὶ ἔτι ῥύσεται in V.10[3]. Ferner sind die Fürbitte des Paulus und der Christen Korinths sowie das der Rettung folgende Dankgebet, die in V.11 angeführt werden, noch in der Gegenstandsperspektive zu berücksichtigen. Bezeichnend ist eine Nähe zum at. Sprachgebrauch. Doch kennen ebenfalls das Judentum und sogar das Heidentum der Antike eine ähnliche Rettung durch Gott oder Götter (z.B. Jdt 8,17)[4].

At. Sprachgebrauch wird ferner in Röm 15,12 und 13 wichtig. Das ist dort aber nicht so eindeutig und gezielt im Sinn einer Führung durch Jesus Christus oder Gott im irdischen Leben auswertbar. Denn die eschatologische Soteriologie spielt auf jeden Fall mit und besitzt vielleicht sogar die zentrale Funktion. Auch ist Gott in Röm 15,13 bei ὁ δὲ θεὸς τῆς ἐλπίδος nicht direktes Objekt, sondern Urheber und Garant der ἐλπίς.

Das AT tritt schließlich eindrücklich in Röm 4,18 hervor, nun aber nicht direkt auf die Christen bezogen. Es ist vielmehr Abraham gemeint. Dabei wird die Zeugungsunfähigkeit der alten Eheleute Abraham und Sara thematisch, also das Problem der Nachkommenschaft in biologischer Hinsicht. Auf sie bezieht sich inhaltlich das erste ἐλπίς. Scharf wird das der göttlichen Nachkommenverheißung gegenübergestellt, die das Objekt zum zweiten ἐλπίς, und zwar über das πιστεύειν, darstellt. Die göttliche Nachkommenverheißung ist dabei in den Augen des Abraham Heil Gottes. Paulus ordnet das dabei aber zugleich in einen eschatologischen Rahmen ein (vgl. V.17). Trotzdem zeigt sich in Röm 4,18, daß unter besonderen Voraussetzungen, wie sie in uneschatologischen Passagen des AT vorliegen, Heil und Rettung aus Gefahr und Not des irdischen Lebens im Sinn von Führung Gottes und Soteriologie zusammengehen oder gar identisch sind (vgl. z.B. Jer 14,8; 17,13). Ein solcher Zusammenhang ist im Bereich eines durch die Eschatologie geprägten Denkens nicht mehr so ohne weiteres gegeben. Das macht z.B. 2 Kor 1,10 (ἠλπικέναι und ῥύσεσθαι) im Verhältnis zu direkt eschatologisch orientierten Stellen wie 1 Thess 5,8 (ἐλπὶς σωτηρίας) deutlich. Vielleicht kann aber angesichts von 2 Kor 1,9 (vgl. Röm 4,17) an den bisher besprochenen Stellen die Eschatologie überhaupt schon als der übergeordnete Rahmen und als das Fundament angesehen werden.

7.1.3. 1 Kor 15,19

Die Eschatologie wird nun bei Aussagen über die Zeit des irdischen Lebens vor allem in 1 Kor 15,19 thematisch, und zwar ausgesprochen als Problem. Dort geht es nämlich um die Auffassungen von christlichen Irrlehrern in Korinth. Sie lehnen nach V.12 (ff) die noch ausstehende Auferweckung der Toten und dadurch für Paulus überhaupt eine eschatologische Zukunft ab. Insofern betrifft ihr Denken soteriologisch ausschließlich den Bereich des irdischen Lebens, ist es enthusiastisch ausgerichtet. Mag Paulus die Meinung der Gegner u.U. auch nicht ganz korrekt wiedergeben, so ist das auf jeden Fall das Bild, das er sich von ihnen macht. Doch spricht vieles dafür, daß damit durchaus die wesentlichen Punkte der gegnerischen Auffassung in Korinth selbst getroffen werden[5]. So wird die Kritik des Paulus in 1 Kor 15, die in mehreren Argumentationsgängen auf dem Boden der Christologie und in Anknüpfung an apokalyptisches Denken entwickelt wird (vgl. V.1 ff. 12 ff. 29 ff. 35 ff), deutlich, da Paulus christliche Konzeptionen ablehnt, die sich soteriologisch auf das irdische Leben beschränken. Entsprechend zeigt sich dann auch in unserem V.19, daß Paulus in einem christlichen ἐλπίζειν eine Verkürzung sieht, das sich bei seinen Gegenständen nur auf das irdische Leben bezieht.

Das bisher Gesagte klingt in sich recht schlüssig. Doch ist die Aussage des Paulus in V.19 selbst sehr viel komplizierter, wenn man sie genauer betrachtet. Das gilt für die Protasis und die Apodosis jeweils für sich und dann verständlicherweise für den ganzen Bedingungssatz[6]. So stellt sich im Nachsatz z.B. die Frage, was denn im Zusammenhang mit der Folgerung "bemitleidenswerter als alle Menschen" genau gemeint ist. Doch

genügt es für unsere Zwecke, wenn wir nur auf die Protasis blicken. In
ihr werden vor allem die beiden ἐν-Wendungen in ihrer Beziehung zu
ἠλπικότες ἐσμέν und μόνον zum Problem. Für die erste Wendung ἐν
τῇ ζωῇ ταύτη legt sich zunächst ein lokal-zeitliches Verständnis nahe,
nämlich die Annahme eines Zeitraumes im Sinn von "in diesem (irdischen)
Leben". Bei der zweiten, nämlich ἐν Χριστῷ, kann man von vornherein
zwischen einem Objektausdruck in der Bedeutung "auf Christus"[7] und
einer christologischen Formel oder Floskel mit dem Sinn "in Christus"[8]
schwanken. Genauer besehen erweist sich aber eine eindeutige Zuordnung der räumlichen, zeitlichen, übertragenen und objektgestaltenden
Funktion der Präposition ἐν in diesem Vers als schwierig. So ergeben sich
sogar für die räumlich-zeitliche Deutung des ἐν τῇ ζωῇ ταύτη als "in
diesem (irdischen) Leben" Probleme. Man könnte nämlich antithetisch zu
dem abgelehnten "Hoffen" nur "in diesem (irdischen) Leben" positiv auf
ein solches zu schließen versuchen, das angemessen in der eschatologischen Zukunft geschieht. Doch will das Paulus im ganzen Zusammenhang
sicherlich nicht hervorheben. Trotz allem kann nun eine Interpretation
der Protasis erarbeitet werden, die einen relativ glatten Eindruck erweckt
und für unsere Frage nach der Objektbeziehung von ἐλπίζειν einen Beitrag abwirft. In ihr ist die erste ἐν-Aussage lokal-zeitlich zu verstehen[9]
und ἐν Χριστῷ als christologische Formel oder Floskel[10]. Für ἐν τῇ
ζωῇ ταύτη legt sich dieses schon deshalb nahe, weil es das natürlichste
Verständnis ist. Bei ἐν Χριστῷ ergibt sich das aufgrund der Beobachtung, daß im NT ἐλπίζειν nur hier in 1 Kor 15,19 und in Phil 2,19 mit
ἐν konstruiert wird. Da an beiden Stellen eine christologische Aussage
vorliegt, erscheint die Annahme einer christologischen ἐν-Formel oder
Floskel entsprechend den zahlreichen derartigen Wendungen in den Paulusbriefen und dem ἐν Χριστῷ in 1 Kor 15,18 vorher viel angebrachter[11].
Von daher will sich eigentlich aber noch kein besonderer Beitrag für unser Objektproblem in 1 Kor 15,19 einstellen. Das ist genauer gesehen aber
trotzdem der Fall. Für ἐν Χριστῷ bestehen dafür Anhaltspunkte darin,
daß es ganz nahe bei ἠλπικότες ἐσμέν genannt wird und bei der paulinischen Konstruktion von Verben mit ἐν eine Sinnbreite von räumlichem,
zeitlichem, übertragen-kausalem, übertragen-modalem Verständnis und
Objektausdruck oder gar ein Schillern zwischen diesen Bedeutungsberei-
chen bestehen kann[12]. Im Blick auf ἐν τῇ ζωῇ ταύτη darf auf die
zahlreichen Möglichkeiten der Erweiterung der Gegenstandsaspekte bei
dem paulinischen Gebrauch unserer Synonyme hingewiesen werden.

Auf der Grundlage des oben herausgestellten primären Verständnisses
der beiden ἐν-Wendungen, unter Berücksichtigung der gerade betrachteten Objektperspektive in ihnen und unter Beachtung der ganzen Pro-
tasisaussage ergibt sich dann als bester Sinn: "Wenn wir solche sind,
die nur in diesem (irdischen) Leben (für dieses Leben) in Christus (auf
Christus) ihre Hoffnung gesetzt bzw. gehofft haben, ...". Diese para-
phrasierende Wiedergabe schwächt nämlich die Verstehensprobleme dieser Stelle am meisten ab. Sie macht zugleich eindrücklich deutlich, daß
Paulus eine christliche "Heilshoffnung", die sich nur auf das irdische

Leben ausrichtet, nicht als theologisch ausreichend ansieht[13]. Dennoch
bleibt der Beitrag für unsere Frage nach den Objekten von ἐλπίζειν
in gewisser Weise begrenzt. Zwar wird deutlich, daß Christus und das
irdische Leben zu ihnen gehören, daß genauere Inhalte in den Rahmen
dieses irdischen Lebens zu ordnen sind und durch Christus vermittelt
gedacht werden. Doch wird nicht deutlich ausgedrückt, was denn nun
mit diesem irdischen Heil gemeint ist. Das muß man unter Berücksichtigung der enthusiastischen Auffassungen und der Zukunftsvorstellungen
der korinthischen Gegner hier zu erschließen versuchen. Doch sind die
Grenzen der Objektangaben insofern nicht so tragisch, als es sich um eine "Hoffnung" handelt, die von Paulus kritisiert wird. Das zeigt dann
auch die Apodosis, die trotz aller Verstehensprobleme auf jeden Fall das
vorher beschriebene ἐλπίζειν negativ beurteilen soll.

Die eschatologische Kritik des Paulus an den Auffassungen der Irrlehrer
in Korinth weist uns nun zugleich weiter auf die eschatologisch-zukünftigen Objekte im eigentlichen Sinn. Denn gerade 1 Kor 15,19 sprengt den
Objektbereich unserer Synonyme eschatologisch-zukünftig auf, sollte
man ihn nur auf die Zeit des irdischen Lebens beziehen wollen[14].

7.2. Der Bereich der eschatologischen Zukunft

7.2.1. Geschichtliche Hintergründe

Bevor wir uns diesen eschatologisch-zukünftigen Aussagen zuwenden,
empfiehlt es sich, einen Blick auf die geschichtlichen Hintergründe dafür
zu werfen. Oben ist schon darauf hingewiesen worden, daß hier primär
das Judentum mit einer Verwurzelung bis in das AT und das frühe Christen
tum hervortreten[15]. Das soll nun im Blick auf den Objektbereich noch etwas erläutert werden.

Im at.-jüdischen Bereich[16] finden wir bei den at. Propheten schon eine
in gewissem Sinn eschatologische Distanz zum Heil, und zwar im Rahmen
der Ankündigung eines geschichtlich neuen, endgültigen Heilshandelns
Gottes im Gegensatz zum bisherigen oder augenblicklichen Sünden- und
Unheilszustand. Der Weg zum Neuen führt dabei durch einen mehr oder
weniger starken Bruch hindurch, mit dem ein Gerichtshandeln Gottes vielfach Hand in Hand geht. Das Neue kann mehr oder weniger nahe bevor-
stehen. Die Vorstellungen sind nicht einheitlich und vor allem durch Erwählungstraditionen bestimmt[17]. So sind auch der Ausdruck der Zukunftseinstellung und ihre Objekte recht variationsreich. Hier mag im Blick auf
den Gebrauch von Vokabeln der Hoffnung, Erwartung usw. der Hinweis
auf einige exemplarische Stellen genügen, und zwar auf Jes 49,23; 51,5;
Jer 29,11; 31,17; Hos 2,17[18]; Hab 2,3; Zeph 3,8 und in der LXX entsprechend Jes 51,5; Hab 2,3; Zeph 3,8; ferner Jes 66,9. Im Rahmen von Erwählungstraditionen wie der davidischen und eines Zurücktretens Gottes[19]
werden nun schon im AT besondere Mittlergestalten und messianische Gedanken wichtig, wie z.B. in Jes 42,4 (auch LXX)[20]; Gen 49,10 (nur

LXX)[21]; Jes 11,10 (nur LXX)[22]. Erst recht ist das im späteren Judentum
bis z.Z. des NT der Fall, wie äthHen 40,9; 48,4; 62,9; ApkBar (syr)
30,1 und das Referat im NT in Mt 11,3; Lk 7,19 f; 24,21 (vgl. auch Lk
2,25.38) zeigen. All das führt uns zugleich schon weiter zur Apokalyptik.
Durch sie kommen nun insgesamt noch umfassendere Perspektiven ein.
Neben Ansätzen und Belegen für die Apokalyptik im AT, wie z.B. in
Jes 25,9 und Dan 12,12[23], ragt dann ihre Wirkung bis hin zum NT hervor. Das zeigen Stellen mit umfassenden Geschichtsüberblicken, Aussagen über die Erneuerung der Welt, die Funktion des Menschensohnes
u.ä. wie z.B. in Sib 3,283; äthHen 48,4; 62,9; 4 Esr 5,6.12; 11,46; Apk
Bar (syr) 25,4; 30,1; 57,2; Lk 21,26; 2 Petr 3,10 ff. Trotz aller konzentrierten Universalität und Zusammenfassung treten dabei aber keine einheitlichen Aspekte für die Einstellung auf diese Zukunft und für die Objekte zutage. Das sehen wir bei dem Gebrauch von προσδοκία, ἐλπίς
und dazu äquivalenten Vokabeln an den bisher schon genannten Stellen
und in äthHen 52,5; 104,2.4; ApkBar (syr) 14,12.14; 48,19; 63,3.5;
4 Esr 7,66.177.120; ApkBar (gr) 9,3; 11,2. Die Zukunftsvorstellungen
erweisen sich in diesen Texten als recht mannigfaltig. Dennoch ist in
der Apokalyptik das dualistisch scharfe Gegenüber von Frevlern und Gerechten, Unheil und Heil, "jetzt" und "dann" im Rahmen der beiden Äonen
theologisch wesentlich. Dadurch entsteht in den eschatologisch bezeich-
nenden Aussagen zugleich eine scharfe Distanz zwischen der Situation der
Zukunftseinstellung und ihren Objekten, wie z.B. in äthHen 96,1 ff;
102,4 ff; 104,1 ff eindrücklich deutlich wird. Insofern besitzt die Bedeutung "Hoffnung" für ἐλπίς und äquivalente Wörter immerhin eine wichtige Funktion.

Im NT ist nun eine derartige apokalyptische Antithetik durch eschatologisch gegenwärtiges Heil differenziert worden. Das dürfte überhaupt
schon für das beginnende Christentum gelten, da das Christusereignis
und die Entstehung der christlichen Gemeinden in dieser Richtung gewirkt haben. 2 Kor 5,17 und Gal 6,15 auf der einen Seite sowie 1 Kor
15,20 ff auf der anderen Seite machen dabei die eschatologisch umfassenden Horizonte auf apokalyptischem Boden für den Sachverhalt in den Paulusbriefen gut deutlich. Doch haben die vor einigen Jahren gefundenen
Qumrantexte über das bisher für das AT und das Judentum Dargestellte
hinaus einige neue Ansichten für diese Probleme gebracht[24]. Allerdings
trennt nun gerade die Christologie das frühe Christentum von den Auffassungen der Qumrangemeinde. Denn Jesus Christus in Vergangenheit,
Gegenwart und Zukunft ist ein wesentlicher Bestandteil christlicher
Eschatologie, der sich in dieser Weise nicht in der Eschatologie der Qumrangemeinde findet. Dabei ist die Beziehung auf Person und Wirken Jesu
Christi sogar generell als eschatologische Konstante bei allen Unterschieden zwischen den Auffassungen der ersten Christen, und zwar selbst in
der Christologie, anzusehen. Insofern hat sie auch die "Hoffnung" wesentlich geprägt. So ist Jesus Christus sicher durchgehend in den Gemeinden
als Objekt von ἐλπίζειν und synonymen Wörtern wichtig gewesen[25].

Außerdem hat er von da aus den Kristallisationspunkt weiterer Objekte dargestellt, die im einzelnen recht mannigfaltig gewesen sind[26]. Trotz aller Gegenwart des Heils ist dabei eine scharfe eschatologische Distanz zum Eintreten der eschatologischen Zukunft thematisch geblieben, nun aber zugleich mit einer Kontinuität des Heilsanteils für die Christen.

Wir haben bisher gesehen, wie sehr theologisch die Eschatologie des Judentums auf at. Boden zu berücksichtigen ist[27]. Auch haben sich uns dabei schon Mittlergestalten gezeigt. Nun ist aber bei Bultmann der at. "Hoffnungsbegriff" in einer Weise für den nt. ausgewertet worden, daß sich die Schwerpunkte anders zu legen scheinen[28]. Denn dadurch tritt Sprachgebrauch wie in den at. Pss mit Gott als direktem Objekt theologisch in den Vordergrund[29]. Um das zu überprüfen, legt es sich nahe, die Aussagen mit ἐλπίς und dazu äquivalenten Wörtern im AT, in den at. Apokryphen, in den at. Pseudepigraphen und verwandten Schriften bis hin zu den Qumrantexten (und im NT) im Blick auf die Objektbeziehungen durchzuschauen und zu fragen, ob 1. direkt Gott selbst, 2. das Heil vermittelnde Zwischenwesen, Hypostasen u.ä. wie Gottes Wort, Gottes Gesetz, Engel, eine messianische Gestalt, 3. sonstige Gegenstände, vor allem Heil selbst, die Objekte der jeweiligen Zukunftseinstellung darstellen[30]. Zugleich ist noch zu berücksichtigen, ob eine eschatologische oder uneschatologische Orientierung vorliegt.

Dabei ergibt sich[31] für das hebräisch-aramäische AT statistisch eine große Zahl von Stellen für 1. und 3.[32]. Das Verhältnis bleibt in den at. Entsprechungen der LXX ungefähr erhalten, nur daß die Stellen nun quantitativ jeweils gewachsen sind. In den at. Apokryphen und Pseudepigraphen bis zu den Qumrantexten wird nun 1. gegenüber 3. seltener, wenngleich man aber nicht sagen kann, daß 2. dadurch insgesamt quantitativ besonders aufgewertet worden wäre[33]. Trotzdem ist vielfach, vor allem in eschatologischen Zusammenhängen oder auch in der Weisheit, ein Zurücktreten Gottes als direkten Objektes seit dem AT zu beobachten. Das geht nun offenbar Tendenzen parallel, die im Judentum bis zur Apokalyptik Gott selbst zugunsten von Mittelwesen wie Engeln, Hypostasen u.ä. zurücktreten ließen[34]. Zwar ist es sogar in Quellen, die durch die Apokalyptik oder Weisheit beeinflußt worden sind, nicht so, daß Gott nirgends Objekt von Begriffen des Hoffens, Erwartens usw. wäre[35]. Doch ist es eine beachtliche Beobachtung, daß bei den drei großen Apokalypsen äthHen, 4 Esr und ApkBar (syr) immerhin in den ersten beiden Gott nicht als direktes Objekt solcher Wörter vorkommt und in ApkBar (syr) quantitaiv und sachlich nicht hervorragend und charakteristisch (vgl. 77,7). Zugleich tritt in apokalytischem Gedankengut 2. nicht nur sachlich, sondern auch statistisch etwas stärker hervor, was Gestalten wie den Menschensohn und Messias angeht (vgl. Stellen wie äth Hen 48,4; ApkBar (syr) 30,1)[36]. In derartige Tendenzen ist nun auch die Christologie in den frühchristlichen Aussagen einzuordnen, so daß wir von hier aus wieder auf das Judentum und speziell seine Eschatologie als zentrale geschichtliche Voraussetzung stoßen. Auf diese Weise wird eine Theozentrik soteriologisch durch eine Heilsgestalt vermittelt. Der Sachverhalt,

daß in der Person Jesu der Christus für die Christen schon gekommen
war, dürfte die Gestalt Jesu Christi in den ersten christlichen Gemeinden noch stärker, als das sonst bei anderen Heilsmittlern der Fall war, in
den Vordergrund geschoben haben, und zwar eben auch in der Zukunftsperspektive[37].

7.2.2. Jesus Christus und sein Wirken

Blicken wir nun wieder thematisch auf Paulus, so zeigt sich, daß eine große Zahl der Aussagen mit unseren Synonymen die eschatologische Zukunft
betrifft. Diese Aussagen sind durchgehend soteriologisch orientiert. Dabei treten als erster Objektbereich Jesus Christus und sein Wirken hervor[38], und zwar sowohl in kosmischem und universalgeschichtlichem Horizont (1 Kor 1,7; Phil 3,20 f; 1 Thess 1,3; vgl. noch 1 Thess 2,19) als
auch ohne diesen ausschließlich individuell (Phil 1,20). Auf diese Weise
zeigt sich eine Person als Objekt. Doch kommen durch das Wirken Jesu
Christi auch noch weitere Gegenstandsaspekte in den Blick. Generell gruppiert sich das um die Wiederkunft Jesu und dann auch um Totenauferweckkung, Verwandlung und Endgericht.

Nur die Wiederkunft wird in 1 Kor 1,7 herausgestellt, und zwar durch
τὴν ἀποκάλυψιν τοῦ κυρίου ἡμῶν ᾿Ιησοῦ Χριστοῦ[39]. Zu beachten ist der Gedanke der ἀποκάλυψις also der Offenbarung Jesu in
der eschatologischen Zukunft und damit sein Hervortreten aus der augenblicklichen Verborgenheit als Erhöhter im Himmel, und zwar machtvoll für die Augen der ganzen Welt. In ἀποκάλυψις selbst ist hier nicht
unmittelbar die Offenlegung der Taten im Endgericht durch Jesus Christus
gemeint. Das wird erst in V.8 ausgedrückt. Dabei wird Gott in V.8 f als
der eingeführt, der die Christen Korinths zum Heil berief und am Heil
festhält. Auf diese Weise tritt Gott selbst soteriologisch hervor. Doch
sind die soteriologischen Verhältnisse zwischen Gott und Jesus Christus
in V.4-9 schillernd. Bemerkenswert ist aber, daß trotzdem nicht theozenrisch ein eschatologisch-zukünftiges Kommen Gottes herausgestellt wird,
sondern das Jesu Christi. Die vollen christologischen Titulaturen in V.7-9
sind zu beachten, nämlich τοῦ κυρίου ἡμῶν ᾿Ιησοῦ Χριστοῦ
(V.7), τοῦ κυρίου ἡμῶν ᾿Ιησοῦ [Χριστοῦ] (V.8), τοῦ υἱοῦ
αὐτοῦ ᾿Ιησοῦ Χριστοῦ τοῦ κυρίου ἡμῶν (V.9)[40].

Nur durch ein Personalobjekt im Genitiv wird die Wiederkunft in 1 Thess
1,3 ausgedrückt. Auch hier wieder ist die ausgebaute christologische Titulatur bemerkenswert (τοῦ κυρίου ἡμῶν ᾿Ιησοῦ Χριστοῦ). Das
anschließende ἔμπροσθεν κτλ, das explizit auf Gott blickt, ist
wohl nicht nur auf die ἐλπίς-Aussage vorher zu beziehen[41], schon eher
auf die ganze erweiterte Triaskombination in V.3. Doch ist auch an das
μνημονεύοντες [42] in V.3 und vielleicht überhaupt an V.2 f zu denken.
Eine eindeutige Zuerkennung ist wegen der überladenen Ausdrucksweise
in V.2 ff nicht möglich. Diese Verhältnisse entsprechen dem plerophoren

und verschachtelten Proömien-Stil. Überhaupt ist es interessant, daß bisher beide Stellen in der Danksagung stehen.

An zwei Stellen wird die Wiederkunft durch ein direktes Personalobjekt ausgedrückt, zu dem dann aber noch ein besonderer Ausdruck des Wirkens Jesu Christi hinzukommt, und zwar in 1 Thess 1,10 und Phil 3,20 f. 1 Thess 1,10 steht wieder in der Danksagung. Die Namensgebung ist nun etwas anders und in Entsprechung zur ausgebauten Aussage auch nicht mehr direkt kombiniert (τὸν υἱὸν αὐτοῦ ... 'Ιησοῦν). Als Wirken wird im Partizip Präsens[43] die Rettung der Christen aus dem kommenden Zornesgericht angegeben, also aus dem Endgericht. Dadurch tritt eine soteriologische Funktion Jesu deutlich hervor. Bei dem Rückblick auf das Christusgeschehen in der Auferweckung Jesu von den Toten wird aber das Handeln Gottes herausgestellt. So könnte man in der ὀργή dann auch vor allem das Gericht durch Gott sehen. Wie hier, so spielt ebenfalls in Phil 3,20 f der Himmel[44] als Herkunftsort Jesu Christi bei der Wiederkunft eine Rolle. Auch an dieser zweiten Stelle tritt eine Retterfunktion Jesu Christi hervor. Die christologische Titulatur ist noch wieder variiert worden. Neu kommt zum Ausdruck der Retterfunktion σωτῆρα hinzu, was sachlich dem τὸν ῥυόμενον in 1 Thess 1,10 entspricht[45]. Dabei wird vor allem an diesen beiden Stellen deutlich, daß die christologische Titulatur Würde, Macht und soteriologische Funktion Jesu beschreibt. Die Verbindung eines direkten und eines prädikativen Objektes ist in Phil 3,20 möglich[46]. Durch einen Relativsatz wird in V.21 das soteriologische Handeln Jesu Christi dann noch weiter erläutert, speziell im Blick auf Auferweckung oder Verwandlung des Leibes und kosmische Unterwerfertätigkeit.

Beziehungen zur Wiederkunft finden sich auch noch in 1 Thess 2,19 f und 2 Kor 1,13 f. Dabei wird in 1 Thess 2,19 f sogar terminologisch von der Parusie geredet (ἔμπροσθεν τοῦ κυρίου ἡμῶν 'Ιησοῦ ἐν τῇ αὐτοῦ παρουσίᾳ). Doch tritt an dieser Stelle sachlich das Endgericht stärker hervor. Deshalb zeigen sich hier Übergänge zwischen Wiederkunft und Endgericht. Vielleicht wird aber auch das Endgericht von παρουσία mit umschlossen. Die Parusie ist jedoch nicht direkt als Gegenstand von ἐλπίς anzusehen. Auch in 2 Kor 1,13 f ist "der Tag unseres Herrn Jesu" (s. ἐν τῇ ἡμέρα τοῦ κυρίου ἡμῶν 'Ιησοῦ) kein direktes Objekt von ἐλπίζειν[47], gehört also auch nur in einem weiteren Sinn zu den Objektzusammenhängen.

Aufgrund der bisher besprochenen Stellen wird schon deutlich, daß im Blick auf das Kommen Jesu Christi und sein Wirken in der eschatologischen Zukunft sachlich keine völlig einheitlichen und systematisierten Aspekte bei den Objekten unserer Synonyme zu beobachten sind. Dabei bleibt auch das Verhältnis zu Gott und seinem Wirken schillernd. Gleichwohl scheint aber so etwas wie eine Assoziationseinheit vorzuliegen, von der Paulus immer wieder ausgeht. Dafür ist wahrseinlich an eine katechetisch-kerygmatische Grundlage und überhaupt an besondere hermeneutische Bewegungen, aber auch an das Kommen des Herrn Jesus selbst zu denken. Eine eschatologische Mittlerfunktion wird auf jeden Fall deutlich.

Gegenüber den bisher betrachteten Stellen sind in Phil 1,20 und in seinem Kontext Unterschiede wahrzunehmen. Denn es rückt generell kein geschichtlich-eschatologisches Ereignis der Zukunft im Sinn eines allgemein sichtbaren und universalgeschichtlich-kosmischen Wiederkommens in den Blick. Vielmehr ist das ἐν οὐδενὶ αἰσχυνθήσομαι, ἀλλ' ἐν πάσῃ παρρησίᾳ ... μεγαλυνθήσεται Χριστὸς ἐν τῷ σώματί μου ... εἴτε διὰ θανάτου in Verbindung mit V.23 zugleich auch in der Weise zu interpretieren, daß es eine Christusgemeinschaft des Paulus gleich mit seinem Tod bewirkt. Die Gesichtspunkte der Öffentlichkeit (ἐν πάσῃ παρρησίᾳ) und des Leibes (ἐν τῷ σώματί μου) könnten dabei in dialektischer Weise ebenfalls christologisch bemerkenswert sein. Aber auch die Ausführungen vorher meinen solche Gedanken u.U. schon mit, wenn man an ἐν οὐδενὶ αἰσχυνθήσομαι und in V.19 an τοῦτό μοι ἀποβήσεται εἰς σωτηρίαν als Inhalt des οἶδα denkt. So darf man an dieser Stelle vielleicht sogar von einer Wiederkunft Jesu Christi in den individuellen Tod des Paulus hinein sprechen.

7.2.3. Das Problem des Zurücktretens Gottes

Wenn wir nun Gott selbst thematisch in der Objektperspektive berücksichtigen, so zeigt er sich im Blick auf die eschatologische Zukunft an keiner Stelle als direktes Objekt[48]. Indirekt und mittelbar ist er aber in diesem Zusammenhang zu beachten. In dieser Richtung ist auf seine δόξα in Röm 5,2, auf passivum divinum-Wendungen wie bei ἐλευθερωθήσεται in Röm 8,21, auf den Kontext sonst (vgl. 1 Thess 5,8-10) hinzuweisen. Überhaupt wird Gott als mehr oder weniger wirksam oder als im Hintergrund stehend vorgestellt. Das ist beim Endgericht (vgl. 1 Thess 1,10), bei der Unterwerfung des Kosmos durch Jesus Christus (vgl. Phil 3,21) und überhaupt beim schillernden Verhältnis zu Jesus Christus zu beobachten, und zwar im Blick auf richterliche und soteriologische Tätigkeit, die Aktivität und Delegation, das forensische Gerichtsgeschehen u.ä. für unsere heutige Sicht nicht systematisch durchgeklärte Gedanken. Gleichwohl ist es auffällig, daß Gott hier nicht als direktes Objekt zu nennen ist, also zurückgetreten ist. Dem widerspricht auch Röm 15,13 nicht, da Gott dort als Urheber und Garant der ἐλπίς gemeint wird, nicht aber als Objekt im eigentlichen Sinn.

Wir haben eben in 7.2.1. für diese Schwerpunkte schon auf das zwischentestamentliche Judentum und speziell die jüdische Apokalyptik hingewiesen. Auch haben wir dort bereits die Bedeutung der Christologie des frühen Christentums herausgestellt. Wenn Gott in diesen Bereichen und sogar schon in Teilen des AT zurückgetreten ist, stattdessen Mittelwesen hervorgetreten sind, so kann als Gründe dafür auf eine Scheu vor Gottes Würde und Macht, auf die Vermeidung von Anthropomorphismen, auf die rätselhaft gewordene Wirklichkeit u.ä. hingewiesen werden[49]. Allerdings gilt dieser Sachverhalt eines Zurücktretens Gottes nicht durchgehend.

Denn Gott ist im AT und z.T. selbst im antiken Judentum an sich sogar
recht häufig im Blick. Schon von daher ist es verständlich, daß Gott
ebenfalls im beginnenden Christentum und bei Paulus nicht völlig zurückgetreten ist. Das wird im Zusammenhang der Verwendung unserer Synonyme
an den bisher schon in Erscheinung getretenen indirekten und mittelbaren
Aspekten in der Perspektive der eschatologischen Zukunft oder an den
Stellen Röm 15,13; 2 Kor 1,10 deutlich. Überhaupt steht Gott in den Paulusbriefen aufs Ganze gesehen sogar sehr oft vor Augen. Dafür mag auf
Nachwirkungen der Verkündigung Jesu hingewiesen werden. Vor allem
dürfte in eschatologischen Zusammenhängen das Christusgeschehen Gott
wieder nähergebracht und die oben genannten Gründe für ein Zurücktreten Gottes in die Transzendenz aufgehoben oder abgeschwächt haben. So
wird Gott in den Paulusbriefen dann sogar auch als Vater der Christen
bezeichnet (1 Kor 1,3; 1 Thess 1,3 u.ö.).

In diesem Rahmen erscheint es erneut um so bemerkenswerter, daß Gott
in den Paulusbriefen nur in eschatologisch-zukünftiger Perspektive nicht
als direktes Objekt bei der Verwendung unserer Synonyme vorkommt.
Hier hat sich also offensichtlich das Zurücktreten Gottes vor allem auf
apokalyptischem Hintergrund in Verbindung mit der frühchristlichen
Christologie durchgehalten. Hatte sich nämlich schon in der jüdischen
Apokalyptik die Gestalt des Menschensohnes hervorgeschoben, so entspricht es diesem Sachverhalt bei Paulus gut, daß nun Jesus Christus statt
Gott als Objekt von ἐλπίς und ihren Synonymen in der Perspektive der
eschatologischen Zukunft um so stärker hervortritt[50].

7.2.4. Weitere Gestalten und ihre Funktion in Röm 8,19.21

Die jüdische Apokalyptik zeigt sich nun ebenfalls als Hintergrund bei weiteren Gestalten und ihrer eschatologisch-zukünftigen Funktion in Röm
8,19.21. Auf diese Gestalten ist jetzt im Zusammenhang der Personalobjek-
te noch einzugehen. Bei ihnen wird man schnell apokalyptische Mythologie
erwägen wollen, mag dabei auch bewußt werden, daß in den Paulusbriefen
christliches Gedankengut schon stark durchsetzend und konkretisierend
gewirkt hat. Da es sich außerdem um Personen neben Gott selbst handelt,
die parallel zur Christologie Gott wieder zurücktreten lassen könnten,
bringen sie auf diese Weise apokalyptische Voraussetzungen erneut ins
Spiel. Derartiges wird bei der ἀποκάλυψις τῶν υἱῶν τοῦ θεοῦ als
Gegenstand der ἀποκαραδοκία und des ἀπεκδέχεσθαι der κτίσις in
Röm 8,19 thematisch. Ist hier bei der "Offenbarung" parallel zu 1 Kor 1,7
für diese Gottessöhne noch eine soteriologische Funktion und überhaupt
eine solche Funktion zu erwägen, die derjenigen Jesu Christi ähnlich ist,
so gilt das aber nicht mehr für Röm 8,21, die zweite Stelle. Dort werden
sie nämlich nur als Maßstab für das eschatologisch-zukünftige Geschick
der κτίσις vorgestellt, wie aus ἐλευθερωθήσεται ...εἰς τὴν ἐλευθερί
τῆς δόξης τῶν τέκνων τοῦ θεοῦ hervorgeht[51].

Schaut man sich in den Paulusbriefen wegen einer näheren Eingrenzung dieser Gestalten um, so ist zunächst im Rahmen des Gebrauchs unserer Synonyme an 1 Thess 4,16 f zu denken, wo es sich aber nicht um ein direktes Objekt von ἐλπίς handelt. Auch wird dort nur der ἀρχάγγελος ausdrücklich genannt. Ein himmlisches Heer ist aber vorausgesetzt, und zwar wegen des ἀρχάγγελος auf jeden Fall aus Engelwesen bestehend. Ein himmlisches Heer ist wahrscheinlich auch in 1 Kor 15,52 anzunehmen. Denn darauf deuten ἐν τῇ ἐσχάτῃ σάλπιγγι und σαλπίσει, also die Kriegsfanfare der Endereignisse. Unter dem Gesichtspunkt von Bezeichnungen wie ἅγιοι, τέκνα, υἱοί ist nun noch auf 1 Kor 6,2 f und 1 Thess 3,13 hinzuweisen. Während an der letzten Stelle wieder allgemeiner ein Himmelsheer gemeint sein dürfte, kommen an der ersten die Christen deutlich in den Blick. Denn die Christen werden aufgrund der Ausführungen in 1 Kor 6,2 f den "Kosmos" und Engel richten.

Unter solchen Voraussetzungen wird man bei derartigen Aussagen über ἅγιοι, υἱοί u.ä. und so dann auch in Röm 8,19.21 grundsätzlich an himmlische Wesen wie Engel zu denken haben, aber zugleich ebenfalls an Christen[52]. Diese Christen sind dann wahrscheinlich als solche Gestalten anzusehen, die besonders verklärt oder vorher auferweckt und verwandelt worden sind[53]. Dabei besteht ihre Funktion einmal in einer Präsentation vor der Welt, d.h. hier in Röm 8,19.21 vor allem vor der κτίσις[54]. Darauf deuten die ἀποκάλυψις in V.19 und der Gedanke des Maßstabs in V.21 hin. Zum anderen sind aber generell eine Begleitfunktion bei der Wiederkunft Jesu Christi und entsprechend 1 Kor 6,2 f durchaus auch eine Mitwirkung bei den Endereignissen der Zukunft erwägenswert. Doch sind in den Augen der κτίσις eher allgemein himmlische Wesen gemeint, so daß in der Sicht der κτίσις generelle apokalyptische Voraussetzungen noch sehr viel ungebrochener als unter christlichem Blickwinkel aufleuchten. Paulus selbst dürfte diese Wesen im Sinn seiner Ekklesiologie dann konkret auch als Christen verstehen. Bemerkenswert ist, daß auf diese Weise Jesus Christus bei der κτίσις kein Objekt der "Hoffnung" darstellt. Entsprechend gehen die Ausführungen in Röm 8,19-22 nicht auf die Christologie ein. Das ist insofern verständlich, als die κτίσις Jesu Christus nicht als Heilsmittler ansieht. Sonst müßte sie ja zur christlichen Gemeinde stoßen oder eine ihr vergleichbare Existenz übernehmen. Wie überhaupt die Ausführungen in Röm 8,19 ff trotz ihres theologischen Gewichts etwas singulär und nur andeutend erscheinen, so bleibt auch speziell bei diesen Gestalten der Gottessöhne der Eindruck auf uns heute recht dunkel und mythologisch-bizarr. So fällt es uns auch schwer, religionsgeschichtlich und traditionsgeschichtlich genaue und eindeutig klärende Vorformen oder Entsprechungen für die paulinischen Aussagen über diese Wesen beizubringen[55].

7.2.5 Δόξα

Es leuchtet nun noch ein Aussagenbereich hervor, der eschatologisch-zukünftiges Heil und Heilsgeschick ausdrückt. Diese Heilsaussagen erfolgen teils selbständig, teils aber auch in Verbindung mit den gerade

behandelten Personalobjekten. Letzteres ist in den voranstehenden Ausführungen bereits angeklungen. Bei diesen Heilsaussagen tritt vor allem
die δόξα hervor[56]. Sie ist in ihnen einmal im Sinn von "Glanz, Herrlichkeit" gemeint. Dabei geht es um den Anteil an ihr. So stellt die δόξα in
2 Kor 3,11 f eine Qualifizierung des christlichen Heils dar, und zwar
mit einem Andauern von der Gegenwart bis in die eschatologische Zukunft.
Insofern steht sie im Gegensatz zu der vergänglichen δόξα des alten Bundes des Judentums. Als Gottes δόξα liegt sie nach Röm 5,2 anteilig für
die Christen in der eschatologischen Zukunft[57]. Nach Phil 3,21 wird der
Herr Jesus Christus als Retter den Leib der Christen bei seiner Wiederkunft seinem eigenen σῶμα τῆς δόξης gleichgestalten. Ausgehend von
dem Motto Röm 8,18 wird die δόξα in 8,20 f zum Objekt der ἐλπίς der
κτίσις gerechnet, insofern die "Schöpfung" zu einem durch δόξα gekenn-
zeichneten Zustand nach dem Maßstab der Gotteskinder befreit werden
wird. Auf diese Weise zeigt sich die δόξα deutlich als eschatologischer
Heilsbegriff, und zwar zur Beschreibung eines Zustandes oder einer Qualifizierung. Dagegen ist sie in 1 Thess 2,19 f zwar auch im Sinn eschatologisch-zukünftigen Heils gemeint, nun aber genauer als "Ruhm, Ehre" im
Endgericht. Das betrifft speziell die Person des Paulus. Wenn dabei die
δόξα dort nur parallel zu ἐλπίς steht, so besitzt sie aber im Kontext
trotzdem eine Objektperspektive.

Auf diese Weise tritt δόξα generell als ein Heilsbegriff hervor. Zugleich
zeigen die gerade angeführten Stellen und das Verhältnis zu Gegenbe-
griffen wie θλίψεις in Röm 5,2 f oder παθήματα in Röm 8,18, daß dabei noch genauer ein eschatologischer Charakter wesentlich zu berücksichtigen ist. Dieser verweist wieder vor allem auf die Apokalyptik[58].
Doch deuten die Ausführungen in 2 Kor 3,11 f zugleich eine Modifizierung apokalyptischen Denkens an, da δόξα dort ein christliches Heil qualifiziert, das eschatologisch bereits in der Gegenwart vorhanden ist[59].

Schauen wir genauer auf die Geschichte dieses Begriffs, so tritt zunächst
erst einmal eine at. Tiefenschicht hervor. Sie ist besonders durch die
LXX vermittelt worden und hat im Laufe der Zeit eine Eschatologisierung
erfahren (vgl. z.B. LXX Ex 16,10; Jes 22,22; 24,15; 28,4 f)[60]. In der
jüdischen Apokalyptik ist dann ein Herrlichkeitszustand für den kommenden Äon oder die messianische Zeit sachlich durchgehend vorausgesetzt
und terminologisch auch belegt[61]. Doch spielen δόξα und sinnentspre-
chende Wörter zur Beschreibung der "Herrlichkeit usw." als Gegenstand
einer Zukunftseinstellung wie ἐλπίς in den zentralen apokalyptischen
Quellen eigenartigerweise keine besonders wichtige Rolle. Denn es ist nur
auf ein lockeres Miteinander (vgl. äthHen 104,1 f[62]; ApkBar (syr) 49,1 ff
im Verhältnis zu 51,7 und 13; 4 Esr 7,120 ff)[63] oder eine Objektbeziehung
im Zusammenhang der Vision des Sehers, also in der Schau und nicht im
Heilsanteil bzw. Heilszustand (vgl. ApkBar (gr) 6,12; 7,2; 11,2), hinzuweisen. Allerdings ist hier immerhin Testamentum Iobi 43,16 zu nennen[64].
Nun muß eine derartige Qualifizierung aber auch für hellenistische Jen-
seitsvorstellungen und für ekstatische Erfahrungen überhaupt als wichtig

erwogen werden. Das führt uns auf einen weiteren Bedeutungsbereich, nämlich den der hellenistisch-mystischen Licht- und Schaubegriffe[65] oder Manifestationsbegriffe[66]. Dieser wird auf jeden Fall in 2 Kor 3,6 ff thematisch, allerdings im Aufgreifen at. Gedankenguts und im Blick auf das christliche Verhältnis zum AT und zum Judentum[67]. Ferner ist religionsgeschichtlich überhaupt auf Lichtbegriffe in Anlehnung an astralreligiöse Gedanken u.ä. hinzuweisen[68]. Durch diese Horizonte wird ein Mischcharakter sichtbar, bei dem dann aber at.-jüdische und frühchristliche Aspekte, und zwar besonders auf apokalyptischem Boden, zentral sind. Sachlich ist es dabei noch längst nicht eindeutig geklärt, in welcher Weise Gesichtspunkte wie Eigenschaft, Wesen, Teilhabe, Zustand, Sein, Macht, Geltung, Schau bei der δόξα genau zu berücksichtigen sind.

In den Paulusbriefen sind aber offensichtlich an den für uns hier wichtigen Stellen vor allem eine Qualifizierung und ein Zustand bzw. ein Sein gemeint. Aufgrund all dieser Sachverhalte sollte vielleicht zwischen den beiden Bedeutungssträngen "Herrlichkeit" und "Ehre" in dem paulinischen δόξα nicht ein zu großer Graben gesehen werden[69]. Schließlich ist noch zu überlegen, ob dieses Wort nicht bei Paulus andere eschatologische Heilsbegriffe sachlich mitumgreift und insofern einen eschatologischen Leitbegriff darstellt. Das legt sich z.B. durch das Motto in Röm 8,18 und sein Verhältnis zu den anschließenden Ausführungen in V.19 ff, wo Paulus noch andere eschatologische Heilsbegriffe nennt, nahe. Deshalb ist die δόξα in unseren Analysen hier auch vorangestellt worden.

Obschon auf diese Weise ein zusammenfassender Charakter von δόξα bei den Objekten in den Blick rückt, sind neben δόξα aber auch noch andere Heilsaussagen für sich zu behandeln, da sie im einzelnen als Gegenstände für die eschatologische Zukunft bei der Verwendung unserer Synonyme hervorragen. Sie betreffen vor allem das Geschick im Endgericht (s. Röm 5,5; Gal 5,5; 1 Thess 1,10; 2,19; 5,8) und sonstigen Erhalt des eschatologisch-zukünftigen Heils in Abgrenzung zu gegenwärtigem Unheil (s. Röm 8,19.20 f.23; Phil 3,20 f). Beide Bereiche[70] haben wir allerdings bei der δόξα schon bedacht, da sie sich in ihr spiegeln.

7.2.6. Das Geschick im Endgericht

Beginnen wir mit dem Endgericht, das bei der δόξα quantitativ und direkt weniger hervorgetreten ist. Dabei ist einleitend auf einiges hinzuweisen, was generell wichtig ist. Im Blick auf das Endgericht erweist sich in den Paulusbriefen eine Trennung zwischen Vernichtungsgericht und forensischem Gericht nicht als völlig durchführbar[71]. Grundsätzlich steht das Endgericht für Paulus noch als zukünftig aus[72]. Ein at. und überhaupt ein religionsgeschichtlicher Hintergrund sind wichtig. Bei ihnen tritt im Rahmen einer Eschatologisierung die jüdische Apokalyptik hervor[73]. Im Zusammenhang der jüdischen Soteriologie ist das Endgericht verständlicherweise vor allem bei den Pharisäern von Belang gewesen[74], zu denen Paulus ursprünglich gehörte (vgl. Phil 3,5)[75]. Nun ist es in den Aussagen mit ἐλπίς und ihren Synonymen bei Paulus so, daß die Vorstellungen von Wiederkunft Jesu und Endgericht kombiniert (vgl. 1 Thess 1,10) oder ausgetauscht (vgl. 1 Thess 2,19 f) sein können oder das Endgericht subsumiert sein könnte (vgl. 1 Thess 2,19 f)[76]. Derartiges entspricht durchaus dem nicht ganz eindeutigen Wechselverhältnis zwischen Gott und Jesu Christus beim Endgericht und z.T. überhaupt bei den noch ausstehenden Endereignissen. Dagegen ist das eschatologisch-zukünftige Kommen im Sinn eines kosmisch-universalen In-Erscheinung-Tretens eindeutig und ausschließlich das Jesu Christi. Bei dem "Tag unseres Herrn Jesu (Christi)" in den Kontextaussagen 1 Kor 1,8; 2 Kor 1,14 ist dagegen wieder nicht eindeutig zu klären, ob alternativ zwischen Wiederkunft und Endgericht geschieden werden kann oder ob beides gemeint ist[77].

Auf diesem Boden wird in Röm 5,5 der ἐλπίς die Wirkung οὐ καταισχύνει zugeschrieben. Das ist nämlich im Kontext ab 5,2 am besten eschatologisch und sachlich genauer dann so zu verstehen, daß die "Hoffnung" im Endgericht "nicht zuschanden werden läßt"[78]. Der Indikativ Präsens καταισχύνε ist futurisch aufzufassen, und zwar als lebhaft vergegenwärtigendes Präsens[79]. Es liegt in dieser Aussage über die "Hoffnung" ein Motiv vor, für das geschichtlich ein Hintergrund bis zum AT wichtig ist. Doch ist dort ein Sinn "zuschanden werden" üblicher. Dieser Sinn beschreibt dann, daß die "Hoffnung" sich nicht geirrt hat und bestätigt werden wird. An unserer Römerbriefstelle ist das nun aber deutlich eschatologisiert worden. Eine Eschatologisierung dieses Motivs hat im AT bei αἰσχύνειν und καταισχύνειν (für בוש) neben einem uneschatologischen Sprachgebrauch (vgl. LXX Ri 3,25; Ps 21,6; 24,3.20) schon Vorstufen (vgl. LXX Ps 30,2; 70,1; Jes 49,23 v.l.)[80] und ist dann ebenfalls in der jüdischen Apokalyptik zu beobachten (vgl. ApkBar (syr) 85,9[81], und zwar bezeichnend im Blick auf das Endgericht). Eine genaue Entsprechung zum transitiven Sinn bei οὐ καταισχύνει in Röm 5,5 ist mir aber nicht bekannt. Vielleicht ist die transitive Ausdrucksweise bei dem Christen Paulus gerade deshalb möglich und in der at.-jüdischen Vorgeschichte des Motivs gerade deshalb nicht zu beobachten, weil eschatologisch beginnenes Heil als Voraussetzung für sie anzusehen ist[82].

In Gal 5,5 geht es um die δικαιοσύνη als Urteil über die Christen im Endgericht. Genauer wird diese "Gerechtigkeit" als "Hoffnungsgut" (ἐλπίς) bezeichnet. Beides steht auf einem jüdisch-apokalyptischen Boden. Überhaupt kommt hier die jüdische Soteriologie bis hin zu ihrer Ausprägung bei den Pharisäern in den Blick[83]. Die ganze Aussageweise in V.5 pointiert dabei die eschatologische Zukünftigkeit der δικαιοσύνη und hebt die Unverfügbarkeit dieses Heils hervor. Daß Paulus hier im Rahmen seiner Rechtfertigungslehre denkt, zeigen die Beziehung zur πίστις und die Antithetik zu den Nomisten in Galatien (vgl. 5,1 ff).

In 1 Thess 1,10 und 5,8 wird die Rettung im Endgericht betont, wobei die Rettung selbst direkt ausgedrückt wird. An der ersten Stelle meint ὀργή genauer das Strafgericht[84]. Darauf deutet, daß nur die Rettung (ῥύεσθαι) genannt wird. Überhaupt könnte ὀργή hier deshalb mehr das Vernichtungsgericht beschreiben. Wenn primär der Zorn Gottes gemeint sein sollte (vgl. Röm 3,5 u.ö.), dann ist er aber weniger als Affekt denn als dynamisch-universales Geschehen anzusehen. Die Rettung aus dieser ὀργή geschieht durch Jesus, den Sohn Gottes, der das direkte Objekt von ἀναμένειν ist und auf den die Aussage über das Endgericht dann partizipial bezogen ist. Das Partizip Präsens ist wieder futurisch zu verstehen. In 1 Thess 5,8 wird eine derartige Rettung durch σωτηρία ausgedrückt. Es liegen ähnliche Perspektiven wie in 1,10 vor. So ist auch auf ὀργή und σωτηρία in 5,9 hinzuweisen. Der Aspekt des Forensischen könnte zurücktreten, wenn man den eschatologischen Dualismus in 5,4 ff berücksichtigt. Doch ist der paränetische Charakter der Aussagen in 5,8 zu bedenken. Eine Betrachtung all der Stellen, an denen im at.-jüdischen Bereich und überhaupt in der Umwelt des Paulus σωτηρία, σώζεσθαι u.ä. Wörter als Objekt von Vokabeln der Hoffnung usw. vorkommen, führt uns sachlich hier nicht besonders weiter. Zwar ist das nicht selten belegt[85]. Es handelt sich aber vielfach nur um formale Parallelen, während sachlich nur eschatologische Aussagen als Hintergrund für das Verständnis von 1 Thess 5,8 instruktiv sein können[86].

In 1 Thess 2,19 f stoßen wir dagegen auf eine spezielle Behandlung des Paulus im Endgericht. Grundlage dafür ist die Beziehung des Paulus zu seinen Gemeinden, hier besonders zu den Christen in Thessalonich. Dabei besitzen χαρά und στέφανος καυχήσεως im Verhältnis zu ἐλπίς eine ähnliche Funktion wie δόξα. Ein Heilszustand des Paulus kommt bei diesen Wendungen nur indirekt in den Blick, da primär ein Urteil über Paulus, eine Behandlung des Paulus und ein Verhalten des Paulus im Rahmen des Endgerichts hervortreten. Plastisch wird durch sie das Endgericht im forensischen Sinn deutlich (vgl. auch das ἔμπροσθεν trotz παρουσία).

7.2.7. Heilsaussagen in Röm 8,19 ff; Phil 3,20 f

Die zweite Gruppe der Stellen betrifft Aussagen in Röm 8,19 ff und Phil 3,20 f. Dort geht es sicher nicht um das Endgericht im Sinn der Rechtfertigung und überhaupt der forensischen Gesichtspunkte. Vielmehr treten die Bewirkung und Wirklichkeit eines eschatologisch-zukünftigen Heilszustandes in Abgrenzung zu der Macht und Wirklichkeit des Bösen und des Unheils in der Gegenwart hervor. Allerdings wird dabei auch der Gedanke einer vollständigen Unterwerfung oder Vernichtung des Bösen in der eschatologischen Zukunft vorausgesetzt. Außerdem klingt er in Phil 3,21b sogar direkt an. Deshalb bleibt die Gerichtsvorstellung im Spiel. Umgekehrt können bei den schon betrachteten Heilsaussagen wie δικαιοσύνη, σωτηρία, οὐ καταισχύνειν, δόξα, die das Ergebnis des Endgerichts darstellen, ebenfalls Aspekte eines Heilszustandes wahrgenommen werden, wie sie nun für Aussagen in Röm 8,19 ff und für Phil 3,20 f zu erarbeiten sind. Deshalb darf unsere Scheidung in die beiden Objektbereiche nicht gepreßt werden.

Blicken wir zuerst auf den recht schwierigen Text Röm 8,19 ff[87]. Zunächst geht es da um das Heil der κτίσις. Durch τὴν ἀποκάλυψιν τῶν υἱῶν τοῦ θεοῦ in 8,19, das wir eben schon betrachtet haben, kommt im ganzen Zusammenhang betrachtet ein Geschehen in Sicht, das für die "Schöpfung" erst Heil offenbar macht und Wirklichkeit werden läßt. Schon aufgrund dieser Beobachtung wird hinsichtlich der Situation der "Schöpfung" eine genuin apokalyptische Heilsstruktur deutlich, insofern die Gegenwart im Sinn "dieses Äons" fern vom Heil ist und das Heil für die "Schöpfung" im Sinn "jenes Äons" ausschließlich in der Zukunft steht. Deshalb wird die "Schöpfung" vielleicht erst dann richtig verstehen lernen, was überhaupt Heil genau genommen ist. Sie wird wohl auch erst dann den Zusammenhang der Gottessöhne mit den Christen sehen. Deshalb richtet sie sich in der Gegenwart noch allgemeiner auf die "Offenbarung" dieser Gottessöhne aus.

In diese Richtung könne auch 8,20 f weisen, insofern dort in διότι ein Schillern zwischen subjektiver Sicht von der "Schöpfung" her und paulinischem oder allgemein übergreifendem Blickwinkel vorliegt. Denn in διότι kreuzen sich sowohl ein rezitatives als auch ein kausales Moment[88]. Dabei ist wegen dieses Schillerns auch bei der "Schöpfung" eine genauere Vorstellung des zukünftigen Heils zu vermuten. Sie ist in der Wendung ἐλευθερωθήσεται ... εἰς τὴν ἐλευθερίαν τῆς δόξης τῶν τέκνων τοῦ θεοῦ enthalten. Zwar ist dabei das Sein der Gotteskinder Maßstab des Heils. Doch kann eine derartige Vorstellung des zukünftigen Heils im Sinn von ἐλευθερία und δόξα eventuell auch durch die "Schöpfung" selbst projiziert werden, und zwar antithetisch zu dem gegenwärtigen Unheilszustand[89]. Außerdem könnte diese Vorstellung auch schon in dem zurückliegenden Akt der Unterwerfung angelegt sein, wenn man eine finale Nuance in ἐφ' ἐλπίδι im Zusammenhang von V.20 f bedenkt[90].

Durch diese Ausführungen des Paulus über die "Schöpfung" weiten sich unsere Objekte auch auf die "Schöpfung" aus, so daß insgesamt gesehen bei Paulus hier keine anthropologische Engführung entsteht. Doch muß beachtet werden, daß auch für die "Schöpfung" Personen in der Zukunft stehen und so das Heil durch solche Personen vermittelt wird.

Für die Christen kommen in V.23 ähnliche Gedanken wie bei der "Schöpfung" zum Ausdruck. Das macht die Wendung τὴν ἀπολύτρωσιν τοῦ σώματος ἡμῶν als Objekt zu ἀπεκδέχεσθαι deutlich. Damit ist wahrscheinlich nicht "die Befreiung bzw. Erlösung von unserem Leib", sondern "die Befreiung unseres Leibes" gemeint[91]. Auf diese Weise tritt der "Leib" als ein individuelles und formales Kontinuum in Erscheinung, so daß sich dadurch das ganze Problemfeld der Diskussion über σῶμα bei Paulus auftut[92]. M.E. hat Paulus nicht über das Problem eines formalen Kontinuums bei dem Begriff σῶμα ausdrücklich nachgedacht. Für ihn steht die Identität des irdischen Christen mit dem verwandelten oder auferweckten Christen fest, nämlich als ganze Person und als Gottes Geschöpf. Insofern gehört auch das σῶμα zum ganzen Menschen[93]. Viel-

leicht ist es für den ganzen Menschen sogar geradezu bezeichnend. Bei
all dieser anthropologischen Problematik dürfte für unsere Frage nach den
Objekten jedoch schon deutlich werden, daß das leibliche Sein der Christen in der Gegenwart versklavt ist und daß dieser Zustand in der eschatologischen Zukunft an ihrem leiblichen Sein beendet sein wird. Assoziationen in Richtung auf eine Verwandlung oder Auferweckung des Leibes
stellen sich an diesem Punkt ein. Trotzdem ist zu beachten, daß die Christen bereits den Geist als eschatologische Erstlingsfrucht besitzen. Die
Christen haben also im Unterschied zur "Schöpfung" in der Gegenwart
schon am eschatologischen Heil Anteil. Insofern werden auch unsere Objekte hier bei den Christen in einen etwas anderen Rahmen als bei der
"Schöpfung" gespannt.

Dabei erhält ἀπεκδέχεσθαι in V.23 zugleich noch das Objekt υἱοθεσίαν.
Damit ist die "Adoption" gemeint[94]. Das sind ähnliche Gedanken, wie sie
bei den Gottessöhnen vorher, aber auch bereits in 8,14 ff zu beobachten
sind. Doch wird dabei in V.14 ff schon die Gegenwart eschatologisch beschrieben. Hier ergeben sich Spannungen. Zudem stellt sich noch zum einen das textkritische Problem, ob υἱοθεσίαν sekundär ist. Das ist bei
genauer textkritischer Erwägung jedoch nicht der Fall[95]. Zum anderen
taucht die Frage des Verhältnisses zu τὴν ἀπολύτρωσιν τοῦ σώματος
ἡμῶν auf. So kann das Miteinander eines direkten Objekts und eines prädikativen Ausdrucks angenommen werden. Dabei ist dann "die Befreiung"
als "Adoption" oder umgekehrt "Adoption" als "die Befreiung" anzusehen.
Aber auch eine parallele Objektfunktion ist im Sinn einer Häufung erwägbar. Eine eindeutige Entscheidung erweist sich als schwierig[96]. Die letzte
Deutung, nämlich die Annahme einer parallelen Objektfunktion im Sinn einer Häufung, halte ich im Rahmen einer plerophoren Ausdrucksweise für
die beste[97]. Es zeigt sich auf diese Weise, daß Paulus in Röm 8,23 die
"Adoption" und "Befreiung des Leibes" als eschatologisch-zukünftiges
Geschehen, das zum Heil hinführt bzw. Heil ist, ansieht[98].

Derartige Gedanken werden dann auch von 8,24 f mit umschlossen, wenn
dort für die "Hoffnung" selbst grundsätzlicher und allgemeiner, aber zugleich in theologischer Zuspitzung der Gegensatz von ἐλπίς, ἐλπίζειν,
ἀπεκδέχεσθαι zu βλέπειν und entsprechende Objektverhältnisse betrachtet werden. Vor allem ist dabei wichtig, daß das Unsichtbare als
Heil erscheint. Man fühlt sich bei diesen Aussagen recht stark an plato-
nisch-mystische Tradition in hellenistisch-synkretistischer und vielleicht
populär-philosophischer Vermittlung erinnert[99]. Doch kommen durch den
Zusammenhang zugleich zeitliche und geschichtlich-eschatologische Perspektiven ein. Außerdem sind derartige Gedanken im Rahmen der paulinischen Theologie zu sehen, wie der Vergleich mit Stellen wie 2 Kor 4,18;
5,7 zeigt. Schließlich ist der Gesichtspunkt der Unsichtbarkeit der himmlischen Welt auch in der jüdischen Apokalyptik als zentrales Vorstellungs-
element vorhanden. Es tritt vor allem in der späteren Apokalyptik sogar
der visionäre Aufstieg hervor (vgl. ApkBar (gr) z.B.). Allerdings spitzt

Paulus hier in Röm 8,24 f für die Jetztzeit gerade nicht auf die ekstatische Schau oder den visionären Aufstieg, sondern die "Hoffnung" zu.

In die Richtung einer "Befreiung des Leibes" geht auch Phil 3,20 f. Das wird bei der eschatologisch-zukünftigen Heilstätigkeit Jesu Christi deutlich, die in V.21 durch einen Relativsatz als Erweiterung des direkten personalen Objekts von V.20 angeführt wird. Sie lautet: ὃς μετασχηματίσει τὸ σῶμα τῆς ταπεινώσεως ἡμῶν σύμμορφον τῷ σώματι τῆς δόξης αὐτοῦ. Das Futur des Verbs stellt klar die Zukünftigkeit heraus. Dabei bestehen zu Röm 8,19 ff jedoch auch Unterschiede. Nur hier in Phil 3,20 f geht Paulus ausdrücklich auf die Christologie ein. So wird Jesus Christus als handelnder hervorgehoben (vgl. auch den Titel σωτήρ). So zeigt sich sein erhöhter Leib als Ermöglichung und Maßstab der Umwandlung des Leibes der Christen. Eine Christusgemeinschaft wird deutlich vorausgesetzt. Ferner ist im Blick auf die Christen der Dualismus im Sinn von "jetzt" und "dann" oder auch von himmlisch und irdisch noch augenfälliger. Insofern tritt auch das Gegenüber von zwei σῶμα der Christen schroffer hervor. Es zeigt sich zugleich noch pointierter eine anthropologisch-individuelle und soteriologische Zuspitzung auf das σῶμα. In dieser Richtung sind ferner die Gestaltbegriffe μετασχηματίζειν und σύμμορφος bemerkenswert. Dabei fühlt man sich noch massiver an eine leibliche Auferweckung der Toten und eine Verwandlung der Überlebenden erinnert. Diese Gedanken dürften hier mit hellenistischem Einschlag ausgedrückt vorliegen[100]. In dieser Weise hält sich dann in Phil 3,21 die für Paulus als Pharisäer bereits wesentliche Vorstellung der Auferstehung der Toten dadurch, und zwar in christologisch-soteriologischer Aktualisierung. Vielleicht hatten hellenistische Gruppen der Pharisäer in einer derartigen Richtung schon vorgedacht. Traditionsgeschichtlich hat das hellenistische Christentum sicherlich unmittelbarer eingewirkt. Trotzdem meine ich, daß Paulus hier nicht lediglich ein formgeschichtlich vorgegebenes Überliegerungsstück anführt[101], sondern daß die Aussage in ihrer Jetztgestalt von Paulus selbst stammt. Vielleicht hat die soteriologische Zuspitzung auf die Parusie eine Verschiebung von der Auferweckung zur Verwandlung angebahnt. Das Sachanliegen der Auferweckung des Leibes bleibt auf jeden Fall gewahrt[102]. Bei all dem ist festzuhalten, daß sich auch an dieser Stelle wieder, und zwar sogar in der hellenistischen Färbung der Aussagen, ein apokalyptischer Rahmen durchhält. Im Blick auf das Problem der Auferstehung der Toten haben wir bei der Analyse von 1 Kor 15,19 bereits gesehen, wie die Stoßrichtung des Paulus in einem hellenistisch-synkretistischen Milieu aussieht.

Ein apokalyptischer Horizont wird dann vor allem in V.21b thematisch. Denn dort ist direkt und eindrücklich ein universalgeschichtliches Denken zu beobachten. Es wird nämlich auf die kosmische Unterwerfungstätigkeit Jesu Christi für Gott geblickt. Dabei wird das wegen des Anschlusses durch κατὰ κτλ als Maßstab und vielleicht als Grund[103] des eschatologisch-zukünftigen soteriologischen Handelns Jesu Christi an den Christen dargestellt. Insofern gehört es noch in den Objektzusammenhang von ἀπεκδέχεσθαι. Die Zeit- und Geschehensaspekte bleiben in V.21b jedoch etwas schillernd. Das ἐνέργεια weist nämlich aufgrund seiner Bedeutungen auf eine schon gegenwärtige Wirksamkeit hin[104]. Dagegen beschreibt das δύνασθαι eher eine Fähigkeit[105]. So mag auch mit ἐνέργεια vielleicht so etwas wie eine "wirksame Kraft" oder Energie gemeint sein[106]. Nun ist in diesem Zusammenhang der Aorist ὑποτάξαι bemerkenswert. Er spielt auf einen bestimmten eschatologisch-zukünftigen Akt an. Er könnte so dazu veranlassen, auch das δύνασθαι primär futurisch aufzufassen. Wenn ἐνέργεια aber nur die betätigte Kraft ausdrücken kann, so muß dann an den in der Gegenwart schon geschehenden Prozeß der Machtausübung Jesu Christi gedacht werden, bei dem das universale Unterwerfen im Vollsinn noch aussteht, aber die Tätigkeit in der Richtung dazu bereits besteht und von da aus das δύνασθαι ... ὑποτάξαι... der Zukunft verständlich wird. Der punktuelle Vorgang der eschatologischen Zukunft im Aorist ὑποτάξαι läßt hier aber auf jeden Fall μετασχηματίσειν und ὑποτάξαι als Akte zeitlich nahe aneinanderrücken, etwa in Entsprechung zur Auferweckung der Toten und Unterwerfung des ganzen Alls in 1 Kor 15,20 ff.

Ein anderer Objekthorizont steht nun gleich zu Beginn, nämlich das πολίτευμα ἐν οὐρανοῖς, das als das der Christen (ἡμῶν) dort jetzt schon besteht (ὑπάρχει). Paulus stellt es als Herkunftsort Jesu Christi bei der Wiederkunft vor. Deshalb gehört es hier ebenfalls noch in den Bereich der Objekte, vor allem wieder als Maßstab und Norm. Im Zusammenhang am glattesten ist in diesem πολίτευμα zunächst ein Gemeinwesen oder Staatswesen im Himmel[107] in der Weise zu sehen, daß die Christen ihre Heimat im Himmel haben und auf der Erde sozusagen in der Fremde leben[108]. Das gilt trotz anderer Interpretationen in der Forschung[109]. Auf einen lokalen Aspekt weist schon die Antithetik zu dem τὰ ἐπίγεια φρονεῖν der Gegner in V.19. Auch besteht der "Staat" jetzt schon im Himmel. Dennoch ist das Verhältnis von himmlisch und irdisch (vgl. lokal "oben und unten") im Textzusammenhang in einen zeitlich-geschichtlichen Rahmen gespannt oder sogar darauf zugespitzt worden (vgl. "jetzt und dann"), da dieses Gemeinwesen als Orientierungspunkt des ἀπεκδέχεσθαι der Christen und als Herkunftsort Jesu Christi bei seiner Wiederkunft hervortritt. Religionsgeschichtlich ist zu beachten, daß auch die jüdische Apokalyptik an wesentlichen Punkten bereits räumlich gedacht hat. Vor allem in der späteren Apokalyptik ist sogar eine Verlagerung auf ein räumliches Denken zu beobachten. Deshalb dürfen derartige lokale Gesichtspunkte in den Paulusbriefen nicht lediglich nur als platonischer oder hellenistischer Einfluß angesehen werden.

7.2.8. Phil 1,20

Schließlich ist Phil 1,20 hier noch in einem solchen Maß wichtig, daß es eine ausdrückliche Behandlung erforderlich macht. Im Rahmen der sehr gebündelten Gedanken dieser Stelle rückt nämlich die Christusgemeinschaft des

Paulus nach seinem Tod als Heilszustand in den Blick. Zwar kommt diese Christusgemeinschaft direkt erst in V.23 bei dem Sterben (ἀναλῦσαι) und dem anschließenden Sein mit Christus zum Ausdruck. Doch sind in den Ausführungen vorher entsprechende Gedanken schon als Teilaspekte zu berücksichtigen. Das gilt für ἐν οὐδενὶ αἰσχυνθήσομαι in V.20 selbst. Diese Wendung muß wieder vor allem auf dem Boden des at. Motivs "hoffen und nicht zuschanden werden" gesehen werden. Anders als in Röm 5,5 wird nun aber nicht primär an das Endgericht gedacht. Die passivische Ausdrucksweise in Phil 1,20 entspricht nun besser dem normalen Erscheinungsbild dieses Motivs. Auch die individuelle Zuspitzung korrespondiert gut ähnlichen Gewichten in at. Aussagen, wie z.B. in den at. Pss (vgl. LXX Ps 24(25),20; 30(31),1; 70(71),1; 118(119),116)[110]. In Phil 1,19 ergeben sich bei τοῦτό μοι ἀποβήσεται εἰς σωτηρίαν, was allerdings Objekt des parallelen οἶδα ist, ähnliche Aspekte. Auch dort ist zugleich ein at. Hintergrund zu erwägen[111]. Als Objekt unserer Synonyme ist dann wieder μεγαλυνθήσεται Χριστὸς ἐν τῷ σώματί μου in V.20 zu beachten. Vielleicht darf man in diesen Worten Beziehungen zur Verwandlung oder Auferweckung des Leibes vermuten, und zwar in besonderer christologischer und pointiert individueller und konkreter Zuspitzung, wenn man etwa Phil 3,20 f zum Vergleich heranzieht. Mag derartiges in V.20 gegenüber direkteren Hinweisen auf die Rettung des Paulus aus seiner Gefangenschaft oder seine Hinrichtung in ihr zurücktreten, so kommt der Heilszustand des Paulus sofort nach seinem Tod aber gleich in V.21 schon deutlicher zum Ausdruck[112], um dann in V.23 als Christusgemeinschaft nach dem Sterben ausdrücklich genannt zu werden. Auf das recht komplexe Problem solcher Christusgemeinschaft kann ich hier nun nicht im einzelnen eingehen, zumal in der Sekundärliteratur bereits Wesentliches dazu gesagt worden ist[113]. Wichtig ist an dieser Stelle die Feststellung, daß bei unseren Objekten auch eine eschatologisch zukünftige Christusgemeinschaft unmittelbar mit oder nach dem individuellen Tod in den Blick kommt, und zwar zugleich unter Verwendung von Begriffen, die sonst bei universalgeschichtlicher eschatologischer Zukunft wichtig sind (vgl. σωτηρία, negiertes αἰσχύνεσθαι, σῶμα)[114]. Sogar das σὺν Χριστῷ εἶναι selbst könnte in Entsprechung dazu dem οὕτως πάντοτε σὺν κυρίῳ ἔσεσθαι in 1 Thess 4,17 parallel gehen[115].

So stoßen wir bei Paulus also einmal auf eschatologisch-zukünftiges Heil, das mit der vor aller Welt sichtbaren und universal gültigen Parusie Jesu Christi beginnt, und zum anderen auf derartiges Heil, das individuell mit dem persönlichen Tod anhebt. Und zwar gilt das wie sonst so auch speziell bei den Objekten unserer Synonyme. Verwandte Begriffe und Vorstellungen schaffen dabei eine Verbindung zwischen diesen beiden Bereichen. Allerdings ist die individuelle Ausrichtung in Phil 3,20 f von dem Sachverhalt in Phil 1,20 zu unterscheiden. Daß Paulus in Phil 1,20 in den Bahmen eines besonderen Märtyrergeschicks denkt[116] oder überhaupt lediglich eine Spezialaussage über sich selbst macht, halte ich für weniger wahrscheinlich. Schon eher legt es sich nahe, eine durch die individuellpersönliche Zuspitzung auf die Christusgemeinschaft verkürzte Sicht der eschatologischen Zukunftsdimension des Heils anzunehmen[117].

7.2.9. Zusammenfassung

Wenn wir auf das zurückblicken, was eben bei den Objekten von ἐλπίς und ihren Synonymen für die eschatologische Zukunft erarbeitet worden ist, dann zeigt sich, wie sehr Paulus hier auf dem Boden der Apokalyptik steht. Das machen das Hervortreten der Christologie und das Zurücktreten Gottes in der Perspektive der eschatologischen Zukunft deutlich. Denn Gott ist bei Paulus in diesem Zusammenhang, und zwar im Unterschied zu Jesus Christus, nicht als direktes Objekt zu beobachten. Doch hat Paulus die Funktionen zwischen Gott und Jesus Christus für die eschatologische Zukunft insgesamt gesehen nicht völlig einheitlich aufgeteilt. Außerdem ist zu berücksichtigen, daß die jüdische Apokalyptik bei Paulus und in den Schichten vor ihm christlich rezipiert und modifiziert worden ist und überhaupt sogar hellenistisch-synkretistische Vorstellungen und Ausdrucksweise eingeflossen sind. Das zeigt sich auch speziell bei den Heilsaussagen über die eschatologische Zukunft. Bemerkenswert ist, daß wir bei den Objekten unserer Synonyme ausschließlich Heilsaussagen begegnen, soweit das die eschatologische Zukunft betrifft. Dabei ist in der Regel eine scharfe Distanz zum eschatologisch noch ausstehenden Heil zu bemerken.

Obwohl wir über unsere Objekte nur zu einem Teil der Aussagen des Paulus über die eschatologische Zukunft Zugang finden, kommen trotzdem bei ihnen die hauptsächlichen eschatologischen Zukunftsvorstellungen des Paulus zum Vorschein. Das gilt für universalgeschichtliche, aber auch für individuelle Aspekte. Zum Teil ist das jedoch verdeckt der Fall, so daß es mehr oder weniger erst erschlossen werden muß. Das liegt charakteristisch bei der Auferstehung der Toten vor. Wenngleich die Auferstehung der Toten terminologisch durch ἀνάστασις u.ä. ausgedrückt hier nicht zu beobachten ist[118], da selbst 1 Kor 15,19 und 1 Thess 4,13 keine direkten Objektaussagen in dieser Richtung machen, so beobachten wir dennoch die Gedanken von Auferweckung und Verwandlung des Leibes, wie Röm 8,23 und Phil 3,20 f zeigen (vgl. auch Phil 1,20). Die Vorstellung der Auferstehung der Toten war schon für Paulus als Pharisäer leitend und ist dann bei dem Christen Paulus christologisch vermittelt erneut zentral geworden. Der Bedeutung des Leibes in diesem Zusammenhang entsprechen die Heilsaussagen über die κτίσις in Röm 8,19 ff. Aber auch ein Gesichtspunkt wie das "ewige Leben", der terminologisch ausgedrückt als Objekt bei unseren Synonymen ebenfalls fehlt[119], könnte durch Stellen wie Phil 3,20 f mit umschlossen sein.

Auf diese Weise wird deutlich, daß bei Paulus hier kein ausgebautes und einheitliches System von Zukunftsvorstellungen vorliegt. Dennoch sind Schwerpunkte festzustellen, bei denen die Christologie und überhaupt die Soteriologie eine zentrale Rolle spielen. Dabei ist zu beachten, wie sehr das eschatologisch-zukünftige Heil personal vermittelt eintritt[120].

Es kommt zum Vorschein, daß die Soteriologie durch Unterwerfung, Vernichtung und Befreiung universal ausblickt[121].

7.3. Die Aussagen ohne Objektangaben

Schließlich ist in diesem Zusammenhang noch auf den Sachverhalt einzugehen, daß wir in den Paulusbriefen auf absolute Aussagen stoßen. Bei ihnen redet Paulus ohne Objekthinzufügung von "Hoffnung". Doch sind bei genauerem Zusehen diejenigen unter ihnen hier nicht so wichtig, die eine Kontextbeziehung in der Objektperspektive besitzen. Dabei handelt es sich einmal um Texte, die theologisch für die "Hoffnung" selbst nicht so belangreich sind. Das zeigt sich bei dem ersten ἐλπίς in Röm 4,18 und 1 Kor 9,10 oder auch dem ἐλπίς in 2 Kor 1,7. Zum anderen gehen diese Aussagen, sofern sie ein theologisches Gewicht besitzen, in den voranstehend erarbeiteten Objektgesichtspunkten auf. Dafür ist ἐλπίς in 2 Kor 3,12 ein Beispiel. Die übrigen absoluten Aussagen, d.h. solche im engeren Sinn, müssen nun als charakteristisch christlich angesehen werden. Denn sie betreffen allgemein das christliche Heil. Das ist schon deshalb verständlich, weil Paulus bei ihnen offensichtlich auf katechetisch-kerygmatischer Grundlage an gemeinsames Gedankengut der Christen anknüpfen konnte[122]. Daß das Substantiv ἐλπίς dabei hervortritt, verwundert schon deshalb nicht, da es in der antiken Gräzität bis z.Z. des Paulus ein beliebtes und ausgeprägtes Wort geworden war und als Substantiv die Objekte selbst schon mit enthalten konnte.

In dieser Hinsicht ist auf das erste ἐλπίς in Röm 15,13 hinzuweisen, wo trotz des Stichwortanschlusses zu V.12 umfassender allgemein die christliche "Hoffnung" gemeint ist. Auch die Beziehung zu Gott spricht nicht dagegen, da Gott hier als Garant und Urheber, nicht aber als Objekt der "Hoffnung" angeführt wird. Dadurch kommt neben dem Akt der "Hoffnung" zugleich die ganze eschatologische Heilszukunft in den Blick. Es ergibt sich auf diese Weise noch ein weiterer inhaltlicher Rahmen für die voranstehend erarbeiteten Objektaspekte. An anderen Stellen tritt nun die spes quae speratur nicht mehr in einem vergleichbaren Maß pointiert hervor. Das gilt auch für Gal 5,5. 1 Thess 4,13 ist hier nur antithetisch bedenkenswert. Es läßt dabei aber immerhin wieder so umfassende Horizonte durchschimmern, wie wir sie in Röm 15,13 angetroffen haben. Die z.T. speziellen Ausführungen des Paulus in 4,14 ff sprechen nicht dagegen.

Schließlich bieten sich in diesem Zusammenhang nur noch die absoluten Aussagen an, wo ἐλπίς primär als spes qua speratur gemeint ist. Das ist in Röm 12,12; 15,4 u.ö. der Fall. Denn selbst bei diesem Sprachgebrauch sind trotz des primären Gewichts auf dem Akt die Gegenstände der "Hoffnung" nicht völlig ausgeschaltet. Dabei ist die Objektbeziehung bei diesen Aussagen sogar ein wesentlicher Grund dafür, daß sie ein charakteristisch christliches "Hoffen" aufscheinen lassen. So weisen auch sie uns auf einen weiteren Rahmen der Objektaspekte hin. Diese absolute Ausdrucksweise macht deutlich, daß Paulus und die Christen seiner Zeit offensichtlich von einer Einheit der eschatologischen Zukunft her denken konnten, sich also nicht nur einzelne, mehr oder weniger durchreflektierte Vorstellungen gemacht haben. Das könnte dem Gesichtspunkt eines vorgeordneten Kommens der eschatologischen Zukunft entsprechen. Dadurch dürften zugleich auch die Spannungen und das Fehlen eines ausgesprochenen Systems, wie wir das in der obigen Einzelanalyse über die Objekte festgestellt haben, unter dem Blickwinkel des Paulus eine Grenze ihrer Problematik finden. Bemerkenswert ist nun die Beobachtung, daß bei dem absoluten Sprachgebrauch zahlenmäßig gerade die Aussagen überwiegen, die ἐλπίς oder ἐλπίδα ἔχειν im Sinn einer primären spes qua speratur meinen. Wenn man zudem die dabei anklingenden Formalisierungstendenzen berücksichtigt, so wird es uns jetzt zur Aufgabe gemacht, der spes qua speratur selbst in einem besonderen Abschnitt nachzugehen.

8. AKTPROBLEME

Im folgenden sollen unter dem weitergehenden Gesichtspunkt von Aktproblemen theologisch die wesentlichen Strukturen der Zukunftseinstellung in unseren Synonymen erarbeitet werden, einige besondere Qualifizierungen und Beziehungen aufgezeigt werden,. die Subjekte betrachtet werden und Überlegungen zum anthropologischen Ort durchgeführt werden. Wir beginnen dabei mit den Subjekten.

8.1. Die Subjekte

Als Subjekte treten hervor:

1. Paulus selbst[1] in Röm 15,24; 1 Kor 16,7.11; 2 Kor 1,7.10.13; 5,11; 8,5; 10,15; 13,6; Phil 1,20; 2,19.23; 1 Thess 2,19; Phlm 22.

2. Paulus zusammen mit Brüdern, Mitaposteln, Mitarbeitern in 1 Kor 9,10 (indirekt); 16,11 (wegen der Hinzufügung) und gegebenenfalls zusammen mit den Mitabsendern[2].

3. Die angeschriebenen Gemeinden, ihre Christen oder einzelnen Gruppen bis hin zu Irrlehrern und Gegnern des Paulus in Röm 12,12; 15,13 (1 mal); 1 Kor 1,7; 11,33; 15,19 (logisch), 1 Thess 1,3.10.

4. Die Christen allgemein[3] in Röm 5,2.4.5; 8,23.24a.25; 15,4.13 (1 mal); 1 Kor 13,13; 15,19 (als sachlich verkürzt beurteilt); 2 Kor 3,12; Gal 5,5; Phil 3,20; 1 Thess 5,8.

5. Ἡ κτίσις in Röm 8,19.20.

6. Der Pflügende in 1 Kor 9,10.

7. Der Dreschende in 1 Kor 9,10.

8. Abraham in Röm 4,18.

9. Ἔθνη , eventuell als Heidenchristen, in Röm 15,12.

10. Οἱ λοιποί als Nichtchristen in 1 Thess 4,13.

11. Die (christliche) Liebe in 1 Kor 13,7.

12. Ἡ ἀποκαραδοκία (τῆς κτίσεως) in Röm 8,19.

13. Allgemeines oder unbestimmtes Subjekt in Röm 8,24b.c (vgl. Menschen überhaupt); 15,13 (1 mal; bes. Christen).

14. Zurücktreten eines Subjekts bei der Bedeutung "Hoffnungsgut" in Gal 5,5 (aber christlich).

Diese Aufstellung zeigt, daß an den meisten Stellen Christen die Subjekte darstellen. Das entspricht dem Charakter der Paulusbriefe als Gelegenheitsschreiben des Christen Paulus an Christen. Die Zuordnung der einzelnen Synonyme zu diesen Subjektrubriken erweist sich insgesamt gesehen für eine genauere Differenzierung der Zukunftseinstellung selbst nicht als fruchtbar[4]. Doch finden wir bezeichnenderweise bei der 4. Gruppe die quantitativ und sachlich wichtigsten Synonyme, nämlich ἀπεκδέχεσθαι, ἐλπίζειν, ἐλπίς. Ferner tritt bei Reisefragen u.ä. die 1. Person Singular hervor, wohl wegen des individuellen Wünschens, Planens usw. Bemerkenswert ist, daß Paulus bei den Subjekten nirgendwo deutlich psychologisch o.ä. im Individuum weiter eingrenzt, sondern kollektiv bei ganzen Gruppen oder individuell bei Einzelpersonen bleibt. So tritt bei unseren Synonymen gerade der Vollzug hervor. Er weist dabei vor allem auf den Gesichtspunkt eines Akts der christlichen Existenz hin, und zwar als von dem jeweiligen Ich bzw. den ganzen Personen oder personalen Einheiten ausgeführt. Das könnte bei Paulus sachliche Gründe besitzen. So mag theologisch an die paulinische Sicht des ganzen Menschen als Geschöpf gedacht werden. Doch ist möglicherweise auch noch ein bestimmtes Reflexionsniveau des Paulus zu beachten, das wie bei den sprachlichen Fragen eine bestimmte Höhenlage nicht überschreitet.

8.2. Überlegungen zum anthropologischen Ort

Wenngleich sich gerade gezeigt hat, wie sehr Paulus beim ganzen Menschen bzw. bei der ganzen Person und sogar bei ganzen Menschengruppen als Subjekten bleibt, empfiehlt es sich trotzdem, nun noch einen Schritt weiterzugehen und nach dem anthropologischen Ort des Aktes in unseren Synonymen zu fragen. Immerhin ist es so, daß Röm 5,5; 8,23 und 15,13 in die Person hinein und auf das Herz weisen. Da Paulus aber keine ausdrücklichen Angaben in dieser Richtung macht, müssen wir hier über Rückschlußverfahren weiterzukommen versuchen. Deshalb kann es sich insgesamt auch nur um Überlegungen dazu handeln.

Unter Berücksichtigung der emotionalen, voluntativen und überhaupt intentionalen Aspekte in unseren Synonymen legen sich nun besonders
καρδία, aber auch ähnliche Bestimmungen in der Sphäre des Wollens,
Trachtens und der Gemütsbewegungen als anthropologischer Ort nahe[5].
Deshalb kann neben καρδία auch noch konkret an die ψυχή oder an das
menschliche πνεῦμα gedacht werden. Solche Begriffe klingen bei dem
Gebrauch unserer Synonyme z.T. vielleicht sogar in dieser Richtung an,
wie Röm 5,5 (καρδία); Phil 2,19 (εὐψυχεῖν) zeigen. Dagegen sind σῶμα
und ζωή selbst dann, wenn sie sich anthropologisch auf das menschliche
Individuum beziehen, für eine Zuordnung zu allgemein[6]. Schließlich ist
auch noch das intellektuelle oder gar pointiert rationale Moment zu berücksichtigen, das Hand in Hand mit den bisher besprochenen Gesichtspunkten gehen, aber auch antithetisch zu einem Teil von ihnen stehen kann.
Generell legt sich vor allem der νοῦς nahe, zumal eine derartige anthropologische Beziehung in Röm 4,18 f (κατανοεῖν) direkt anklingen könnte. Doch zeigt es sich hier wie überhaupt, daß kein einzelner anthropologischer Ort allein und fest ausgegrenzt werden kann. Καρδία muß
aber als besonders wichtig angesehen werden, und zwar nicht zuletzt deshalb, weil die Bedeutungen "Hoffnung" und "hoffen" sowie ein entsprechender emotionaler und voluntativer Sinn in unseren Synonymen quantitativ überwiegen. Wo dagegen pointiert rational "Erwartung" und "erwarten" vorherrschen, dürfte sich der νοῦς stärker hervorschieben.

Nun sind die bisher betrachteten Aspekte zumeist jedoch noch formal und
neutral, so daß wir bei ihnen im Rahmen eines allgemeinen "Hoffens usw."
bleiben. Daher stellt sich schließlich die Frage nach einer genaueren
theologischen Zuweisung. Mit Sicherheit entfällt für die Bedeutungen
"Hoffnung u.ä." die σάρξ. Allerdings könnte sie wenigstens bei der "Erwartung" des Abrahem im ersten ἐλπίς von Röm 4,18 erwogen werden.
Eher ist schon an das σῶμα zu denken, und zwar speziell an das σῶμα τῆς
ταπεινώσεως ἡμῶν (Phil 3,21), wenn die "Hoffnung" als Ausrichtung auf
das zukünftige Heil aus der Situation des Einflusses von Verderbensmäch-
ten heraus beschrieben wird. Doch ist auch das σῶμα hier letztlich noch
zu allgemein. Es weist u.U. auch schon wieder auf die ganze Person hin.
Die Berücksichtigung der κτίσις in Röm 8,19 ff macht das ganze Problem noch komplizierter. Deshalb wird man gerade bei den theologischen
Aussagen und überhaupt unter theologischem Blickwinkel eher von Ver-
haltens- oder Geschehenskategorien auszugehen haben. Dem entspricht
es grundsätzlich, daß bei Paulus für das eschatologisch-gegenwärtige Heil
kein Anknüpfungspunkt substantieller Art im Menschen fixiert wird. Allerdings könnte das göttliche πνεῦμα erneut auf καρδία weisen (vgl.
Röm 5,5). Andererseits deutet es aber auch wieder ein unverfügbares
Geschehen an, da das πνεῦμα von außen durch Gott verliehen worden ist
und sich kein menschliches Organ des Christen zum πνεῦμα hin auf-
schwingt. Ferner lassen die Beziehungen zu ἀγάπη (1 Kor 13,7) und
πίστις (Gal 5,5) ebenfalls das Verhalten hervortreten. Πνεῦμα und
πίστις können in diesem Zusammenhang sogar in Kombination aufleuch-

ten (Gal 5,5). Von da aus wird man bei den theologischen Gesichtspunkten für unsere anthropologischen Fragen primär auf das Ich, die ganze Person, den ganzen Christenmenschen und überhaupt die christliche Existenz im Vollzugssinn verwiesen[7]. Zudem ist zu beachten, daß die anthropologischen Begriffe bei Paulus generell auf die ganze Person, den ganzen Menschen weisen können[8]. Außerdem kommt über die Subjekte noch die Kollektivität bei den Christen als ganzer Gruppe oder als Einzelgemeinde und die bei der κτίσις hinzu. Auf diese Weise schließt sich der Kreis zurück zu den Subjekten.

Dieser Sachverhalt der Paulusbriefe ist um so erstaunlicher, als sich in der Umwelt Aussagen finden, die hier anthropologisch betrachtet näher eingrenzen und dem Paulus z.T. sogar bekannt gewesen sein dürften. Das gilt z.B. für (ἡ) ψυχή in LXX[9] Ps 129 (130),6; Jes 29,8; Philo DetPotIns § 139; Hebr 6,18 f; 1 Clem 27,1; (ἡ) καρδία in LXX Jdt 6,9; Ps 27(28),7; (ἡ) σάρξ in LXX Ps 15(16),9 und dessen Zitat in Apg 2,26; (ἡ) διάνοια bei Philo PosterC § 26[10]. Bemerkenswert ist an diesen Beispielen, daß auch das NT sonst und die apostolischen Väter unter ihnen anzutreffen sind. Wenn dabei im NT derartige Aspekte insgesamt jedoch zurücktreten, so mag auch das wieder auf die Bedeutung der Existenz in diesem Zusammenhang hinweisen. Im einzelnen müssen an den genannten Stellen aber die jeweiligen anthropologischen Auffassungen im Rahmen theologischer, kulturgeschichtlicher u.ä. Voraussetzungen bedacht werden. Auch sind unterschiedliche Reflexionsgrade zu berücksichtigen[11].

8.3. Strukturen der Zukunftseinstellung

Oben bei den Fragen des Vokabulars sind die semantischen Aspekte der einzelnen Wörter und ihr Zusammenhang als Synonyme behandelt worden. Auf dieser Grundlage sind im folgenden die theologisch wichtigen Strukturen dieser Zukunftseinstellung thematisch aufzuzeigen. Angesichts der obigen sprachlichen Analysen brauchen aber nicht erneut die einzelnen Begriffe durchgegangen zu werden. Es genügt vielmehr eine zusammenfassende Darstellung der charakteristischen Strukturen. Dabei ist zu zeigen, wie sie theologisch ausgeprägt und sinnvoll sind.

1.   "Für - sich - Erhoffen, Erwarten usw."

Generell leuchtet nun ein "Für-sich" in der "Hoffnung, Erwartung usw." auf[12]. Das entspricht dem durchgehend zentralen intentionalen Moment. Dadurch wird schon deutlich, daß stets ein mehr oder weniger bewußt vollzogener Akt vorliegt. Insofern ist ebenfalls ein Interesse zu beobachten, und zwar auch hinsichtlich der eigenen Person des Subjekts. In diesem Zusammenhang dürfen zugleich die voluntativen und emotionalen Aspekte angeführt werden. Man könnte nun theologische Einwände erheben, etwa in dem Sinn, daß das "Für-sich-Erhoffen, Erwarten usw." bedenklich einen Egoismus ausdrückt, der hier sowohl der Macht und Würde Gottes als auch der Verpflichtung für das Wohl des Mitmenschen nicht angemessen ist. Nun ist aber zu beachten, daß es dem Paulus theologisch in der Weise um das Heil Gottes geht, daß neben Gott zugleich auch das jeweilige Subjekt der Zukunftseinstellung zu seinem Recht kommt. Das ist um so eher möglich, als das Heil nach Paulus gerade von Gott gewirkt und für den einzelnen Christen gewollt und garantiert wird. Diesen Sachverhalt zeigen für das Heil im Zusammenhang des Gebrauchs unserer Synonyme Stellen wie 1 Kor 1,4-9; 1 Thess 5,4-10. Von daher sind die Objekte bei Paulus in der Regel auf das Wohl der jeweiligen Subjekte bezogen, und zwar gerade auch bei den soteriologischen Aussagen. Nur in 2 Kor 1,7 stoßen wir deutlich auf eine "Hoffnung" für andere, nämlich die Christen Korinths[13]. Schließlich weist noch das πάντα in 1 Kor 13,7 auf Grenzen des "Für-sich-Erhoffens" hin. Denn selbst unter Berücksichtigung eines rhetorischen Momentes der Objektaussagen mit πάντα erscheint dort die Bestimmung des ἐλπίζειν durch das πάντα so stark, daß man sich fragen kann, ob überhaupt noch "hoffen" im eigentlichen Sinn eines "Für-sich-Erhoffens" vorliegt. Nicht von ungefähr geht es dabei um die (christliche) ἀγάπη.

2. Wünschen, Wollen, Sehnsucht, Spannung

Schon aufgrund dieser Beobachtungen zum "Für-sich-Erhoffen, Erwarten usw." ist es auch theologisch sinnvoll, daß ein Wünschen, ein Wollen und eine Sehnsucht wichtig sind. Deshalb konnten wir eben schon auf das voluntative und emotionale Moment anspielen. Dieses zweite Strukturmerkmal läßt nun dierekt den Bereich der Emotion hervorleuchten. Besonders ist derartiges bei ἐλπίζειν und ἐλπίς zu bedenken. Vor allem dort sind nämlich selbst bei den theologischen Aussagen ein Wünschen und ein Wollen nicht beseitigt worden, immerhin aber gegenüber den mehr profanen Stellen doch stärker gebunden worden[14]. Umgekehrt zeigen gerade diese die Möglichkeit des Wünschens und Wollens auch für jene auf, weil Hinzufügungen wie eine conditio Iacobaea (1 Kor 16,7) ein Wünschen weiterhin gestatten. Eine Sehnsucht ist aufgrund der Bedrückung durch Leid und Sünde verständlich (vgl. Röm 8,23; Phil 3,20 f). Von daher ist es bei der κτίσις angesichts ihrer gegenwärtigen Situation besonders eindrücklich (s. Röm 8,19-22). Ähnliches gilt für eine Spannung. Sie ist vor allem bei ἀποκαραδοκία charakteristisch vorhanden, und zwar z.T. vielleicht sogar mit einer stärkeren sinnfälligen Nuance. In diesem Rahmen muß schließlich noch auf eine Intensität, einen Eifer und einen Trost in der Zukunftsrichtung hingewiesen werden.

3. Zutrauen und Zuversicht

Unter theologischen Gesichtspunkten sind nun ein Zutrauen und eine Zuversicht, die z.T. auch in einer profanen und erst recht in einer allgemeinen religiösen "Hoffnung" nicht ausgeschaltet sind, verstärkt und besonders ausgeprägt worden. Daß beide speziell bei den Christen in den Vordergrund treten, liegt einmal an dem für sie schon begonnenen eschatologischen Heil. Denn dieses bringt den Christen für die Zukunft in einer ganz neuen Weise eine Sicherheit des Eintreffens des "Erhofften". Das zeigt sich z.B. in Röm 5,5 und Gal 5,5. Ähnliches gilt für die Parusie unter Berücksichtigung des zurückliegenden Christusgeschehens, wie etwa 1 Thess 1,10 deutlich werden läßt. Das verweist uns zugleich noch auf einen weiteren Aspekt. Da nämlich die Christen bei ἐλπίς κτλ für ihr irdisches Leben und für die eschatologische Zukunft auf Gott und Jesus Christus ausgerichtet sind, ergeben sich personale Relationen, für die ein Zutrauen und eine Zuversicht besonders charakteristisch sind. Ferner machen dieses dritte Strukturmerkmal die sachlich engen Verhältnisse zu πιστεύειν, πίστις, πεποιθέναι deutlich (vgl. 2 Kor 1,9 f; Gal 5,5; Phil 2,19 ff). Derartiges gilt bereits für Abraham (s. Röm 4,18). Wenngleich die κτίσις aufgrund ihrer gegenwärtigen schlechten Situation weniger Zutrauen und Zuversicht haben kann, so ist doch ebenfalls bei ihr beides nicht ausgeschaltet, schon da auch sie ihre Heilszukunft über Personen vermittelt sieht (s. Röm 8,19 ff). Ein Hochgefühl und eine Hochstimmung sind unter diesen Voraussetzungen bei den Christen verständlich, wie z.B. die Beziehung zur Freude zeigt. Röm 5,2.4 f; 12,12; 1 Kor 1,7; 2 Kor 3,12 sind dafür instruktiv. Andererseits kommt aber auch eine gehorsame Entgegennahme in den Blick. Dafür ist u.a. wieder auf die Nähe zu πιστεύειν und πίστις hinzuweisen.

4. Warten

Das Warten in der "Hoffnung, Erwartung usw." bringt nun vor allem das Verhältnis zur Zeit ein. Es macht einmal deutlich, daß die Objekte noch ausstehen. Futurformen zeigen das eindrücklich (vgl. z.B. Phil 3,20 f). Zum anderen läßt das Warten das durative Moment aufleuchten. Denn auch dieses Moment ist in unseren Synonymen bei der Zukunftseinstellung irgendwie stets vorhanden. Rezeptive Aspekte werden dabei aufgenommen. Dafür sind von der Wortkomposition und dem theologischen Gewicht her ἀπεκδέχεσθαι, ἀποκαραδοκία, aber auch ἀναμένειν instruktiv. All das kann verschiedene Stärkegrade und unterschiedliche Motivationen besitzen. Theologisch ist das Warten vor allem wegen der Unverfügbarkeit des eschatologischen Heils in Verbindung mit der Distanz zur eschatologischen Zukunft und der Freiheit Gottes oder Jesu Christi sinnvoll. Dabei wird einer Vermessenheit gewehrt, die sich wegen des Heilsanteils in der Gegenwart einstellen könnte[15]. Zugleich ermöglichen das schon begonnene Heil und die Beziehung zu Gott und Jesus Christus aber auch das Warten, ohne daß ein Hoffen und Harren entstehen, die zum Narren machen (vgl. Röm 5,5). Es kann, und zwar z.T. in einer gewissen Weise psychologisch bedingt, eine mehr oder weniger größere Nähe des Kommens des Endes bewußt sein, braucht es aber nicht unbedingt. Denn der jeweilige Blickwinkel und die jeweilige Situation sind für die Einzelausprägungen der Sicht leitend. Unverfügbarkeit und Unvorhersehbarkeit

des Endes bleiben aber stets wichtig. Unter derartigen Voraussetzungen
ist dann auch eine verstärkte Ausgestaltung des Wartens zu Geduld und
Ausdauer theologisch sinnvoll. Sie wird voll jedoch erst durch die Hinzufügung von ὑπομονή erreicht (vgl. Röm 8,25; 1 Thess 1,3). Ähnliches
gilt für Nüchternheit und Bewährung im Zusammenhang des Strukturmo-
ments des Wartens (vgl. 1 Thess 5,8).

5. Vorstellung, Wissen, Folgern

Schließlich sind sogar noch Vorstellung, Wissen und Folgern thematisch
zu bedenken. Hier wird an intellektuelle oder gar rationale Gesichtspunkte angeknüpft. In enger theologischen Zusammenhängen kann das bei
den auf das eschatologische Heil bezogenen Aussagen sogar noch zu einem Wissen weiterentwickelt worden sein. Dabei wird u.U. auch antizi-
piert. Dafür sind katechetisch-kerygmatische Gründe leitend. Denn die
Christen besitzen durch die Verkündigung des Evangeliums und die Unterweisung zugleich ein Wissen über die eschatologische Zukunft, wenn
man an die Parusie, das eschatologisch-zukünftige Heil im Blick auf Rettung, Gerechtigkeit, Herrlichkeit u.ä. denkt. Deshalb kann Paulus auch
auf ein Einverständnis mit den Empfängern seiner Briefe bauen. Von da
aus verstehen sich die Christen sogar im vorgegebenen Horizont der
eschatologischen Zukunft. All das gilt trotz der Spannungen in den Zukunftsvorstellungen, auf die wir oben bei der Frage nach den Objekten gestoßen sind. Umgekehrt weist uns solch ein vorgegebener Horizont aber
auch auf Einheitsgesichtspunkte hin. Ferner sind hier die Kontextbeziehungen zu Wissensbegriffen instruktiv (vgl. Phil 1,19 f; 1 Thess 4,13
oder 5,1; Röm 8,18)[16]. Es kann sich sogar ein theologisches Folgern ent-
wickeln, so z.B. auf der Grundlage der schon geschehenen Auferweckung
Jesu Christi (vgl. Phil 3,20 f; 1 Thess 1,10). Doch ist das nicht rational
im allgemein einsichtigen und zur Anerkennung führenden Sinn gemeint.
Es bleibt vielmehr in theologischen Denkzusammenhängen. Insofern hört
aber auch das christliche "Hoffen" nicht auf zu denken. Deshalb darf es
nicht grundsätzlich von einer Klugheit getrennt werden. Wenn wir in den
Paulusbriefen nun auch noch auf ein pointiert rationales Vorstellen, Wissen und Folgern stoßen, so betrifft das jedoch nicht die genuin christliche "Hoffnung". Es ist nämlich an sich allgemein einsichtig und anerkenn-
bar. Das zeigen der Sinn "Erwartung" und "erwarten" in 1 Kor 9,10 und
2 Kor 8,5. Vielleicht theologisch gesehen nicht von ungefähr kann eine
solche Kalkulation durch die faktischen Ereignisse dann überholt worden
sein, wie Paulus für den Fall der Kollektensammlung durch die christlichen Gemeinden Mazedoniens in 2 Kor 8,5 zum Ausdruck bringt. Charakteristisch tritt ein derartiges pointiert rationales Folgern in Röm 4,18
am Beispiel des Abraham vollends in den Gegensatz zur theologischen
ἐλπίς, die im Sinn von "Hoffnung" auf die göttliche Verheißung geht.

All diese Strukturen stellen einen Funktionszusammenhang dar, der eine
konstitutive Zukunftseinstellung auch unter theologischem Blickwinkel

deutlich macht. Daß bei diesen Strukturen recht verschiedenartige Aspekte zusammengehen können, zeigen nicht nur faktisch die Aussagen. Es besitzt vielmehr auch theologische Gründe. Schon indem die Christen sich im Horizont eschatologisch bereits begonnenen und eschatologisch zugleich noch ausstehenden Heils sehen, wird ein Miteinander solcher an sich disparater Nuancen wie Sehnsucht oder Spannung und Warten, Wünschen und Wissen verständlich. Ein einfaches Gegenüber, das von Menschen entworfene Zukunftsbilder auf der einen Seite und Vertrauen auf Gottes Tat oder Frei- und Offensein für Gottes Zukunft auf der anderen Seite einander entgegensetzt, wird dagegen nicht allen Aspekten gerecht, die wir in den eben aufgezeigten Strukturen erfaßt haben[17]. Angesichts des komplizierten Verhältnisses von christlichem "Hoffen usw." zu nichtchristlichem oder nicht speziell christlichem erweisen sich nun für die theologischen Gesichtspunkte vor allem die Beziehungen zu den Objekten und zum Heil als wichtig. Insofern ist die κτίσις von Röm 8,19 ff hier rechtmäßig zu berücksichtigen. Dadurch werden ferner die Antithetik in Röm 4,18 und die Kritik der Verkürzung in Röm 8,24b.c; 1 Kor 15,19 verständlich. Auf diese Weise können schließlich auch eine Negation (1 Thess 4,13) oder gegensätzliche andere Verhaltensweisen (vgl. die Antithesen in 1 Thess 5,1 ff) in den Blick rücken.

Eigenartigerweise ist nun eine ausgesprochene Naherwartung nicht durchgehend leitend. Das ist noch nicht einmal bei der Betonung der Intensität unbedingt der Fall. Derartiges wird z.B. in Röm 8,19 ff deutlich. Überhaupt ist schon das Miteinander von Sehnsucht, Spannung und Warten in dieser Richtung charakteristisch. Dem entspricht es, daß sich bei Paulus insgesamt gesehen neben Hinweisen auf die Nähe oder das Näherkommen des Endes (vgl. Röm 13,11; 1 Thess 4,17) auch solche auf die Plötzlichkeit und Unvorhersehbarkeit (vgl. 1 Thess 5,1 ff) finden. Hier werden nämlich die Macht und Freiheit Gottes oder Jesu Christi und in Entsprechung dazu die Grenzen des Wissens der Christen über den genauen Zeitpunkt berücksichtigt. Auch bringt das Miteinander von Stellen wie Phil 1, 20; 3,20 f an diesem Punkt komplexere Verhältnisse, und zwar schon innerhalb desselben Briefes.

Emotional negative Strukturen wie Furcht, Ungewißheit, Ängstlichkeit sind bei dem paulinischen Gebrauch unserer Synonyme allgemein und auch speziell theologisch nicht gesichert festzustellen. Hier scheint sich christlicher Sprachgebrauch auszuwirken, zeigt sich bei den Christen eine grundsätzlich positive Ausrichtung auf die Zukunft. Das gilt selbst unter Berücksichtigung des Endgerichts, das uns in 1 Thess 1,10 unter dem Gesichtspunkt der ὀργή begegnet ist. Zutrauen und Zuversicht oder die Christologie sprechen nämlich charakteristisch gegen Furcht usw. im Sinn eines Negativphänomens (vgl. Gal 5,5; selbst 1 Thess 1,10)[18]. Doch könnte man immerhin fragen, ob nicht eine positive Furcht in den Bahnen der at. Gottesfurcht in unseren Synonymen zu erwägen ist. Das würde durchaus der Verantwortung angesichts des Endgerichts, unter der auch die Christen stehen (vgl. 2 Kor 5,10 f), oder Hinweisen auf φόβος und τρόμος im Blick auf die eschatologische Zukunft (vgl. Phil 2,12) entsprechen[19]. Doch weisen sogar Gal 5,5 und 1 Thess 5,8, wo eine Offenheit und paränetische Zuspitzung deutlich zu berücksichtigen sind, faktisch nicht in eine solche Richtung. Überhaupt müßte im Blick auf das Verhältnis der Christen zum Endgericht auch ein negativer Sinn bei der Furcht veranschlagt werden. Da zudem an einer Stelle wie Phil 2,12 direkt ein derartiger negativer Sinn von Furcht bei φόβος und τρόμος zu aller positiven Funktion hinzukommt, ist es fraglich, ob Paulus diesen Aspekt der Furcht überhaupt durch unsere Synonyme theologisch ausdrücken wollte[20]. Wenn er ihn meinte, hat er ihn offensichtlich durch andere Wörter hervorgehoben. Eine solche Furcht stößt sich auch mit zahlreichen und wichtigen Einzelstrukturen, die wir eben für die Zukunftseinstellung in unseren Synonymen aufgezeigt haben. Außerdem weist z.B. die Unverfügbarkeit im Warten in eine andere Richtung.

8.4. Besondere Qualifizierungen und Beziehungen

Im folgenden sollen nun noch einige besondere Qualifizierungen und Beziehungen für die spes qua speratur betrachtet werden. Die spes qua speratur kann geschichtlich ganz konkret sein, aber auch allgemeiner die Christen betreffen. Ersteres liegt z.B. in Röm 12,12; 15,13 (1 mal).24; 1 Kor 1,7; 2 Kor 10,15; 1 Thess 1,10 vor, letzteres in Röm 5,4 f; 8,24a. 25; 15,4; Gal 5,5; Phil 3,20. Übergänge sind jedoch zu beobachten. Das zeigt sich dort, wo eine allgemein gültige christliche Sicht konkret zugespitzt wird, wie in Röm 12,12; 1 Thess 1,10. Zeitlich beginnt der Akt bei den Christen mit der Bekehrung oder Taufe (vgl. Röm 8,24a; 1 Thess 1,9 f) oder mit einem sonstigen konkreten Ereignis (vgl. 2 Kor 1,10). In die Zukunft hinein ergibt sich genauer eine Begrenzung im Christenleben selbst (vgl. 2 Kor 8,5) oder durch den Tod (vgl. Phil 1,20) oder durch die Parusie (vgl. 1 Kor 1,7)[21].

In quantitativer Richtung wird ἐλπίς in Röm 15,13 und 2 Kor 1,7 bestimmt. Die "Hoffnung" des Paulus ist in 2 Kor 1,7 fest und gewiß (βεβαία), und zwar nicht nur wegen der Beziehung zum Wissen, sondern auch wegen der engen apostolischen Verbundenheit des Paulus mit seiner Gemeinde in Korinth. In Röm 15,13 leuchtet trotz des Charakters dieses Verses als Briefwunsch eine Hochstimmung hell auf. Dort kommt die ἐλπίς als überreich in den Blick, wenn die Christen Roms durch Gottes und des Heiligen Geistes Wirken an ihr Überfluß haben, an ihr reich sein sollen (περισσεύειν). Im Kontext ist der Akt gemeint. Deshalb kann in der Weise gedeutet werden, daß die römische Christengemeinde beim "Hoffen" Überfluß haben, reich sein soll. So begegnet uns das "Hoffen" also als steigerungsfähig bis zu einem Höchstmaß. Das entspricht einer Intensität und einem Eifer, die wir oben semantisch beim paulinischen Sprachgebrauch unserer Synonyme festgestellt haben.

Ähnliche Aspekte einer Hochstimmung und eines Überschwanges zeigen sich nun auch bei der Kombination mit einigen Verhaltensweisen. Das gilt z.B. für die Beziehung zur Freude (χαρά, χαίρειν) in Röm 12,12; 15,13; Phil 1,18-20; 1 Thess 2,19 f. Dabei kann die Heilszukunft die Freude hervorrufen, und zwar im Sinn einer Entlastung[22], aber auch in dem einer begründeten "Hoffnung" (vgl. Röm 12,12). Die Freude steht in 1 Thess 2,19 f parallel zur ἐλπίς über das Endgericht für Paulus sogar noch aus[23], in Phil 1,18-20 über den Ausgang seiner Gefangenschaft. Zugleich ist sie nach Phil 1,18-20 sogar in der Gefangenschaft selbst schon möglich, weil Paulus seine Zukunft in jedem Fall geborgen sieht. Dabei geht sie parallel zu ἀποκαραδοκία und ἐλπίς vor sich. In Röm 15,13 ist die Freude wie die ἐλπίς steigerungsfähig[24]. Zu beachten ist in diesem Zusammenhang auch die Beziehung zum Sich-Rühmen (καυχᾶσθαι) in Röm 5,2, das nun bei den Christen auf dem Boden der Rechtfertigung kein verwerflicher Eigenruhm mehr ist[25].

Andererseits muß berücksichtigt werden, daß das endgültige Heil zugleich noch in einer schmerzlichen Weise aussteht. Deshalb "hoffen" die Christen erst einmal. Deshalb steht dieses "Hoffen" in Beziehung zu verwandten Einstellungen auf die Zukunft. In dieser Richtung ist vor allem auf Geduld und Ausdauer (ὑπομένειν, ὑπομονή) hinzuweisen (vgl. Röm 5,3 f; 8,25; 15,4; 1 Kor 13,7; 1 Thess 1,3)[26]. Sie verdeutlichen das Verhältnis zur Dauer und Dehnung der Zeit, zum unverfügbaren Ausstehen der eschatologischen Zukunft. Das zeigt sich, vor allem auch im Blick auf die Kombination mit unseren Synonymen, charakteristisch in Röm 8,25; 1 Thess 1,3. Geduld und Ausdauer als solche Grundhaltungen besitzen außerhalb des Christentums vor allem im jüdischen Bereich schon eine eschatologische Vorgeschichte[27]. Entsprechend kann Paulus in Röm 15,4 auf ὑπομονή im Zusammenhang der Funktion der "Schriften" anspielen. Die Situation des Leidens leuchtet auf (vgl. Röm 5,3 f)[28]. Vorbilder können wichtig werden (vgl. Röm 15,4)[29]. Verständlich ist hier auch die Beziehung zu Nüchternheit und Wachsamkeit (vgl. γρηγορεῖν, νήφειν in 1 Thess 5,6 ff). Nüchternheit und Wachsamkeit sind überhaupt in eschatologischen Zusammenhängen charakteristisch[30]. Eine Beziehung zum Stöhnen und In-Wehen-Liegen (στενάζειν, συνωδίνειν) wird im Blick auf die "Schöpfung" und die Christen in Röm 8,22 f aufgezeigt. Sie ist im Rahmen der Eschatologie durchaus eindrücklich, und zwar vor allem bei der "Schöpfung"[31].

Diese Beispiele mögen hier genügen. Doch soll schließlich noch die Stellung der ἐλπίς in der Trias "Glaube, Liebe, Hoffnung" betrachtet werden. Die enge Verbundenheit unserer Synonyme mit Glauben und Vertrauen (vgl. Röm 4,18; 15,13; 2 Kor 1,9; Gal 5,5 f) und mit der Liebe (vgl. 1 Kor 13,7; Gal 5,5 f) ist an sich schon wichtig. Trotzdem ist der Blick auf die Trias "Glaube, Liebe, Hoffnung" noch in einer besonderen Weise wichtig. Denn die Trias tritt in den Paulusbriefen als eine solche eigenständige und theologisch bedeutsame Größe hervor, daß sie die Aktrela-

tionen von ἐλπίς in gewisser Weise theologisch bündelt. Als paulinische
Textbasis sind für eine derartige Kombination von πίστις, ἀγάπη und
ἐλπίς vor allem 1 Kor 13,13; 1 Thess 1,3; 5,8 von Belang. Überhaupt ist
zu beachten, daß die Paulusbriefe die ältesten Belege für diese Zusam-
menstellung der drei Größen bringen. Wir können die problemreiche Trias
an dieser Stelle unmöglich erschöpfend würdigen[32]. Für unseren Zusammenhang ist wichtig, daß alle drei Glieder als Verhaltensweisen gemeint
sind, daß ein Verhalten von Christen beschrieben wird und sich ἐλπίς
als Zukunftseinstellung pointiert von der πίστις als Orientierung auf
das Kerygma im Sinn des vergangenen Heilshandelns Gottes in Tod und
Auferweckung Jesu[33] und der ἀγάπη mit ihrer Gegenwartsbeziehung[34]
abhebt. Auf das Problem der Entstehung der Trias und der ursprünglichen Reihenfolge der Einzelglieder braucht hier nicht eingegangen zu werden[35]. Wichtiger ist dagegen eine andere Überlegung. Wenn in dieser
Dreierkombination πίστις, ἀγάπη und ἐλπίς nämlich als Elemente oder
Gotteskräfte aufzufassen wären[36], so würde dadurch zugleich ein Über-
greifen der Aktivität des jeweiligen Subjektes ins Spiel kommen, und zwar
etwa im Sinn eines transsubjektiven Geschehens. Doch ist mir das bei der
ganzen Trias als einer zusammenhängenden Größe weniger wahrscheinlich[37]. Dagegen sprechen schon die Erweiterungen in 1 Thess 1,3 und
das Bild vom Anziehen der Waffenrüstung in 5,8. So zeigt sich uns ἐλπίς
in der Trias bei Paulus erneut als ein mehr oder weniger bewußt vollzogener Akt. Er erfährt keine nennenswerte Verschiebung zu einer hellenistisch-mystischen oder hellenistisch-gnostischen Erkenntnis, sondern
bleibt geschichtlich-eschatologisch qualifiziert, und zwar trotz unserer
Beobachtung intellektueller Gesichtspunkte[38].

All die gerade betrachteten Beispiele für besondere Qualifizierungen und
Beziehungen machen schon zur Genüge deutlich, daß als spes qua speratur
in unseren Synonymen bei Paulus ein mehr oder weniger bewußt vollzogener Akt vorliegt. Zwar sind die Tätigkeit Gottes (vgl. Röm 15,13), das
Wirken des göttlichen πνεῦμα (vgl. Röm 15,13; Gal 5,5) und der Einfluß
weiterer übergeordneter Mächte und Zusammenhänge zu beachten, so daß
immerhin auch transsubjektive Momente einer Befindlichkeit und eines Geschehens festzustellen sind. Dennoch tritt vor allem der aktive Vollzug
hervor. Das stimmt gut mit ἐλπίς κτλ als wichtigem Merkmal christlichen Daseins überein und schlägt außerdem den Bogen zurück zu unseren Beobachtungen bei den Subjekten und den Überlegungen zum anthropologischen Ort. Ein ausgesprochenes Psychologisieren ist wie dort so auch
hier im Unterschied zu einem großen Teil der Umwelt des Paulus nicht bemerkenswert.

9. SPUREN EINES BESONDEREN AUSSAGENTYPS IN RÖM 8,24b; 15,13 UND 1 THESS 4,13

In den Paulusbriefen ist nun eine Aussageweise zu beobachten, die bei dem Gebrauch unserer Synonyme ohne Objektangabe Akt und Gegenstand zugleich wichtig werden läßt, und zwar im Sinn eines absoluten Sprachgebrauchs. Diese Ausdrucksweise ist von den absoluten Aussagen zu unterscheiden, die primär die spes qua speratur betreffen. Vor allem bei Substantiven hatte die Gräzität dem Paulus hier schon sprachliche Möglichkeiten vorgegeben. Denn die Substantive können sowohl spes qua speratur als auch spes quae speratur in sich selbst enthalten. Dazu sind aber auch noch spezielle sachliche Gründe zu bedenken. Wir stoßen hier nämlich zugleich auf die Ausgestaltung einer absoluten, abgekürzten, chiffriert, prägnant und formelhaft erscheinenden Aussageweise, die auf besonderen religiösen, geistesgeschichtlichen u.ä. Voraussetzungen beruht. Dabei kann diese Ausdrucksweise in den antiken Quellen im einzelnen etwas variieren, so daß nicht lediglich von isoliert gebrauchten Substantiven auszugehen ist. So ist etwa noch an die Hinzufügung von Adjektiven zu den Substantiven und an passivische Verbalformen zu denken. In den Paulusbriefen führen uns diese Gesichtspunkte auf Röm 8,24b; 15,13 (1 mal); 1 Thess 4,13. Ferner mag noch auf Stellen wie 2 Kor 3,12; 1 Thess 2,19 hingewiesen werden[1]. Deutlich tritt an diesen paulinischen Stellen ἐλπίς hervor, also ein in der antiken Gräzität wichtiges und ausgeprägtes Wort.

Werfen wir zunächst einen Blick auf wichtige geschichtliche Hintergründe eines derartigen Aussagentyps. Das ist schon deshalb angebracht, weil er in den Paulusbriefen nicht unbedingt deutlich in die Augen fällt. In der klassischen, römischen und hellenistisch-synkretistischen Antike spitzt sich dieses Problem vor allem auf Bereiche wie Religion, Philosophie, Recht, Sitte zu. Sachlich leitend ist dabei, daß gemeinsames Gedankengut mit dem Hörer, Leser usw. vorausgesetzt werden und aufgrund eines Einverständnisses ein Hinweis in einer absoluten Aussageform genügen konnte. Gleich hier wird deutlich, wie die Ausdrucksweise variabel gewesen ist. Aus der großen Zahl der Belege für diesen Aussagentyp in diesem Raum können hier nur einige charakteristische Beispiele gegeben werden. So ist auf ἐλπίς ἀγαθή in den eleusinischen Mysterien[2], auf Aspekte bei Plato (vgl. Leg IV 718a[3]; Phaed 114c[4]; Resp I 330e-331a), bei Aristoteles (vgl. De virtutibus et vitiis 8 p1251 b 33 f[3]), in der Hermetik (vgl. Κόρη κόσμου 56, Fragment XXIII) und Gnosis (vgl. im christlichen Bereich Evangelium Veritatis 17,3) hinzuweisen. Schließlich konnte im Zusammenhang grundsätzlicher Überlegungen "Hoffnung" als für das Leben und Menschsein überhaupt wesentlich herausgestellt werden[5]. Das betrifft auf der Basis eines allgemeinen Einverständnisses nicht nur die Einstellung auf eine positive Zukunft, sondern auch diese positive Zu-

kunft selbst als Objekt der "Hoffnung". Allerdings beruht die grundsätzliche Koordinierung von "Hoffnung" und Zukunft[6] auf einem schon ausge-
bildeten wissenschaftlich-formalisierenden Vorgehen, so daß das Einverständnis bereits ein bestimmtes Denkniveau voraussetzt. Auch ist in diesem Bereich die Entwicklung zu einem Psychologisieren oder gar Träumen
zu beobachten, wie das Beispiel der hellenistischen Ἐλπίδες zeigt[7]. Die
Gottheiten Ἐλπίς und Spes lassen eine Verdichtung des Miteinanders
von spes qua speratur und spes quae speratur aufleuchten.

Ähnliche Aspekte wie in der klassischen, römischen und hellenistisch-
synkretistischen Antike sind im hellenistischen Judentum bei Philo zu beobachten. Doch kommt dabei auch noch Gott in den Blick, nämlich der
Gott des AT und des Judentums (vgl. Abr § 51). Außerdem ist bei Philo
hier eine Wirkung hellenistisch-jüdischer Synagogenpredigt und jüdischer
Unterweisung zu bedenken[8]. Von da aus ist der Weg zum hellenistischen
Christentum und zu Paulus dann an sich nicht mehr weit. Doch wird man
bei Philo für unseren Aussagentyp insofern Grenzen zu vermuten haben,
als Philo wahrscheinlich nicht so sehr für eine Jüngerschar oder Gemeinde schreibt, als vielmehr argumentativ das AT und jüdisches Gedankengut im Raum seiner heidnisch-antiken Umwelt als Schriftsteller aktuali-
sieren will. Denn ein derartiges argumentatives Vorgehen erlaubt kein
Zurückgreifen auf ein Einverständnis, das auf der Grundlage gemeinsam
bekannter und anerkannter theologischer Vorstellungen steht. Außerdem
darf man in den Schriften Philos eschatologisch gesehen keinen wesentlichen Beitrag erwarten. Weitere Quellen des hellenistischen Judentums
liegen z.T. auf einer ähnlichen Linie wie Philo. Es können weisheitliches
Denken (vgl. Weish 3,11, negiert) oder eine Jenseitsorientierung (vgl.
Weish 3,18, negiert) wichtig werden[9].

Im Blick auf das Alte Ägypten scheint sich trotz einer großen Bedeutung
von Jenseitsauffassungen, von religiösen u.ä. Traditionen nichts Frucht-
bares zu ergeben[10]. Aber auch im zeitgenössischen Babylonien ist offensichtlich kein besonderer Beitrag festzustellen[11]. Im genuin at.-jüdi-
schen Bereich ist das aber anders[12]. Dort ist im AT bereits auf Aussagen hinzuweisen, wo Gott ohne weitere Angabe eines Objektes als "Hoffnung" bezeichnet wird. Denn sogar hier wird schon ein theologisches
Einverständnis über den genauen Inhalt der "Hoffnung" vorausgesetzt
(vgl. Ps 62,6; 71,5; Jer 14,8; 17,13; 50,7). Noch stärker im eigentlichen Sinn unseres Aussagentyps sind dann Stellen wie Ps 9,19; LXX
2 Chron 35,26 zu sehen. Vor allem nun tritt unser Typ an zwei Punkten
hervor. Einerseits müssen dafür die Weisheit und ihre Wirkungen bedacht werden. Dort werden dabei nämlich Frommer und Gottloser u.ä.
einander gegenübergestellt (vgl. Spr 10,28; 11,7; Hi 8,13; Weish 5,14;
Sir 16,13 bis hin zu äthHen 98,12 in der griechischen Überlieferung).
In der at.-jüdischen Weisheit und ihren Wirkungen haben solche absoluten und chiffrierten Aussagen ihren Grund in einem Schwarz-weiß-Den-
ken, das im Rahmen weisheitlicher Generalisierung, weisheitlichen Ethos,
weisheitlicher Unterweisung steht. Deshalb darf in diesem Zusammenhang

auch auf psychologische und pädagogische Gesichtspunkte hingewiesen
werden (vgl. Spr 13,12; 19,18; Sir 14,2). Die Einkleidung in Spruchform
kann hier ebenfalls angeführt werden. Denn sie schafft gute Voraussetzungen für diesen absoluten Sprachgebrauch. Andererseits ist für unseren Aussagentyp Esr 10,2 zu nennen. Zwar geht es dort konkret um das
Problem von Mischehen zwischen Juden und nichtjüdischen Frauen. Doch
klingt die Ausdrucksweise dieser Stelle bei וְעַתָּה יֵשׁ־מִקְוֶה לְיִשְׂרָאֵל עַל־זֹאת
sehr formelhaft. Dafür ist wohl kaum sprachlicher Zufall anzunehmen.
Vielmehr muß bei dem Sachverhalt eingesetzt werden, daß es bei diesem
Problem der Mischehen zugleich um religionsgesetzlich-kultische Fragen
geht. Von daher ist durchaus die Vermutung angebracht, daß die formelhaft erscheinende Aussageweise auf einem kultischen Hintergrund zu
sehen ist, und zwar im Rahmen priesterlicher Unterweisung und Paränese
oder der Liturgie[13]. Für den letzteren Fall darf sogar noch genauer an
den Zusammenhang der Klage oder an das Bekenntnis[14] gedacht werden.
Zudem finden sich auffallend ähnliche Formulierungen in den Qumrantexten. Sie weisen uns im Blick auf Esr 10,2 ebenfalls in die Richtung einer
kultischen Interpretation[15].

In den Qumrantexten stoßen wir nämlich in 1 QH auf absolute Aussagen,
die deutlich formelhaft erscheinen, und zwar in der Weise וָאֵדְעָה כִּיא
... בְּ bzw. ... יֵשׁ מִקְוֶה לְ (s. 3,20; 6,6; 9,14; Fragment 1,7.) Formgeschichtlich betrifft das den Bestandteil des soteriologischen Bekenntnisses der sog. Gemeindelieder[16]. Von da aus ist wieder an den religiös-
kultischen Bereich, und zwar überhaupt an den "Sitz im Leben" der einzelnen Lieder zu denken, mag man nun für diese Gemeindelieder tägliches
Gebet oder eine liturgische Funktion in regelmäßigen Gottesdiensten oder
bei dem jährlichen Bundeserneuerungsfest veranschlagen[17]. Doch muß
noch in einem genaueren Sinn angesetzt werden. Es ist nämlich zunächst
auf die Arkandisziplin dieser Gemeinde hinzuweisen, die gemeinsames
Glaubensgut voraussetzt. Zugleich ist an die katechetische Praxis dieser
Einung zu denken, zumal in ihr ein besonderer Unterweiser tätig gewesen ist[18]. Diese Unterweisung dürfte neben gesetzlichen Fragen auch die
Eschatologie betroffen haben. In dieser Richtung kann auf eschatologisch-
dualistische Geschichtsdarstellungen, z.T. in apokalyptisch erscheinender Manier oder mit Ankängen daran, hingewiesen werden (vgl. z.B. in
1 QH 3,26 ff; 1 QM; 1 QS 3,13 ff[19]), die sich sicherlich auch in den eben
genannten absoluten Aussagen der Hodajoth verdichtet haben. Schließlich muß überhaupt das eschatologische Selbstverständnis dieser Gemeinschaft berücksichtigt werden. Auf diese Weise stoßen wir in den Qumrantexten auf eine prägnante Ausformung unseres Aussagentyps. Wenn
hier im Blick auf den Sachverhalt bei Paulus auch kaum mit direkten Beziehungen zu rechnen ist, so werfen die Qumrantexte jedoch ein charakteristisches Licht auf die Möglichkeit einer Bildung solcher absoluter Aussagen[20].

Trotz der Geheimhaltung, der zusammenfassenden, generalisierenden und
universalen Tendenzen in Hinsicht auf Geschichte und Kosmos, "diesen
und jenen Äon" u.ä. Antithetik ergeben die Quellen der eigentlichen jüdischen Apokalyptik aber nicht mehr eine solch charakteristische Ausprägung absoluter Aussagen wie in den Qumrantexten. Das mag an einer
nicht so straffen Organisation, an einer weniger ausgeprägten Soteriologie
und Katechetik derartiger apokalyptischer Zirkel bzw. Kreise im Verhältnis zur Qumrangemeinde gelegen haben, sofern solche Konventikel überhaupt bestanden haben[21]. Auch wollen die Apokalypsen an zentralen Punkten selbst erst einmal darstellen und belehren und nicht nur schon Bekanntes andeuten. Das gilt selbst unter Berücksichtigung geheimnisvoll
und verschlüsselt bleibender Ausführungen. In dieser Weise sind als mehr
oder weniger glatte Beispiele äthHen 98,12 (griechisch); 104,4; 4 Esr
7,120; ApkBar (syr) 48,19; 51,7; Sib 4,94 (vgl. auch noch Weish 3,18[22];
Prophetenleben Ez 13; Achtzehngebet 12[23]) anzuführen. Doch ist immerhin die Entwicklung zum "Hoffnungsgut" im Himmel (s. ApkBar (syr) 59,
10) in diesem Zusammenhang bezeichnend, insofern sie im apokalyptischen
Bereich einmal die Ausprägung absoluter Aussagen und zum anderen die
Verlagerung des Gewichts auf die spes quae speratur charakteristisch
verdeutlicht.

Unter Berücksichtigung der Soteriologie, des Selbstverständnisses, der
katechetisch-kerygmatischen Tradition und Praxis und überhaupt der
Eschatologie ist es im beginnenden Christentum nicht verwunderlich, wenn
wir auch dort Beispiele für unseren absoluten Aussagentyp belegt finden.
Erscheinen die entsprechenden Stellen zwar nicht unbedingt so formelhaft
wie die in 1 QH, so ergeben sich dennoch beachtliche Gesichtspunkte bis
hin zu Qualifizierungen durch εἷς und κοινός[24]. Neben der schon genannten Stelle 2 Thess 2,16 ist im NT außerhalb der Paulusbriefe z.B.
auf Apg 23,6[25]; 26,6 f; 28,20; Eph 1,18; 2,12; 4,4; Kol 1,23; Tit 2,13[25];
Hebr 7,19; 1 Petr 3,15 hinzuweisen. Auch im christlichen Bereich beobachten wir wieder die Entwicklung zum "Hoffnungsgut" (vgl. z.B. Kol
1,5). Bemerkenswert ist in Apg 23,6; 26,6 f; 28,20, daß sich Paulus bei
dem Problem der zukünftigen Auferstehung der Toten auf eine Übereinstimmung mit den Pharisäern, den Vätern und mit Israel beruft[26]. Dadurch sind für unseren Aussagentyp Interrelationen festzustellen. Bei
den apostolischen Vätern ergibt sich ein ähnliches Bild wie im NT außerhalb der Paulusbriefe, wenn wir etwa Barn 11,8; 16,2; 1 Clem 51,1; 57,2;
2 Clem 17,7; IgnEph 1,2; Ign Phld 5,2 berücksichtigen. Bei den frühchristlichen Apologeten tritt eine derartige Ausdrucksweise aber nicht in
demselben Maß hervor. Das mag nicht zuletzt daran gelegen haben, daß
das Bedürfnis der Apologetik als gegenläufig anzusehen ist, weil eine gemeinsame theologische Basis mit dem Adressaten oder Dialogpartner nicht
in ausreichender Weise vorgegeben war. Überhaupt wollten die christlichen Apologeten den christlichen Glauben Außenstehenden erst einmal
darlegen. Deshalb konnten sie ihn in ihren Darstellungen nicht voraussetzen, mithin auch nicht in solchen absoluten Aussagen. Hier besteht
eine Strukturparallele zu Philo.

Auf diesem Hintergrund verdichtet sich die Vermutung, daß wir ebenfalls bei Paulus an den eingangs genannten Stellen Röm 8,24b; 15,13 usw.
auf einen derartigen Typ absoluter Aussagen stoßen. So baut Paulus in
Röm 8,24b auf einem Einverständnis mit den Empfängern auf, wenn er
schreibt: ἐλπὶς δὲ βλεπομένη οὐκ ἔστιν ἐλπίς. Zwar bleibt diese
Formulierung an sich allgemein, da es sich um einen Definitionsansatz
handelt, der den Eindruck erweckt, daß Paulus allgemein einsichtig und
allgemein gültig vorgeht. Außerdem ist in dieser Richtung eine Formali-
sierung bei der Objektbeziehung zu beachten. Deshalb könnte gefolgert
werden, daß wir hier gar nicht auf eine speziell christliche ἐλπίς treffen. Dennoch werden genauer betrachtet schon Momente der paulinischen
Theologie vorausgesetzt (vgl. 2 Kor 4,18). Deshalb geht dieser Definitionsansatz nur bedingt auf ein völlig allgemeines Einverständnis zurück.
So muß gesagt werden, daß wir in Röm 8,24b auf unseren Aussagentyp
in einem noch recht allgemeinen Sinn stoßen.

Das ist dann in Röm 15,13 bei dem ersten ἐλπίς anders. Dort handelt es
sich direkt um die christliche "Hoffnung". Denn die Hinzufügung Gottes
präzisiert nicht in dem Maße, daß die Voraussetzung gemeinchristlichen
Gedankenguts nicht mehr nötig wäre. Andererseits darf das Gewicht hier
nicht auf eine nichtchristliche "Hoffnung" gelegt werden. Die Gottesbeziehung und der Stichwortanschluß zum at. Zitat in V.12 könnten nämlich
dazu veranlassen, die at.-jüdische "Hoffnung" besonders herauszustellen.
Das ist aber nicht der Fall, da in der Wendung "der Gott der Hoffnung"
primär die christliche "Hoffnung" gemeint ist, wie dann das zweite ἐλπίς
von V.13 deutlich zeigt. Allerdings ist ein Horizont über das Christentum hinaus nicht völlig auszuschließen.

In 1 Thess 4,13 schließlich geht es bei οἱ λοιποὶ οἱ μὴ ἔχοντες
ἐλπίδα an sich nicht direkt um die christliche "Hoffnung", sondern um
die nichtchristliche, insofern dort im Rahmen eines Motivs (vgl. Eph 2,12)
den Nichtchristen eine "Hoffnung" abgesprochen wird. Dennoch weist
das parallel zu ähnlichen Bestreitungen in der at.-jüdischen Weisheit und
in der jüdischen Apokalyptik antithetisch und sozusagen vom Gegenho-
rizont her auf eine christliche "Hoffnung" im Sinn unseres Aussagentyps
hin[27]. Die genauere Entfaltung der eschatologischen Zukunft in V.14 ff
spricht nicht dagegen.

So stoßen wir in den Paulusbriefen interessanterweise auf Aspekte unseres absoluten Aussagentyps im allgemeinen (Röm 8,24b), christlichen
(Röm 15,13) und nichtchristlichen (1 Thess 4,13) Sinn, dabei aber durchweg in Ausrichtung auf die christliche "Hoffnung". Insgesamt gesehen
liegt der Typ kurzer und formalhaft-präzis erscheinender absoluter Aussagen dort nicht in einem gleichen Maße ausgeprägt und prägnant wie etwa in den Qumrantexten vor, dennoch aber mindestens in Spuren. Erst
in einem noch abgeschwächteren Maße können 2 Kor 3,12 und 1 Thess
2,19 für diesen Aussagentyp in Frage kommen, sofern man diese Texte
hier überhaupt heranziehen will. Sie machen aber immerhin die Frage the-

matisch, ob sich dieser Typ nicht geschichtlich aus solchen kontextbe-
zogenen Aussagen wie in 2 Kor 3,12 entwickelt hat, indem eine immer
stärkere sachliche Loslösung vom Kontext in Verbindung mit der besonderen Entwicklung eschatologischen Gedankenguts bzw. eines eschatologischen Gedankengebäudes zu einem absoluten Sprachgebrauch geführt
hat[28]. Eine solche Vermutung könnte dadurch eine Bestätigung erhalten,
daß die oben genannten Stellen aus den späteren christlichen Quellen bereits einen entwickelteren Sprachgebrauch aufweisen. Deshalb ergibt
sich für den Sachverhalt in den Paulusbriefen offensichtlich noch ein
Frühstadium. Dieses entspricht der generellen Beobachtung, daß wir in
den Paulusbriefen auf die älteste geschlossene literarische Überlieferung
des Christentums stoßen. Trotzdem wird deutlich, daß auch schon Paulus in seinen Briefen auf eine gemeinsame christliche Assoziationsbasis
zurückgreift, offensichtlich wieder auf katechetisch-kerygmatischer
Grundlage. Dabei sind selbst die Spuren dieses Typs in Röm 8,24b usw.
bereits in der Weise wichtig, als sie zeigen, daß bei Paulus der Akt und
die Objekte der christlichen "Hoffnung" eng zusammengehören. Es wird
deutlich, daß die oben jeweils thematisch durchgeführte Analyse der
Objekte und der Aktprobleme nicht in der Richtung ausgedeutet werden
darf, daß man spes quae speratur und spes qua speratur streng voneinander abtrennt[29].

10. ESCHATOLOGISCHE EINBETTUNG

Die Ausführungen gerade haben gezeigt, wie sehr schon die Spuren des
Typs absoluter, abgekürzt, chiffriert, prägnant und formelhaft erscheinender Aussagen bei Paulus spes qua speratur und spes quae speratur
zusammenhalten. Es ist zu vermuten, daß dieser Zusammenhalt in einem
noch stärkeren Maße durch die Eschatologie geschaffen wird, wenn der
Sachverhalt eschatologisch bereits begonnen und eschatologisch noch ausstehenden Heils berücksichtigt wird. In 8.4. bei den besonderen Beziehungen ist dieser Sachverhalt noch nicht thematisch behandelt worden.
Das soll nun nachgeholt werden. Vielleicht darf aufgrund unserer bisherigen Ausführungen schon vermutet werden, daß theologisch betrachtet
die Eschatologie bzw. das eschatologische Heil bei Paulus als der eigentliche und primäre Ort der "Hoffnung" anzusehen ist. So soll im folgenden
thematisch noch auf die eschatologische Einbettung der "Hoffnung" geblickt werden. Das bedeutet, daß die Textzusammenhänge, in denen unsere Synonyme verwendet werden, daraufhin befragt werden müssen, wie
ἐλπίς κτλ eschatologisch eingebettet sind. Zu diesem Zweck werden wir
zunächst wichtige und charakteristische Textbeispiele analysieren, nämlich die vier größeren Abschnitte Röm 5,1-5; 8,18-25; 2 Kor 3,12 und
seinen Kontext; 1 Thess 5,1-11. Wir beginnen im folgenden mit der Analyse von Röm 8,18-25.

10.1. Röm 8,18-25

Der Abschnitt Röm 8,18-25 ist im Rahmen der Frage nach der eschatologischen Einbettung aus mehreren Gründen bemerkenswert. Einmal spannt er einen überaus weiten Bogen, nämlich von der "Schöpfung" bis zu den Christen. Dabei macht er charakteristische eschatologische Unterschiede zwischen beiden deutlich. Zum anderen läßt er eindrücklich ein Überwiegen der Zukunftsorientierung hervortreten und beleuchtet insofern unser Hoffnungsproblem gut. Denn der "Schöpfung" und den Christen werden in markanten Äußerungen ἀποκαραδοκία, ἀπεκδέχεσθαι, ἐλπίζειν und ἐλπίς zugeschrieben. Schließlich ergibt die Stellung dieses Textes im Briefzusammenhang des Röm beachtliche Gesichtspunkte.

Beginnen wir mit dem letzteren. Paulus war vorher in Röm 7,1 ff[1] auf das Problem des Gesetzes eingegangen. Das weist auf den Bereich der Rechtfertigung hin, der ab 1,16 f im Röm eine zentrale Funktion besaß. Dabei spielte bis Röm 4,25 und dann auch noch bis in spätere Passagen eine forensische Denkstruktur eine wichtige Rolle. Das zeigen die vielen Aussagen über die Glaubensgerechtigkeit, die zahlreichen Ausblicke auf das Endgericht (vgl. 1,17; 4,24 u.ö.). Dieses forensische Moment tritt nun in Röm 7,1 ff nicht mehr in demselben Maße hervor. Vielmehr geht es dort sehr viel ausgeprägter um Machtverhältnisse, die allerdings auch in 1,16 bereits zum Ausdruck kamen. Ab Röm 5 sind sie überhaupt zentral. Machtverhältnisse zeigen sich in 7,1-6, wenn Paulus dort im Rückgriff auf das Bild von der Ehe, in der die Frau bis zum Tod des Mannes an den Mann gebunden ist, das Ende der Macht des Gesetzes für die Christen durch den Anteil am Tod Christi darlegt. In 7,7 ff geht es um die verderbliche Machtausübung des Gesetzes über den unerlösten Menschen[2]. Dabei kann schon auf eine gewisse Parallelität zu den Ausführungen über die "Schöpfung" in 8,19-22 hingewiesen werden. Der Machtausübung des Gesetzes wird in 8,1 ff (vgl. 7,25) die befreiende Wirkung Jesu Christi und des göttlichen Geistes gegenübergestellt. Kommt zwar in 8,1 ff auch die eschatologische Zukunft in den Blick (vgl. z.B. 8,11), so herrscht jedoch unter dem Eindruck der Befreiung der Anteil am gegenwärtigen Heil vor, und zwar bis 8,16. Entsprechend beobachten wir grundsätzlich eine Hochstimmung der Christen über ihren augenblicklichen Heilsanteil. Doch kommt Paulus dann in 8,17 zu der Berücksichtigung des Sachverhalts, daß die christliche Existenz in der Gegenwart durch Leid gekennzeichnet ist. Diese neuen Aspekte rücken dabei über die Christologie (συγκληρονόμοι ... Χριστοῦ) und eigentlich nicht allgemein durch die christliche Erfahrung der Existenz in der Welt in den Blick[3]. Durch das "Miterben Christi Sein" wird dann εἴπερ συμπάσχομεν ἵνα καὶ συνδοξασθῶμεν thematisch. Dabei beziehen sich, wie V.18 zeigt das "Mitleiden" auf die Gegenwart und das "Mitverherrlichtwerden" auf die eschatologische Zukunft. Dadurch leuchtet eine Prävalenz der eschatologischen Zukunft auf, die in eigenartiger Spannung zu dem Gewicht der Heilsgegenwart in 8,1 ff steht. Immerhin wird aber durch εἴπερ ... ἵνα in 8,17 das gegenwärtige Leiden der Christen als Durchgangsstadium zum eschatologisch-zukünftigen Heil deutlich, so daß es wie schon der at.-jüdische Gedanke des Züchtigungsleidens eine positive Funktion erhält. In 8,18-25 ist nun die in 8,17 angeschnittene Prävalenz der eschatologischen Zukunft leitend. Dagegen werden in 8,26 ff wieder stärker der gegenwärtige Heilsanteil und eine entsprechende Hochstimmung betont. Allerdings macht in V.26 f die Schwäche der Christen das stellvertretende Eintreten des göttlichen Geistes nötig. Da aber in V.26 f das gegenwärtige Wirken des göttlichen Geistes gerade als Positivum herausgestellt wird, kann der Hinweis auf die Schwäche der Christen als Nachklang der Ausführungen bis V.25 angesehen werden[4]. So grenzt sich Röm 8,18-25 als ein in sich geschlossener Abschnitt aus dem Textzusammenhang aus, und zwar nicht zuletzt aufgrund einer Beachtung der Eschatologie und der Funktion von ἐλπίς und ihren Synonymen[5].

Röm 8,18-25 beginnt in V.18 mit λογίζομαι γὰρ ὅτι. Das erweckt für V.18 selbst und die dann folgenden Ausführungen einen grundsätzlichen Eindruck. Allerdings spielt das γάρ auf die Überleitung in V.17 an. Entsprechend werden das christologisch vermittelte "Mitleiden" und "Mitverherrlichtwerden" von V.17 in V.18 durch die Antithese von Leid und Herrlichkeit aufgegriffen. Eigenartigerweise wird in V.18-25 Christologie aber nicht mehr angeführt[6]. Deshalb erhält sie in diesem Abschnitt keine besondere Funktion für den Gebrauch unserer Synonyme. Indem Paulus Leiden und Herrlichkeit grundsätzlich im Sinn von "jetzt" und "dann" und von negativ und positiv einander entgegensetzt, leuchtet der Dualismus der beiden apokalyptischen Äonen auf[7], und zwar deutlich im zeitlichen Sinn (vgl. τοῦ νῦν καιροῦ und τὴν μέλλουσαν ... ἀποκαλυφθῆναι). Paulus verwendet dabei als Bezeichnung für die eschatologische Zukunft nicht einen zu ὁ (νῦν) καιρός parallelen Zeitbegriff. Das entspricht Beobachtungen bei αἰών in den Paulusbriefen, wo auch nur der gegenwärtige (böse) Äon terminologisch so ausgedrückt wird[8]. Der Grund ist wahrscheinlich darin zu sehen, daß das eschatologisch schon gegenwärtige Heil trotz seines apokalyptischen Horizonts dem Paulus die terminologische Übernahme eines ὁ αἰὼν μέλλων nicht mehr erlaubte[9]. Dafür ist vielleicht 1 Kor 10,11 bezeichnend, falls dort im gegenwärtigen Sinn auf den Äonendualismus zu interpretieren ist[10]. Wenn dabei in V.18 inhaltlich Leid für die Gegenwart und Herrlichkeit für die eschatologische Zukunft einander gegenübergesetzt werden, so ruht auch das selbst schon auf apokalyptischem Boden. Wir haben das oben bei δόξα als Objekt unserer Synonyme schon gesehen. Aber auch der Sachverhalt, daß Leid in der Gegenwart besteht und die Befreiung davon in der eschatologischen Zukunft eintritt, ist für die Apokalyptik wesentlich, wie z.B. äthHen 104,1 ff eindrücklich vor Augen führt[11]. Eine eschatologisch-zukünftige Befreiung von der Macht des Unheils spielt bei den Objekten unserer Synonyme ebenfalls eine zentrale Rolle, wie wir oben beobachtet haben, aber auch speziell dann in Röm 8,21.23 feststellen.

Wegen dieser festen Traditionen ist dem Paulus offensichtlich in Röm 8,18
die allgemeine Aussageweise möglich[12]. Dabei ist das Verhältnis zwischen
V.17 und V.18 so zu verstehen, daß durch die christologischen Erfahrungen ein übergreifender und genereller apokalyptischer Horizont bewußt
und gültig wird, der Paulus die allgemeine und grundsätzliche Aussage
in V.18 machen läßt. Es wird uns zugleich ein Wechselverhältnis zwischen
Christologie und Apokalyptik vor Augen gerückt. Denn umgekehrt läßt
auch die Apokalyptik die Christologie verständlich werden. Darauf kann
in unserem Text das γάρ in V.18 hinweisen[13]. Allerdings ist nun im Blick
auf das Leid ein Unterschied zwischen V.17 und V.18 zu beobachten. Während in V.17 gegenwärtiges Leid und zukünftige Verherrlichung durch
den Gedanken der Christusgemeinschaft in der Weise zugespitzt werden,
daß auch das gegenwärtige Leiden der Christen in geschichtlicher Erstreckung noch eine positive Funktion erhält, ist eine solche positive Wirkung in V.18 nicht mehr in demselben Maß vorhanden. Indem in V.18 allgemein und grundsätzlich gegenwärtiges Leiden und eschatologische zukünftige Herrlichkeit einander gegenübergestellt werden, tritt das Leiden eher nur als störend hervor. Das zeigt auch die Wertung οὐκ ἄξια[14].
Allerdings könnte die grundsätzliche Aussageweise in V.18 eine selbständige, eigene Erfahrung der Christen stärker aufleuchten lassen, als das
in den christologischen Beziehungen von V.17 möglich ist.

Die Verbindung μέλλουσαν ... ἀποκαλυφθῆναι braucht nicht unbedingt eine Nähe auszudrücken[15], meint auf jeden Fall wegen des Aorists
aber punktuell das noch ausstehende Ereignis der Offenbarung. Im Blick
auf den allgemeinen Charakter der Aussage in Röm 8,18 ist nun auch das
λογίζομαι zu beachten. Es beschreibt hier ein "Meinen, Annehmen, Urteilen, Denken"[16] und besitzt insofern eine rationale Komponente. Dabei
gibt es unter dem Gesichtspunkt von Leid und Herrlichkeit ein allgemeines Urteil wieder, kaum aber pointiert eine Gewißheit[17]. Ein Folgern ist
vorhanden, mag man an das Einsetzen bei allgemeinen theologischen Sachverhalten oder an die eben bereits herausgestellte Wechselbeziehung zwischen V.17 und V.18 denken. Drückt λογίζομαι hier demnach keine besondere Gewißheit aus, so ist es aber auch nicht mit ἐλπίς und ihren
Synonymen identisch. Das zeigt sich schon daran, daß bei ihm auch noch
die gegenwärtigen Leiden mit zu den Objekten gehören. Trotzdem besitzt
es in gewisser Weise eine parallele Stellung zu unseren Synonymen (vgl.
auch das οἴδαμεν in V.22).

Blicken wir auf die Interpretation von V.18 zurück, so könnte bereits
deutlich geworden sein, daß dieser Vers als Motto der Ausführungen
in Röm 8,18-25 anzusehen ist[18]. Das betrifft sowohl die Aussagen über
die Zukunftseinstellung und ihre Objekte (vgl. ἐλπίς und synonyme Wörter, στενάζειν u.ä.) als auch die scharfe Gegenüberstellung von Gegenwart und Zukunft unter dem Gesichtspunkt von Leid und Herrlichkeit,
die eine Prävalenz der Zukunftsorientierung deutlich werden läßt. Denn
beides ist als das Hauptthema der Erörterungen des Paulus in V.19-25 zu
beurteilen[19].

In einem ersten Gedankengang geht Paulus auf die κτίσις ein (V.19-22), bevor er sich dann parallel dazu den Christen zuwendet (V.23-25)[20]. Da das Motto in V.18 wegen des ἐφ᾽ἡμᾶς direkt auf die Christen bezogen wird, ist der Übergang zur κτίσις etwas abrupt[21]. Doch zeigen die Ausführungen des Paulus dann, daß sich die in V.18 geschilderte eschatologische Struktur charakteristisch und sozusagen klassisch im Blick auf die "Schöpfung" als gültig erweist. Insofern könnten V.19-22 sogar V.18 begründen (vgl. das γάρ in V.19[22]). Die Aussagen des Paulus in Röm 8,19-22 sind für uns heute an vielen Punkten dunkel. Doch können die eschatologischen Grundstrukturen relativ klar erhoben werden[23]. Bei der "Schöpfung" beobachten wir, daß sie in der Gegenwart fern vom Heil ist und erst in der eschatologischen Zukunft an ihm Anteil bekommen wird. Darin denkt Paulus sozusagen klassisch im Sinn des Äonendualismus der Apokalyptik. Das Gegenüber von gegenwärtiger Heilsferne und zukünftigem Heilsanteil wird in V.19-22 durch folgende Gedanken dargestellt: 1. τῇ ... ματαιότητι ὑποταγῆναι, ἡ δουλεία τῆς φθορᾶς im Blick auf die Gegenwart, 2. ἐλευθερωθήσεσθαι ...εἰς τὴν ἐλευθερίαν τῆς δόξης τῶν τέκνων τοῦ θεοῦ in der eschatologischen Zukunft[24]. Letzteres entspricht nun deutlich der zukünftigen δόξα von V.18, wird aber nicht auf λογίζομαι, sondern auf ἐφ᾽ἐλπίδι bezogen. Der Gesichtspunkt der Befreiung scheint dabei antithetisch bereits in den Aussagen über die Gegenwart auf (vgl. ὑποταγῆναι, δουλεία). Auch die "Offenbarung" (vgl. V.18.19) kann ihn mitenthalten. Deshalb ist er bereits in V.18 angelegt. Das gilt aber auch für den zuerst genannten Aspekt, wie die "Leiden" von V.18 zeigen. Auch die "Schöpfung" erleidet also ein Geschick, und zwar sowohl bei der zurückliegenden Unterwerfung[25] als auch bei der anschließenden Sklaverei (δουλεία)[26]. Darauf weist ferner das οὐχ ἑκοῦσα in V.20, wie überhaupt δουλεία im Zusammenhang seiner Wortgruppe überaus stark ein passives Moment einbringt[27]. Die Begriffe ματαιότης ("Nichtigkeit") und φθορά ("Vergänglichkeit") beschreiben die Sklaverei nun so, daß die "Schöpfung" genauer gesehen unter dem Einfluß einer unheilvollen Macht steht, die vielleicht zugleich eine spezielle Qualifizierung des Seins der "Schöpfung" oder sogar eine kosmologische Struktur hervorruft[28]. Doch stellt das offensichtlich nicht das eigentliche Wesen der κτίσις dar, wie schon die Betonung der Sklaverei zeigt.

Daß die Welt, in der der Mensch lebt, gefallen oder nicht im angemessenen und richtigen, nicht im intakten Zustand ist, ist in der Antike ein weit verbreiteter Gedanke gewesen, mag man nun an die absteigenden Weltzeitalter oder Menschengeschlechter u.ä. bei Hesiod und bis hin zur at.-jüdischen Apokalyptik und zur augusteischen Kultur bzw. frühen Kaiserzeit[29], an den Sündenfall und seine Konsequenzen für die Schöpfung in der jüdischen Apokalyptik[30], an den Fall und seine Folgen in der Gnosis[31] denken. Im einzelnen sind dabei die Vorstellungen recht verschieden gewesen, je nachdem, ob Gott als der Schöpfer umfassend mächtig bleibt wie in der at.-jüdischen Apokalyptik, ob ein böser Demiurg als

Schöpfer der Welt wie in der Gnosis oder ein geschlossener Kosmos wie
bei den Griechen, und zwar schon bei den Vorsokratikern, angenommen
wurde[32]. Entsprechend kann nämlich die "Welt" selbst völlig vom Heil
getrennt (vgl. die Gnosis) oder nur protologisch oder "prinzipiell" auf
das Heil bezogen (vgl. Urstands- und Paradiesesvorstellungen, das goldene Zeitalter) oder wie im at.-jüdischen Bereich protologisch und eschatologisch dem Heil zugeordnet werden (vgl. die Entsprechung von Urzeit
und Endzeit[33]), insofern Gott der Schöpfer seine gefallene Schöpfung
wieder in Ordnung bringen wird, indem er das Böse vernichtet, eine
Neuschöpfung durchführt, und zwar mit einem endgültigen Ergebnis (vgl.
äthHen 91,14 ff; 4 Esr 7,11-13; 1 QS 4,25)[34].

Auf dem letzteren Boden steht unsere Stelle[35]. Denn in den dunklen Aussagen über das ὑποταγῆναι und den ὑποτάξας liegt wahrscheinlich eine
Anspielung auf den Fall Adams, eventuell auch auf einen Fall in der Engelwelt und auf die Bestrafung durch Gott vor[36]. Schon wenn ein Geschöpf ungehorsam geworden und gefallen ist, ist die ganze Schöpfung in
ihrem Charakter als Schöpfung davon betroffen. Bei der Befreiung spielt
Paulus auf ein eschatologisch-zukünftiges Eingreifen Gottes in universaler
Perspektive an, das als Pendant zu den universalen Konsequenzen des
Falls in der Urzeit steht. So hat Gott nach Paulus also seine Schöpfung
nicht als Schöpfung verstoßen, sondern hält zu ihr und läßt sie nach einer Zeit des Unheilszustandes wieder zum Heil, und zwar zu einem endgültigen Heil, gelangen. Hier ist deutlich at.-jüdisches Denken vorausgesetzt, speziell das der jüdischen Apokalyptik[37]. Die beiden apokalyptischen Äone liegen diesen Gedanken insofern zugrunde, als zu Beginn des
gegenwärtigen unheilvollen Zeitabschnitts der Fall und die Bestrafung mit
der Folge der "Unterwerfung" liegen und am Anfang der kommenden Heilszeit die Befreiung[38]. Wenn Paulus die Lage im gegenwärtigen bösen Äon
durch die Unterwerfung unter ματαιότης und φθορά beschreibt, so ist
das in diesem Rahmen zu sehen. Denn beide Begriffe machen einen Zustand unter der Verderbensmacht des augenblicklichen Äons deutlich.
Sie werden dabei selbst so etwas wie Mächte. Beide Vokabeln drücken
ein Ende, ein fehlendes positives Ziel, eine Sinnlosigkeit aus. Es fehlt
echte Zukunft. Man kann hier auf das Miteinander eines Werdens und
Vergehens hinweisen, wie es schon im AT im Pred als hoffnungsloser Kreis-
lauf empfunden worden ist (1,1 ff). Überhaupt sind beide Begriffe auf einem recht komplexen geschichtlichen Hintergrund zu sehen, der vor allem im Strahlungsfeld von AT, Apokalyptik und hellenistischem Synkretismus liegt[39]. Die Apokalyptik ist dabei zunächst insofern theologisch fundamental, als sich auch unter dem Gesichtspunkt von "Nichtigkeit" und
"Vergänglichkeit" zeigt, daß die Schöpfung selbst in der Zeit der Mäch-
tigkeit des bösen Äons Gottes Schöpfung bleibt und eschatologisch auf
kommendes Heil bezogen wird[40]. Überhaupt entspricht nun der universale Horizont bei der "Schöpfung" einem apokalyptischen Rahmen. So
meint Paulus in Röm 8,19-22 mit κτίσις nicht speziell jüdische Gerechte
oder das jüdische Volk, aber auch nicht die Christen, fromme Heiden oder

den Menschen überhaupt, wenn er die gegenwärtige Sklaverei und die zukünftige Befreiung darstellt. Ähnliches gilt überhaupt im Blick auf beseelte, selbstbewußte oder vernunftbegabte Wesen[41]. Vielmehr ist bei der κτίσις an alles Geschaffene qua Geschaffenes zu denken, das sich selbst an sich nicht von Gott lossagte, aber unter den Folgen des Falls zu leiden hat. Das betrifft sicherlich die Umwelt des Menschen oder Christen, aber wegen des πᾶσα in V.22 sogar noch grundsätzlicher den Bereich der Schöpfung überhaupt. Doch sind die Christen wie die übrigen Menschen, und zwar offensichtlich auch als Geschöpfe, hier nicht mit zur κτίσις zu zählen. Denn sonst wäre Paulus in V.23-25 nicht noch extra auf die Christen eingegangen. Auch wäre die paulinische Soteriologie im Blick auf die Menschen überflüssig. Allerdings könnten die zukünftige Totenauferweckung, die kommende ἀπολύτρωσις des σῶμα der Christen u.ä. im Rahmen des Schöpfungsgedankens mit der Befreiung der κτίσις konvergieren oder gar übereinstimmen, so daß die Christen dann nicht völlig von der κτίσις abgelöst werden dürfen[42].

Stoßen wir bei den Ausführungen des Paulus über die κτίσις in Röm 8,19-22 also unter dem Gesichtspunkt der Heilsbeziehungen auf eine sozusagen klassische jüdisch-apokalyptische Denkstruktur, und zwar zugleich mit einer hellenistisch-synkretistischen Einwirkung, so sind in diesem Rahmen auch die Aussagen des Paulus über die Zukunftseinstellung der "Schöpfung" zu sehen, wie sie durch ἐλπίς und sinnverwandte Wörter ausgedrückt wird. Denn einmal zeigt sich hier terminologisch das hellenistische Koinegriechisch. Zum anderen wirkt sich für die Ausprägung der Zukunftseinstellung die gerade erarbeitete Heilsstruktur aus. Indem sich die "Schöpfung" in ihrem versklavten Zustand befindet, ist es verständlich, daß sie sich mit Spannung und intensiv daraus wegwendet. Dabei tröstet sie sich nicht durch einen Rückblick auf eine "gute alte Zeit", sondern schaut gespannt und intensiv in die Zukunft aus (s. ἀπεκδέχεσθαι und ἀποκαραδοκία in V.19). Daß sie die Heilszukunft als Geschick sieht, zeigen die rezeptiven Momente (vgl. ἀπο-, ἐκ- und -δέχεσθαι). Da sie auch die zurückliegende Unterwerfung als Geschick erfahren hat, kann man überhaupt sogar im Sinn einer Drucktheorie sagen, daß sie sich mit ihrer Zukunft antithetisch zur Gegenwart tröstet. In der Gegenwart bleibt ihr nur die "Hoffnung". "Hoffnung" ist ihr einziger Lichtblick und dient ihr zur Entlastung. Insofern kann von einem "Prinzip Hoffnung" gesprochen werden. Dabei ist diese "Hoffnung" aber keine Illusion, da Gott die "Schöpfung" bei ihrer Unterwerfung in den Zustand der "Hoffnung" gestellt hat (8,20 f). Bemerkenswert ist, daß die "Schöpfung" hier nicht lediglich als dumpfe und passive Masse, sondern als in der "Hoffnung" aktiv geschildert wird. Indem Paulus die zukünftige Offenbarung des Heils an die Gottessöhne bindet, also personal vermittelt darstellt, wird in die Zukunftseinstellung wohl zugleich eine Nuance des Zutrauens eingebracht. All das bleibt auf der Vorstellungsebene der Apokalyptik. In den Augen der "Schöpfung" wird nicht auf die Christen und Jesus Christus zugespitzt. Dadurch stoßen

wir hier auf Rudimente einer "natürlichen Hoffnung", die zugleich bestimmt und doch auch wieder nicht fest umrissen ist[43].

Nun ist aber im Blick auf einen ausgesprochenen Projektionscharakter
der "Hoffnung", bei dem antithetisch zur versklavten Situation in der
Gegenwart oder aufgrund des protologisch guten Zustands in die Zukunft
projiziert wird[44], zu bedenken, daß die Unterwerfung der "Schöpfung"
zur ἐλπίς hin geschah, daß also die Heilszukunft und die "Hoffnung" der
"Schöpfung" damals von Gott zugleich gewollt worden sind[45]. Insofern
bestehen Grenzen für eine "natürliche Hoffnung". Denn auch hier wird
Gottes Macht nicht zugunsten einer Eigenmächtigkeit der Schöpfung oder
Natur beseitigt. Die ἐλπίς gibt dabei ein Wünschen und Wollen wieder,
was der Spannung und Intensität in V.19 entspricht. Das οὐχ ἑκοῦσα
ist in diesem Zusammenhang ebenfalls zu beachten. Denn es weist erneut
auf eine Entlastung durch die Zukunft hin, die einem Wünschen, Wollen
usw. korrespondiert. Die bisherigen Überlegungen gelten für eine "subjektive" Deutung des ἐφ' ἐλπίδι. Da diese Wendung wegen des διότι
κτλ und selbst bei der Lesart ὅτι κτλ aber wahrscheinlich zugleich einen "objektiven" Sinn besitzt, werden auch von da aus noch einmal Grenzen für eine "natürliche Hoffnung" der κτίσις markiert.

Bei all dem sind nun ἀποκαραδοκία κτλ über das οὐχ ἑκοῦσα sinnverwandt mit ρυστενάζειν und συνωδίνειν in V.22. Auch sinnfällig-konkrete und plastische Aspekte weisen auf eine solche Beziehung. Das συνωδίνειν
braucht hier neben συστενάζειν nicht unbedingt in der Richtung mes-
sianischer Wehen aufgefaßt zu werden[46]. Denn bemerkenswerterweise
liegt hier nicht der Blick auf der Zeit von der Gegenwart zur Zukunft,
sondern von der Vergangenheit bis zur Gegenwart (ἄχρι τοῦ νῦν) vor[47].
So wird deutlich, daß Paulus an dieser Stelle eine Naherwartung nicht besonders anvisiert. Das συ(ν)- weist wie das πᾶσα auf die κτίσις als eine Einheit hin, die sich aus Teilen zusammensetzt. An sich könnte das alles Geschaffene umschreiben, tut es aber genau genommen doch nicht[48].
Das οἴδαμεν entspricht dem λογίζομαι von V.18 und zeigt dadurch den
Zusammenhang von V.18 und V.19-22 noch einmal auf. Es ist jedoch vielleicht etwas stärker rational gefärbt. Es deutet schließlich auch noch einmal auf ein Schillern zwischen "subjektiver" und "objektiver" Sicht in
ἐφ'ἐλπίδι hin.

So ist festzuhalten, daß hier in Röm 8,19-22 in sozusagen klassisch apokalyptischer Denkstruktur des Äonendualismus eine pointierte Ausrichtung
der "Schöpfung" weg von der unheilvollen Gegenwart in die heilvolle Zukunft vorliegt. Diese Ausrichtung ist im Sinn einer Entlastung und Tröstung intensiv, gespannt und emotional engagiert. Sie nimmt dabei das
Heil entgegen und schafft es nicht selber herbei. Denn das Heil kommt
auf die "Schöpfung" zu. Universale Heilshorizonte werden deutlich. Unsere Synonyme sind in diese Sachverhalte eingebettet und geben dem
charakteristisch Ausdruck[49].

Gleichsam auf dem Boden von Röm 8,19-22 ruhen die Aussagen in 8,23-25
über die Christen[50]. Dieses entspricht vor allem V.18, aber auch der Einleitung οὐ μόνον δέ,ἀλλὰ καί in V.23. Denn für sich genommen legt
sich in V.18 eher der apokalyptische Dualismus von "jetzt" und "dann"
im Sinn der beiden Äonen als eine komplexere christlich-eschatologische
Struktur nahe. Nur die Bezeichnung εἰς ἡμᾶς und die Beziehung zum
Kontext V.17 weisen in V.18 auf christliche Aspekte hin. In V.23 werden sie durch die Überleitung von V.19-22 zu V.23-25 eingeführt. Denn
οὐ μόνον δέ, ἀλλὰ καί stellen einmal eine Entsprechung zu den Aussagen in V.19-22 her. Zum anderen setzen sie aber auch die Christen von
der "Schöpfung" ab. Nun stellt sich die Frage, ob letzteres auch für die
eschatologische Heilsstruktur und die "Hoffnung" gilt.

Zunächst drängt sich allerdings eine Parallelität auf. Sie besteht darin,
daß in V.23 im Blick auf die Christen eine pointierte Zukunftsorientierung vorliegt, ja daß diese sogar das Hauptgewicht trägt. So sind dort
wieder ἀπεκδέχεσθαι und eine Kombination mit στενάζειν vorhanden,
was eine Intensität, eine emotionale Ausrichtung u.ä. wie bei der "Schöpfung" beschreibt. Dabei bringt auch das ἀπολύτρωσις antithetisch eine
Versklavung in der Gegenwart ins Spiel. Gleichwohl sind Unterschiede zu
den Aussagen in V.19-22 zu beachten. So ist die Blickrichtung bei den
Ausführungen über die Christen trotz der kollektiven Aspekte sehr viel
individueller als bei denen über die "Schöpfung". Es fehlen ein πᾶσα und
ein συν- oder vergleichbare Ausdrücke. Die Zuspitzung auf das σῶμα,
speziell auf seine Befreiung, die an sich der Befreiung der "Schöpfung"
korrespondiert, zeigt das ebenfalls. In dieser Richtung ist auch auf das
ἐν ἑαυτοῖς und die Geistverleihung, aber auch noch auf das zweimalige
αὐτοί hinzuweisen. Das υἱοθεσία deutet auf ein verstärktes personales
Moment hin, das nicht ohne Auswirkungen für ein Zutrauen in der "Hoffnung" bleiben kann. Während in υἱοθεσία eschatologisch-gegenwärtiges
Heil wegen V.14 ff nur in der Erinnerung bewußt werden kann, scheint
es aber bei dem Hinweis in V.23 auf die Erstlingsfrucht (ἀπαρχή) des
göttlichen Geistes auf. Denn die Christen besitzen den Geist als Vorweggabe des eschatologisch noch ausstehenden Heils. Dabei wird in ἀπαρχή
zugleich eine Zukunftsorientierung festgehalten, so daß im Blick auf das
Heil eine Bewegung von der Zukunft in die Gegenwart und die umgekehrte
Richtung fest miteinander verbunden bleiben[51]. Indem auf diese Weise für
die Christen eschatologisch-gegenwärtiges, eschatologisch-begonnenes Heil
vorhanden ist, besteht ein wesentlicher Unterschied zur "Schöpfung".
Das wirkt sich zugleich auf das ἀπεκδέχεσθαι aus, das nun auf dem Boden des Heilsanteils stärker zutrauend und zuversichtlich sein kann. Es
ist jedoch nicht einfach zu entscheiden, ob die Partizipialkonstruktion
τὴν ἀπαρχὴν τοῦ πνεύματος ἔχοντες kausal, modal oder konzessiv
aufzufassen ist. Unter Berufung auf die pointierte Zukunftsorientierung
ab V.18 könnte man mit guten Gründen für einen konzessiven Sinn plädie-
ren[52]. Es würde noch einmal die Zukunftslastigkeit dieser Stelle unterbau-
en. Dennoch ist auch bei dieser Interpretation festzuhalten, daß die Wen-

dung den eschatologisch schon begonnenen Heilsanteil der Christen deutlich
macht und dadurch einen wesentlichen Unterschied für die eschatologische
Einbettung des ἀπεκδέχεσθαι der Christen im Verhältnis zu dem der "Schöp
fung" markiert.

Noch betonter stoßen wir in V.24a auf eschatologisches Heil, das für die
Christen schon angefangen hat. Denn das ἐσώθημεν beschreibt durch die
Aoristform die bereits eingetretene Rettung der Christen, die nämlich mit
der Bekehrung und Taufe geschah[53]. Zugleich wird in V.24a durch τῇ ...
ἐλπίδι ἐσώθημεν spannungsgeladener als in V.23 die gegenwärtige Existenz der Christen in der "Hoffnung" hervorgehoben. Denn der Dativ τῇ
... ἐλπίδι drückt parallel zum Sprachgebrauch in Gal 5,1a primär den
Akt der "Hoffnung" als Ergebnis der mit der Bekehrung und Taufe vollzo-
genen Rettung aus. Wenn man in ἐλπίς hier die spes quae speratur betont
sehen will, wie das in der Forschung z.T. vertreten wird[54], dann würde
die Gegenwart allerdings sozusagen entleert, als Vakuum dastehen und un-
berechtigt übersprungen. Die Spannung, die sich durch die schon geschehene Rettung hin zur Existenz in der "Hoffnung" ergibt, ist nämlich für
die Christen charakteristisch. Sie entspricht der Dialektik christlichen
Seins, für das das eschatologische Heil nicht mehr wie in der jüdischen
Apokalyptik als rein zukünftig aussteht, für das andererseits der Anteil
am Heil in der Gegenwart aber auch nicht ein Abbrechen jeglicher eschatologischer Zukunftsperspektive etwa im Sinn eines enthusiastischen hellenistisch-synkretistischen Überschwangs bedeutet. Hier ist ein Prozeßcharakter des Heils wesentlich, dem die "Hoffnung" zugeordnet ist. Dieser Sachverhalt besagt für die ἐλπίς, daß sie als "Hoffen" der Christen
auf dem Boden des gewonnenen Heilsanteils im Verhältnis zum "Hoffen" der
"Schöpfung" Intention und Emotion besonders in Richtung zu Zutrauen und
Zuversicht ausprägt, andererseits aber angesichts der noch ausstehenden
Heilszukunft ein Wünschen, eine Spannung, ein Bewußtsein der Unverfügbarkeit u.ä. prägnant festhält. Dabei besteht sogar eine Korrelation zwischen Prozeßcharakter des Heils und "Hoffnung". Denn beide bedingen
einander in christlicher Sicht. Doch ist auch die spes quae speratur in
der ἐλπίς von V.24a impliziert. Dafür spricht schon der Kontext V.23
und V.24b-25[55].

Die Bemerkung über die ἐλπίς in V.24a, die selbst bereits an ἀπεκδέχεσθαι
in V.23 angeknüpft hat, gibt dem Paulus nun Anlaß zu einer Reflexion über
die "Hoffnung", und zwar einmal mehr allgemein (V.24b.c) und zum anderen
dann speziell christlich (V.25). Aber auch dadurch kommt wie schon in den
vorangehenden Versen unseres Abschnittes Christologie nicht direkt ein.
Bemerkenswert ist, daß die allgemeine Reflexion die Grundlage für die
christliche angibt. Hier besteht in V.24b.c und V.25 in gewisser Weise
ein ähnliches Verhältnis wie zwischen V.19-22 und V.23(-25). Denn wie
die gleichsam klassisch apokalyptische Heilsstruktur in V.19-22 (vgl. schon
das grundsätzliche Urteil in V.18) sozusagen als religionsgeschichtliche
oder weltanschauliche Grundlage für die eschatologischen Aussagen über

die Christen erscheint, so stellen V.24b.c als grundsätzliche Ausführungen über die "Hoffnung" das Fundament für die Äußerungen über die
christliche "Hoffnung" in V.25 dar. V.24b.c bleiben dabei jedoch nicht
völlig allgemein und formalisiert, sondern stehen ebenfalls unter dem Einfluß apokalyptischen Denkens[56]. Offensichtlich sind aber christliche und
allgemeine "Hoffnung" in V.24f enger aufeinander bezogen als das bei dem
Verhältnis der Aussagen über die Christen und die "Schöpfung" in V.18ff
der Fall ist. Denn die Ausführungen über die "Schöpfung" in V.19-22
sollen zwar die Darlegungen über die Christen unterstützen, behalten
aber zugleich ein stärkeres Eigengewicht. Das entspricht an sich auch
der dort zutage tretenden Soteriologie und dem theologischen Gewicht des
Schöpfungsgedankens bei Paulus, während solche Schwerpunkte bei den
Definitionsansätzen über die "Hoffnung" nicht so deutlich vorliegen. In
V.24b-25 ist nun anders als in V.23.24a aber wieder ausschließlich die Zukunftsorientierung im Blick, so daß eschatologisch begonnenes Heil nicht
direkt aufscheint. Das stimmt durchaus mit dem Motto in V.18 überein. Es
gilt auch unter Berücksichtigung des Sachverhalts, daß bei dem Gegenüber "sichtbar - unsichtbar" das unsichtbare Heil bzw. die unsichtbaren
Objekte als schon im Himmel existierend vorgestellt sein könnten. Das Gewicht liegt für Paulus nämlich auf einer zeitlichen und geschichtlichen
Sicht, und zwar in Korrespondenz zu unseren Synonymen.

Nun ist noch dem Sachverhalt etwas nachzugehen, daß wir selbst bei diesen allgemeinen, einen Definitionsansatz darstellenden Aussagen über
ἐλπίς und ἐλπίζειν wieder auf einen apokalyptischen Horizont stoßen.
Gerade in der jüdischen Apokalyptik sind die im Himmel vorhandenen Heilsgüter unsichtbar. Der Seher erhält in der Vision zu ihnen Zugang (vgl.
ApkBar (gr)[57]). Das ist nun allerdings zunächst räumlich und sozusagen
geschichtslos gedacht. Doch muß beherzigt werden, daß das Heil erst in
der Zukunft durch das Eintreffen des kommenden Äons wirksam wird (vgl.
die Zukunftsausblicke in äthHen u.a. Apokalypsen), so daß sich dadurch
immerhin wieder eine Verlagerung des Gewichts vom Unsichtbaren zum Zukünftigen ergibt, zumindest was das Verhältnis von räumlichen und zeitlichen Gesichtspunkten angeht. Deshalb ist es im Rahmen der paulinischen
Eschatologie bemerkenswert, wie sehr noch an unserer Stelle der Gedanke
der Unsichtbarkeit auf die Bestimmung der "Hoffnung" abfärbt. Denn Paulus hätte im Definitionsansatz durchaus die Zukünftigkeit hervorheben können. So formalisiert er in der jetzigen Formulierung nicht völlig. Zwar ist
das Zukünftige qua Zukünftiges ohnehin zugleich unsichtbar. Trotzdem
deutet die Zuspitzung auf das Unsichtbare aber auf Sachzwänge hin. Sie
stehen offensichtlich im Rahmen der Apokalyptik und lassen im Zusammenhang des Offenbarungsgedankens den Aspekt der Unsichtbarkeit im Definitionsansatz noch extra ausdrücken. So ist diese Zuspitzung dann auch
auf dem Boden der Ausführungen ab V.18 durchaus verständlich. Zugleich wird dadurch die Beziehung des Definitionsansatzes auf die christliche "Hoffnung" in V.25 vielleicht sogar noch etwas glatter, da auch die
christliche "Hoffnung" in einem apokalyptischen Horizont zu sehen ist.

Das Moment der Unverfügbarkeit erhält eine besondere Beleuchtung. Dennoch ist noch weitergehend wie bereits in V.19-22 ein at. und hellenistisch-synkretistischer Hintergrund zu beachten. So ist etwa schon auf at.-prophetisches Gedankengut[58] und die Wirkungen des Platonismus[59] hinzuweisen[60]. Außerdem wirkt enger betrachtet die Theologie des Paulus selbst noch ein[61]. Überhaupt muß unsere Stelle zunächst im Rahmen der paulinischen Theologie und erst von da aus traditionsgeschichtlich gesehen werden[62]. Dabei zeigt schließlich die Hinzufügung von δι᾽ ὑπομονῆς in V.25b bei der Charakterisierung der christlichen "Hoffnung" das Gewicht des Zeitlich-Geschichtlichen[63].

Für das Problem der "Hoffnung" selbst und speziell ihre eschatologische Einbettung ergibt sich, daß in V.24b beim ersten ἐλπίς die spes quae speratur hervortritt, beim zweiten aber auch die spes qua speratur noch wesentlich hinzukommt. Wegen des Objektausdrucks in V.23, des Sachverhalts in V.24b und überhaupt der Bedeutung des Unsichtbaren bei der Objektbeziehung könnte man nun auch für das τῇ ... ἐλπίδι in V.24a erneut die Interpretation als spes quae speratur vorziehen wollen. Dennoch beschreiben schon ἀπεκδέχεσθαι in V.23 und dann auch ἐλπίζειν und ἀπεκδέχεσθαι in V.24c.25 deutlich den Akt. Das Objekt wird hinzugefügt oder ist zu ergänzen. Von daher ist es selbst unter Berücksichtigung des Definitionsansatzes in V.24 angemessen, in ἐλπίς von V.24a primär das "Hoffen" der Christen zu sehen[64], zumal eine Objektperspektive nicht ausgeschaltet ist. So ist bei den Hoffnungsbegriffen in V.24f durchgehend eine Gegenstandsbeziehung vorhanden, und zwar sogar bei der primären Beschreibung der spes qua speratur. Denn wenn sie nicht direkt ausgedrückt worden ist, dann ist sie zumindest impliziert. Dabei tritt das eschatologische Heil als zukünftig und als unverfügbar, unüberschaubar, nicht fixierbar und nicht kontrollierbar hervor. Es ist noch eine Offenbarung nötig, damit es angesichts der gegenwärtigen Paradoxien zum Sehen im Sinn einer Schau kommen kann (vgl. Röm 8,18; Gal 2,20). Die Hinzufügung von Geduld deutet in dieselbe Richtung. So wird das Gewicht in V.24b-25 auf die Zukunft und die "Hoffnung" gelegt[65]. Auf diese Weise wird zugleich der Bogen zu V.18 zurückgeschlagen. Allerdings dürften in V.25 die Aussagen über das gegenwärtige Heil bei den Christen aus V.23.24a wenigstens noch in der Weise nachwirken, daß ἐλπίζειν und ἀπεκδέχεσθαι in V.25 sich von der "Hoffnung" der "Schöpfung" und der allgemeinen "Hoffnung" zugleich etwas absetzen, indem in V.25 noch eine besondere Zuversicht und ein besonderes Zutrauen anklingen. Dem entspricht bei der Hinzufügung der Geduld, daß die Geduld nun gewichtige Anhaltspunkte besitzt. So darf parallel dazu im Blick auf das τῇ ... ἐλπίδι ἐσώθημεν in V.24a gesagt werden, daß es nicht eine Rettung bloß zur "Hoffnung" hin beschreibt, sondern angesichts des erfahrenen Heils, aber auch unter dem Blickwinkel des kommenden Gerichts die Rettung gerade zu einer "Hoffnung" hin.

Aufgrund der bisherigen Analyse ist es m.E. vollends schlüssig, daß Röm
8,26f, die in der Forschung noch gern zu V.18ff gerechnet werden, von
V.18-25 abzusetzen sind. Denn es geht in V.26f trotz des Hinweises auf
die Nöte und Grenzen gegenwärtiger christlicher Existenz, der an die
Ausführungen unseres Abschnittes anschließt, um die Gegenwart des
Heils selbst und nicht um die Gegenwart um der Zukunft willen[66]. Zwar
ist auch der spezielle Gesichtspunkt des πνεῦμα aus V.23 aufgenommen
worden. Sachlich direkter schlagen V.26f nun aber unter dem Aspekt des
Verhältnisses von eschatologisch gegenwärtigem und eschatologisch-zukünftigem Heil den Bogen zurück zu den Ausführungen vor V.18. Deshalb
bestätigt sich unsere eingangs ausgesprochene Auffassung, daß Röm 8,18ff
nicht vorwiegend unter dem in der Forschung so beliebten Gesichtspunkt
der Heilsgewißheit zu interpretieren ist. Dieser spielt vielmehr im Kontext
unseres Abschnittes, und zwar in 8,26f.28ff, aber auch schon vor V.18
(vgl. z.B. V.16) eine wesentliche Rolle. Röm 8,18-25 müssen dagegen als
in sich geschlossene Einheit ausgelegt werden[67], die eschatologisch gesehen im Zeichen von Zukunftslastigkeit und "Hoffnung" steht. Diese Zukunftsorientierung wird durch V.18 thematisch eingeleitet und bestimmt.
Die Christologie gab in V.17 bereits eine Überleitung dazu, hat dann aber
in V.18-25 keine Rolle mehr gespielt. Gleich V.18 macht eine apokalyptische
Heilsstruktur im Sinn des Gegenübers der beiden Äonen thematisch. Was
sich dort schon andeutete, hat sich dann im ganzen Abschnitt durchgehalten, daß Paulus nämlich aus der Apokalyptik dieses Gegenüber im aktuellen und existentiellen Sinn übernimmt. Dabei spitzt er auf die Antithetik
selbst zu, indem er zwei gegensätzliche Wirklichkeiten im Prozeß miteinander liegen läßt. Apokalyptische Berechnungen werden dagegen nicht durchgeführt, wenn wir etwa an eine Einordnung der "Hoffnung" in einen festen
geschichtlichen Ablauf bzw. in einen detaillierten Geschichtsüberblick denken. Vielmehr stellt Paulus solche Größen wie Leiden und Herrlichkeit, Sklaverei und Freiheit einander gegenüber. Dabei zeichnet er in V.19-22 die
"Schöpfung" ausschließlich im Rahmen einer apokalyptischen Heilsstruktur,
indem sie nämlich in der Gegenwart dem Heil fern ist und erst in der Zukunft an ihm Anteil erhalten wird. Dagegen scheint im Blick auf die Christen in V.23.24a(-25), und zwar im charakteristischen Unterschied zur
"Schöpfung", eschatologisch schon begonnenes Heil auf, so daß für die
Christen eine streng apokalyptische Heilsstruktur durchbrochen worden
ist, eine eschatologische Grundrichtung im Sinn einer Prävalenz der Zukunft aber in unserem Text beibehalten wird[68]. Deshalb ist es verständlich, daß in Röm 8,18-25 Aussagen mit ἐλπίς und synonymen Wörtern eine
zentrale Funktion besitzen. Deshalb muß man in unserem Abschnitt eher
das Thema "Hoffnung" als das Thema "Gewißheit" oder "Erfahrung" vorliegen sehen. Entsprechend geht es in V.18-25 nicht um die Offenbarung in
der Gegenwart, sondern um die in der eschatologischen Zukunft. Unter
diesen Voraussetzungen darf man den Passus überschreiben: "Eschatologie und Hoffnung im Blick auf die Christen und die κτίσις". Insofern
stoßen wir unter dem Gesichtspunkt der eschatologischen Einbettung der

"Hoffnung" auf eine Korrelation von Eschatologie und "Hoffnung". In dieser Richtung ist die Häufung unserer Synonyme in einer markanten eschatologischen Zuspitzung bemerkenswert, und zwar eine Häufung, die statistisch gesehen auf solch engem Raum die größte in den Paulusbriefen ist. Dadurch zeigt sich uns das "Hoffen" zugleich als eine eigenständige christliche Existenzgröße. Gleichwohl ist zu beachten, daß schon im Motto V.18 ἐλπίς und synonyme Wörter nicht vorkommen und auch sonst in unserem Abschnitt Parallelverhalten zur "Hoffnung" eine Rolle spielen (vgl. εἰδεναι, στενάζειν u.ä.). Deshalb können hier Eschatologie und "Hoffnung" nicht in einem exklusiven Korrelationsverhältnis gesehen werden.

10.2. 1 Thess 5,1-11

Nachdem wir gerade das Verhältnis zwischen "Schöpfung" und Christen aufgrund von Röm 8,18-25 betrachtet haben, wollen wir uns nun markanten eschatologisch-dualistischen Aussagen zuwenden. Sie liegen im Blick auf die eschatologische Einbettung unserer Synonyme eindrücklich in 1 Thess 5,1-11 vor. Und zwar betrifft das ἐλπίς und die Relation von Christen und Nichtchristen. 1 Thess 5,1-11 stellt den zweiten Teil des größeren Abschnitts 4,13-5,11 dar, wo es um Probleme der eschatologischen Zukunft und überhaupt um eschatologische Fragen geht. Durch diese Thematik grenzt er sich deutlich aus dem umgebenden Kontext aus[69].

Nun müssen wir aber noch begründen, warum wir im Blick auf unser Problem der eschatologischen Einbettung nur speziell 5,1-11 mit ἐλπίς in V.8 analysieren wollen, obgleich es auch in 4,13-18 um Eschatologie geht und dabei in 4,13 dieses Substantiv vorkommt. Ein erster Grund liegt darin, daß es sich bei ἐλπίδα ἔχειν in 4,13 nicht um eine christliche "Hoffnung" handelt, da durch die Negation Nichtchristen (οἱ λοιποί) eine "Hoffnung" bestritten wird, mag Paulus das nun subjektiv[70] oder objektiv[71] meinen. Dadurch ist eine christliche ἐλπίς innerhalb von 4,13-18 genau genommen nur antithetisch zu erschließen. Zudem sind die Ausführungen in 4,14 ff überhaupt nur indirekt auf die Hoffnungsaussage zu beziehen. Denn ein gebrochenes Verhältnis zeigt sich daran, daß Paulus gleich in V.14 beim christlichen "Glauben", der sich auf das vergangene Heilsgeschehen in Tod und Auferweckung Jesu bezieht, einsetzt und von da aus thetisch, d.h. ohne ἐλπίς u.ä., auf die eschatologische Zukunft folgert[72]. Auch geht es in 4,13-18 in einer speziellen Weise um die eschatologische Zukunft, und zwar um bereits gestorbene Christen im Rahmen der Frage nach der Auferweckung der Toten. Es scheint eine Anfrage aus Thessalonich vorzuliegen. Darauf deuten die Eingangsworte. Es wird offensichtlich der Sachverhalt vorausgesetzt, daß Todesfälle unter den Christen Thessalonichs die junge Gemeinde dort in Probleme gestürzt haben. Daraus könnte geschlossen werden, daß die Erstverkündigung des Paulus in dieser Stadt so an der Parusie orientiert war, daß sich grundsätzlich das Bild ergab, Jesus würde zu Lebzeiten der Gemeindeglieder wiederkommen (vgl. auch V.9 f). So hatten die Thessalonicher andere Aspekte offensichtlich noch gar nicht reflektiert[73].

So hatten die Thessalonicher andere Aspekte offensichtlich noch gar nicht reflektiert[73].

Paulus greift diese Fragen nun in 4,13 auf und geht dann in 4,14-17 tröstend und aufmunternd, zugleich aber auch belehrend auf die eschatologische Zukunft ein[74], indem er die Ereignisse bei der Parusie und vor allem das Verhältnis des Geschicks der bis zur Wiederkunft Gestorbenen und Überlebenden betrachtet. Die Reihenfolge wird so gezeichnet, daß zuerst die toten Christen auferstehen und dann die überlebenden Christen zusammen mit ihnen zum Herrn entrückt werden, mit dem sie dann immer zusammensein werden. Dabei führt Paulus Elemente eines Endkrieges an. Es wird aus dem Inhalt des christlichen Glaubens und einem Herrenwort für die Zukunft gefolgert[75]. Zugleich liegen Entsprechungen zu Darstellungen in zeitgenössischen Apokalypsen vor[76]. Die Ausführungen des Paulus bleiben aber insgesamt recht knapp und konzentrieren sich deutlich auf das akute Problem der Thessalonicher und die Christologie. Dabei gibt Paulus keinen Geschichtsüberblick über die Zeit von der Gegenwart bis zur Parusie. Er setzt vielmehr bei dem Glaubensinhalt und dem Herrenwort ein und geht von da aus gleich zur Wiederkunft weiter. Dieses Ereignis schildert er dann aber etwas genauer, nicht zuletzt wegen der Anfrage aus Thessalonich[77]. Vielleicht stellt indirekt schon die absolute ἐλπίς-Aussage in V.13 die Weichen für eine solche Verdichtung, vor allem dann, wenn man an ein ihr zugrundeliegendes Motiv denkt. Die paränetisch-parakletische Anfügung bzw. dieser Abschluß in V.18 entspricht apokalyptischem Vorgehen[78], das traditionsgeschichtlich bis ins beginnende Christentum gewirkt hat, wie z.B. die Schlußpassagen der synoptischen Apokalypse in Mk 13 par zeigen[79]. Da auch in 1 Thess 5,11 noch einmal solche Ausführungen folgen, tritt gerade dadurch ein Einschnitt zwischen 4,13-18 und 5,1-11 hervor[80]. Rückt auf diese Weise die eschatologische Einbettung von ἐλπίς in 4,13 schon von der in 5,8 ab, so sind in dieser Richtung auch noch die besonderen eschatologischen Sachverhalte von 4,13 ff in Erinnerung zu rufen. Denn in 4,13-18 wird eine eschatologisch qualifizierte Gegenwart, in der ἐλπίς charakteristisch stehen könnte, sozusagen gar nicht thematisch, und zwar im Unterschied zu 5,1 ff.

Indem Paulus in 5.1 wieder mit einer περί-Wendung beginnt, steht das 4,13 parallel. Deshalb verwundert es nicht, daß hier ein Eingehen des Paulus auf eine zweite Anfrage aus Thessalonich angenommen worden ist[81]. Doch muß beachtet werden, daß Paulus betont, die Thessalonicher hätten an sich zu dem Thema von 5,1 eine Äußerung des Paulus nicht nötig, da sie darüber schon genug wüßten. Deshalb halte ich es für fraglich, daß Paulus hier direkt eine Anfrage aus Thessalonich beantwortet[82]. Da er in 5,1(ff) erneut auf die eschatologische Zukunft zusteuert, will er wahrscheinlich das in 4,13 ff Ausgeführte noch einmal bekräftigen, indem er den Thessalonichern schon Bekanntes wiederholt (s. 5,1 f) und überhaupt die rechte christliche Einstellung auf das Eintreffen der eschatologischen Zukunft vor Augen hält (s. 5,2 ff). Da Paulus die Anfrage aus Thessalonich bereits beantwortet hat, kann er nun in 5,1 ff die Gegenwart selbst eschatologisch stärker hervortreten lassen.

Es ist ihm nun ein allgemeineres und grundsätzlicheres Eingehen auf die christliche Existenz möglich[83].

In 5,1 visiert Paulus die eschatologische Zukunft unter dem besonderen Gesichtspunkt περὶ ... τῶν χρόνων καὶ τῶν καιρῶν an. Unter Berücksichtigung von 5,2 ff legt sich zunächst die Annahme nahe, daß damit der "Tag des Herrn" als die Wiederkunft Jesu Christi oder als das Endgericht, und zwar speziell im Blick auf das "zeitliche" Eintreten, gemeint ist. Von da aus wird noch einmal verständlich, daß Paulus an diesem Punkt in Thessalonich keine Probleme sieht (vgl. 1,3.9 f). Es zeigt sich dabei wieder eine Konzentration auf das Eintreffen selbst, und zwar ähnlich wie schon in 4,13 ff, also ohne daß die Zwischenzeit im Sinn einer detaillierten geschichtlichen Entwicklung und in Form eines ausgebauten Geschichtsüberblickes dargestellt wird. Dadurch könnte man nun aber Spannungen zu der Themaangabe in 5,1 selbst vorliegen sehen. Wird nicht gerade in οἱ χρόνοι und οἱ καιροί ein solcher Geschichtsüberblick zusammengefaßt oder wenigstens vorausgesetzt? Zumindest bei οἱ χρόνοι könnte man bevorzugt an den Zeitraum bis zur Parusie denken[84], vielleicht weniger bei οἱ καιροί, insofern dieses sich schon eher auf das Eintreffen selbst zu beziehen scheint[85]. Auf jeden Fall würde Paulus so zugleich in die Nähe von Geschichtsüberblicken und Terminbestimmungen kommen, wie wir sie in der at.-jüdischen und frühchristlichen Apokalyptik finden (vgl. z.B. Dan 2,1 ff; äthHen 85,1 ff; Mk 13,1 ff par[86]). Doch bleibt es bemerkenswert, daß sich Paulus auf die generellen Angaben οἱ χρόνοι und οἱ καιροί beschränkt. Auch in 5,2 ff macht er keine genaueren Angaben in dieser Richtung. Der Gedanke der Plötzlichkeit ist dort sogar gegenläufig dazu. So wird man in οἱ χρόνοι und οἱ καιροί eher eine Bezeichnung für den Zeitpunkt der Wiederkunft oder des Endgerichts sehen müssen, die weniger den Zeitverlauf bis dahin als das Eintreffen selbst anvisiert. Wenn man zwischen beiden Begriffen unterscheiden will, dann könnte οἱ χρόνοι generell die Zeiterstreckung bis zur Parusie zusammenfassen und οἱ καιροί den Zeitpunkt selbst beschreiben. Wahrscheinlich deutet aber die Kombination beider Begriffe auf einen gemeinsamen Sinn hin[87].

Ab 5,2 spielen deutlich der Gedanke der Plötzlichkeit und die entsprechende Einstellung auf den kommenden "Tag" im Rahmen besonderer Motivationszusammenhänge die Hauptrolle. Deshalb gerät eine detaillierte Erstreckung der Zwischenzeit hier mit Sicherheit aus dem Gesichtskreis. Zunächst wird in 5,2 f die Plötzlichkeit dieses Ereignisses behandelt. Das genaue Wann bleibt unbekannt. Bei dem "Tag des Herrn" ist als κύριος Jesus Christus zu vermuten, schon da er bereits in 4,14 ff und dann auch in 5,9 f die Zukunftsperspektive bestimmt[88]. Doch ist unser ἡμέρα κυρίου in 5,2 letztlich in dieser Richtung nicht völlig eindeutig. Es kann auch Gott gemeint sein. Entsprechend der Vorstellung vom "Tag des Herrn" besitzt der Gerichtsgedanke dann in 1 Thess 5,2 ff eine wesentliche Funktion. Er bestimmt in einer Kontrastwirkung sogar noch die

Heilsaussagen. So weisen auf das Gericht z.B. die Sorglosigkeit und ὄλεθρος in 5,3, die Aussagen in 5,4 über ἡ ἡμέρα, über ὀργή und σωτηρία in 5,9 hin. Indem Paulus in 5,2 f zunächst auf die Plötzlichkeit des Eintreffens schaut, setzt das zwar eine Nähe voraus, ist aber nicht mit einer ausgesprochenen "Naherwartung" zu identifizieren[89]. Denn die Plötzlichkeit muß mehr im Sinn eines Stets aufgefaßt werden, so daß das eher auf eine "Stetserwartung" führt, die allerdings einen einmaligen und endgültigen Abschluß festhält. Dadurch treten eine Unverfügbarkeit der eschatologischen Zukunft und eine Unwissenheit über das Wann hervor, also gerade keine Berechnung, die sich der eschatologischen Zukunft und speziell des Wanns durch eine Terminbestimmung im Rahmen von detaillierten Geschichtsdarstellungen zu bemächtigen versucht[90].

Dabei setzt Paulus an unserer Stelle wie auch schon in 1,9 f bei dem Endgericht als Negativhorizont ein. Das entspricht der Situation der Thessalonicher als ehemaliger Heiden. Andererseits war aber immerhin bei Juden im Rahmen der Gesetzesfrömmigkeit neben der Furcht vor diesem Tag zugleich auch ein Herbeiwünschen vorhanden, um nämlich seinen Lohn zu empfangen. Das Verlangen nach dem Ende spielte speziell in der jüdischen Apokalyptik insofern eine Rolle, als man ein Aufhören der Drangsale und eine Bestrafung der Bedrücker herbeisehnte (vgl. z.B. äth Hen 94,1 ff). Die Plötzlichkeit unterbaut Paulus in 5,2.4 dann durch das Bild vom Dieb in der Nacht. Kommen des Diebes und Eintreffen des Tages des Herrn entsprechen einander[91]. Bei dem Gedanken der Plötzlichkeit greift Paulus zugleich auf eschatologische Tradition zurück oder wird faktisch von ihr beeinflußt. Da man vom Dieb in der Regel nicht weiß, wann er einbricht, ist das ein verständliches und passendes Bild für die Zeichnung der Plötzlichkeit des kommenden Herrentages. Entsprechend beobachten wir es auch sonst im beginnenden Christentum[92]. In 5,2 bleibt nun die Aussageweise des Paulus stärker objektiv, indem eine ausgesprochene Einstellung auf die Zukunft nicht hervortritt und nur das katechetische Wissen der Thessalonicher herausgestellt wird. Ebenfalls in 5,3 wird dann eine Einstellung auf die Zukunft terminologisch nicht besonders ausgedrückt. Sie klingt aber trotzdem stärker als in 5,2 an. Allerdings geschieht das in 5,3 unter dem Gesichtspunkt solcher Menschen, die nicht mit dem Kommen des Endgerichts rechnen. Sie sagen nämlich[93]: "Friede (εἰρήνη) und Sicherheit (ἀσφάλεια)". Damit dürfte Paulus weniger eine Sorglosigkeit meinen, die sich im Blick auf das Endgericht mit dem (verblendeten) Verweis auf eigene Lauterkeit und eigene Werke beruhigt[94] oder sich mit der generellen Annahme tröstet, es werde schon nicht so schlimm sein. Vielmehr dürfte er eher eine Sorglosigkeit anvisieren, die generell die Zukunft um des eigenen Genusses in der Gegenwart willen nicht beachtet oder vielleicht sogar eine Angst bzw. Furcht in der Zukunftsrichtung durch ein Auskosten der Gegenwart überspielt[95]. Dabei verschärft Paulus in der Weise, daß er hervorhebt: Das Endgericht trifft gerade dann ein, wenn gesagt wird, es bestehe Friede und Sicherheit, d.h. das Endgericht lasse auf sich warten oder es komme nicht. Das Endgericht wirkt dann nach Paulus als unvermutetes, plötzliches, sicheres Verderben. Das weist noch einmal auf eine Nähe hin, die im Zusammenhang einer "Stetswartung" zu verstehen ist. Dabei ist bemerkenswert, daß Paulus hier eine derartige Einstellung auf die Zukunft nicht durch ausgesprochene Verhaltensbegriffe ausdrückt. In 5,3 greift Paulus um der Eindrücklichkeit willen wieder auf ein Bild zurück, nämlich das von den Geburtswehen, die ebenfalls plötzlich und unverfügbar eintreten. Zudem sind sie schmerzlich, und zwar in Entsprechung zum Tag des Herrn, den Paulus in 5,3 als "Verderben" wirken sieht (vgl. ὀργή in 5,9). Dabei zielt auch dieses Bild vor allem auf die Plötzlichkeit ab[96]. Es ist dem Paulus in eschatologischen Zusammenhängen wieder traditionsgeschichtlich vorgegeben[97]. So deuten sich bei Paulus hier traditionsgeschichtlich gesehen zugleich Sach- und Bildzwänge in der eschatologischen Darstellung an.

Ab 5,4 wendet Paulus sich dann den Empfängern und überhaupt den Christen zu, und zwar indem er auf sie für sich und im Verhältnis zu den vorher genannten übrigen Menschen blickt. Dadurch wird zugleich ein eschatologischer Dualismus auch für die Gegenwart geradezu thematisch. Dabei geht Paulus ab 5,4 zunächst betont im Rahmen eines solchen eschatologischen Dualismus vor, bis dann die anderen Menschen und die Unheilsseite immer mehr zurücktreten und das eschatologische Heil der Christen überwiegt[98]. Zunächst charakterisiert Paulus die Christen Thessalonichs in 5,4 als solche, die nicht in der Finsternis sind (οὐκ εἶναι ἐν σκότει). Das Bild vom Dieb in der Nacht (vgl. seine Wiederaufnahme in V.4) und die traditionsgeschichtlich, ja sogar literarisch schon vorgegebene Verbindung von Licht und Finsternis mit dem eschatologischen Tag des Herrn (vgl. Am 5,18-20 u.ö.) könnten das Eingehen auf den speziellen eschatologischen Dualismus von Licht - Finsternis usw. veranlaßt haben[99] In Entsprechung zum Übergang zu den Christen wird dabei aber nun die negative Seite negiert und im Rückgriff auf das Bild vom Dieb in der Nacht gesagt, daß das Endgericht die Christen Thessalonichs als solche, die nicht in der Finsternis sind, nicht wie ein Dieb überraschend überkommt. Es kann eine Verbindung von Feststellung, Zuspruch und Aufmunterung vorliegen (vgl. die ἵνα-Konstruktion)[100]. Dabei wird immer noch nicht eine Zukunftseinstellung begrifflich ausgedrückt. Paulus legt in 5,4 vielmehr das Gewicht auf den "objektiven" Sachverhalt.

Zusprechend und feststellend, zugleich V.4 begründend (vgl. das γάρ[101]) hebt Paulus dann in 5,5a die positive Seite voll hervor, und zwar entsprechend V.4 in Zuspitzung auf die Christen Thessalonichs: "Denn ihr alle seid Lichtsöhne (υἱοὶ φωτός) und Tagessöhne (υἱοὶ ἡμέρας)." 5,5b geht dann durch die 1. Person Plural zu den Christen allgemein weiter. Dabei wird wie in V.4 wieder bei der Verneinung der negativen Seite des Dualismus eingesetzt und diese durch den Gesichtspunkt der Nacht erweitert, der in 5,5a antithetisch bereits durch den Begriff "Tag" vorbereitet worden ist. In V.5b wird wieder eine Ausdrucksweise mit εἶναι gewählt also nicht mit υἱός, nunmehr mit einer Genitiv- statt mit einer ἐν-Konstruktion. Im Grunde genommen besteht aber kein nennenswerter Sinnunterschied zwischen all diesen Ausdrucksweisen. Wenn nämlich εἶναι mit Genitiv und die Bezeichnung υἱοί τινος je auf ihre Weise eine Zugehörigkeit aussagen, εἶναι mit ἐν dagegen das Sein in einem Bereich, so ist in jedem Fall eine Machtsphäre wichtig. In diesem Sinn führt Paulus in 5,5b aus: "Wir (die Christen) gehören nicht zur Nacht(νύξ) und nicht zur Finsternis (σκότος)". Das ist wieder mehr feststellend und zusprechend. In 5,6 zieht Paulus daraus dann aber eine ausdrücklich paränetisch-kohortative Folgerung: "Also laßt uns nicht schlafen (καθεύδειν) wie die übrigen, sondern wachen (γρηγορεῖν) und nüchtern sein (νήφειν)!" Auf das Folgern deuten ἄρα οὖν, auf das paränetisch-kohortative Moment die Konjunktive der Verben[102]. Durch die 1. Person Plural bezieht Paulus sich und alle Christen zugleich mit ein. Diese Gruppe steht den οἱ λοιποί gegenüber, d.h. den Nichtchristen. Wir sind auf diese Wendung bereits in 4,13 gestoßen[103]. Die Juden erhalten somit keine Sonderstellung[104].

Somit handelt es sich hier um einen generellen eschatologischen Dualismus, der Christen und Nichtchristen einander unter eschatologischen Gesichtspunkten gegenüberstellt, indem dieses Gegenüber in einen eschatologischen Prozeß eingespannt wird, der auf den Tag des Herrn bzw. den "Tag" in der Weise zuläuft, daß in der Gegenwart schon eine Antithetik von "Tag und Nacht", "Licht und Finsternis" anhebt, die dann im Endgericht durch die Beseitigung des Bösen zu einem endgültigen Abschluß kommt (vgl. ὄλεθρος, ὀργή, σωτηρία).

Durch die besondere Art der Anknüpfung von 5,6 an 5,5b entsteht dabei ein Indikativ-Imperativ-Verhältnis. Dabei zielt Paulus im Blick auf die Christen aber nicht auf ein speziell ethisches Handeln ab, sondern direkt auf das Verhalten in der Richtung der eschatologischen Zukunft. Hier macht Paulus nun eine Zukunftseinstellung in der Weise thematisch, daß er sie begrifflich ausdrückt. Das ist in Entsprechung zu dem eschatologischen Dualismus antithetisch der Fall: Während die Nichtchristen schlafen, sollen die Christen wachen und nüchtern sein. Diese Verhaltensweisen bleiben dann bis 5,8 beherrschend und sind sogar noch in 5,10 zu beobachten. Dabei besteht im Rahmen des eschatologischen Dualismus eine Entsprechung zwischen den "objektiven" Größen bzw. dem "objektiven" Sein und den "subjektiven" Verhaltensweisen. Denn in 5,4-8 stehen auf der Nacht- und Finsternisseite das Schlafen und Trunkensein (vgl. μεθύειν, μεθύσκεσθαι) und auf der Licht- und Tagesseite das Wachen und Nüchternsein. Dadurch zeigt sich eine Einstellung auf die Zukunft, die zwar nicht in einem synonymen oder gegenbegrifflichen Verhältnis zu ἐλπίς, wohl aber in einer entsprechenden Nähe des Sinns oder verwandten Antithetik zu sehen ist. Allerdings bleibt grundsätzlich ein Schillern zwischen Bild- und Sachaspekt bei den Größen "Licht, Finsternis, Tag, Nacht" und den Verhalten "Wachen, Nüchternsein, Schlafen, Trunkensein" bestehen. Im Rahmen des eschatologischen Dualismus und des plötzlichen Kommens der eschatologischen Zukunft kann nämlich nicht lediglich von einer

Metaphorik gesprochen werden. Ein übertragener Sprachgebrauch überwiegt aber. Zugleich ist zu beachten, daß Paulus bei diesen Verhaltensweisen wieder traditionsgeschichtlich vorgeprägten Sprachgebrauch auf-
nimmt[105].

In 5,7 wird im Blick auf die negative Seite die Entsprechung zwischen
Schlaf und Nacht ausdrücklich aufgegriffen. Das wird zwar direkt auf
ein biologisches Schlafen bezogen, dient aber zur Erläuterung eschatolo-
scher Sachverhalte. Insofern betrifft es eschatologisch betrachtet die
Nichtchristen. Dabei wird kein Indikativ-Imperativ-Verhältnis wie in 5,5 f
bei den Christen deutlich, sondern ein Korrespondenzverhältnis in dem
Sinn, daß diese Menschen sich faktisch ihrem "objektiven" Sein entsprechend verhalten. Sie tun unabänderlich das, was sie sind. "Objektives"
Sein und "subjektives" Verhalten stimmen von vornherein miteinander
überein. In 5,7 wird dann im Parallelismus dazu angefügt, daß diejenigen,
die sich betrinken, nachts betrunken sind. Das knüpft antithetisch an das
νήφειν von V.6 und direkt an den Gesichtspunkt der Nacht in V.7a an.
Es wird dabei vorausgesetzt, daß der Alkoholrausch der Nacht vorbehal-
ten war, wohl weil man am Tage arbeiten mußte oder etwa auch zu sehr
auffiel. Durch V.7b könnte nun ein ethisches Verhalten etwas stärker in
den Blick kommen, wenn man z.B. an einen bewußten Lebensgenuß in der
damaligen Zeit und seine Konsequenzen für das Beachten der Zukunftsperspektive denkt, was sich ja auch in 5,3 schon angedeutet hat. Aber primär
will Paulus wieder das Gegenteil zur Zukunftseinstellung des Nüchternseins
betonen. Es fehlen dem Schlafen und der Trunkenheit Spannung und Bereitschaft.

In 5,8 blickt Paulus dann speziell auf die Christen, wie die 1. Person Plural zeigt. Hier stoßen wir dann auch auf unser ἐλπίς. Paulus setzt wieder
bei der eschatologischen Zugehörigkeit der Christen zum Tag, also zum
Heil, ein und stellt das durch δέ deutlich den in V.7 genannten Menschen
gegenüber. Dabei kombiniert er es mit einem kohortativen Konjunktiv,
nämlich νήφωμεν. In ἡμεῖς δὲ ἡμέρας ὄντες νήφωμεν ist die Parti-
zipialwendung sachlich als Begründung oder Voraussetzung anzusehen,
also kausal oder vielleicht auch modal zu verstehen. Dadurch stoßen wir
hier für die Christen wieder auf ein Indikativ-Imperativ-Verhältnis, so
daß aus der Zugehörigkeit zum Tag nicht einfach das Nüchternsein folgt,
sondern zur Aufgabe wird, wenngleich es gerade durch die Zugehörigkeit
der Christen zum eschatologischen Heil gute Möglichkeiten erhalten hat.
Die Aufforderung betrifft auch an dieser Stelle nicht speziell die Ethik im
Sinn eines Tuns des Guten, sondern auf dem Boden der vorangegangenen
Ausführungen primär die christliche Existenz in der Zukunftsrichtung.
Doch deuten sich auch noch weitere Perspektiven an. So kommt die Ethik
hinzu, und zwar wegen V.7b und der dann noch in V.8 genannten Liebe.
Daß schließlich sogar in einem weiteren Sinn die ganze christliche Existenz in den Blick rückt, zeigt überhaupt die zweite von νήφωμεν ab-
hängige Partizipialkonstruktion, nämlich ἐνδυσάμενοι κτλ, die den Rest
von 5,8 bestimmt. Sie muß im Kontext modal verstanden werden, qualifi-

ziert also das νήφωμεν. Das bedeutet, daß sich das Nüchternsein der
Christen im ἐνδύσασθαι usw. vollzieht. Das auf diese Weise in V.8 hin-
zukommende Verhalten erweckt einen sehr verdichteten Eindruck. Es
werden nämlich das Bild vom Anlegen der Waffenrüstung und die Trias
πίστις, ἀγάπη, ἐλπίς miteinander kombiniert. Da beides in gewisser
Weise schon für sich die ganze christliche Existenz beschreibt, erhalten
wir in dieser Richtung noch einmal eine Verstärkung.

Das Bild vom Anziehen der Waffenrüstung ist bereits älter als unsere Stelle. Es dürfte schon vor Paulus von den Christen aus der politischen, kulturellen und religiösen Umwelt übernommen (vgl. z.B. Jes 59,17; Weish
5,18 f bzw. 5,16 ff; die Legionen im Imperium Romanum u.ä.) und auf die
christliche Existenz angewendet worden sein. Die Qumrantexte haben uns
neuerdings sogar gezeigt, wie sehr Kampf und Kriegerexistenz das Leben des Mitglieds einer eschatologischen Gemeinde bestimmen konnten,
wenngleich dort nicht nur an bildlich-übertragene Aspekte, sondern auch
an konkreten Krieg gedacht worden ist (s. 1 QM)[106]. Überhaupt entspricht dieses Bild dem Nüchternsein in einer eschatologischen Situation
insofern gut, als auch ein Soldat nüchtern und wachsam sein muß, vor allem wenn es in den Kampf oder ins Manöver geht, worauf das Anziehen
der Rüstung deutet[107]. Allerdings sollte man das Verhältnis von gebrachten und ausgelassenen Rüstungsteilen nicht unter allen Umständen auszuinterpretieren versuchen[108].

Im Blick auf die Trias muß zunächst beachtet werden, daß sie erst in den
Paulusbriefen belegt ist und vielleicht auch erst von Paulus gebildet worden ist[109]. Die Reihenfolge der Einzelglieder entspricht an unserer Stelle
der zeitlichen, insofern sich der Glaube besonders auf das Kerygma mit
dem vergangenen Heilsgeschehen in Jesus Christus als Inhalt bezieht, die
Liebe auf das gegenwärtige Verhältnis zum Nächsten oder auch zu Gott,
die Hoffnung auf die eschatologische Zukunft. Im Blick auf das Problem
einer Beziehung zwischen der Waffenrüstung und der Trias, und zwar speziell zwischen den Rüstungsteilen und den Einzelgliedern der Trias, ist
nun selbst bei einer zurückhaltenden und vorsichtigen Interpretation vor
allem die Beobachtung auffällig, daß πίστις und ἀγάπη mit θώραξ zusammengestellt werden, ἐλπίς dagegen für sich genommen und
περικεφαλαία beigesellt wird. Dabei erhält ἐλπίς als einziges Verhalten
in der Trias noch ein direktes Objekt[110]. Das ist um so bemerkenswerter,
als es wegen der Belegsituation der Trias mit guten Gründen erwogen
werden darf, ob Paulus diese Kombination des Bildes der Waffenrüstung
und der Trias selbst eingeführt hat. Noch eher ist dann unter Berücksichtigung des Kontextes zu vermuten, daß Paulus dabei die spezielle Zuordnung der Einzelglieder vorgenommen hat. Deshalb wird man die Sonderstellung der ἐλπίς in ihrer Verbindung mit dem Helm und der σωτηρία
als Objekt immerhin besonders zu durchdenken haben. Die σωτηρία
meint im Zusammenhang die Rettung der Christen im Endgericht. Insofern
gehört sie glatt in die Ausführungen ab 5,1 bzw ab 5,2. Die zeitliche Di-

stanz zum Endgericht läßt die Notwendigkeit der ἐλπίς als "Hoffnung" bei
den Christen verständlich werden. Überhaupt entspricht das dem Verhältnis von Indikativ und Imperativ, das wir für die Christen in unserem Abschnitt bisher festgestellt haben. Es korrespondiert aber auch der Beziehung zum Nüchternsein. Um dieser Beziehung willen könnte vielleicht sogar die Verbindung mit dem Helm vollzogen worden sein. Denn der Helm schützt den Kopf, der bei Nüchternheit und Wachsamkeit eine große Rolle spielt. Sachlich nicht so glatt sind die Verbindung von Glaube und Liebe zum Brustpanzer und die Stellung dieser Größe im Kontext. Zwar können auch an unserer Stelle im Nüchternsein ethische Aspekte vorhanden sein, so daß sich eine Brücke zur Liebe ergibt, können katechetisch-kerygmatische Gesichtspunkte aus 5,1 ff für den Glauben wichtig werden, kann auch bei dem Glauben und der Liebe der Horizont der eschatologischen Zukunft vorliegen. Dennoch ordnet sich das weit weniger glatt in den bisherigen Gedankengang ein, als das bei der Hoffnungsaussage der Fall ist. Bereits das läßt vermuten, daß Glaube und Liebe vor allem wegen der Kombination des Bildes vom Anziehen der Waffenrüstung mit der Trias, die beide eine treffende Charakterisierung der christlichen Existenz in der Richtung der eschatologischen Zukunft abgeben (vgl. das Auslaufen der Trias in der ἐλπίς), mit angeführt worden sind. Auf diesem Hintergund sind Glaube und Liebe wahrscheinlich als in unserem Textzusammenhang weniger betont zusammengestellt und dem Brustpanzer deshalb beigesellt worden, weil dieser den Hauptbestandteil der Rüstung darstellt, also für unser Bild wichtig und charakteristisch ist (vgl. einen pars pro toto - Sinn), während er im eschatologischen Zusammenhang weniger bezeichnend ist. Die ἐλπίς der Christen paßt dagegen vorzüglich in die eschatologischen Schwerpunkte unseres Abschnitts. Denn Akt und Objekt der "Hoffnung" sind bis direkt in 5,8 charakteristisch in einen eschatologisch-dualistischen Prozeß eingebettet, bei dem "Licht-Finsternis", "Tag-Nacht" auf den "Tag", d.h. das Endgericht, zusteuern und eine daran orientierte Zukunftseinstellung der Christen verlangen. In diesem Rahmen erhält die Intention in ἐλπίς als Auf-aus-Sein ein besonderes Gewicht. Dadurch steht diese Vokabel in unserem Abschnitt zugleich γρηγορεῖν und νήφειν eindrücklich parallel. Überhaupt spiegeln sich in ihr die eschatologischen Grundstrukturen von 1 Thess 5,1 ff und speziell von 5,8[111].

Hat in 1 Thess 5,8 die Zugehörigkeit der Christen zum "Tag" die anschließende Aufforderung hervorgerufen, so wird dafür in 5,9 f noch einmal eine Begründung gegeben. Denn das ὅτι in V.9 ist eindeutig kausal aufzufassen. Insofern treffen wir in V.8-10 unter dem Gesichtspunkt der Begründungszusammenhänge auf eine Denkbewegung ABA, also auf eine Wiederholung des kausalen Moments, die verstärkt, aber zugleich auch differenziert. Nachdem 5,8 die Zugehörigkeit zum Tag angeführt hat, betont Paulus nun in 5,9 f, daß Gott die Christen nicht zum Zornesgericht, sondern zum Erwerb der Rettung einsetzte (ἔθετο)[112]. Ὀργή und σωτηρία greifen dabei Begriffe und Vorstellungen auf, die in unserem Abschnitt vorher ausgesprochen oder unausgesprochen eine große Rolle gespielt haben. Sie betreffen wieder die eschatologische Zukunft. Der Aorist ἔθετο bezieht sich dagegen wahrscheinlich auf die zurückliegende Taufe als göttliches Handeln oder überhaupt auf das vorgeordnete göttliche Heilswirken bei dem geschichtlichen Weg der Menschen in die christliche Gemeinde, wohl kaum auf eine vorzeitliche Prädestination[113]. Das entspricht dem vorgeordneten und umgreifenden Heil bei der konkreten Zugehörigkeit zum "Licht" und zum "Tag" in den Versen vorher. Durch περιποίησις kommt ein Prozeßcharakter der Rettung in Sicht, wenn wir an die abschließende Entscheidung im Endgericht denken. Überhaupt wird solch ein Prozeßcharakter durch die weite Spanne von der Taufe bis zum Endgericht thematisch. Die Wachsamkeit, Nüchternheit und Soldatenexistenz klingen noch einmal an.

Das Heilshandeln Gottes stellt Paulus dann in 5,9 f als über Jesus Christus geschehend dar, also christologisch vermittelt. Das entspricht den vorgeordneten, "objektiven" und zugleich geschichtlich-konkreten Aspekten. Bemerkenswert ist, daß bei dem zurückliegenden Heilswerk Jesu nur sein stellvertretender Tod genannt wird[114]. Vielleicht wird dadurch das Pro nobis persönlicher und markanter. Es erfährt durch ἵνα κτλ in V.10 dann noch eine Erweiterung. Dabei liegt in der ἵνα-Konstruktion wieder ein Schillern zwischen finalem und konsekutivem Sinn vor, was der Fülle der Beziehungen des Wegs zum und im "objektiven" Heil entspricht. Allerdings ist nicht ganz klar, ob sich diese Konstruktion nur auf den Tod Jesu pro nobis bzw. die christologischen Ausführungen oder überhaupt auf das Heilshandeln Gottes an den Christen ab V.9 bezieht. Da es in V.10b dann um die Christusgemeinschaft geht, erhält der erste Fall ein größeres Gewicht. Eigenartigerweise werden nun in 5,10b das Wachen und Schlafen, die vorher im Blick auf Nichtchristen und Christen in einen Gegensatz getreten waren, bei den Christen u.U. relativiert. Man wird das Wachen und Schlafen in V.10 wahrscheinlich nicht lediglich biologisch als Wachen und Schlafen zur Zeit der Parusie verstehen dürfen[115]. Stattdessen nimmt die Forschung wegen der Interpretationsschwierigkeiten in 5,10 gern im Wachen eine Bildaussage für das Leben und im Schlafen (vgl. κοιμᾶσθαι in 4,13-15) eine solche für Totsein an[116]. Das ist im Blick auf die Vokabeln möglich[117] und als ein wichtiger Deutungsvorschlag festzuhalten. Dadurch schwächen sich nämlich die Spannungen zu den paränetischen Aspekten vorher und nachher ab. Paulus würde dann ein Wortspiel bringen und zugleich den Bogen zu den Ausführungen in 4,13 ff zurückschlagen. Doch gibt der Gedankengang in 5,1 ff nicht unbedingt Anlaß zu diesem Verständnis[118].

Trotz der Spannungen zu den paränetischen Gesichtspunkten im engeren Kontext scheint mir nun eine andere Auslegung vorzuziehen zu sein. Sie geht von dem eschatologischen Dualismus und dem Heilshandeln Gottes in Jesus Christus in 5,1 ff aus. Beides wird nämlich in unserem Abschnitt so ausgeprägt "objektiv" und vorgeordnet gezeichnet, daß es durchaus

verstehbar ist, daß für Paulus selbst ein "Schlafen" zur Zeit der Parusie
die Christen soteriologisch gesehen nicht vom Heil abbringen kann[119]. In
nichtchristlichen Augen mögen solche Aussagen als befremdlich und unge-
recht empfunden werden. Sie ordnen sich aber durchaus in eine Soteriologie ein, die das eschatologische Heil konstitutiv an Gottes Wirken bindet,
so daß auch eine Fahrlässigkeit im irdischen Leben die Christen nicht völlig vom eschatologischen Heil abzubringen braucht. Doch bleiben auch bei
dieser Interpretation Spannungen im Kontext zurück. Auf jeden Fall, so
betont Paulus in 5,10, werden die Christen mit Christus in der eschatologischen Zukunft leben, insofern sie am eschatologisch vorgegebenen und
durch Gott christologisch vermittelten Heil Anteil haben und auf diesem
Boden der Rettung im Endgericht entgegengehen. Dadurch stoßen wir in
5,10 auf den Gedanken der Christusgemeinschaft in eschatologisch-zukünftiger Perspektive, und zwar im Sinn eines Überlebens im Endgericht und
des Erhalts einer ζωή , wie sie Christus besitzt. Der Konjunktiv Aorist
ζήσωμεν weist punktuell darauf hin[120].

So zeigt sich uns, daß ἐλπίς auch unter dem Gesichtspunkt von 1 Thess
5,8-10, dem engeren Kontext, in einen eschatologischen Dualismus eingebettet ist. Das betrifft einmal ihr Objekt, die eschatologisch-zukünftige
Rettung aus dem Endgericht. Es gilt zum anderen für den Ort des durch
sie beschriebenen Aktes im Heil, das mit dem zurückliegenden Christusgeschehen und dem Heilswirken Gottes an den Christen im Weg zu Bekehrung
und Taufe beginnt, gegenwärtig dem Widereinander "Tag-Nacht" (vgl.
"Licht-Finsternis") ausgesetzt ist und sich dabei auf Wiederkunft und Endgericht zubewegt, die den .Christen ein Leben mit Christus bringen werden.
Das gegenwärtige Sein der Christen im Heil macht zugleich den Akt der
ἐλπίς als "Hoffen" zur Aufgabe, und zwar in Verbindung mit anderen Verhaltensweisen, die einer Zukunftseinstellung im Rahmen eines im eschatologischen Prozeß befindlichen Dualismus entsprechen. Bemerkenswert sind
die starken "objektiven" Heilsaussagen in V.9 f, die bei den Christen u.U.
sogar ein "Wachen" oder "Schlafen" in der Zukunftsrichtung relativieren.
Dabei zeigt es sich, daß Paulus den Sachverhalt der Zukunftsorientierung
einmal stärker "subjektiv" und mit ἐλπίς (V.8); zum anderen mehr "objektiv" (V.9 f) ausdrücken kann.

5,11 bringt dann erneut paränetische Gesichtspunkte thematisch ins Spiel.
Dabei umgreift V.11 noch einmal 5,1 ff insgesamt, und zwar parallel zur
Funktion von 4,18 für 4,13 ff[121]. Wie dort, so wirken auch hier apokalyptische Aussagestrukturen bzw. ein apokalyptisches Formular nach. Da zum
παρακαλεῖν in 5,11 im Unterschied zu 4,18 noch οἰκοδομεῖν hinzutritt,
empfiehlt sich anders als dort für παρακαλεῖν vielleicht ein stärker paränetischer Sinn "ermuntern, ermahnen"[122], während für οἰκοδομεῖν eine
fördernde und unterstützende Bedeutung "erbauen, stärken" angebracht
ist[123]. Kaum wird man jedoch so unterscheiden dürfen, daß παρακαλεῖν
mehr zum eigenen Handeln auffordert und οἰκοδομεῖν eine Unterstützung
des Handelns durch andere ausdrückt oder daß ersteres sich mehr auf die

Zukunft (vgl. 4,18) und letzteres sich mehr auf die Gegenwart bezieht. Auch sind bei beiden Vokabeln Interrelationen zu beachten[124]. Das καθὼς καὶ ποιεῖτε schlägt den Bogen zu .5,1 f zurück, indem es noch einmal betont, daß die Thessalonicher über die in 5,1 ff behandelten Fragen an sich schon genügend Bescheid wissen und entsprechend tätig sind. Auch διό ist wahrscheinlich auf die ganzen Ausführungen ab 5,1 zu beziehen[125].

Abschließend soll noch einmal zusammenfassend auf den eschatologischen Dualismus und die Einbettung der Zukunftseinstellung in ihn geblickt werden. Für die Gegenwart weist unser Abschnitt unter dem Gesichtspunkt des eschatologischen Dualismus selbst folgende Antithesen auf:

ὑμεῖς [126]	-
ἡμεῖς [127]	-
	- 3. Person Plural in λέγωσιν (V.3)[128]
	- οἱ λοιποί [129]
υἱοὶ φωτὸς εἶναι	-
υἱοὶ ἡμέρας εἶναι	-
εἶναι ἡμέρας	- εἶναι νυκτός
	- εἶναι σκότους
	- εἶναι ἐν σκότει[130].

Vorausgesetzt werden dabei auf der positiven Seite Bekehrung und Taufe (allerdings nur logisch), das vorgeordnete göttliche Heilshandeln in ἔθετο εἰς, das zurückliegende Christusgeschenen zugunsten der Christen. Dagegen wird über die negative Seite nichts Vergleichbares gesagt[131]. Für die eschatologische Zukunft ist entsprechend auf folgende Antithetik hinzuweisen:

σωτηρία	- ὄλεθρος
ζῆσαι	-
	- ὀργή.

Allerdings könnte ὀργή etwas schillernd bleiben, insofern es an anderer Stelle bei Paulus das Endgericht selbst bezeichnet. Direkt ambivalenz ist dagegen ἡμέρα κυρίου bzw. ἡμέρα als Terminus für das Endgericht, da es beide Bereiche betrifft. Deshalb ist eine metaphorisch-sachliche Beziehung zu ἡμέρα im eschatologischen Dualismus der Gegenwart·erwägbar. Das Endgericht wird nun ein Ende dieses Dualismus bringen, und zwar durch die Beseitigung der negativen Seite. Allerdings könnte sich das in V.10 durch eine Relativierung von γρηγορεῖν und καθεύδειν auch schon für die Gegenwart andeuten[132]. Sonst ist aber für das Verhältnis von Gegenwart und eschatologischer Zukunft ein Prozeßcharakter des Dualismus charakteristisch. Er zeigt sich bei περιποίησις in Verbindung mit ἔθετο εἰς ... (V.9) und überhaupt bei dem Zusteuern auf das Endgericht. Bei dem eschatologischen Dualismus werden Machtbereiche bzw. Machtsphären leitend. Dadurch kommen kollektive Gesichtspunkte ein.

Biologisch-natürliche Sachverhalte werden mehr oder weniger bildlich-
übertragen und z.T. schillernd zur Darstellung der eschatologisch-dualistischen Verhältnisse verwendet (vgl. Licht-Finsternis, Söhne usw.).
Paulus führt die Gegenüberstellungen aber nicht völlig schematisch durch.
In V.7 erhält die natürlich-biologische Seite sogar ein stärkeres Gewicht.
Eigenartigerweise wird aber nicht ausdrücklich gesagt, daß Gott mächtig
über diesem Dualismus steht. Doch deutet sich das in dem Hinweis auf
das Heilshandeln Gottes an den Christen an und wird beim Endgericht
vorausgesetzt. Zudem ist an diesem Punkt noch die Gestalt Jesu Christi
zu berücksichtigen. Gott und Jesus Christus werden aber nicht terminologisch im Schema auf die positive Seite geschlagen[133].

Als besondere Verhaltensweisen treten für die Gegenwart hervor:

γρηγορεῖν	- καθεύδειν
νήφειν	- μεθύσκεσθαι
	- μεθύειν
ἐνδύεσθαι	-
πίστις	-
ἀγάπη	-
ἐλπίς	-

Unspezifischer oder indirekter sind εἰδέναι (V.2), λέγειν (V.3),
περιποίησις (V.9). Letzteres führt auch schon weiter zu Geschicks-
und Seinsaspekten, wie sie noch in θέσθαι (V.9) und εἶναι vorliegen.
Bemerkenswert ist, daß für die eschatologische Zukunft keine Verhaltensweisen gebracht werden. Stattdessen sind dort Geschick und Sein zu beobachten, und zwar selbst in ζῆσαι (V.10). Ἐλπίς steht nur auf der
positiven Seite. Das entspricht der bestreitenden Aussage in 4,13. Auch
hier bei den Verhaltensweisen führt Paulus ein Schema wieder nicht streng
durch[134]. Deutlich wird aber die Nähe des Sinns von ἐλπίς zu anderen
Verhalten wie νήφειν. In V.7 tritt ebenfalls bei den Verhaltensweisen
die biologisch-natürliche Seite stärker hervor, während sonst solche biologisch-natürlichen Aspekte des menschlichen Lebens bei allem Schillern
vor allem bildlich-übertragen zur Zeichnung eschatologisch-dualistischer
Verhältnisse gebraucht werden.

Was das Verhältnis zwischen beidem angeht, so haben wir oben in der Analyse bereits auf die positiven sachlichen Entsprechungen zwischen Tag und
Wachen, Nacht und Schlafen u.ä. hingewiesen. Auch in dieser Richtung
hält sich das gerade erwähnte Schillern durch. Wenngleich die bildlich-
übertragene Seite dabei generell ein Übergewicht erhält (vgl. etwa V.8),
so kann sie dennoch zugunsten der biologisch-natürlichen zurücktreten
(vgl. V.7). Die Relation zwischen eschatologisch-dualistischer Wirklichkeit und Verhaltensweisen ist nun so, daß auf der negativen Seite ein fak-
tisches Ineins bzw. Miteinander besteht, während im positiven Bereich,
also bei den Christen, νήφειν usw. zur Aufgabe werden. Auf diese Weise
entsteht ein Indikativ-Imperativ-Verhältnis, das allerdings nicht auf ein

ausgesprochen ethisches Handeln, sondern primär auf eine angemessene
Einstellung zur eschatologischen Zukunft abzielt. Lediglich in V.10 könnte sich bei γρηγορεῖν und καθεύδειν ein anderes Bild ergeben, und
zwar statt im Sinn einer Antithetik nun im Sinn einer soteriologischen Relativierung des Verhaltens. Nicht nur an dieser Stelle, sondern auch im
Normalfall des Indikativ-Imperativ-Verhältnisses ergibt sich für die Christen bereits eine Sicherheit und Vergewisserung des Heils, die gute Voraussetzungen für ein Wachen usw. schaffen. Dadurch werden in dem
ἐλπίς von V.8 Zuversicht und Zutrauen hervorgerufen. Für die Christen
besteht "Hoffnung". Entsprechend können und sollen sie "hoffen". Doch
dürfte im Zusammenhang des prozeßhaften eschatologischen Dualismus und
der paränetischen Aspekte ebenfalls die Intention im Sinn eines Auf-aus-
Seins oder auch Wünschens, Bereitseins u.ä. (vgl. die Parallelverhalten
wie Wachen) ein starkes Gewicht erhalten. V.9 f zeigen dann, daß Paulus
auch "objektive" Aussagen in paralleler Richtung macht, nämlich solche,
die das vorgeordnete und übergreifende Heil und nicht das Verhalten in
der Zukunftsrichtung hervorheben. Bemerkenswert ist schließlich, wie
Hinweise auf Gottes Handeln und die Christologie in V.2 und 9 f die ausgesprochen eschatologisch-dualistischen Aussagen umschließen.

Nachdem wir im Blick auf Einzelfragen wie die Bilder vom Dieb in der
Nacht eben schon religionsgeschichtliche und traditionsgeschichtliche
Probleme bedacht haben, soll derartiges nun noch für den eschatologischen Dualismus insgesamt durchgeführt werden[135]. Neuerdings haben
uns hier die Qumrantexte die schlagendsten religionsgeschichtlichen Parallelen gebracht[136]. Wir treffen in ihnen auf Gegenüberstellungen, die bis
in die Formulierungen hinein ähnlich erscheinen[137]. So finden wir in 1 QS
3,13-4,26 die Antithese von Söhnen des Lichts (בני אור)[138] und Söhnen
des Frevels (בני עול), in 1 QM 1,1 u.ö. sogar auf die von Söhnen des
Lichts und Söhnen der Finsternis (בני חושך). Dabei stoßen wir in 1 QS
3,13 ff wieder auf eine Kombination von Sein, Machtbereich, Sphäre und
Tun. Doch ist dieser eschatologische Dualismus auf beiden Seiten sehr
viel stärker ethisch, als das in 1 Thess 5,1 ff der Fall ist. Hier wirkt sich
die jeweilige Soteriologie aus. Entsprechend betreffen die Verhaltensweisen, die im Rahmen des eschatologischen Dualismus vorkommen, in 1 QS
3,13 ff vor allem das ethische Handeln[139], in 1 Thess 5,1 ff dagegen den
Existenzvollzug[140]. Im Unterschied zu unserer Stelle werden auch Fürsten
und Geister beider Bereiche genannt, nämlich der "Fürst des Lichts" und
"Engel der Finsternis", "Geister der Wahrheit und des Frevels". Man könnte zwar auf Jesus Christus in 1 Thess 5,1-11 hinweisen. Doch besitzt er
dort kein negatives Pendant wie etwa Belial oder den Satan[141]. Zudem
wird Jesus Christus in unserem Abschnitt nicht in die schematischen
eschatologisch-dualistischen Gegenüberstellungen eingebaut. Differen-
zen bestehen auch darin, daß Gott in 1 QS 3,13 ff in einer deutlicheren
und umfassenderen Weise mächtig über dem Dualismus geschildert wird.
Der Schöpfungsgedanke ist zugleich wichtig. Nach 1 QS 3,15 hat Gott hier
sogar prädestinatianisch gewirkt. Bemerkenswert ist, daß in 1 QS 3,13 ff

parallel zu οἱ χρόνοι und οἱ καιροί in 1 Thess 5,1 von Geschlechtern
(תולדות), Generationen (דורות), Zeiten (קצים) geredet wird. Zwar stoßen
wir dabei ebenfalls auf eine eschatologische Verdichtung, die keine genaueren Terminangaben macht. Das könnte an der Funktion der pointiert
eschatologisch-dualistischen Aussagen liegen. Doch ist parallel zu den Ausführungen in der protologischen Dimension die Geschichte bis zum Ende
in ihrer zeitlichen Erstreckung stärker als in 1 Thess 5,1 ff und in 1 Thess
4,13 ff wichtig geworden. Paulus denkt in unserem Abschnitt deshalb
noch elementarer existentiell und prozeßhaft. Zwar sind nun im Blick auf
den eschatologischen Dualismus in den Qumrantexten geschichtlich verschiedene Schichten zu berücksichtigen, und zwar in 1 QS 3,13 ff selbst[142]
Trotzdem wird man bereits aufgrund der gerade gemachten Bemerkungen
sagen dürfen, daß wahrscheinlich keine direkten Einflüsse von den Qumrantexten zu 1 Thess 5,1-11 für den eschatologischen Dualismus vermutet werden können. Es sind vielmehr eher Analogieformen anzunehmen[143].

Darüber hinaus ist aber zugleich noch auf einen traditionsgeschichtlich
gemeinsamen jüdisch-christlichen und noch weiteren Boden hinzuweisen.
So steht Paulus im frühen Christentum mit einem solchen Dualismus nicht
allein, wie etwa die johanneische Literatur zeigt (vgl. ἐκ τοῦ θεοῦ εἶναι
und ἐκ τοῦ κόσμου εἶναι in 1 Joh 4,4 f, τὸ πνεῦμα τῆς ἀληθείας
und τὸ πνεῦμα τῆς πλάνης in 4,6). Außerdem ist schon gleich das
Selbstverständnis der christlichen Urgemeinde als Heilsgemeinde der Endzeit zu beachten[144]. Dabei stehen nun solche Aussagen im beginnenden
Christentum und in der Qumrangemeinde auf dem Boden des zwischentestamentlichen Judentums und speziell auf dem der jüdischen Apokalyptik.
Denn in der Eschatologie der jüdischen Apokalyptik stoßen wir trotz eines
fehlenden gegenwärtigen Heils auf einen ähnlichen Dualismus von Gerechten und Frevlern, Juden und Heiden, Licht und Finsternis, Weltreichen
und Gottesreich bis hin zu den beiden Äonen (vgl. Dan 2; äthHen 90,1 ff
bzw. 85,1 ff; 4 Esr 7,10 ff; ApkBar (syr) 48,48; 67 f bzw. 53,1 ff; Test
Benj 5). Doch ist auch noch auf eine weitergehende Verwurzelung im Judentum und bis hin zum AT hinzuweisen. So ist der Dualismus in der Weisheit zu nennen, der allerdings nicht eschatologisch qualifiziert ist (vgl.
Weisheit-Torheit, Gerechter-Frevler in Spr 4,18 f; 9,1 ff, zugleich in Verbindung mit Begriffen der Hoffnung usw. in Spr 10,28; 11,7). Auf Gegenüberstellungen von Israel und den restlichen Völkern stoßen wir in der
prophetischen Eschatologie (vgl. z.B. Jes 34; 35). Die Antithetik von Licht
Finsternis finden wir in Hi 30,26; Jes 59,9; Jer 13,16, dabei auch in Kombination mit יחל und קוה . In Hi 30,26 stoßen wir zugleich auf das Gegenüber von Guten und Bösen. In Am 5,18 begegnet der Dualismus von Licht-
Finsternis in Verbindung mit dem Tag des Herrn[145]. Es leuchtet für solche Fragen aber auch noch ein religions- und geistesgeschichtlich weiterer
Horizont auf. So sind im Blick auf die jüdische Apokalyptik und die Qumran
texte iranische Einflüsse zu bedenken[146]. Eine Lichtsymbolik ist in der klas
sischen Antike und anderswo zu beobachten[147]. Auf diesem Hintergrund
muß schließlich noch speziell im Blick auf den 1 Thess auf das Gegenüber

von Licht-Finsternis im hellenistischen Judentum hingewiesen werden, wo
wir gerade im Zusammenhang der Bekehrung zum Judentum auf diesen
Dualismus stoßen, nämlich in JosAs 15,12 (ẹd. Batiffol 62,11-13)[148].

Auf diese Weise zeichnet sich für 1 Thess 5,1-11 noch einmal ein Prozeßcharakter des eschatologischen Heils ab, der auf eine endgültige Beseitigung des Dualismus von Licht-Finsternis usw. zusteuert. Wenn gerade in
1 Thess 5,1-11 sowohl die Gegenwarts- als auch die Zukunftsaspekte des
Heils nicht übersehen werden dürfen, so findet nämlich beides seinen Zusammenhalt in dem Prozeßcharakter des Heils. In Entsprechung dazu
spitzt Paulus auf die christliche Existenz im Sinn einer Zukunftseinstellung zu. Die ἐλπίς in 5,8 paßt sich dem charakteristisch ein und spiegelt
das wider. Eine Zukunftsorientierung war auch schon in 1 Thess 4,13 ff
leitend. Das Gewicht der existentiellen Gesichtspunkte ist in der Forschung durchaus schon gewürdigt worden, so neuerdings wieder bei Harnisch[149]. Gerade bei Harnischs Interpretation unseres Abschnitts, die
zwischen "praeteritio" in 5,1-3 und paulinischem Evangelium (mit Rudimenten vorpaulinischer Tauftradition) in 5,4-10 differenziert und einen
Wechsel der Zeit in der Zeit betont[150], stellt sich dann aber die Frage,
ob dadurch nicht die Gegenwart des Heils in der Weise ein zu starkes Gewicht erhält, daß die in 5,1-11 leitende Ausrichtung auf die eschatologische Zukunft nicht mehr genug zu ihrem Recht kommt, also auch die ἐλπίς
in 5,8. In dieser Richtung hat Harnisch in der Exegese der letzten Jahr-
zehnte zahlreiche Vorgänger. Denn bei der Interpretation von 1 Thess 4,13-
5,11 werden gern die Schwerpunkte auf paränetische und tröstende Aspekte, seelsorgerlichen Zuspruch, Heilsgewißheit, den Glauben u.ä. verlegt[151].
Diese Gedanken sind dort sicher wichtig. Es stellt sich aber die Frage, ob
sie genügend im Rahmen der Zukunftsorientierung gesehen werden, wie
sie sich uns in 4,13-5,11 als wesentlich gezeigt hat. Entsprechend darf
die "Hoffnung" nicht ausschließlich in der Schwerpunktverlagerung zu
Glauben, Gewißheit und Vertrauen oder lediglich als deren Akzidenz betrachtet werden. Vielmehr sind umgekehrt Gewißheit und Vertrauen im Zusammenhang der paulinischen Eschatologie auch als Bestandteile der "Hoffnung" zu würdigen, ist die Intention in ἐλπίς festzuhalten.

10.3. 2 Kor 3,12 und sein Kontext

Bei dem eschatologischen Dualismus in 1 Thess 5,1-11 waren die Juden
pauschal mit zur Seite von Finsternis und Nacht, also zu den οἱ λοιποί,
zu zählen. Da wir aber bereits bei der Auslegung von Röm 8,18 ff im
Blick auf die "Schöpfung" ein differenzierteres Heilsurteil des Paulus gesehen haben, stellt sich die Frage, ob sich nicht auch für das Judentum
ein komplexeres Bild zeigt. Dazu erhalten wir in 2 Kor 3,12 (ἐλπίς mit
ἔχειν) und seinem Kontext bemerkenswerte Antworten, und zwar vor allem im Blick auf das Verhältnis zum Christentum.

Versucht man, 2 Kor 3,12 einem geschlossenen Abschnitt in unserem 2 Kor zuzuweisen, so ergeben sich jedoch Schwierigkeiten. Schnell wird dem Betrachter deutlich, daß unser Vers eine Übergangs- oder Zwischenstellung einnimmt und vor allem nach vorn eine Gliederung kompliziert ist. Einmal schließt V.12 sozusagen zusammenfassend an die Ausführungen vorher über das Verhältnis des christlichen Amtes (der Apostel) zu dem jüdischen Amt (des Mose) sowie des eschatologischen christlichen Heils zum jüdischen Heil an, zum anderen leitet er zu den Darlegungen danach weiter, wo es zusätzlich noch um das jüdische und christliche Verständnis des AT geht. Dabei sind in 3,13 ff zugleich deutliche Beziehungen zu der Darstellung vor 3,12 zu beobachten.

Trotz solcher Schwierigkeiten ist eins allerdings klar, daß nämlich unser Vers zu der Apologie des Apostelamtes des Paulus in 2,14-7,4 gehört, und zwar zu deren erstem Teil, der Schilderung des Selbstvertrauens des Apostels aufgrund seines göttlichen Auftrags in 2,14-4,6[152]. Dabei richte ich mich im folgenden nach keiner der komplizierten Teilungshypothesen zum 2 Kor, sondern sehe diesen großen Abschnitt allgemeiner als zur Korrespondenz des Paulus mit den Christen Korinths gehörig an, die auf den 1 Kor gefolgt ist. Denn diese literarkritischen Operationen bleiben hier meist zu problematisch und bringen für unsere Zwecke auch nicht viel ein. Bei allen Spannungen im Gefüge des 2 Kor scheinen mir zumal 2 Kor 1-7 als zusammengehörige Ausführungen möglich zu sein, die Paulus nach der Bereinigung der Situation in Korinth durch Titus geschrieben hat. Denn sie sind in sich verständlich[153]. Das Auftreten neuer, von auswärts gekommener Gegner ist seit dem 1 Kor jedoch auf jeden Fall vorausgesetzt[154]. Es zwingt aber nicht unbedingt zu literarkritischen Einschnitten bei 2,14 und 7,5. Dagegen grenzen die Reiseausführungen in 2,12 f sachlich deutlich zu 2,14 ff hin ab, so daß sich dadurch ein sicherer Einschnitt nach vorn ergibt. In dem auf 3,12 folgenden Kontext gehen 4,7 ff schließlich auch noch auf Leiden und Schwäche des christlichen Verkündigers ein, was in 2,14 ff neu ist[155]. Auf diese Weise stoßen wir ebenfalls nach unten auf einen festen Absatz. Da aber auch 4,1 ff schon eine Sinnverschiebung gegenüber den Passagen unmittelbar vorher erbringen, indem sich Paulus gezielt dem lauteren Verhalten des beamteten christlichen Verkündigers u. a. zuwendet, ergibt sich für unsere Fragen schon ein Einschnitt mit 4,1. Andererseits besteht eine sachliche Beziehung der Ausführungen von 4,1 ff zu denen in 2,14 ff, wenn an die Lauterkeit des Verkündigers und etwa an den eschatologischen Dualismus zwischen Geretteten und Verlorenen gedacht wird. Dabei ist es in 2,14 ff schwierig, genauer zu untergliedern und für den engeren Kontext von 3,12 markante Einschnitte zur Erarbeitung eines geschlossenen und 3,12 übergeordneten Abschnitts zu finden. Allerdings scheint sich immerhin ein gewisser selbständiger Zusammenhang jeweils innerhalb von 2,14-17 und 3,1-3 herauszukristallisieren. Selbst 3,4-6 erwecken noch gegenüber 3,7 ff einen eigenständigen Eindruck. In 3,6 bzw. schon in 3,1 ff liegt aber zugleich der Übergang zu 3,7 ff vor. Die Schwierigkeiten ergeben sich in 2,14 ff nicht zuletzt dadurch, daß in

2,14-7,4 durchgehend das Amt der Verkündigung bzw. das Apostelamt thematisch bleibt, sogar auch dann noch, wenn Paulus Spezialausführungen bis hin zu besonderen Heilsaussagen macht[156]. Ein Eingehen auf christliche Gegner tritt im engeren Umkreis von 3,12 deutlich nur in 2,17; 3,1 hervor.

So erscheint eine genaue und eindeutige Aufgliederung der Ausführungen des Paulus ab 2,14 in Einzelabschnitte nicht möglich. Deshalb ist es im Blick auf die eschatologische Einbettung von ἐλπίς in 3,12 unter Berücksichtigung der gerade dargestellten schwächeren Einschnitte angebracht, 3,12 primär aufgrund von 3,6.7-18 und den Voraussetzungen dafür in 3,1 ff zu behandeln. Dadurch wird der Abschnitt 3,7-18 wichtig[157]. Wegen der Kontextprobleme werden wir uns allerdings von 3,12 aus selbst vorarbeiten.

Ἔχοντες οὖν τοιαύτην ἐλπίδα in 2 Kor 3,12 bezieht sich deutlich auf die Ausführungen vorher, und zwar folgernd, zusammenfassend, ein Fazit ziehend (vgl. οὖν)[158]. Es meint die spes qua speratur und spes quae speratur. Das ergibt sich vor allem durch die Kontextrelation nach vorn. Es betrifft über die 1. Person Plural die Christen. Das zeigt sich meines Erachtens besonders durch den Zusammenhang mit V.12 ff und überhaupt durch die Allgemeinheit der ἐλπίς-Aussage. Dabei gewinnt man den Eindruck, daß für dieses "Hoffnung-Haben" ein Vorgegebensein und ein rezeptives Moment charakteristisch sind, insofern sich die Christen in einem vorgegebenen und für die Zukunft ermöglichten Heilshorizont "hoffend" verstehen. Sie können und dürfen "hoffen"[159]. Inhaltlich wird dabei an τὸ μένον ἐν δόξῃ in V.11b angeknüpft. Das führt auf das christliche Heil, insofern es von der Gegenwart bis in die eschatologische Zukunft bleibt und durch Herrlichkeit qualifiziert ist. Denn es ist mir bei dieser recht allgemein erscheinenden Aussage unwahrscheinlich, daß nur eine Beziehung auf die Ämter und ihre Träger vorliegt[160]. Auf diese hat Paulus allerdings deutlich bis V.9 geblickt. Da er dann ab V.14 offenkundig die Christen überhaupt anvisiert, ergibt sich für V.10-13 ein nicht so eindeutiges Bild im Blick auf die Frage, über Was oder Wen gesprochen wird.

Durch die Spanne von der Gegenwart bis in die eschatologische Zukunft grenzt sich nun das christliche Heil von der jüdischen Seite ab. Denn deren Herrlichkeit ist vergänglich (3,11a). Da aber auch der jüdische Heilsweg eine Herrlichkeit besitzt, sticht das christliche Heil mit seiner Herrlichkeit um so mehr hervor. Das läßt der Sachverhalt des Schlusses a minore ad maius in V.11 deutlich werden, bei dem das kleinere Heil, nämlich das vergängliche jüdische, das größere Heil, nämlich das bleibende christliche, verständlich und sogar vordringlich macht. Dabei ist eine Herrlichkeit allerdings beiden Seiten gemeinsam. Das διὰ δόξης bezieht sich in 2 Kor 3,11 wahrscheinlich auf den Beginn des jüdischen Heils (vgl. Mose) und seine Fortsetzung, das ἐν δόξῃ auf den eschatologisch-zukünftigen Abschluß des christlichen Heils und zugleich die Zeit vorher (vgl. τὸ μένον). Hier deutet sich uns also schon eine komplexere Heilsstruktur im Verhältnis zwischen Judentum und Christentum an, als das im Rahmen des eschatologischen Dualismus von 1 Thess 5,1-11 der Fall ist. So stoßen wir in 3,11 auf eine verwickelte Beziehung zwischen christlichem und jüdischem Heil, nämlich einmal im Sinn einer Antithetik und Abgrenzung (vgl. vergänglich im Judentum, bleibend im Christentum) sowie zum anderen im Sinn einer Kontinuität und Gemeinsamkeit (vgl. eine δόξα jeweils). Das konkretisiert sich hermeneutisch im Schluß a minore ad maius. Jedoch will Paulus das christliche Heil aber gerade als das eigentliche Heil hervortreten lassen. In dieser Hinsicht ist die Vergänglichkeit des jüdischen Heils zu beachten. Es hat ein Ende. Nicht erst V.12, sondern auch schon V.11 besitzt im Verhältnis zu den Ausführungen vorher einen zusammenfassenden und folgernden Charakter. Denn die gerade gezeichnete Denk- und Heilsstruktur findet sich bereits in den Aussagen ab V.7. Dort ragt jedoch jeweils das Amt hervor, nämlich das des Mose und das der christlichen Verkündiger. Deshalb ist unsere Hoffnungsaussage in V.12 inhaltlich vielleicht vorwiegend auf V.11 zu beziehen.

In V.10 ist nun allerdings nicht klar, ob dort wie ab V.7 die Ämter oder schon wie in V.11 auch das jeweilige Heil gemeint sind. Denn wenn man V.10 von den vorangegangenen Ausführungen her versteht, dann legen sich eher die beiden Ämter nahe. Da aber auch vorher bereits die Wirkungen der jeweiligen διακονία ins Spiel gekommen sind, kann schließlich in V.10 schon ein Übergang zu dem jeweiligen Heil selbst impliziert sein. Vielleicht muß dabei aber so unterschieden werden, daß sich der Blick auf das Judentum in V.10 wegen τὸ δεδοξασμένον primär auf das Amt des Mose (vgl. Ex 34,30.35) bezieht, der zweite Teil dagegen wegen der besonderen Art der δόξα zugleich auch schon mehr das christliche Heil selbst als Wirkung der christlichen διακονία meint. Die Aussagen bleiben aber in der Schwebe. Auf jeden Fall muß der Übergang von den Ämtern zum Heil von V.10 über V.11 bis zu V.12 vollzogen worden sein, wenn man in V.12 die Christen allgemein angesprochen sieht.

An sich stoßen wir nun in V.10 auf eine ähnliche Struktur wie in V.11, insofern der jüdischen Seite eine Herrlichkeit zugeschrieben wird, die zugleich begrenzt und sogar aufgehoben wird, und zwar durch das christliche Amt und das so gewirkte Heil, wodurch nämlich in einem viel höheren Grad eine Herrlichkeit ins Spiel kommt. Nun ergibt aber der Vergleich zwischen V.10 und 11, daß in V.11 durch das Schlußverfahren a minore ad maius die positive Anknüpfung an das Judentum ein stärkeres Gewicht als in V.10 erhält. Denn in V.10 wird ausdrücklich begrenzt. Entsprechend fehlt dort die Gedankenbewegung a minore ad maius. Sie ist jedoch vorher in V.7-9 zu beobachten. Da dort deshalb auch schon ein positiveres Verhältnis zwischen beiden Bereichen, d.h. dem jüdischen und dem christlichen Amt, in den Blick rückt, hat Paulus in V.10 offensichtlich das Bedürfnis einer Abgrenzung empfunden und eine Einfügung gebracht, die die jüdische Seite ausdrücklich beschränkt. Das ist im ganzen Zusammenhang deshalb durchaus angemessen, weil die Herabsetzung des Judentums

als Grundtenor ab 3,6 vorliegt und an unserer Stelle letztlich auch die
Schlüsse a minore ad maius bestimmt[161], und zwar auf diese Weise eigentlich gegen die ursprünglichen Tendenzen eines Schlusses a minore ad
maius, da dieser an sich gerade den wörtlichen Sinn (d.h. in unserem
Fall den Sachverhalt einer dem Amt des Mose zugehörigen Herrlichkeit)
nicht aufgeben will. Das Festhalten am AT im eschatologisch und persönlich gebrochenen Verhältnis zum Judentum wirkt sich bei Paulus hier offensichtlich zu solchen Spannungen aus. Vielleicht kommt dem Paulus aber
gerade ein qal-wachomer-Schlußverfahren derartigen komplexen Sachverhalten in der Beziehung zwischen Judentum und Christentum immer noch
am nächsten, wenn der Gott des AT nicht wie später in der Gnosis zum
bösen Demiurgen herabgesetzt werden soll.

In 3,7-9 stoßen wir auf zwei parallele Gedankengänge, und zwar jeweils
in Form eines Schlusses a minore ad maius. Beides entfaltet das in V.6
über die Antithese γράμμα - πνεῦμα Gesagte. Dabei bezieht sich γράμμα
offensichtlich auf das Judentum und πνεῦμα auf das Christentum. Zu den
Gedanken, wie sie in γράμμα und πνεῦμα vorliegen und auf die später
noch genauer eingegangen wird, haben sich dem Paulus schon in 3,3 die
Weichen über den Gesichtspunkt gestellt, daß die Korinther der Brief
Christi sind, der durch den Dienst des Paulus geschaffen wurde, so daß
Paulus keine Empfehlungsbriefe wie einige andere Verkündiger nötig hat
(3,1-3)[162]. Der Gedanke des Briefeschreibens hat den Paulus auf das Gegenüber von "geschrieben nicht mit Tinte, sondern mit dem Geist des lebendigen Gottes" gebracht. Das stellt ein normales Schreiben im täglichen
Leben einem geistlichen Schreiben im eschatologisch-übertragenen Sinn gegenüber[163]. Von da aus assoziiert Paulus dann weiter: "(geschrieben)
nicht auf steinernen Tafeln, sondern auf fleischlichen Herzentafeln". Auch
hier stehen ähnlich wieder zwei Seiten einander gegenüber, offensichtlich
aber zunächst etwas verschoben in Richtung auf persönliche Beziehungen,
mag man nun an das Herz des Paulus (3,2) oder das der Empfänger in
Korinth[164] denken. Doch kommt zugleich durch die Beziehung auf das AT
ein theologisches Moment bis hin zu eschatologischen Aspekten in den Blick.
Denn es wird hier auf at. Gedanken bis hin zur Vorstellung des neuen Bundes angespielt (vgl. Ex 31,18; Spr 3,3; 7,3; Jer 31,13-34; Ez 11,19;
36,26 f)[165]. Deshalb wird σάρκινος an dieser Stelle nicht in der Weise eines qualifiziert theologisch negativen Sinns von σάρξ gebraucht. Allerdings
zeigt der Vergleich mit dem AT, daß Paulus recht frei vorgeht, da die beiden Bünde von Jer 31 (38), 31-34 im Zusammenhang des Gesetzes bleiben
(vgl. auch die anderen gerade genannten at. Stellen), so daß bei Paulus
nur das Gegenüber von "steinern" und "fleischlich" in Verbindung mit den
Herzen dem Sachverhalt bei Jer entspricht. Doch meint Paulus das hier
nicht direkt soteriologisch im Blick auf die Christen, sondern primär persönlich in Richtung Korinth[166], läßt immerhin aber bereits den Gedanken
eines eschatologisch Neuen im Zusammenhang des Bundesvorstellung des
AT und des Geistbesitzes anklingen. Dadurch erhält das persönliche Moment eine Festigung. Überhaupt ist in 3,3 eine differenzierte Gewichtig-

keit theologischer Aspekte festzuhalten. Es ist hermeneutisch zu beachten, daß sich wörtliche und bildlich übertragene[167] Redeweise mit einer biblizistischen "in der Sprache Kanaans", einer persönlichen und einer eschatologischen gemischt haben[168].

Indem Paulus ab 3,4 direkt auf das Amt der Verkündigung eingeht (vgl. διάκονος und διακονία in 3,6 ff)[169] und die Befähigung durch Gott herausstellt (vgl. ἱκανός, ἱκανότης, ἱκανοῦν in 3,4-6), greift er aus 3,3 den Gedanken des neuen Bundes auf, zu dessen Dienst er und überhaupt die christlichen Verkündiger autorisiert worden sind[170]. Er nennt dabei in 3,6 den neuen Bund terminologisch ausdrücklich (καινή διαθήκη)[171]. Dieser Bund wird als ein solcher des Geistes (πνεῦμα) und nicht des Buchstabens (γράμμα) bezeichnet[172]. "Denn der Buchstabe tötet, der Geist aber macht lebendig." Das sind sehr geballte Aussagen. Hier ist zunächst noch einmal daran zu erinnern, wie komplex und verwoben die Assoziation und Gedankenführung des Paulus ab 3,1 in hermeneutischer Richtung sind. Dann ist vor allem die Antithese γράμμα - πνεῦμα zu beachten, weil die folgenden Aussagen an sie anknüpfen und sich dieser Aspekt bis 3,18 durchhält.

Das Gegenüber "Buchstabe - Geist" ist recht schwierig zu verstehen und in der Theologie und exegetischen Forschung durchaus verschieden gedeutet worden[173]. Diese Antithese findet sich bei Paulus sonst noch in Röm 2,29; 7,6[174] und geht offensichtlich auf eine ausführliche Reflexion des Paulus zurück. Die Funktion des göttlichen Geistes in der Theologie des Paulus als Moment des eschatologisch-gegenwärtigen Heils und Beobachtungen über die Gesetzeserfüllung wie in Röm 2,27 führen bereits darauf, daß Paulus in dieser Antithese bei γράμμα den jüdischen Heilsweg mit seiner Quelle im AT und bei πνεῦμα das christliche Heil meint. Es kommen hier zentrale Gedanken der Soteriologie des Paulus und speziell solche seiner Rechtfertigungslehre zum Vorschein. Für uns ist dabei wichtig, daß "Buchstabe" und "Geist" offensichtlich als Mächte aufzufassen sind[175], und zwar im eschatologischen Zusammenhang. Das zeigt schon ihre Wirkung, nämlich einmal das "Töten" und zum anderen das "Lebendigmachen". Da Paulus im folgenden dann vor allem in midraschartigen Ausführungen[176] aufgrund von Ex 34,29-35 auf das AT im Rahmen von Amt, Verhalten und Funktion des Mose sowie des jüdischen Heilswegs überhaupt eingeht, muß gerade von hier aus in γράμμα präzis die Macht des jüdischen Heilswegs gesehen werden, der sich in einem gesetzlichen Verständnis wörtlich auf das AT beruft und es in dieser Richtung aktualisiert. Im dazu antithetischen πνεῦμα ist dann genauer der speziell christliche Heilige Geist anzunehmen, der der Macht des γράμμα strikt gegenübersteht und dabei auch ein angemesseneres Verständnis des AT für Paulus hervorruft (s.u.). Dabei verschränken sich hermeneutisch auch von hier aus betrachtet noch einmal verschiedene Aspekte. Sie betreffen einmal ein wörtliches und übertragenes Verständnis, das bei Paulus nicht zuletzt auf einem hellenistischen und speziell hellenistisch-jüdischen und hellenistisch-christlichen

Hintergrund zu sehen ist[177]. Dann aber ist vor allem ein geschichtliches und eschatologisch-dualistisches Gegenüber zu beachten, da beide Verständnisweisen unserer Antithese, und zwar sogar insofern sie sich auf denselben Gegenstand beziehen (vgl. z.B. das AT), nicht aufeinander aufgebaut werden, sondern einander ausschließen und in Richtung zu einem zeitlichen Nacheinander gegenüberstehen. Denn das Amt des Mose ist früher als das des christlichen Verkündigers, es ist anders als die christliche διακονία und ihr Heil vergänglich. Zugleich kommen die vorfindliche Wirklichkeit (vgl. κατὰ σάρκα in Entsprechung zu γράμμα) und die geglaubte, nur gebrochen, verhüllt und eschatologisch erfahrbare Wirklichkeit (vgl. κατὰ πνεῦμα u.ä.) in den Blick. Für Paulus liegt der Ton auf dem eschatologisch-dualistischen Moment. Konvergenzen zu einer hellenistisch übertragenen und vergeistigten Auffassung sind aber gerade in einem Brief des Paulus nach Korinth verständlich, wenn wir an die religiös-kulturelle Situation im damaligen Korinth und an Paulus als vielleicht ehemaligen Diasporajuden, der nun im hellenistischen Christentum lebt und als Missionar an den Heiden wirkt, denken[178]. Bemerkenswert ist, daß bei der Antithetik γράμμα – πνεῦμα selbst der Gesichtspunkt der Gegenwart hervorragt. Allerdings dürfte in den Wirkungen ἀποκτείνει und ζωοποιεῖ zugleich in 3,6 schon die Perspektive der eschatologischen Zukunft direkt einkommen[179], zumal sie auch in den anschließenden Ausführungen des Paulus weiterhin zu beobachten ist, und zwar zugleich charakteristisch in unserer ἐλπίς-Aussage von 3,12.

In 2 Kor 3,7-9 wird das in V.6 Gesagte in zwei Schlußverfahren a minore ad maius entfaltet. Sie sind dort[180] formal variiert worden. Das liegt vor allem an der Frageform in V.7 f und an der Aussageform in V.9 (vgl. V.11)[181]. Paulus spitzt dabei auf die beiden διακονία zu, d.h. auf die des Mose und die des christlichen Amtsträgers, also auch auf seinen eigenen "Dienst". Das Problem von Würde, Macht und Befähigung leuchtet auf. In 3,6 war bereits von der Befähigung zum "Diener" die Rede (vgl. V.4 f). Der erste Gedankengang steht in V.7 f. Deutlich wird auf γράμμα (s. V.7) und πνεῦμα (s. V.8) angespielt. Auch ὁ θάνατος (V.7) weist direkt auf V.6 zurück. Dagegen ist das bei ἔσται ἐν δόξῃ (V.8) nur indirekt der Fall. Man könnte nun in dieser δόξα unter Berücksichtigung der Bedeutung des Rechtfertigungsproblems in V.6 (ff) ein Überwiegen des Sinns "Ehre, Ruhm" vermuten. Doch ist das genauer betrachtet nicht der Fall. Vielmehr sind primär "Herrlichkeit, Glanz" anzunehmen. Einmal liegt das an den schon erwähnten Wirklichkeits- und Machtaspekten. Zum anderen spricht das Beispiel des Mose in V.7 dafür. Denn indem Paulus dort auf Ex 34,29 ff zurückgreift, kommt der Glanz des Angesichts des Mose ins Spiel, den Mose nach den Aussagen dieser Ex-Stelle seit seinem Herabsteigen vom Sinai mit den neuen Gesetzestafeln in der Hand besaß und den er mit einer Hülle verdeckte, sofern er nicht in das Heiligtum zu Gott hineinging. Diese Gedanken spielen dann überhaupt ab 3,7 in den midraschartigen Ausführungen bis 3,16 bzw. 3,18 eine Rolle. Dabei könnte die Problemstellung auf eine gewisse hellenistische Prägung hindeuten, wenn wir etwa an die δόξα-Substanz und Schau denken.

Paulus geht nun in V.7 von dem Sachverhalt der Herrlichkeit auf dem Gesicht des Mose aus. Er hebt hervor, daß selbst dem "Todesamt" des Mose eine solche δόξα zu eigen war, daß die Kinder Israel nicht das Antlitz des Mose wegen dieser Herrlichkeit, wegen dieses Glanzes anschauen konnten (ἀτενίζειν) [182]. Dabei erscheint Mose als Begründer und Exponent der jüdischen Gesetzesreligion, die sich in dem auf Stein niedergeschriebenen Gesetz konkretisiert. Die Tendenz des Paulus ist so an sich eine positive Wertung der δόξα des Mose. Zu beachten ist aber, daß Paulus sofort in V.7 zugleich begrenzt. Das geschieht aber noch nicht wie dann in V.13 durch den Hinweis auf ein Täuschungsmanöver des Mose. Gleichwohl ist die Begrenzung auch in V.7 schon recht stark. Denn Paulus qualifiziert die διακονία des Mose durch τοῦ θανάτου und die δόξα des Mose durch τὴν καταργουμένην [183]. Letzteres wirkt wie eine nachträgliche Korrektur der positiven δόξα-Aussagen vorher. Dadurch ergeben sich Spannungen. Überhaupt ist zu berücksichtigen, daß Paulus die genannten Begrenzungen nicht aus der at. Stelle schließt, das auch gar nicht kann[184], sondern theologisch allgemeiner einführt, nicht zuletzt aufgrund der Antithese γράμμα - πνεῦμα [185].

Dem allem wird im Schlußverfahren a minore ad maius von V.7 f in V.8 das christliche Amt gegenübergestellt[186], also auch speziell der Dienst des Paulus. Das ἔσται ἐν δόξῃ kann einen präsentischen oder allgemeingültigen Sinn ausdrücken[187], aber auch eine eschatologisch-zukünftige Perspektive[188]. Letzteres würde dem Aorist ἐγενήθη, der sich auf die Geschehnisse bei Mose bezieht, antithetisch entsprechen, allerdings das gegenwärtige Heilswirken der christlichen διακονία zu unbeachtet lassen. Während bei den Aussagen über die jüdische Seite bei δόξα trotz ἐν γράμμασιν κτλ doch wohl mehr auf das Amt selbst geblickt wird, könnte bei denen über das Christentum δόξα vielleicht eher auch schon die Wirkung des christlichen Amtes mit meinen.

3,9 drängt parallel zu 3,7 f sehr viel stärker zusammen. Statt γράμματα-τὸ πνεῦμα stehen nun ἡ κατάκρισις - ἡ δικαιοσύνη. Das spitzt nun direkt auf das Rechtfertigungproblem zu, was in γράμμα - πνεῦμα aber ebenfalls schon leitend ist. Dabei dürfte auch in der Aussageweise von V.9 der Machtaspekt wichtig geblieben sein. Δόξα ist hier kaum anders als sonst zu verstehen, nämlich als "Glanz, Herrlichkeit". 3,9 erweckt nun einen recht grundsätzlichen und allgemeingültigen Eindruck. Denn im ersten Teil fehlt die Kopula und im zweiten Teil steht περισσεύει als Präsens. Hat Paulus zwar schon in V.7-9 die Grenzen der jüdischen Seite herausgestellt, so fühlt er sich angesichts der δόξα-Aussagen aber in V.10 dazu veranlaßt, diese Grenzen gegenüber möglichen Mißverständnissen noch einmal ausdrücklich hervorzuheben, so daß nun deutlich eine Kontinuität oder Entsprechung einer Antithetik oder Abgrenzung untergeordnet werden. Es schließt sich dann bis V.12 der Gedankengang an, wie wir ihn oben bereits dargestellt haben.

Viele Verstehensschwierigkeiten des Kontexts vor 3,12 ergeben sich dadurch, daß Paulus ab 3,7 vor allem auf die jeweilige διακονία und ihre
δόξα blickt, zugleich aber die Aussagerichtung zum entsprechenden Heilsweg und Heil überhaupt in der Schwebe bzw. schillernd bleibt. Das ist
sachlich darin begründet, daß die διακονία nicht von ihren Wirkungen isoliert werden kann. Entsprechend sind auch schon in 3,6 bei διάκονοι καινῆς
διαθήκης in Verbindung mit der Antithese γράμμα - πνεῦμα solche
Übergänge zu beobachten. Auch die generelle Thematik von 2,14 - 7,4
kann in dieser Richtung Vorschub leisten. Ein Schillern bzw. eine Schwebelage könnte selbst noch in 3,11 vorliegen, wenngleich unsere ἐλπίς-
Aussage in V.12 eher die Christen allgemein betreffen dürfte. Zudem ist
das allgemeine Verständnis von V.12 sogar dann noch möglich, wenn man
V.11 wirklich nur enger auf die διακονία bezieht, da in diesem Fall ein
Zwischengedanke anzunehmen ist, daß nämlich die durch (bleibende) δόξα
qualifizierte christliche διακονία den Christen zugleich die δόξα und
eine entsprechende ἐλπίς wirkt. Überhaupt ist es vielleicht so, daß für
Paulus die Aussagen über die jüdische Seite mehr auf die διακονία selbst
abzielen, während auf der christlichen Seite die Wirkung des Heils schon
stärker wird. Denn dadurch wird der jüdische Heilsweg noch einmal beschränkt, etwa in dem Sinn: Nur der Amtsträger besitzt eine Herrlichkeit, nicht aber die Juden generell.

Indem das ἐλπίδα ἔχειν der Christen in 2 Kor 3,12 auf die gerade dargestellten Sachverhalte, speziell die δόξα-Aussage in 3,11, ausgerichtet
ist, ist es verständlich, daß für die Christen ein großes Zutrauen und
eine große Zuversicht in die ἐλπίς eingebracht werden. So verwundert es
nicht, daß Paulus in 3,12 folgert: πολλῇ παρρησίᾳ χρώμεθα. Die Christen
sollen aufgrund ihrer ἐλπίς eine große "Offenheit", eine große "Freimütigkeit"[189] gebrauchen[190]. Die Partizipialkonstruktion ἔχοντες κτλ ist kausal oder auch modal aufzufassen. Deshalb wird die ἐλπίς als wirkend vorgestellt. War schon der Gesichtspunkt des Todes und der Vergänglichkeit
vorher in den Ausführungen über Mose eingetragen worden (vgl. 3,7),
so ist Ähnliches auch jetzt der Fall. Denn nun wird der Sachverhalt, daß
Mose sein Gesicht verhüllte, in der Weise negativ interpretiert, daß als
Grund erscheint: damit die Kinder Israel nicht das Ende (τὸ τέλος) der
δόξα seines Gesichts sehen konnten (ἀτενίζειν)[191]. Dadurch trägt
Paulus ein Täuschungsmanöver des Mose ein. Es wird dabei offensichtlich
noch im Sinn von 3,7 ff gesprochen, also im Blick auf das Amt und das
dadurch vermittelte Heil. Da sich die 1. Person Plural in V.12 auf die Christen bezieht, ist aber auch V.13 zugleich in diesem Horizont zu verstehen
und nicht nur in der Beziehung zu Paulus und den christlichen Verkündi-
gern[192]. Insofern spricht Paulus auffordernd in 3,13 bzw. 3,12 f in dieselbe Richtung, wie er sie in 3,18 später feststellend einschlägt. Dadurch deutet sich allerdings für das Verhüllen des Gesichts eine Verlagerung des
Stellenwerts an. Während sich das "Mose breitete eine Decke über sein Gesicht" unter dem Blickwinkel des Mose in V.13 auf die Täuschung der Kinder Israel bezieht, damit sie nämlich nicht die vergängliche δόξα seines
Gesichtes sehen und durchschauen können, kommt über die Aufforderung

πολλῇ παρρησίᾳ χρώμεϑα von V.12 der Gesichtspunkt ein, daß die Christen ihr Antlitz nicht verhüllen sollen, weil sie "mit unverhülltem Antlitz" (V.18) das Heil anschauen können, das nämlich auf der christlichen Seite eine bleibende δόξα darstellt. Angesichts der dann in V.14 ff sich anschließenden Ausführungen müßte man die Verlagerung in eine solche Sinnrichtung selbst dann noch annehmen, wenn man V.12 f enger nur auf die christlichen Verkündiger beziehen will. Denn Paulus will in V.12 f sicherlich nicht nur die Aufforderung an die christlichen Verkündiger richten, πολλῇ παρρησίᾳ jegliches κάλυμμα abzunehmen, auf daß die Christen bei ihren Amtsträgern offen die volle und bleibende δόξα des christlichen Heils betrachten können. Allerdings kann eine solche Beziehung auf die Freizügigkeit und Offenheit der christlichen διάκονοι auch nicht ganz ausgeschaltet werden[193]. Deshalb mag die Schwegelage bzw. das Schillern zwischen Aussagen über die beiden Ämter und über das jeweilige Heil der Verse vor V.12 noch in V.12 f zum Vorschein kommen und nachwirken, so daß auch in V.12 f die Aussageweise des Paulus gedanklich nicht ganz glatt ist[194]. Bei Paulus liegt hier offensichtlich nur ein bestimmtes Assoziationsgefälle in der aktualisierenden Interpretation von Ex 34,29 ff vor, ohne daß die Auslegung "logisch" und durchgehend exakt durchgeführt worden wäre. Vielmehr steht sie unter den Gesichtspunkten von "Buchstabe" und "Geist", der jeweiligen Herrlichkeit des Amtes und des Heils selbst. Eine pneumatische Freiheit wirkt sich aus. Dabei haben das Vorhandensein einer echten Zukunft, mithin auch die ἐλπίς, für die Abgrenzung zwischen Judentum und Christentum eine wesentliche Rolle gespielt.

Ab V.14 werden die Dinge nun insofern klarer, als jetzt deutlich allgemein auf die Juden und die Christen geblickt wird. Paulus knüpft dabei in V.14 zunächst an den Gedanken des Täuschungsmanövers des Mose an. Wenn Paulus dort den Hinweis bringt, daß die Sinne der Kinder Israel verstockt wurden, so ist das nämlich so zu verstehen, daß die Kinder Israel den Mose eigentlich hätten durchschauen müssen, es aber aus Verstockung nicht taten. Dies ist also an sich noch auf das Verhältnis des Religionsangehörigen zum Amtsträger zu beziehen, also auf das διακονία-Problem. Allerdings wäre auch noch zu erwägen, ob sich nicht schon V.13 mit dem Übergang durch πολλῇ παρρησίᾳ χρώμεϑα in V.12 auf das Verstehen des AT bezieht, so daß sich einige der genannten Schwierigkeiten auflösen. Doch bleibt in diesem Fall die Aussage über Mose in V.13 sperrig, vor allem was die Hinzufügung von V.13b anbelangt. In V.14b geht Paulus dann aber eindeutig und direkt zum Verständnis des AT (παλαιὰ διαϑήκη) über. Dadurch werden die vorangegangenen Ausführungen nun hermeneutisch im engeren Sinn zugespitzt[195] und ausdrücklich auf Juden und Christen allgemein ausgeweitet[196]. Der Gedanke des Schleiers des Mose bildet den Übergang[197]. Die Freiheit, mit der Paulus in 3,13-14a und schon in 3,6 ff im Blick auf die Juden geurteilt und mit der er überhaupt seine Ausführungen gedanklich durchgeführt hat, hält sich hier durch[198]. All das ist offensichtlich auch noch als durch die ἐλπίς (V.12) motiviert anzusehen, soweit das die christliche Sicht des AT angeht.

Den Juden gegenüber betont Paulus, indem er den Gedanken der Verhül-
lung nun auf das AT anwendet, für das Mose in 3,15 sogar als Chiffre
genannt wird[199], daß bei den Juden das AT verhüllt, also nicht offen und
richtig, gelesen wird. Erst eine christliche Sicht im Rahmen einer christologischen Interpretation vermittelt das richtige Verständnis (vgl. bereits in
V.14: ὅτι ἐν Χριστῷ καταργεῖται). Auf diese Weise treten in 2 Kor 3
nicht nur Mose und die christlichen Amtsträger, sondern auch Mose und
Christus einander gegenüber. In 3,16 spielt Paulus dabei auf die Bekehrung zum Christentum an[200]. Sie entspricht dem hermeneutischen Schritt
zu einem "Neuen", das für das richtige Verstehen des AT nötig ist. Es ist
hier offensichtlich so, daß weniger eine formale christologische Interpretation als vielmehr ein machtvolles Aufbrechen des Verständnisses des AT
durch Jesus Christus für die Gläubigen bewirkt wird. An diesem Punkt
zeigt sich nämlich die Antithese γράμμα - πνεῦμα in einer hermeneutischen Zuspitzung, so daß auf diese Weise schon Pneumatologie und Christologie in eine Verbindung zueinander treten. Dieser Zuspitzung entspricht es, daß nun παλαιὰ διαθήκη in 3,14 primär das AT als schriftliche Urkunde im Unterschied zur καινὴ διαθήκη in 3,6 meint. Da all das
gerade Erarbeitete in einem weiteren Zusammenhang noch durch die ἐλπίς
von V.12 motiviert wird, ergibt sich ein Wechselverhältnis, bei dem die
Antithese γράμμα - πνεῦμα über die beiden Ämter und das durch sie
gewirkte Heil die ἐλπίς hervorruft und begründet, andererseits gerade
diese ἐλπίς aber diese Antithese, Ämter und Heilsverhältnisse dadurch
zur Wirkung kommen läßt, daß sie zum hermeneutisch richtigen Verständnis des AT veranlaßt. So sind an diesem Punkt eine echte Zukunft und speziell ein ἐλπίδα ἔχειν funktional wesentlich.

In 3,17 f wird dann wieder von dem engeren hermeneutischen Blick auf das
AT zum Heil selbst übergegangen, und zwar ohne daß ein Amt als vermit-
telnd hervortritt. Dabei werden das Gegenüber von "Buchstabe - Geist"
und die christologischen Hinweise von V.14-16 in Verbindung mit dem Gedanken der δόξα und ihrer Schau, was in V.7 ff leitend war, ausgewertet.
Gleich zu Beginn von V.17 wird gesagt, daß der κύριος das πνεῦμα ist
(ἐστίν). Da der Kontext keinen genügenden Anlaß gibt, das als Glosse
auszuscheiden[201], ist diese in den Paulusbriefen an sich singulär erscheinende Aussage[202] im Gedankengang unserer Stelle in der Weise zu verstehen, daß nun das über "Buchstabe" und "Geist" sowie Jesus Christus
vorher Ausgeführte miteinander kombiniert wird. Denn Paulus will hervorheben, daß der κύριος, der das Aufbrechen des verstockten Verständnisses des AT ermöglicht, zugleich das πνεῦμα ist, das dem γράμμα gegenübersteht[203]. Die Kopula ἐστίν sollte hier nicht zu ausdrücklichen Sub-
stanz- und Identitätsspekulationen führen, aber auch noch nicht in besonderen bini- oder trinitarischen Überlegungen ausgewertet werden. Sie besagt im Zusammenhang von 3,6 ff lediglich, daß das πνεῦμα und der κύριος
einander im Rahmen der Antithese γράμμα - πνεῦμα und des erst christologisch angemessenen Verständnisses des AT entsprechen, wenn man beides
aufeinander bezieht. Im Gegenüber zu γράμμα und dem von daher verstan-

denen AT bedeuten πνεῦμα und κύριος dasselbe. Der Herr und der Geist
gehören zusammen. Sie wirken in derselben Richtung[204]. Das AT und die
Herrlichkeit besitzen dabei eine Kontinuität bis in das Christentum hinein.
Allerdings bezeichnet Paulus die δόξα des Mose ausdrücklich als vergänglich, während das für das AT nur im Sinn einer Funktion als γράμμα gilt.
Wo das πνεῦμα κυρίου ist, so fährt Paulus in 3,17b fort, da ist Freiheit.
Die Genitivverbindung πνεῦμα κυρίου ordnet das πνεῦμα dem κύριος
zu, stellt den κύριος gleichsam höher bzw. ordnet ihn vor (vgl. 3,18b).
Es wird Freiheit bewirkt, nämlich von dem verstockten Verständnis des AT
zu seinem richtigen, und - im Rahmen der Ausführungen ab 3,6 betrachtet - überhaupt von der Versklavung unter das γράμμα und den dadurch
gewirkten Tod zum Gewinn der echten, bleibenden δόξα und des Lebens[205].
So wird dann in 3,18 schließlich in einer Bündelung der in 3,7 ff gebrachten Gedanken über die δόξα und ihre Schau im Blick auf die Christen gesagt, daß die Christen alle mit offenem Antlitz (ἀνακεκαλυμμένω προσώπω)
die Herrlichkeit des Herrn (τὴν δόξαν κυρίου)[206] (im Spiegel)'beschauen
(κατοπτρίζεσθαι)[207] und zu demselben Bild (τὴν αὐτὴν εἰκόνα, d.h.
wie der Herr) umgestaltet werden (μεταμορφοῦσθαι)[208] von Herrlichkeit
zu Herrlichkeit (ἀπὸ δόξης εἰς δόξαν). Licht-, Schau- und Gestaltbegriffe überwiegen hier[209]. Hellenistisch-synkretistische Einflüsse sind dabei zu berücksichtigen. Die Kombination ἀπὸ δόξης εἰς δόξαν meint vielleicht den Weg von der gegenwärtigen δόξα zur eschatologisch-zukünftigen
(vgl. 2 Kor 2,16 u.ä. Sprachgebrauch). Die Funktion der Christologie ist
wesentlich, und zwar im Sinn eines Maßstabs, einer Ermöglichung und einer
Objektbeziehung bei der Schau und auf dem Weg von der Herrlichkeit zur
Herrlichkeit. Insgesamt gesehen sind die starken Gegenwartsaussagen auffällig, wenn man etwa an das Verhältnis zu dem Gegenüber von πίστις
und εἶδος in 2 Kor 5,7 denkt[210]. Trotzdem leuchtet auch hier ein Prozeßcharakter des Heils auf. Die Dynamik des μεταμορφοῦσθαι ἀπὸ δόξης
εἰς δόξαν ist dabei gegenläufig zu einer Fixierung des gegenwärtigen
Seins der Christen auf eine δόξα-Substanz. Deutlich steht nun nicht mehr
das Problem des Amtes im Vordergrund. Machtaspekte werden erneut wichtig. Von da aus ist dann wohl auch der Schluß von V.18 zu beurteilen, der
bei καθάπερ ἀπὸ κυρίου πνεύματος wieder das Verhältnis von κύριος
und πνεῦμα aufgreift, dabei allerdings dunkler als V.17a bleibend[211].

Bei der bisher durchgeführten Interpretation hat sich das Verständnis von
2 Kor 3,12 in seinem Kontext trotz aller im einzelnen aufgetretenen Schwierigkeiten insgesamt als relativ geschlossen erwiesen, und zwar was einmal
das grundsätzliche Verhältnis zum Judentum aufgrund der Antithese "Buchstabe - Geist" und des Rückgriffs auf Ex 34,29 ff und zum anderen speziell die eschatologische Einbettung von ἐλπίδα ἔχειν betrifft. Nun ist
in der Forschung aber bei der Exegese von 2 Kor 3 besonders vom Geg-
nerproblem ausgegangen worden[212]. Von daher legt es sich nahe, die
Frage der Widersacher des Paulus in Korinth auch für unseren Text schwer-
punktmäßig auszuwerten zu versuchen[213]. So könnte sich etwa für die
starken gegenwärtigen Heilsaussagen in 3,17 f ein extremes Eingehen auf

die Position von Gegnern nahelegen, das bis zu einer Aufnahme charakteristischer Teile ihrer Auffassungen ginge, wenn wir etwa an hellenistische Pneumatiker denken. Entsprechend müßte man überhaupt die in der Forschung vertretenen und sich sachlich nahelegenden Gegnerpositionen durchzuspielen versuchen[214]. Die literarkritischen Probleme erschweren hier allerdings in Verbindung mit den historisch komplizierten Beziehungen des Paulus zu den Korinthern eine sichere Entscheidung. Nun hat unsere Analyse eben gezeigt, daß 2 Kor 3,12 und sein engerer Kontext im Blick auf die eschatologische Einbettung von ἐλπίς in sich theologisch geschlossen erscheinen. Von daher legt sich die Beachtung eines gezielten Eingehens auf gegnerische Meinungen oder ihre Aufnahme nicht besonders nahe. Da überhaupt in 3,6 ff keine offensichtlichen oder ausdrücklichen Anspielungen auf die Auseinandersetzung mit Irrlehrern festgestellt werden können, und zwar i.U. zu 2,17 und 3,1, halte ich im Blick auf 3,6 ff Vorsicht für angebracht, ein Zitat oder ein direktes Aufgreifen von gegnerischen Auffassungen sowie eine gezielte Argumentation des Paulus gegen sie anzunehmen[215].

So gilt diese Vorsicht dann auch gegenüber LÜHRMANNs Analyse, die ich hier, weil sie besonders charakteristisch ist, ausdrücklich noch anführen möchte. Lührmann versucht, unsere Stelle ebenfalls unter betonter Berücksichtigung einer Gegnerfront auszulegen, und zwar besonders mit der Fragestellung nach Offenbarung und Verkündigung[216]. Mit G.Bornkamm, Georgi u.a. sieht Lührmann in den seit dem 1 Kor neu in Korinth eingedrungenen Gegnern Wanderapostel nach der Art der hellenistischen θεῖοι ἄνδρες, und zwar ursprünglich hellenistische Juden, die mit dem Judentum gebrochen haben und sich nun als judenchristliche Überapostel ihrer pneumatischen Größe und ihrer Ekstasen rühmten[217]. Paulus greife ihre Gedanken auf, sogar im Zitat. Er ordne sie aber in den größeren Rahmen seiner Auffassung von der Geschichtlichkeit der Offenbarung und der christlichen Existenz ein. So sei für die Gegner zu folgern, "daß die Gegner ihren Offenbarungsanspruch in ihren Ekstasen und der dabei geschehenden Verwandlung in die Pneumagestalt begründeten und in ihrer Verkündigung sich selbst als Mystagogen anboten, die andere zu Ekstase und Verwandlung führen konnten"[218]. Diesem Verlassen der Geschichte in einem mystisch-ungeschichtlichen Sinn stehe bei Paulus die Geschichtlichkeit der Existenz und der Verkündigung gegenüber. Für Paulus sei Offenbarung kein Verlassen der Geschichte, sondern ein Geschehen in der Geschichtlichkeit, das auf die eschatologische Vollendung ausgerichtet sei. In diesen Zusammenhang ordnet sich ein, daß bei der schon durch die Gegner vertretenen Antithese γράμμα - πνεῦμα von Paulus die Hinzufügung von Tod und Leben stamme. So haben die Gegner nach Lührmann im Blick auf das AT ein spezifisches Verständnis von Ex 34,29 ff entwickelt, die Verheißung des neuen Bundes auf sich bezogen und zugleich eine gegenwärtige Verwandlung vertreten, während bei Paulus die Verwandlung streng eschatologisch bezogen sei. Einem derartigen Judenchristentum habe Paulus zunächst einen schärferen Bruch zwischen Altem und Neuem, sodann eine andere Christologie

und schließlich den Unterschied im Offenbarungsverständnis entgegen-
gestellt. Zwar klingt bei Lührmann an, daß Paulus einen eschatologischen
Vorbehalt angemeldet hat und die Richtung zur eschatologischen Zukunft
zum Ausdruck bringt. Doch zieht Lührmann insgesamt gesehen die Linien
bei der Interpretation von 2 Kor 3 nicht genug für das Problem der eschatologischen Zukunft und speziell der ἐλπίς aus. Allerdings könnte man einwenden, daß in unserem Text die Heilsgegenwart besonders aufleuchtet.
Dennoch müssen wir auch hier festhalten, daß wir bei ἐλπίδα ἔχειν in
3,12 eine wesentliche Funktion für den Gedankengang in 3,6.7-18 beobachtet haben. So hätte man gerade auch im Sinn der Interpretation Lührmanns
die Aussage mit ἐλπίς als Korrektiv gegenüber den Auffassungen der Gegner berücksichtigen können. Es hat sich in unserer obigen Analyse überhaupt ergeben, daß eine retardierende Funktion in 3,12 und überhaupt bei
den eschatologisch-zukünftigen Perspektiven unseres Textes eigentlich
nicht hervortritt, daß Paulus vielmehr gegenüber dem Judentum die positive und echte Zukunft des christlichen Heils herausstellen will. Ein eschatologischer Vorbehalt wird dagegen erst in 4,7 ff deutlich.

So ist es zweckmäßiger, die unmittelbare eschatologische Einbettung des
ἐλπίδα ἔχειν von 2 Kor 3,12 statt im Rahmen aktueller Gegnerfronten
eher in den Verhältnissen zum Judentum zu sehen. Das entspricht den
Schwerpunkten der Thematik in 3,6.7-18, insofern Paulus thematisch auf
das Verhältnis von christlichem und jüdischem Heil, christlichem und jüdischem Heilsweg, christlicher und jüdischer διακονία als Amt, christlichem
und jüdischem Verständnis des AT eingeht. Theologisch wesentlich ist dabei die Antithese γράμμα - πνεῦμα in 3,6. Durch sie kommt ein eschatologisch-dualistisches Gegenüber von Judentum und Christentum in Sicht,
das bis in die Zukunftsrichtung geht, ja für das sogar die eschatologische
Zukunft entscheidend ist. Dennoch ist dieser eschatologische Dualismus
strukturell nicht einfach mit dem in 2 Kor 2,15 f; 4,3 f; 1 Thess 4,13;
5,3 ff gleichzusetzen. Vielmehr wird in seinem Rahmen parallel zu Aussagen wie in Röm 1,16 ff die Relation zum Judentum noch differenziert[219].
So haben nicht nur das christliche Amt und das dadurch vermittelte Heil
eine δόξα, sondern auch die διακονία des Mose, wie Paulus in midraschartigen Überlegungen aus Ex 34,29 ff erhebt. Das Schlußverfahren a minor
ad maius besitzt dabei eine wichtige Funktion. Auf diese Weise entstehen
eine Entsprechung, Anknüpfung und Kontinuität im Verhältnis zwischen
der jüdischen und der christlichen Seite. Da das aber im Rahmen eines
grundsätzlichen eschatologischen Dualismus bleibt (vgl. γράμμα - πνεῦμα
in 3,6), werden schließlich doch Unterschiede, Abgrenzung, Diskontinuität
und Ausschließung beherrschend. So scheinen die positiven Beziehungen
schließlich auch mehr nur um der (christlichen) Heilsseite willen eine gewis
se Bedeutung zu erhalten[220]. Eine ähnliche Struktur zeigt sich dann ebenfalls bei dem Auslegen des AT. Wie die δόξα sowohl auf der jüdischen als
auch auf der christlichen Seite vorhanden ist, so ist das AT sowohl den Juden als auch den Christen vorgegeben. Nur wird das AT einmal verstockt

und verhüllt, d.h. theologisch falsch, und zum anderen frei, offen, unverhüllt, d.h. theologisch richtig, gelesen. Dabei spielen γράμμα und
πνεῦμα, Mose und Christus hermeneutisch eine wesentliche Rolle. Doch
entsprechen δόξα und AT hier einander insofern nicht völlig, als Paulus
offensichtlich an zwei verschiedene δόξα denkt, während das AT als
schriftliche Quelle dasselbe bleibt, obwohl gerade in der Bezeichnung
παλαιά διαθήκη (3,14) und der Chiffre bzw. Metonymie Μωϋσῆς (3,15)
offensichtlich die negativen Ausführungen über das Judentum nachwirken.

Die ἐλπίς von 3,12 nimmt nun in diesem ganzen Zusammenhang eine wichtige Stellung ein. Denn einmal zieht sie ein Fazit der vorangegangenen
Ausführungen, zum anderen leitet sie zu den dann folgenden Darlegungen
weiter. Schließlich steht sie überhaupt in einer Wechselbeziehung zu dem
im Kontext Dargestellten. Sie drückt dabei für die Christen die Perspektive der vorgegebenen, sicheren, konstitutiven und insofern tröstlichen
und freudvollen eschatologischen Zukunft aus[221]. Entsprechend wird den
Juden eine ἐλπίς oder Vergleichbares nicht zugeschrieben. Im Verhalten
des ἐλπίδα ἔχειν selbst kommen von daher verständlicherweise ein besonderes Zutrauen, eine besondere Zuversicht und ein rezeptives Moment
ein (vgl. "hoffen können, hoffen dürfen"). Auf eine Nähe des Sinns zu
diesem ἐλπίδα ἔχειν stoßen wir bei πολλῇ παρρησία χρῆσθαι. Doch
ist das nicht als eine Zukunftseinstellung gemeint. Überhaupt ist es bemerkenswert, daß wir in unserem Text auf keine Häufung zukunftsorien-
tierter Verhaltensweisen stoßen. Vielmehr sind in der Zukunftsrichtung
sonst "objektive" Aussagen vorherrschend. Verhaltensweisen beziehen
sich dagegen häufiger auf die Gegenwart. Doch sind auch hier "objektive"
Aussagen wichtig. So ist in diesem Text die latent vorhandene oder direkt
aufleuchtende eschatologische Dynamik in der Zukunftsrichtung fundamental festzuhalten, bei der echte Zukunft dem Judentum verstellt, dem Christentum aber in Verbindung mit der ἐλπίς gegeben ist. Spätestens in der
Richtung zur eschatologischen Zukunft haben Kontinuität und Entsprechung zwischen Judentum und Christentum deshalb ein Ende.

10.4. Röm 5,1-5

Schließlich wollen wir als vierten größeren Textzusammenhang noch Röm
5,1-5 untersuchen. Denn dort geht Paulus gezielt und gehäuft auf ἐλπίς
in einem eschatologischen Rahmen ein, der noch zusätzliche und für die
paulinische Theologie geradezu charakteristische Gesichtspunkte für unsere Fragestellung bringt. Schon die Stellung dieses Abschnitts im Röm ist
bemerkenswert.

Gleich im Anschluß an das Präskript (1,1-7) und die Danksagung mit einer Motivation für den Brief an die Christen Roms (1,8-15) hat Paulus
das Briefthema formuliert (1,16 f). Er beschreibt dort das Evangelium als
δύναμις θεοῦ εἰς σωτηρίαν, und zwar für jeden, der glaubt
(1,16b). Δικαιοσύνη θεοῦ werde nämlich in ihm offenbart, und zwar

ἐκ πίστεως εἰς πίστιν, was Paulus durch ein Schriftzitat aus Hab
2,4 belegt (1,17). In den dann folgenden Ausführungen wird dieses
Briefthema im Blick auf das Rechtfertigungsproblem entfaltet. Dabei
wird zunächst in einem negativen Nachweis gezeigt, daß alle Menschen
wegen ihres Tuns unter dem Zorn Gottes stehen und das Streben nach
Erfüllung des Gesetzes nicht rechtfertigt (1,18-3,20). Dem wird ein positiver Nachweis über die Gerechtigkeit Gottes durch den Glauben an
Jesus Christus, also die Rechtfertigung durch Glauben, angefügt (3,21-
31), der midraschartig durch das Beispiel des Abraham aus dem AT belegt wird (4,1-25; vgl. auch 3,21 und schon 1,17)[222]. Durch eine Zuspitzung auf die Christen in 4,23-25 weiterleitend geht Paulus dann zu
unserem Abschnitt über.

Nun stellt sich die Frage, warum wir ihn auf Röm 5,1-5 beschränken.
Denn durch das καυχᾶσθαι in V.11 wird doch offensichtlich der Bogen zu
V.2 und V.3 zurückgeschlagen[223], so daß an sich 5,1-11 als geschlossene Größe hervortritt[224]. Schauen wir auf den anschließenden Kontext, so
ergibt sich, daß in 5,12-21 dann eine eigenständige Texteinheit folgt, in
der es um das Verhältnis von Adam und Christus geht[225]. Von da aus tritt
noch einmal 5,1-11 als Zusammenhang hervor. Es wird dort aber im Blick
auf das Verhältnis zwischen 5,1-5 und 5,6-11 schnell klar, daß wichtige
Denkbewegungen von 5,6 ff (vgl. die qal-wachomer-Schlüsse und Gegenüberstellungen) in 5,1-5 keine Entsprechung besitzen und umgekehrt (vgl.
den Kettenschluß ab 5,3). Ferner wird in den Einzelaussagen von 5,6 ff
vorwiegend ein etwas anderes Thema als vorher behandelt, nämlich das
Heilswerk Christi bzw. das Heilshandeln Gottes durch ihn und seine Wirkungen für die Christen von ihrer Bekehrung bis in die eschatologische
Zukunft[226]. Dabei besteht der Zusammenhang zwischen V.1-5 und 6-11
zunächst darin, daß letzterer Abschnitt direkt die Aussagen über die Liebe Gottes in V.5 aufgreift und entfaltet (vgl. V.5.(6.)8), zugleich aber
auch an V.1-2 anknüpft[227]. Überhaupt ist zu beachten, daß parallel das
"objektive" Heil als bereits geschehenes und sicher in der eschatologischen
Zukunft eintretendes dargestellt wird. Dagegen stehen V.3-4 sachlich selbständiger innerhalb des Verhältnisses von V.1-5 und 6-11. Andererseits
besteht aber zwischen V.2-3 und 4-5 inhaltlich ein enger Zusammenhang.
Deshalb ist es angemessen, wenn wir unsere Analyse der eschatologischen
Einbettung der ἐλπίς primär auf Röm 5,1-5 beschränken. Denn das ist
ganz sicher der nähere Kontext für die ἐλπίς-Aussagen. Vor allem 5,1
verzahnt dabei 5,1 ff mit den Ausführungen in 4,23-25 und überhaupt in
den Kapiteln vorher. Dabei besitzt Röm 5,1-5 aufgrund der gerade aufgezeigten Kontextverhältnisse und unter Berücksichtigung der weiteren
Kapitel des Röm eine Schlüsselstellung zwischen den großen Unterteilen des
ersten Hauptteils 1,18-8,39. Denn der erste Hauptteil des Röm ist m.E. in
1,18-4,25 und 5,1-8,39 aufzugliedern. Dabei geht es in 1,18-4,25 um das
Rechtfertigungsproblem selbst und in 5,1-8,39 um das Sein der gerechtfer-
tigten Christen im Zusammenhang der Wirklichkeit und Macht von Heil und
Unheil überhaupt[228].

Die Umschaltung zwischen beidem wird nun gleich in 5,1 f schon vorgenommen[229]. Denn wenn Paulus in 5,1 mit dem Hinweis auf die Rechtfertigung aufgrund von Glauben und den Erhalt des Friedens mit Gott durch Jesus Christus beginnt, dann geht das zunächst noch in den Bahnen der Ausführungen über die Rechtfertigung vor. Es wird dabei ein Fazit gezogen (vgl. οὖν). Inhaltlich nimmt Paulus eine Verdichtung der vorher von ihm erarbeiteten Ergebnisse zu den Fragen der Rechtfertigung vor. So entspricht die Verbindung von Glaube, Christologie und Relation zu Gott den Aussagen in 3,21 ff. Auch εἰρήνην ἔχειν ordnet sich hier ein. Durch die Rechtfertigung aus Glauben ist nämlich die ὀργὴ θεοῦ für die Christen keine bedrohende und wirkende Macht mehr[230]. Bemerkenswert ist, daß durch εἰρήνην ἔχομεν die Gegenwart herausgestellt wird[231]. Anders als in 4,24 wird also zunächst nicht mehr direkt an das Endgericht als Entscheidungsort gedacht (s. auch ἀποκαλύπτεται in 1,17; 1,18 ff und πεφανέρωται in 3,21). Durch die Betonung der Gegenwart kann zugleich die Präsenz des Heils in einem weiteren Sinn der Wirklichkeit thematisch werden. Das ist dann folgerichtig auch in 5,2 zu beobachten. Zwar bleibt Paulus dort zunächst durchaus noch in den Vorstellungskategorien der Rechtfertigungslehre, wie vor allem χάρις und πίστις deutlich machen[232]. Auch der Hinweis auf προσαγωγή entspricht Denkstrukturen, wie wir sie in 3,21 ff antreffen[233]. Dadurch zeigt sich aber zugleich, daß die Wirklichkeitsaspekte einen enger forensischen Sinn schon übersteigen. In dieser Richtung ist nun auch bemerkenswert, daß χάρις in V.2 als Zustand und Bereich gemeint ist[234], in dem die Christen als gerechtfertigte stehen, und nicht nur als Verhalten oder Reaktion Gottes[235]. Hier wird klar, wie sehr sich die Rechtfertigung hin zur Wirklichkeit des Heils in einem weiteren Sinn öffnet, und zwar sogar in der Rechtfertigungsterminologie selbst. Auf diese Weise schafft Paulus in Röm 5,1-2a den Übergang von dem Teil 1,18-4,25 zu dem Teil 5,1-8,39, d.h. von den eigentlichen Rechtfertigungsaussagen zu den Ausführungen über die Wirklichkeit des Heils überhaupt.

An dieser Funktion, aber auch an der dabei zugleich auftretenden Spannung hat ebenfalls noch 5,2b teil. So steht zunächst καυχᾶσθαι bei Paulus vor allem im Zusammenhang des Rechtfertigungsproblems, da es schon bei dem Tun des Gesetzes um ein καυχᾶσθαι oder ein καύχημα, eine καύχησις geht, und zwar besonders im Endgericht, aber auch im Selbstbewußtsein des Juden und in seiner Stellung zu seinen jüdischen oder nichtjüdischen Mitmenschen (vgl. Röm 2,17.23; 3,27; 4,2). Auch bei dem Christen Paulus hält sich ein solcher Ruhm noch durch, aber nun umgepolt und paradox[236]. Auf eine Seite dieses Aspekts stoßen wir in Röm 5,2b, wenn Paulus dort über die Christen καὶ καυχώμεθα ἐπ' ἐλπίδι τῆς δόξης τοῦ θεοῦ sagt. Dieses καυχᾶσθαι erhebt sich auf dem Boden des vorher in 5,1-2a geschilderten Heilsanteils der Christen. Insofern ist es für Paulus nun angesichts der Probleme des jüdischen Heilswegs, der über die Gesetzesgerechtigkeit geht, in echter Weise begründet. Dadurch ist die ἐλπίς der Christen nicht mehr ungewiß oder illusorisch wie - theologisch genau besehen - die des Juden, sondern begründet, zuversichtlich und zutrauend.

Deshalb kann schließlich auch ein Wechselverhältnis zwischen καυχᾶσθαι
und ἐλπίς bestehen, so daß das καυχᾶσθαι die ἐλπίς begründet oder
das Umgekehrte der Fall ist oder beide auf dem Boden des Heils zugleich
geschehen. Dem entspricht es, daß in Röm 5,2b die Konstruktion mit ἐπί
und folgendem Dativ nicht eindeutig aufzulösen ist. Sie kann nämlich ἐλπίς
als Objekt des καυχᾶσθαι, aber auch ἐλπίς als Begründung des καυχᾶσθαι
und eine Gleichzeitigkeit annehmen lassen. Die Konstruktion καυχᾶσθαι   ἐν
in 5,3 und 11 hilft hier zu keiner eindeutigen Entscheidung weiter, da sie
nicht mit der präpositionalen Verbindung in V.2 identisch ist und selbst
bezeichnenderweise schillernd bleibt (s.u.)[237]. Im Rahmen der möglichen
Sinnbreite motiviert die eschatologisch-zukünftige δόξα τοῦ θεοῦ als Objekt der ἐλπίς wie die ἐλπίς selbst das καυχᾶσθαι. Doch ist beides zugleich auch als Objekt des καυχᾶσθαι zu beachten. Insofern stoßen wir
hier einmal auf eine Gedankenbewegung vom καυχᾶσθαι über die ἐλπίς
zur δόξα τοῦ θεοῦ, zum anderen aber auch auf die umgekehrte Richtung.
Vielleicht sind aber wegen des Gewichts der Heilsgegenwart an unserer
Stelle bei ἐπ' ἐλπίδι κτλ ein modales und ein Objektverständnis besonders gemeint.

Wir haben oben in 7.2.5. gesehen, daß die Bedeutungsbreite in δόξα den
Bereich von "Ehre" und "Ruhm" sowie "Herrlichkeit" betrifft. Eine genaue
und alternative Entscheidung ist hier für unser δόξα in Röm 5,2 nicht so
leicht. Denn δόξα könnte vorher im Röm primär als "Ehre" und "Ruhm" gemeint sein, wenn man besonders an den Rechtfertigungszusammenhang im
Horizont des Endgerichts denkt. Das zeigen δόξα in Röm 2,7.10; 3,7; 4,20
und sogar ἡ δόξα τοῦ θεοῦ in 3,23. Außerdem verweist das οὐ
καταισχύνει in Röm 5,5 auf das Endgericht. All das entspricht an sich
gut der Thematik von 1,18 ff. Doch ist immerhin in 1,23 die Bedeutung
"Herrlichkeit" bei τὴν δόξαν τοῦ ἀφθάρτου θεοῦ wohl eher angebracht
und auch sonst "Herrlichkeit" mit guten Gründen erwägbar[238]. Außerdem
ist hier die Übergangsfunktion von 5,1 ff für 1,18-4,25 und 5,1-8,39 zu
beachten. Deshalb sollte auch in 5,2 "Herrlichkeit" auf keinen Fall ausgeschaltet werden. Sie besitzt dort sogar ein großes Gewicht und ist m.E.
überhaupt sogar vorzuziehen[239]. Das ordnet sich gut in unsere Beobachtungen zu δόξα als Objekt unserer Synonyme ein. Auch ist erneut zu berücksichtigen, daß beide Bedeutungsbereiche von δόξα nicht zu stark voneinander abgesetzt werden sollten. Insofern stoßen wir bei ἐπ' ἐλπίδι τῆς
δόξης τοῦ θεοῦ in 5,2b schließlich wieder auf Heilsaspekte, die eine
enger forensische Denkstruktur übersteigen, nun aber speziell auch im
Blick auf die eschatologische Zukunft. Bei den komplexen Wechselverhält-
nissen und der Schwebelage zwischen καυχᾶσθαι, ἐλπίς und δόξα
nimmt die ἐλπίς eine Zwischenstellung ein. Sie muß in V.2 wegen des
extra hinzugefügten Objekts primär als Akt verstanden werden. Dabei
wird sie in 5,1-2 vor allem von der Seite der Heilsgegenwart her dargestellt. Deshalb überwiegt eine Hochstimmung, für die das καυχᾶσθαι bezeichnend ist[240] und die entsprechend in der Zukunftsrichtung für die
ἐλπίς eine Zuversichtlichkeit und ein Zutrauen hervorhebt. Die Gegen-

wart ist in Röm 5,1 f dabei für die Christen eschatologisch qualifiziert.
Denn die Christen wurden durch den Glauben schon gerechtfertigt, was
sich dann im Endgericht vollenden wird. Im Christusgeschehen hat Gott
eschatologisch gehandelt. Das hat den Christen "objektiv" den Besitz des
"Friedens" und den Zutritt zur "Gnade" ermöglicht.

Von da aus erweckt die Fortsetzung in 5,3 einen abrupten Eindruck, wenn
Paulus anfügt: οὐ μόνον δέ, ἀλλὰ καὶ καυχώμεθα ἐν ταῖς θλίψεσιν,
also auf ein καυχᾶσθαι in Verbindung mit den θλίψεις hinweist. Zwar hat
die ἐλπίς-Aussage in V.2 an sich bereits Grenzen für die starken Heilsaussagen in V.1 f ins Spiel gebracht. Doch ist der Grundtenor dort ein anderer. So scheinen wir beim Übergang von V.2 zu V.3 eher auf eine dialektisch-paradoxe Denkstruktur zu stoßen. Genauer werden dabei durch
οὐ μόνον δέ, ἀλλὰ καί im Sinn von "nicht nur - sondern auch"[241]
Parallelität, Addition, Steigerung, Entgegensetzung oder zumindest eine
sachliche Abweichung angedeutet[242]. Eine Parallelität und entsprechende
Addition bestehen durch die Wiederholung des καυχώμεθα, eine Abweichung bis hin zu Entgegensetzung und Steigerung dadurch, daß nicht
mehr die δόξα anvisiert wird, sondern die Schattenseite des Lebens. Denn
nun geht es bei dem καυχᾶσθαι um die θλίψεις. Doch wird der Sachverhalt durch die Aussagen des Paulus dann komplexer. Zunächst macht das
Verhältnis zwischen 5,2b und 3a rückwirkend noch einmal deutlich, daß
5,2b primär keine Beschränkung oder ein eschatologisch retardierendes
Moment hervorheben soll, sondern das überschwengliche Heil über die
ἐλπίς unter dem Gesichtspunkt von Zeit und Geschichte bis in die Zukunft
hinein festhalten und verlängern soll. Vorausgesetzt ist dabei ein übergeordneter Heilsbereich, der sich von der Gegenwart bis in die eschatologische Zukunft erstreckt und in dem Paulus die Christen sieht. Die Rechtfertigung aus dem Glauben vermittelte den Christen den Anteil daran.

Wie dieser Bereich so stellen sich dann auch die in 5,3 genannten θλίψεις
für die Christen als vorgegeben dar. Sie kommen an sich durch die Zukunftsperspektive notwendig in den Blick. Denn sonst wären die ἐλπίς
als "Hoffnung" und die göttliche δόξα als ihr Objekt nicht mehr erforderlich. Insofern besteht für Paulus von 5,2b zu 5,3a in gewisser Weise ein
Assoziationszwang. Er hebt aber nicht die primär positive Blickrichtung
von 5,2 b auf. Vielmehr sind beide Sichtweisen miteinander festzuhalten.
Dabei gehören die θλίψεις sozusagen zum Existenzgeschick der Christen[243].

Hier liegt wieder ein apokalyptischer Hintergrund vor. Denn in der jüdischen Apokalyptik bedeutet der gegenwärtige böse Äon für die Gerechten
und das auserwählte Volk Leiden, die durch den Beginn des kommenden
neuen Äons ein Ende haben werden. Diese Zukunft wird zugleich eine Umkehrung der Verhältnisse bringen, nämlich Trübsal für die Bedrücker der
Auserwählten in der Zeit des bösen Äons und Befreiung, Herrlichkeit u.ä.
für die Bedrückten, vielleicht sogar mit der Mitwirkung der Gerechten an
der Bestrafung der Unterdrücker von damals (vgl. äthHen 92,1 ff). Hier

ist also eine Umkehrung der Verhältnisse zwischen dem "Jetzt" und "Dann"
wichtig. Nun reicht diese apokalyptische Antithetik als Hintergrund der
Aussagen des Paulus an unserer Stelle aber noch nicht aus. Denn in Röm
5,3 besitzen die θλίψεις offensichtlich nicht nur eine rein negative Funktion. In dieser Hinsicht ist ein Züchtigungsleiden zu berücksichtigen. Den
Gedanken des Züchtigungsleidens kennen im engeren nichtchristlichen Um-
kreis des Paulus bereits das AT und das Judentum. Dort werden Leid und
Strafe im irdischen Leben oder in der Jetztzeit nicht mehr nur als widrig
und störend empfunden, sondern um der Ehre Gottes und des eigenen
Heils willen als förderlich angesehen, so daß selbst ein strafendes Handeln
Gottes als einem guten Zweck dienend beurteilt werden kann (vgl. Klgl;
Hi 5,17 bis hin zu dem stellvertretenden Leiden des "Gottesknechtes" in
Jes 53,2 ff; Sir 16,12; 4 Esr 7,14; ApkBar (syr) 15,1 ff). Das beginnen-
de Christentum hat solche Vorstellungen aufgenommen (vgl. z.B. 1 Petr
1,6 f)[244].

Vor allem auf diesem doppelten Hintergrund, nämlich der eschatologischen
Bewältigung des Leidens und seiner positiven Bewertung als Züchtigung,
sind die Aussagen des Paulus über das καυχᾶσθαι der Christen ἐν ταῖς
θλίψεσιν in Röm 5,3 zu sehen. Dabei ist wie in V.2 so auch in V.3 das
"Sich-Rühmen" für Paulus bei den Christen im Blick auf das Leidproblem
zu einer echten Erfüllung gekommen, da die "Trübsale" nun begründet in
der Ausstrahlung des Heils stehen und zum Heil hin wirken können. Denn
in Gegenwart und Zukunft ist das Heil für die Christen auf dem Boden der
Rechtfertigung gewiß. Allerdings ist in Röm 5,3 erneut ein Schillern in der
Beziehung des καυχᾶσθαι zu der von ihm abhängigen präpositionalen Konstruktion zu berücksichtigen. Denn das ἐν ταῖς θλίψεσιν deutet parallel
zur Konstruktion in V.2 mit ἐπί eine Objektperspektive und einen kausalen Zusammenhang an[245], indem nämlich die Leiden und Trübsale bei den
Christen das Sich-Rühmen hervorrufen, aber auch der Gegenstand dieses
Rühmens sind. Das beinhaltet sachlich erneut eine Wechselwirkung. So
kann das Objekt zugleich ursächlich wirken. Ferner ist vor allem an ein
lokal-zeitliches Verständnis der ἐν-Aussage zu denken. Denn es ergibt
einen eindrücklichen Sinn, daß das "Sich-Rühmen" der Christen gerade
in den Leiden und Trübsalen stattfindet[246]. So wird erneut ein Schillern
zwischen den verschiedenen Interpretationsmöglichkeiten der καυχᾶσθαι-
Konstruktion thematisch. Das dialektisch-paradoxe Übergehen von V.2b zu
3a, das in den Paulusbriefen ähnlich öfter zu beobachten ist (vgl. z.B.
2 Kor 8,1 ff; 12,1 ff) und dem Charakter der christlichen Existenz und
des christlichen Heils, offensichtlich aber auch der Persönlichkeitsstruktur des Paulus entspricht, verliert nun auf einer Metaebene diesen dialek-
tisch-paradoxen Charakter z.T. wieder, nämlich im Zusammenhang des von
der Gegenwart bis in die eschatologische Zukunft sicheren Heils. Konnte
sich der Apokalyptiker u.U. in den Leiden oder sogar seiner Leiden rühmen, nämlich im Sinn des Nacheinanders von "jetzt" und "dann", von Trübsal im gegenwärtigen bösen Äon, Befreiung davon und Herrlichkeit im kommenden Äon, so liegt das im Verhältnis von 5,2 zu 5,3 ebenfalls vor, er-

fährt aber eschatologisch noch eine Erweiterung. Denn das Ausmaß des in 5,1 f geschilderten gegenwärtigen Heilsanteils der Christen ermöglicht ein noch viel stärkeres "Sich-Rühmen". Zwar mag durch diese Heilsverhältnisse eine größere Widersprüchlichkeit in die gegenwärtige christliche Existenz und ihr "Sich-Rühmen" hineinkommen. Doch macht der erhaltene Anteil am eschatologischen Heil die eschatologisch-zukünftige Befreiung von den "Trübsalen" als Macht des Bösen sicher und gewiß, so daß sowohl unter dem Gesichtspunkt der Gegenwart als auch unter dem der Erstreckung in der Richtung zur eschatologischen Zukunft das καυχᾶσθαι ἐν ταῖς θλίψεσιν sinnvoll wird, Paradox und Dialektik im Heilsprozeß von der Gegenwart zur Zukunft hin "aufgehoben" werden. Insofern ist sogar auch eine Steigerung möglich, die durch "nicht nur - sondern auch" aufgrund des Gedankenzusammenhangs angedeutet wird[247].

Dabei hat die ἐλπίς τῆς δόξης τοῦ θεοῦ bei dem abrupten Übergang von V.2 zu V.3 nicht nur das Problem des gegenwärtigen Leidens vorbereitet. Sie hat vielmehr als christliche "Hoffnung" auf dem Boden des Heils zugleich die Voraussetzungen dafür geschaffen, daß das "Sich-Rühmen" als Konstante von der Hochstimmung bis ins Leiden möglich ist.

Nun stellt Paulus ab Röm 5,3b allerdings Möglichkeit und Sinn des καυχᾶσθαι ἐν ταῖς θλίψεσιν noch einmal in einer besonderen Weise dar. Dort stoßen wir auch auf weitere wichtige Aspekte für unsere Frage nach der ἐλπίς. Denn in 5,3b-4 bringt Paulus angeschlossen durch εἰδότες ὅτι eine Begründung für den Sachverhalt von 5,3a und lenkt dann in 5,5 zugleich wieder zu 5,1 f zurück. Das Partizip εἰδότες in V.3b ist also kausal oder vielleicht auch noch modal zu verstehen. Bemerkenswert ist, daß auf diese Weise εἰδέναι wie schon καυχᾶσθαι in Parallelität zu ἐλπίς tritt. Doch betrifft eine Sinnannäherung nur den Bereich der Zukunft, da εἰδέναι und καυχᾶσθαι in unserem Text auch noch andere Objektperspektiven besitzen, wie z.B. die gegenwärtigen "Trübsale". Εἰδέναι meint dabei ein Wissen aufgrund der Erfahrung des Heils, aber wohl auch aufgrund des Kerygmas[248]. Der Begründungscharakter wird sachlich vor allem dadurch deutlich, daß Paulus ab 5,3b einen sog. Kettenschluß durchführt, in dem ἐλπίς mit weiteren Verhaltensweisen und mit Geschicken in Verbindung gebracht wird. Dieser Kettenschluß weist nach, wie die "Trübsale" als an sich widrige Verhältnisse eine positive Funktion besitzen können. Indem er in der ἐλπίς gipfelt, wird der übergeordnete eschatologische Zusammenhang deutlich, wird nicht nur 5,3a selbst bewiesen, sondern zugleich auch der Gedankengang von 5,2b zu 5,3a noch einmal verständlich gemacht.

Der Kettenschluß geht im einzelnen so vor[249], daß von der θλῖψις angefangen und mit der ἐλπίς endend immer ein Glied das andere bewirkt (κατεργάζεται). Es handelt sich um vier bzw. fünf Glieder. Das ist geprägt durch κατεργάζεται in Form von vier Gliedern folgendermaßen der Fall: ἡ θλῖψις → ὑπομονή, ἡ ὑπομονή → δοκιμή, ἡ δοκιμή → ἐλπίς[250]. Nun wird der ἐλπίς in V.5 aber noch die Wirkung οὐ καταισχύνει zugeschrieben. Wir haben oben in 7.2.6. bereits erarbeitet, daß damit das Geschick im Endgericht gemeint ist, und zwar in Aufnahme eines at. und später auch in der jüdischen Apokalyptik zu beobachtenden Motivs von der "Hoffnung" und dem Problem des "Zuschanden-Werdens". Allerdings ist zu beachten, daß die genaue Aussageweise im transitiven Sinn nach meiner Kenntnis der Quellen erst hier bei Paulus belegt ist. Das οὐ καταισχύνει der christlichen ἐλπίς wird dann von Paulus in V.5b noch begründet, worauf später genauer einzugehen ist. Wegen des anaphorischen Anschlusses in V.5 könnte man nun dieses οὐ καταισχύνει als ein fünftes, dann aber endgültig abschließendes Glied des Kettenschlusses vermuten, zumal das als Wirkung der ἐλπίς hervortritt. Formal ist aber immerhin sperrend, daß es sich vorher um Substantive handelt und hier in V.5 um eine verbale Aussage, so daß ein eigenständiger Satz mit Subjekt und Prädikat entstanden ist. Auch fehlt ein κατεργάζεται. Als Objekt ist an die Christen zu denken. Deshalb muß formal die Frage offen bleiben, ob der eigentliche Kettenschluß fünf Glieder hat und dann bis zum Anfang von V.5 geht oder ob er nur vier Glieder besitzt und schon mit V.4 endet. Vielleicht hat Paulus einen Kettenschluß mit vier festen Gliedern in V.5 unter Aufnahme des Motivs von der "Hoffnung" und dem "Zuschanden-Werden" in den Kontext hinein verzahnt. Deshalb scheint ein fünftes Glied in der Aussageweise des Paulus nur rudimentär auf[251]. Das transitive οὐ καταισχύνει könnte dabei parallel zu κατεργάζεται gebildet worden sein.

Wir wollen nun noch etwas genauer auf die Einzelelemente des Kettenschlusses schauen. Auffällig ist, daß zweimal auf ein Geschick oder eine Beurteilung ein Verhalten folgt, nämlich ὑπομονή auf θλῖψις und ἐλπίς auf δοκιμή , wobei das Verhalten der ὑπομονή die δοκιμή hervorruft und das der ἐλπίς das οὐ καταισχύνει, wenn man letzteres für den Kettenschluß noch mitberücksichtigen will. Daß Trübsal und Leiden Geduld und Ausdauer bewirken oder erforderlich machen, ist im AT und im Judentum dieser Zeit offensichtlich ein beliebter Gedanke gewesen, mag das dabei uneschatologisch[252] oder eschatologisch u.ä.[253] gemeint gewesen sein[254]. Verlangt ein Bestehen in Trübsalen verständlicherweise überhaupt schon Geduld und Ausdauer, also eine Beharrlichkeit in der Zeit, so gilt das erst recht unter eschatologischem Gesichtspunkt, wo die Dauer des Leidens an das Kommen des unverfügbaren Endes dieses bösen Äons und im Christentum entsprechend vor allem an das Kommen der Parusie Jesu Christi gekettet ist. Hier besteht schon eine sachliche Nähe zu ἐλπίς, insofern in ἐλπίς selbst ebenfalls eine Nuance des Wartens vorhanden ist, aber noch nicht so weit wie bei dem Sinn "Ausdauer" und "Geduld" ausgeprägt. Wenn Geduld und Ausdauer die Bewährung oder Erprobtheit (δοκιμή) [255] bewirken, so ist in "Bewährung" ein Verhalten noch stärker enthalten, während bei "Erprobtheit" eine Eigenschaft überwiegt. Dabei ist gegenüber Geduld und Ausdauer ein objektives Moment eingekommen, indem zugleich ein Urteil bzw. eine Beurteilung vorhanden ist. Es liegt ein Ergebnis vor. Das braucht allerdings nicht unbedingt gleich auf ein Urteil Gottes oder das Urteil im Endgericht bezogen zu werden, sondern beschreibt allgemeiner den Sachverhalt einer δοκιμή in eschatologischen Zusammenhängen, der sich aufgrund der ὑπομονή ergibt.

Diese Bewährung oder Erprobtheit führt zur ἐλπίς. Es ist dabei eine eschatologisch ausgerichtete ἐλπίς gemeint. In unserem Kettenschluß ist aber ein anderer Entwicklungsprozeß zur ἐλπίς hin als in V.1 f vorausgesetzt. Es erscheint der Weg zur ἐλπίς als Akt dort in V.1 f kürzer, dabei aber soteriologisch gravierender, nämlich als Weg zur Rechtfertigung durch Glauben und zum dadurch hervorgerufenen Heilsstand. Das bedeutet den Übergang von der nichtchristlichen zur christlichen Existenz, von der Verlorenheit zur Rettung. In 5,4 erscheint er dagegen länger, aber soteriologisch nicht in demselben Maß gewichtig. Denn im Kettenschluß sind vorher das Geschick und Verhalten von θλῖψις, ὑπομονή und δοκιμή vorausgesetzt, die einen existentiellen Weg bei Christen aufleuchten lassen, an dessen Ende erst die ἐλπίς steht. Wenn nun dieser Weg als geduldige Bewährung der christlichen Existenz in der Trübsal und im Leid hervortritt, so steht das allerdings insofern in einem soteriologischen Zusammenhang, als fehlende **Bewährung** ein Scheitern der christlichen Existenz hervorrufen kann[256]. Auch könnte man in einer derartigen Richtung noch speziell auf οὐ καταισχύνει hinweisen. Und in der Tat ist das in V.5 als eine Wirkung der ἐλπίς im Rahmen des Kettenschlusses gemeint, die die Rettung im Endgericht beinhaltet. Dennoch ist all das nicht als soteriologisch im eigentlichen Sinn oder als soteriologisch so gewichtig wie der Weg zur christlichen Existenz und zur Rechtfertigung zu beurteilen, zumal bei Paulus die ἐλπίς selbst nicht rettet, d.h. als Akt keine eigenständige soteriologische Funktion besitzt[257]. So ist ἐλπίς in 5,5a für Paulus zwar das grammatische Subjekt zu οὐ καταισχύνει, logisch ist aber vielmehr das eschatologische christliche Heil der Urheber des οὐ καταισχύνει. Denn die ἐλπίς der Christen steht im Raum des christlichen Heils und wirkt von da aus zum Heil hin, und zwar in dem speziellen Sinn, daß eine solche "Hoffnung" die Christen nicht zuschanden werden läßt. Über solche Heilsverhältnisse besteht nun sachlich eine Entsprechung zu V.2, wird der Bogen durch 5,5a zu 5,1-2 zurückgeschlagen.

Bisher haben wir von der Voraussetzung aus interpretiert, daß ἐλπίς den Akt der "Hoffnung" beschreibt. Nun erhebt sich aber die Frage, ob ἐλπίς in V.4 f nicht wesentlich auch als spes quae speratur zu verstehen ist, wenn man an das Fehlen eines direkten Objektes und die Beziehung zu V.2 denkt, wo die ἐλπίς ein derartiges Objekt besitzt. So könnte man das οὐ καταισχύνει in V.5 zugleich als Objekt der ἐλπίς auszuwerten versuchen. Doch ist eine pointierte Beschreibung der spes quae speratur durch ἐλπίς in V.4 im Rahmen des Kettenschlusses wegen der Parallelität zu ὑπομονή und wegen der speziellen Geschehens- und Verhaltensaspekte in θλῖψις und δοκιμή nicht naheliegend. Das entspricht sogar der ἐλπίς in 5,2 selbst, da dort ein Objekt extra hinzugefügt worden ist und deshalb unser Substantiv primär als Akt beurteilt werden muß. Zwar könnte man in V.4 überlegen, ob Bewährung und Erprobtheit die "Hoffnung" im Sinn des "Erhofften" oder zugleich als "Hoffen" und "Erhofftes" hervorrufen. Noch stärker mag man dann in V.5 erwägen, ob nicht gerade das "Erhoffte" die Christen nicht zuschanden werden läßt, wie es sich in V.2 bei ἡ δόξα τοῦ θεοῦ als dem "Erhofften" andeuten mag. Doch wird ἐλπίς im Rahmen des Kettenschlusses in V.4 am besten als spes qua speratur verstanden. Schon wegen der anaphorischen Beziehung[258] legt sich das dann auch in V.5 nahe. In diese Richtung spricht ferner die Beobachtung, daß bei den absoluten Aussagen mit ἐλπίς solche im Sinn einer spes qua speratur überwiegen. Überhaupt kommen wir dadurch zu einer einheitlichen Auffassung von ἐλπίς in unserem Abschnitt, indem dieses Substantiv nämlich durchgehend als "Hoffen", also als Akt, auszulegen ist, allerdings in sich nicht ohne jede Gegenstandsbeziehung oder Objektimplikation ist. Dieses "Hoffen" wird in unserem Abschnitt bei allen intentionalen Momenten besonders durch ein Zutrauen und eine Zuversicht bestimmt, und zwar in V.2 direkt auf dem Boden der geschehenen Rechtfertigung durch Glauben, in V.4 f auf der Grundlage einer durch Geduld und Ausdauer bewährten christlichen Existenz, und zwar indem die ἐλπίς in den eschatologischen Heilsprozeß von der Gegenwart bis in die Zukunft eingeborgen ist[259].

Nun wird in V.5b noch eine Begründung durch den Hinweis auf das Ausgießen der Liebe Gottes in den Herzen der Christen und die dabei vermittelnde Funktion der Gabe des göttlichen Geistes angeführt[260]. Entsprechend der Gedankenbewegung ist das wahrscheinlich speziell für ἡ δὲ ἐλπίς οὐ καταισχύνει in V.5a der Fall. Zumindest bezieht sich die Begründung von V.5b vor allem auf die ἐλπίς-Aussage, und erst von da aus dann möglicherweise auch auf die Aussagen vorher. Von dieser Begründung in V.5 aus könnte man erneut erwägen, ob dadurch ἐλπίς vorher nicht doch wesentlich als spes quae speratur gemeint ist, weil dann nämlich aufgrund des gegenwärtigen Anteils am eschatologischen Heil auch der in der eschatologischen Zukunft verbürgt wäre. Denn das christlich "Erhoffte" würde die Christen im Endgericht nicht zuschanden werden lassen. Doch schauen wir genauer auf diese Begründung. Paulus sagt, daß die Liebe Gottes in unseren, d.h. der Christen, Herzen ausgegossen worden ist (ἐκκέχυται) durch bzw. über (διά) den Geist, der uns, d.h. den Christen, gegeben wurde (δοθέντος). Dabei ist ἡ ἀγάπη τοῦ θεοῦ sicherlich als Liebe Gottes zu den Christen und nicht umgekehrt zu verstehen[261]. Die Aussage über die Liebe Gottes und das πνεῦμα ist in dieser Weise in den Paulusbriefen singulär. Zwar spielen die Liebe Gottes und die Geistverleihung bei Paulus eine große Rolle. Doch ist bei der Verleihung des göttlichen πνεῦμα an die Christen sonst die Vorstellung der Ausgießung oder Zuteilung selbständig vorhanden, nicht aber in der Kombination wie hier[262]. Man könnte nun διά κτλ explikativ durch ein "und zwar" anzuschließen versuchen. Dann würde das im Verhältnis zu den anderen paulinischen Aussagen etwas glatter. Doch bleibt dieses Verständnis problematisch, zumal ein entsprechendes καί o.ä. fehlen. Eher schon legt sich ein modales Verständnis des διά nahe[263]. Denn dadurch rücken Verleihung des Geistes und Verleihung der Liebe Gottes noch eindrücklicher parallel zusammen. Bemerkenswert ist nun bei der Liebe Gottes das Perfekt ἐκκέχυται, also ein vergangener Akt, dessen Ergebnis und Wirkung bis zur Gegenwart beschrieben werden. Dagegen stellt bei dem πνεῦμα das aoristische Partizip τοῦ δοθέντος nur den vergangenen Akt der Geistverleihung heraus, für den etwa an die Taufe zu denken ist. Wenn in dieser Weise die Verleihung des göttlichen Geistes als Mittel der Ausgießung der Liebe Gottes bezeichnet wird, so korrespondiert das durchaus den Zeitverhältnissen zwischen Perfekt und Aorist. Bei einem modalen Verständnis ist das nicht mehr ganz so glatt. Durch die spezielle Ausdrucksweise des Paulus ruht so das Gewicht auf jeden Fall stärker auf dem Anteil an der göttlichen Liebe als auf dem Geistbesitz.

Verstehensschwierigkeiten entstehen nicht zuletzt dadurch, daß an sich die Liebe Gottes eher ein Abstraktum darstellt, der göttliche Geist dagegen ein Konkretum (vgl. Hypostasierungsprobleme). Wenn nun bei ἀγάπη τοῦ θεοῦ die konkrete Beschreibung ἐκκέχυται ἐν ταῖς καρδίαις ἡμῶν gegeben wird, dann ist das in diesem Rahmen spannungsvoll. Sie würde besser bei dem göttlichen Geist passen. Deshalb ist vielleicht zu erwägen, ob nicht ein Nachklang figuraler Ausdrucksweise vorliegt, insofern hier z.T. eine Vertauschung oder besondere Entfaltung vorgenommen worden ist[264]. Sachlich besteht auf jeden Fall ein soteriologischer Zusammenhang zwischen Gottes Liebe und Geist. Dabei wird man die Liebe Gottes an sich vor allem als Voraussetzung der Geistverleihung ansehen wollen, während an unserer Stelle gerade umgekehrt die Geistbegabung als Voraussetzung und Mittel der Ausgießung der Liebe in den Herzen der Christen hervortritt[265]. Durch eine figurale Vertauschung dürfte nun die Liebe Gottes im Gang der Darstellung eine Hervorhebung erfahren bzw. stärker ins Blickfeld rücken. Indem so die Liebe Gottes betont wird, erhält das Moment des Zutrauens eine Verstärkung, und zwar vor allem im Blick auf das direkt begründete ἡ δὲ ἐλπὶς οὐ καταισχύνει (vgl. auch V.6 ff). Neben den figuralen Erwägungen sollten aber auch noch traditionsgeschichtlich-sachliche Gründe für die besondere Aussageweise in 5,5b bedacht werden. Wir stoßen nämlich im aktiken Judentum auf eine Verleihung solcher hypostasierter Größen an den Menschen wie z.B. besonderer Geister (vgl. die πνεύματα in TestRub 2 f, und zwar von Gott oder Beliar verliehen; die רוחות in 1 QS 3,6 ff). In diesem Bereich könnten Voraussetzungen oder Vorformen der paulinischen Aussageweise vorliegen. Der Dativ ἐν ταῖς καρδίαις ἡμῶν in Verbindung mit ἐκκέχυται sollte nicht zu sehr im Verhältnis zu einer Richtungsangabe etwa mit εἰς ausinterpretiert werden[266]. Bei einem modalen Verständnis des διά könnte man zudem auf dem eben gezeichneten traditionsgeschichtlichen Hintergrund mit Wolter annehmen, daß der als vorhanden geglaubte und erfahrene Geist die besondere Gestalt ist, in der die Liebe Gottes sich in den Christen manifestiert, wobei das πνεῦμα als konkrete substantielle Manifestation es ermöglicht, die abstrakte Kategorie (d.h. die Liebe Gottes) anthropologisch zu applizieren[267]. Auf jeden Fall wird in V.5b deutlich, wie stark der eschatologische Heilsanteil der Christen in der Gegenwart ist. Da wir dabei auf den πνεῦμα-Besitz stoßen und zudem die

Liebe Gottes sozusagen hypostasiert worden ist, wird die gegenwärtige
Wirklichkeit des Heils in einer solchen Weise ausgedrückt, daß wir nun
auf gegenüber Röm 1,18 ff und speziell 5,1 f neue Dimensionen treffen.

Auch aufgrund von V.5b ist es nun naheliegend, weiterhin von ἐλπίς
als "Hoffen" auszugehen. Durch V.5b werden nämlich diese Heilssach-
verhalte in der Weise spezialisiert, daß nur auf die erfahrene Heilsgegenwart geblickt wird. In ihr geschieht das "Hoffen". Die Zukunftsdimension ist daraus zu folgern, und zwar entsprechend einer Denkbewegung,
auf die wir öfter bei Paulus stoßen, so z.B. später in Röm 5,6 ff und in
1 Thess 4,14. Im Unterschied zu V.5a selbst oder überhaupt zum Kettenschluß vorher wird allerdings in V.5b die Begründung durch das übergeordnete Heil ausdrücklich gegeben. Denn indem V.5b als Begründung
für ἡ δὲ ἐλπίς οὐ καταισχύνει steht, wird das Nicht-scheitern-Las-
sen der ἐλπίς als Bestehen im Endgericht durch die Größe des gegenwärtigen Heilsanteils verbürgt[268]. Damit kommt in variierter Form erneut
das zum Ausdruck, was generell ab 5,1 und unter dem Gesichtspunkt der
ἐλπίς ab 5,2 bereits gesagt oder impliziert worden ist.

Indem in V.5 die eschatologische Wirklichkeit des Heils in einem weiten
Sinn als Grundlage für Zutrauen und Zuversicht der christlichen ἐλπίς
aufscheint und zugleich sachlich der Bogen zurück zu den Rechtfertigungsaussagen in V.1 f geschlagen wird, dient das als Grundlage für die Ausführungen in Röm 5,6 ff. Denn der in V.5 und z.T. überhaupt in V.1 ff
dargestellte Sachverhalt wird in V.6 ff noch einmal entfaltet. Dabei wird
an den Gedanken der Liebe Gottes von V.5 angeknüpft[269] und durch
Schlüsse a minore ad maius von dem Weg zum Anteil am christlichen Heil,
der von der verlorenen vorchristlichen zur heilvollen christlichen Existenz
ging und durch den Tod Jesu ermöglicht worden war, auf den Erhalt des
eschatologisch-zukünftigen Heils geschlossen. Das geschieht in V.6-9[270]
und 10 durch zwei parallele Gedankengänge. In V.11 wird dann noch einmal
auf das καυχᾶσθαι, und zwar speziell in der unmittelbaren Gottesbeziehung
und den geschehenen Erhalt der Versöhnung (καταλλαγή) zurückgelenkt.
Dadurch entsteht wieder eine Nähe zu 5,1 f und wird überhaupt der Bogen
nach dorthin zurückgeschlagen[271]. Dagegen können V.6-10 weithin enger
auf V.5 bezogen werden. Bemerkenswert ist dabei für unsere Frage nach
der eschatologischen Einbettung vor allem, daß in V.6-11 ἐλπίς und sinnverwandte Vokabeln, also solche Begriffe, die eine Zukunftseinstellung
bzw. ein Verhalten in der Zukunftsrichtung beschreiben, nicht mehr vorkommen, und zwar eigenartigerweise trotz der sachlichen Nähe, die wir gerade skizziert haben. So drückt Paulus in V.6-9.10 den sicheren Anteil
der Christen am Heil in der Gegenwart und Zukunftsrichtung ohne Verwendung unserer Synonyme sozusagen "objektiv" aus[272].

Fassen wir nun zum Abschluß zusammen, so ist zunächst darauf hinzuweisen, daß wir in diesem Abschnitt von unseren Synonymen nur ἐλπίς begegnen, allerdings in einer solchen gehäuften Weise, daß das statistisch
in den Paulusbriefen voran steht. Ἐλπίς stellt stets primär die spes qua

speratur dar. Als kontextlicher Rahmen und sachliche Grundlage des Gebrauchs dieser Vokabel treten in 5,1-2a und 5,5b die Aussagen über den bereits gewonnenen eschatologischen Heilsanteil der Christen hervor. Das ist in der Überleitung von den Heilsstrukturen in 1,18-4,25 zu denen in 5,1-8,39 der Fall. Dabei wirkt in 5,1 f noch besonders das vorher behandelte Rechtfertigungsproblem nach und kommen bis in 5,5 weitere Gesichtspunkte der Heilswirklichkeit, wie sie Paulus dann in den Ausführungen später zeichnet, in den Blick. Deutlich sind die Rechtfertigung und ihre Wirkungen sowie der Besitz des göttlichen πνεῦμα eschatologisch orientiert. So verwundert es nicht, daß sich von dem in 5,1-2a beschriebenen gegenwärtigen Heilsanteil aus 5,2b im Rahmen einer eschatologischen Dynamik über ἐλπίς τῆς δόξης τοῦ θεοῦ auf die Zukunft ausrichtet, und zwar indem im "Hoffen" ein Zutrauen und eine Zuversicht und überhaupt eine Hochstimmung besonders ausgeprägt worden sind[273]. In dieser Hinsicht ist ἐλπίς eindrücklich mit καυχᾶσθαι verbunden worden[274]. Entsprechend ist das Objekt von ἐλπίς, nämlich die göttliche δόξα der eschatologischen Zukunft, auf dem Boden des über die Rechtfertigung durch Glauben gewonnenen gegenwärtigen Heilsanteils sicher und zuverlässig. Doch trägt Paulus über eine dialektisch-paradoxe Sicht des καυχᾶσθαι dabei der im eschatologischen Prozeß stehenden Zwischenzeit bzw. Zeit vor der Parusie und der Zukunft im irdischen Leben der Christen insofern Rechnung, als er das Problem der Leiden, der Geduld und Ausdauer, der Bewährung und Erprobtheit im Verein mit der ἐλπίς ebenfalls berücksichtigt[275]. Von hier aus scheinen in ἐλπίς zugleich ein Wünschen und eine Sehnsucht nach dem noch ausstehenden endgültigen Heil thematisch auf. Doch gewinnt man den Eindruck, daß sich in unserem Abschnitt eine Hochstimmung in Verbindung mit einem Zutrauen und einer Zuversicht für die Gegenwart und in der Richtung der Zukunft besonders durchhalten. Darauf weisen dann auch das Zusteuern des Kettenschlusses auf δοκιμή und ἐλπίς mit der Wirkung des οὐ καταισχύνει sowie die Begründung durch den gegenwärtigen Heilsanteil in V.3-5. So werden die Leiden der Christen bis hin zur Bewährung und Erprobtheit nicht lediglich als Widrigkeit oder retardierendes Moment gewertet, sondern in die eschatologische Bewegung des Heils integriert und sogar als Unterstützung der Existenz der Christen beurteilt, die von der Bekehrung und der jeweiligen Gegenwart auf die eschatologische Zukunft zugeht. In dieser Weise sind dann auch grundsätzlich die Verhaltensweisen einzustufen, die in unserem Abschnitt der ἐλπίς parallel stehen, ihr kombiniert oder vorgeordnet sind oder von ihr abhängen, nämlich vor allem πίστις, καυχᾶσθαι, ὑπομονή.

In Röm 5,1-11 zeigen sich schließlich aber auch Grenzen für die eschatologische Aussagekraft der paulinischen Verwendung von ἐλπίς in eschatologischer Einbettung. Denn Paulus macht in 5,6-11 Ausführungen über das "objektive" Heilswerk Gottes durch Jesus Christus und den eschatologischen Heilsanteil der Christen von der Gegenwart bzw. ihrer Bekehrung bis hin zur eschatologischen Zukunft, die dem "objektiv" dargestellten Heil

in 5,1-5 zwar parallel gehen, dabei aber keine Zukunftseinstellung wie
ἐλπίς o.ä. erwähnen. Insofern zeigt sich wieder, daß Paulus die eschatologische Einbettung der christlichen Existenz oder überhaupt das christliche Heil darstellen kann, ohne daß unsere Synonyme oder ähnliche Verhaltensweisen ins Spiel kommen. 5,6-11 besitzt für 5,1-5 zugleich die
Funktion, das Heil für die Christen in der Zeitrichtung zur Zukunft hin
noch einmal als fest und zuverlässig zu schildern, so daß auch die Verhalten in 5,1-5 rückwirkend erneut als vertrauensvoll und gewiß aufleuchten. In diesem Rahmen ist ohne Zweifel das Gewißheitsproblem auch
für die ἐλπίς wichtig[276]. Das ist aufgrund der Stellung von Röm 5,1 ff
im Röm und speziell im Anschluß an die thematische Behandlung des
Rechtfertigungsproblems nicht verwunderlich. So stoßen wir in unserem
Abschnitt überhaupt auf die wesentlichen Schaltstellen der Theologie des
Paulus im Spannungsfeld von Rechtfertigung und eschatologischem Heil.
Von daher erscheint Röm 5,1-5 als charakteristisch paulinisch und bis zu
einem gewissen Grad in sich geschlossen. Deshalb ist es eindrücklich als
abschließender Höhepunkt unserer Analyse der wichtigen größeren Textzusammenhänge geeignet, die für das Problem der eschatologischen Einbettung unserer Synonyme bezeichnend sind.

10.5. Zusammenfassung

Bisher ist im Blick auf das Problem der eschatologischen Einbettung der
"Hoffnung" deutlich geworden, daß theologisch gesehen die Objekte vor allem in der eschatologischen Zukunft gelagert sind, der Akt dagegen, was
die Christen anbetrifft, in der eschatologisch bereits qualifizierten Gegenwart vollzogen wird. Insofern tritt schon hervor, wie sehr das eschatologische Heilsgeschehen von der jeweiligen Gegenwart bis in die eschatologische Zukunft wichtig ist. Gerade die großen Textabschnitte Röm 5,1-5;
8,18-25; 2 Kor 3,12 und sein Kontext; 1 Thess 5,1-11 zeigen das. Nun
hat unsere Analyse dieser Texte ergeben, daß sich die eschatologische
Einbettung im Einzelfall recht differenziert gestaltet. Abgesehen von dem
nt.-paulinischen hapax legomenon ἀναμένειν treffen wir auf alle unsere
Synonyme. Es kommt in dieser Richtung die Häufung unserer Vokabeln in
Röm 5,1-5 und 8,18-25 hinzu. Die vier Stellen weisen nun charakteristisch
verschiedene Schwerpunkte auf. In Röm 8,18-25 tritt das Verhältnis von
Christen und κτίσις hervor. Es ist der Rahmen einer grundsätzlich gemeinsamen Zukunftsorientierung vorhanden, die sich gleich in V.18 in
dem Gegenüber von "jetzt" und "dann" in Form von gegenwärtigem Leid
und eschatologisch-zukünftiger Herrlichkeit andeutet und sich in den gemeinsamen Verhaltensweisen von ἐλπίς, ἀπεκδέχεσθαι oder auch
στενάζειν konkretisiert. Dabei wird die "Schöpfung" rein apokalyptisch
im Sinn eines Gegenübers der beiden Äonen mit einer heilsleeren Gegenwart und einem Heil erst in der Zukunft gezeichnet, während die Christen in einer eschatologisch bereits qualifizierten Gegenwart leben. Während wir an dieser Stelle durch das besondere Verhältnis von Christen
und "Schöpfung" auf universale Perspektiven stoßen, besteht demgegen-

über in 1 Thess 5,1-11 eine Einschränkung. Gleichwohl treffen wir auch dort recht weit gespannte und grundsätzliche Horizonte an. Es werden nämlich Christen und Nichtchristen einander gegenübergestellt. Dabei wird den Christen eine ἐλπίς zugeschrieben, zugleich in einem besonderen Verhältnis von Indikativ und Imperativ, wie Nüchternsein, Wachen u.ä. zeigen. Bei den Nichtchristen liegt dagegen keine ἐλπίς vor. In 4,13 wird sie ihnen sogar bestritten. Sie sind trunken und schlafen. Taucht hier das Problem einer Beurteilung der Juden auf, da sie an dieser Stelle eigentlich recht pauschal in den οἱ λοιποί mitzusehen sind, so geht Paulus auf solche Fragen in 2 Kor 3,12 und seinem Kontext ausdrücklich ein. Dort wird der διακονία des Mose und von da aus dem Judentum immerhin eine δόξα zugeschrieben. Auch besitzen die Juden das AT. Dennoch sind diese positiven Aspekte begrenzt. Ja sie fallen sogar im Blick auf das Heil nicht einmal ins Gewicht (vgl. 3,10). So ist die jüdische Sicht des AT verstockt. So ist die δόξα der διακονία des Mose vergänglich. So führt der jüdische Heilsweg zur κατάκρισις. Überhaupt werden solche relativ positiven Gesichtspunkte in das eschatologisch-dualistische Gegenüber von γράμμα und πνεῦμα eingeordnet und dem negativen Pol des γράμμα zugewiesen. Entsprechend dienen die Schlußverfahren a minore ad maius gerade der Darstellung der Größe des christlichen Heils und des christlichen Amtes. Beides ist durch eine δόξα gekennzeichnet, die für die Christen bis in die eschatologische Zukunft hinein bestehen bleibt. Diese δόξα wird wie auch das AT von den Christen unverhüllt angeschaut. Die Christen verstehen das AT über die Christologie und pneumatisch angemessen. In diesem Rahmen wird auch wieder nur den Christen ein ἐλπίδα ἔχειν zugeschrieben. Diese "Hoffnung" ist ihnen charakteristisch vorgegeben. Rückt in diesem Text das Problem der Rechtfertigung durch das Gegenüber von γράμμα und πνεῦμα (3,6), κατάκρισις und δικαιοσύνη (3,9) und überhaupt durch die Berücksichtigung des Judentums in den Blick, so tritt es in einem noch verstärkten Maß in Röm 5,1-5 hervor. Das ist im Rahmen der Anfangskapitel des Röm nicht verwunderlich und läßt schon insofern charakteristisch paulinisches Denken vermuten. Es geschieht entsprechend in Ausführungen, die eine Schaltstelle des Übergangs von der Rechtfertigung zur eschatologischen Wirklichkeit des Heils in einem weiteren Sinn darstellen. Wie bereits im Rahmen des Gegenübers von "Buchstabe" und "Geist" in 2 Kor 3 beginnt das Rechtfertigungsproblem als forensisches zurückzutreten. Das Verhältnis der ἐλπίς zum καυχᾶσθαι angesichts des Heilsanteils, aber auch der θλίψεις spielt eine zentrale Rolle. Die Beziehungen zu ὑπομονή u.ä. werden in einem Kettenschluß thematisch. Eschatologische Sicherheit und Gewißheit der ἐλπίς werden deutlich gemacht. Dabei zeigt das Verhältnis zwischen Röm 5,1-5 und 5,6-11, daß bei Paulus "subjektiven" Aussagen mit ἐλπίς u.ä. solche in "objektiver" Weise ohne den Ausdruck einer Zukunftseinstellung in sachlicher Entsprechung an die Seite treten können. Generell ist bemerkenswert, wie sehr ein Prozeßcharakter und eine Dynamik des eschatologischen Heils aufleuchten. Das steht auf einem apokalyptischen

Boden, bringt z.T. aber zugleich Modifizierungen gegenüber einem einfachen apokalyptischen Verhältnis der beiden Äonen und einer in diesem Rahmen stehenden Geschichtsdarstellung. Das zeigt sich, wenn man die Aussagen über die "Schöpfung", das Judentum und die Christen miteinander vergleicht. Auffällig ist auch, daß Paulus für die Zeit vor der Parusie keine Geschichtsüberblicke gibt. Stattdessen wird die Dynamik von "jetzt" und "dann" wichtig, mag es sich dabei um eine Gegenüberstellung von Leid und Herrlichkeit (vgl. Röm 8,18 ff) oder um eine Kontinuität (vgl. 2 Kor 3,11 f) handeln, mögen die Christen in ἐλπίς, νήφειν u.ä. der eschatologischen Zukunft entgegengehen oder mag die Parusie auf sie zukommen. Deshalb bleibt Paulus hier nicht bei einem statischen Gegenüber oder zeitlichen Nacheinander von zwei Äonen stehen. Es findet vielmehr ein eschatologischer Heilsprozeß in der Zukunftsrichtung mit einem bestimmten Ziel und Abschluß statt. Wenn hellenistisch-synkretistische Einflüsse zu beachten sind, so ändern sie aber die leitende eschatologische Dynamik nicht. Ἐλπίς κτλ zeichnen sich bei den Christen dabei als Verhalten durch eine große Zuversicht und ein großes Zutrauen aus. Dennoch darf das aber nicht zum alleinigen Verstehensansatz gemacht werden[277]. Denn die Zukunftsorientierung behält im Sinn von Wunsch, Sehnsucht u.ä. im Zusammenhang mit dem Prozeßcharakter des eschatologischen Heils weiterhin eine zentrale Funktion. Auch sind ein katechetisch-kerygmatisches Wissen und Vorstellen zu berücksichtigen, das sich mit dem Christusgeschehen im Rücken auf dem Boden eschatologisch angebrochenen Heils auf die Parusie usw. zugehen sieht. Die restlichen eschatologisch orientierten Stellen mit unseren Synonymen ordnen sich sachlich erst einmal in diesen Gesamtrahmen ein (vgl. z.B. Röm 15,13; 2 Kor 1,7). Deshalb brauchen sie hier nicht noch extra im Blick auf die eschatologische Einbettung befragt zu werden. Das gilt auch für Spezialgesichtspunkte wie z.B. die Christologie und Pneumatologie.

Auf diese Weise dürfte schon deutlich geworden sein, wie sehr sich unsere eingangs ausgesprochene Vermutung zur eschatologischen Einbettung bestätigt, daß nämlich theologisch betrachtet in den Paulusbriefen die Eschatologie bzw. das eschatologische Heil als der ursprüngliche, eigentliche und primäre Ort der "Hoffnung" anzusehen ist[278]. Es darf sogar noch weitergehend gefragt werden, ob nicht auch die mehr profanen Aussagen mit unseren Synonymen bei Paulus gerade erst von diesem Sachverhalt her ihren Sinn erhalten, so daß auch sie unter dem Einfluß dieser Einbettung stehen.

10.6. Strukturvergleich mit charakteristischen Textbeispielen der antiken Umwelt

Im folgenden wird ein Strukturvergleich mit charakteristischen Textbeispielen der antiken Umwelt angeschlossen. Er soll uns zugleich ein Bild der geschichtlichen Entwicklung der eschatologischen Einbettung von Aussagen mit Vokabeln der Hoffnung, Erwartung usw. in Richtung zum Sach-

verhalt bei Paulus zeichnen. Das ist natürlich nur in Schwerpunkten
möglich. Deshalb werden zur direkten Besprechung Stellen aus der at.
Prophetie, aus den großen Apokalypsen des Judentums und aus den
Qumrantexten ausgewählt.

10.6.1. Jes 40,27-31 als Bestandteil der Botschaft des Exilspropheten Deuterojesaja

Als prophetischen Text greife ich Jes 40,27-31 heraus. Er gehört zum
Exilspropheten Deuterojesaja [279] und ist hier vor allem insofern wichtig,
als wir bei Deuterojesaja auf einen Höhepunkt at. Prophetie stoßen, die in
der Exilssituation charakteristisch dem Heil fern war und im Zweistrom-
land geistig, kulturell, politisch und theologisch mit weit gespannten
Problemen konfrontiert wurde. Jes 40,27-31 erweckt einen recht geschlossenen Eindruck. Begrich[280] und später von Waldow[281] haben vor einiger
Zeit (d.h. 1938 bzw. 1953) übereinstimmend nachgewiesen, daß es sich bei
diesem Abschnitt um ein Disputationswort handelt[282]. Dieses beinhaltet als
Situation, daß sich der Prophet mit einer Bestreitung seiner Heilsbotschaft
und überhaupt einer solchen von Jahwes Heilshandeln an Israel auseinanderzusetzen hatte[283]. In seinem Disputationswort, das einen besonderen
Aufbau besitzt, versucht er nun, seine Botschaft zu belegen[284]. So setzt
unser Text gleich in V.27 mit einer kämpferischen Frage ein, die sofort
auf die "gegnerische" Position eingeht und sie vielleicht sogar zitiert[285].
Als Gegenüber ist das ganze Volk der Exulanten gemeint, wie die Anrede
an Jakob und Israel zeigt. Die Kritik der Exulanten besteht in einer Anklage gegen Gott, mag das nun direkt an Gott oder an den Propheten gerichtet gewesen sein. Sie kann auf den Nenner gebracht werden: Gott hilft
uns Exulanten nicht. Dabei ist der Begriff משפט bemerkenswert. Er drückt
aus, daß die Exulanten in Gottes Hilfe ein Recht aufgrund ihrer Jahwebe-
ziehung sahen. Dadurch tut sich der weite Horizont des Jahweverhältnisses
Israels auf[286]. Im Anschluß an dieses Zitat legt der Prophet eine Argumen-
tationsbasis, und zwar indem er auf das Wissen (ידע) und das Gehörthaben
(שמע) des Volkes anspielt. Hier dürfte ein kultisch-kerygmatischer Hintergrund vorliegen. Dabei ist ein intellektuelles Moment vorhanden, aber wohl
auch ein soteriologisches zu beachten, wenn an Zuspruch und Anspruch
im Rahmen religiöser Institutionen wie Kult und Predigt gedacht wird[287].
Anschließend wird in V.28aß auf Gottes Majestät angespielt, und zwar indem Gott als ewiger Gott und als Schöpfer der Enden der Erde bezeichnet
wird[288]. So werden Zeitüberlegenheit und Schöpfermacht Gottes herausgestellt. Das bedeutet, daß sowohl ein zeitliches Verzögern als auch eine of-
fensichtliche sachliche Unmöglichkeit nicht gegen das kommende Heilshandeln Gottes ausgespielt werden können[289]. Im Rest von V.28 wird noch
weiter auf den Gottesbegriff geblickt. Nicht deutlich ist, bis wohin die mit
V.28 einsetzende sog. Disputationsbasis geht[290]. Es wird in V.28 erneut
auf das Verzögern des Heils angespielt. Gott wird nämlich nicht müde und
matt. Unerforschlich ist seine Einsicht. Wir stoßen hier zugleich auf einen
Parallelismus, der die Sicherheit des Kommens der Rettung verstärkt[291].

Dabei verweist die letzte Aussage für die Verzögerung auf Gottes Rat-
schluß, der den Menschen unerforschlich ist[292]. War in V.28 mehr von
Gott selbst die Rede, so geht es in V.29 f primär um sein Handeln an den
Menschen. Es wird nicht direkt das jüdische Volk genannt. Vielmehr
wird generell auf solche Leute geblickt, die nicht in der Fülle ihrer Kraft,
sondern in Not, Schwachheit u.ä. stehen. Das entspricht der Allgemeinheit der Aussagen über Gott vorher. Es ist aber zugleich auf die Exulanten zu beziehen. Denn der Prophet drückt konkret Gemeintes bildlich-all-
gemein aus. So wird gesagt, daß Gott dem Müden Kraft gibt und dem Ohn-
mächtigen die Stärke mehrt. Das betrifft im Bild insofern die Exulanten,
als sie nämlich durch ihre Anklage zeigen, daß sie mit der Annahme einer
Rückführung müde geworden sind und sich in dieser Lage ohnmächtig und
schwach fühlen. Bemerkenswert ist, daß der Prophet hier nicht auf die
Anklage hin aggressiv einen Gegenangriff vorträgt oder zurechtweist, sondern in diesem Disputationswort auf das Gegenüber eingeht. Entsprechend
wird in V.30a tröstend gesagt, daß sogar Jünglinge müde werden, junge
Männer[293] straucheln[294], also Menschen, von denen man es am wenigsten
erwarten würde. Dem wird gegenübergestellt und dabei zugleich an V.29
angeknüpft: "Aber[295] die auf den Herrn harren (קוֹיֵ יהוה), bekommen
neue Kraft". Das wirkt dahin, daß ihnen Flügel wie den Adlern wachsen,
daß die laufen und nicht ermüden. Letzteres wird im Parallelismus wiederholt. Es beschreibt das Durchhaltevermögen, das sich im Bild auf die ver-
zagenden Verbannten bezieht. Ersteres könnte metaphorisch meinen, daß
man sich in Neuland aufhebt. Beides mag schon direkt auf den Rückweg
aus dem Exil nach Palästina anspielen[296], zumal wir an anderen Stellen bei
Deuterojesaja auf Ausführungen über eine solche Rückkehr stoßen (vgl.
40,3 ff.9 ff; 41,17 ff u.ö.).

Im Blick auf unser Hoffnungsproblem finden wir hier קוה und die Exilssituation vor. Das an dieser Stelle stehende Qal ist an sich im AT seltener
als das Piᶜel. Dennoch scheint das Qal in Jes 40,31 im Verhältnis zum Piᶜel
nicht besonders auswertbar zu sein, könnte aber immerhin auf geprägten
religiösen Sprachgebrauch hinweisen[297]. Wenn als Objekt Gott angegeben
wird, dann ist jedoch inhaltlich wegen der allgemeinen Aussage überhaupt
an von Jahwe erwartetes Heil und an seine Hilfe gedacht, bei den Exulanten speziell an die Rückführung nach Jerusalem[298]. In der Gegenwart
werden diese "Harrenden" fern vom Heil in der Exilssituation gesehen.
Heil besteht nur bei Gott bzw. genauer von Gott her, und zwar für die
Zukunft, dabei aber wegen der Treue und Macht Gottes sicher und zuverlässig. Das will der Prophet seinem kritischen, zweifelnden und bestreitenden Gegenüber gerade aufzeigen. Deshalb kann man über den Gottesbegriff hier in קוה auch ein besonderes Zutrauen und eine besondere Zuversicht annehmen. Insofern stoßen wir auf typisch at. Sprachgebrauch.
Wegen des Ausbleibens des Heils ist ein durativ gespanntes Moment vorhanden. Aus diesem Grund ist eine Wiedergabe durch "harren" durchaus
angemessen.

So zeigt sich, wie sehr bei Deuterojesaja noch eine formgeschichtliche Einordnung von Vokabeln der Hoffnung im Rahmen at. Sprachgebrauchs zu beachten ist[299]. Das wird vor allem auch deutlich, wenn wir an Westermanns schon genannte These denken, daß das Bekenntnis der Zuversicht in den Klagepsalmen im AT als Ursprung des Hoffens auf Jahwe anzusehen ist. Denn dem entspricht es, daß in Jes 40,31 Jahwe das Objekt von קוה darstellt und die Situation der Klage im Exil verständlich ist. Die Ausdrucksweise ist aber in unserem Disputationswort allgemeiner geworden[300]. Sie hat sich hier zu einer Anklage gegen Jahwe gewandelt. Darauf geht der Prophet in dem Disputationswort ein. Entsprechend sagen nun die Exulanten kein "hoffendes" Bekenntnis der Zuversicht, sondern Deuterojesaja selbst muß ihnen einen solchen Sachverhalt vor Augen halten und sie zu derartiger "Hoffnung" ermuntern[301]. In diesem Rahmen sind dann auch die Parallelverhalten und Verhaltensbeziehung von קוה zu sehen, nämlich etwa zu ידע , שמע negiertem יעף , יגע u.ä. Allerdings ist in V.31 dann nicht klar, ob ab יחליפו stärker ein Inhalt (vgl. die Rückkehr der Exulanten) oder nur ein Parallelverhalten von קוה (dann eher ein duratives Moment für קוה einbringend) gemeint ist. Derartige Probleme stellen sich auch vorher im Blick auf die Aussagen über die Ermüdung. Schließlich ist bei Deuterojesaja insgesamt insofern schon eine Entwicklung bei der Objektbeziehung zu beachten, als bei ihm das Heil vermittelnde Gestalten hervortreten. Das gilt im Blick auf Kyros (s. z.B. 41,1-5 und vor allem die Aussagen in dem Komplex 44,24 - 48,22), und zwar bei einer für israelitische Ohren an sich recht gewagten Beurteilung dieses Königs eines fremden Volkes[302], und unter Verwendung von יחל im Pi[c]el von dem "Gottesknecht" in dem entsprechenden Lied in 42,1-4[303]. Bei der Gestalt des "Gottesknechtes" ist eine eindeutige Bestimmung aber offensichtlich nicht möglich[304]. Auf diese Weise sehen wir aber gleich schon bei diesem at. Propheten sich eine Entwicklung anbahnen, die später im Rahmen des beginnenden Christentums bei Paulus in einem entsprechenden Hervortreten Jesu Christi als Objekt unserer Synonyme gipfelt.

Nun stellt sich aber die Frage, inwiefern wir an unserer Stelle von Eschatologie im Sinn eines eschatologisch neuen Heilshandelns sprechen können, so daß wir zu einer eschatologischen Einbettung des קוה kommen, zumal der Prophet hier auf Schöpfungstradition zurückgreift und Gott selbst das Objekt ist. Wir haben gefunden, daß es in unserem Text um die Rückführung der Exulanten geht. Angesichts der tristen gegenwärtigen Situation und der weiten politischen Perspektiven ist ein neues und sehr umfassendes Eingreifen Gottes zum Heil nötig. Entsprechend geht die Aussage über die Schwingen des Adlers in eine recht bizarre und das Gegebene übersteigende Richtung. Ähnliches gilt für den Sachverhalt, daß natürlicherweise selbst Jünglinge bzw. Elitesoldaten müde werden, Gott aber nicht[305]. Allerdings können die "weltgeschichtlichen" Umstände in der damaligen Bewegung unter den Völkern als gegenläufig angesehen werden. Denn durch das "weltpolitische" Gären zeichneten sich u.U. auch konkrete Möglichkeiten für eine Rückkehr der verbannten Israeliten im Zuge einer politischen

Neuordnung ab. Auffällig ist, daß wir in unserem Text nicht direkt auf
eine eschatologische Aktualisierung und Erneuerung von Heilstraditionen
Israels stoßen. Doch weist der Gedanke der Rückkehr zumindest indirekt
in eine solche Richtung. Auch kommt solches dann spätestens im Zusammenhang der ganzen Verkündigung Deuterojesajas in den Blick, wenn wir
etwa an die Dimensionen der Erneuerung der Exodustradition im Heilsorakel bzw. in der Heilsankündigung 41,17-20[306] denken (vgl. schon
40,1 ff) oder an das Gegenüber von "alt-neu" in 41,22; 42,9 u.ö.[307].
Dabei könnte in 40,5; 49,26 u.ö. die Endgültigkeit dieses Heilshandelns angedeutet werden, da Jahwe dieses Heil schafft und es von daher eine besondere Qualifizierung erhält. Auf jeden Fall wird durch diese Stellen der
Blick auf Jahwe und seine Verherrlichung gerückt. Solche eschatologischen
Aspekte strahlen sicherlich auch auf unseren Text aus. Überhaupt ist in
diesem Rahmen dann ebenfalls in Jes 40,27-31 von Eschatologie im Sinn eines spezifischen Gegenübers von "alt-neu" zu reden, bei dem die Zeit des
Propheten an der Wende steht. Das Heil der Rückführung steht hier aber
noch völlig aus. Der Beginn seiner Verwirklichung ruht noch allein bei
Jahwe. Lediglich das Wort des Propheten nimmt das in der Zusage tröstend
und aufmunternd vorweg. An die Stelle der Naherwartung mit Terminfixie-
rung treten in unseren Versen ein zutrauendes "Hoffen" und ein geduldi-
ges "Harren"[308] auf Jahwe, daß er das Heil der Rückführung nach seinem
Willen in der Zukunft eintreten läßt. Jedoch ist zu beachten, daß sich das
Bild so zunächst nur an unserer Stelle ergibt. Denn der Blick auf Jes
40-55 als Ganzes zeigt, daß sachlich vielfach eine Nähe der Rettung vorausgesetzt wird oder indirekt vorliegt (vgl. die Imperative wie in 51,17;
52,1) und sogar direkt ausgedrückt wird (vgl. Bildungen von der Wurzel
קרב in 46,13; 51,5)[309]. Auch weisen die Aussagen über Kyros, der damals gerade eine Weltmacht aufbaute, in eine derartige Richtung. Von da
aus stellt sich die Frage, ob unser Text nicht auf ein besonderes Stadium
der Prophetie des Propheten Deuterojesaja zurückgeht, wo sich nämlich eine Verzögerung der Ereignisse bemerkbar machte und die Entwicklung den
Exulanten zu lange dauerte (vgl. auch 55,8 ff)[310]. Deshalb wird man im
Rückblick auf die ganze Botschaft des Deuterojesaja zwar die Annahme einer Nähe festzuhalten haben, das Gewicht aber darauf legen müssen, daß
der Prophet sich und Israel an einer Wende sieht, in der neues und endgültiges Heil kommt[311]. Denn gerade unsere Stelle Jes 40,27-31 zeigt, daß
die Verkündigung Deuterojesajas nicht lediglich durch "Naherwartung"
geprägt gewesen ist.

Eine derartige eschatologische Struktur, nämlich die Situation einer Wende
zu neuem und endgültigem Heil, dürfte grundsätzlich für alle Propheten
gelten oder mindestens für die seit dem Exil, mögen ihre Botschaften sich
im einzelnen unterscheiden, mag die Aktualisierung von Erwählungstraditionen auf eine je eigene Weise durchgeführt worden sein. Dabei können
ganz konkrete Geschehnisse, aber auch schon allgemeinere und bildlich-
übertragene, abstrakte Vorstellungen wichtig werden, wie etwa die konkrete Rückkehr der Exulanten im Verhältnis zu der Verherrlichung Jahwes

in Jes 40-55 und Ez zeigt[312]. Ich möchte hier als Beispiel für die Zukunftsbeziehung der prophetischen Botschaft und der Stellung der "Hoffnung" in ihr vor allem noch das Miteinander von אחרית und תקוה in Jer
29,11 (im Sendschreiben an die Verbannten in Babel) erwähnen (vgl. auch
31,17)[313]. Von Rad hat in seiner Propheteninterpretation aufgezeigt, wie
sehr sie ihre Botschaft an einer geschichtlichen Wende gesehen haben[314].
Das Alte mit Gottes Heilshandeln sowie dem Ungehorsam und der Bestrafung Israels liegt zurück, das neue Heilsgeschehen steht bevor, es
kommt[315]. Unser Blick auf Deuterojesaja hat ergeben, daß mindestens
seit der Exilszeit solche Gedanken eines pointierten Gegenübers "alt-neu"
und der Situation der prophetischen Botschaft an einer Wende in der Prophetie zentral waren. In der späteren Prophetie werden die Dimensionen
z.T. immer universaler (vgl. Jes 65,17; 66,22 über einen neuen Himmel
und eine neue Erde) und bizarrer bis hin zu einer Entwicklung in Richtung zur Apokalyptik (vgl. Jes 24-27)[316]. Deuterojesaja nimmt auf diesem
Weg eine wichtige Funktion ein[317], und zwar vor allem da zuerst bei ihm
die Schöpfungstradition fundamental in die prophetische Botschaft eingebaut worden ist[318]. Dabei ist sie aber eng mit den heilsgeschichtlichen
Traditionen verknüpft worden, so daß beides sogar ineinander übergehen kann[319] und Geschichte in universalem Horizont hervortritt (vgl.
51,9 ff). Daß Paulus bewußt auf die eschatologische Botschaft der Propheten zurückgegriffen hat, zeigen z.B. Röm 1,17[320]; 9,25 ff.32 f;
10,11 ff; 11,26 f; 15,12; 2 Kor 6,2 (; 2 Kor 5,17; Gal 6,15).

10.6.2. ÄthHen 91-105 im Rahmen des äthHen und der zeitgenössischen jüdischen Apokalypsen

Im Blick auf die klassische jüdische Apokalyptik soll auf den Bereich der
großen literarischen Apokalypsen geschaut werden[321], und zwar speziell
auf äthHen 91-105. Denn dieser Teil des äthHen ist aus verschiedenen
Gründen für unseren Strukturvergleich bemerkenswert und charakteristisch. Er stellt den Abschluß der Hauptmasse des Werkes in Kapitel 6-105
dar, während 1-5 die Einleitungsrede und 106-108 den Schluß des ganzen
Buches beinhalten. 6-105 untergliedern sich noch wieder in 6-36 das ange-
logische Buch, 37-71 das messianologische Buch, 72-82 das astronomische
Buch, 83-90 das Geschichtsbuch, 91-105 das paränetische Buch. Dabei gehören 93 und 91,12-17 bzw. 92,1; 93,3b-10; 91,11-17 als sog. Zehn-Wochen-Apokalypse sachlich noch zu den Geschichtsauführungen vorher[322].
Dadurch wird schon deutlich, daß die vorliegende Gestalt des äthHen ein
Sammelwerk darstellt. Seine einzelnen Teile besitzen ein verschiedenes Alter, gehen aber alle wahrscheinlich mindestens bis in das 1. Jh. v.Chr.
zurück, also in die Zeit vor Paulus. Das 1. Jh. v.Chr. oder der Beginn
des 1. Jh. n.Chr. legt sich auch für die Endredaktion nahe, die am besten mit oder kurz nach den jüngsten Stücken angesetzt wird[323]. Der Abschluß der ganzen Komposition mit einem paränetischen Abschnitt oder
speziell paränetischen Ausführungen entspricht apokalyptischer Gewohn-
heit. Diese hat sich bis ins Christentum durchgehalten, so bis in die synop-

tische Apokalypse Mk 13,1 ff par, aber auch etwa bis in die Briefe des
Paulus, wie z.B. 1 Kor 15,58; 1 Thess 4,18; 5,11 zeigen. Dabei können
dort Vokabeln stehen, die einen nahen Sinn zu Begriffen der Hoffnung
besitzen (vgl. ἀγρυπνεῖν, γρηγορεῖν in Mk 13,33 ff). Während wir
nun bei Paulus in solchen paränetischen Passagen faktisch nicht auf
ἐλπίς und synonyme Wörter stoßen, ist das jedoch in äthHen 91-105 anders. Dafür sind derartige Ausführungen des Paulus im Verhältnis zu
diesem Teil des äthHen vielleicht zu kurz. Übereinstimmend liegt im Judentum und im NT die Funktion vor, die Gläubigen angesichts der vorher gegebenen Darstellung zu ermuntern und zu ermahnen. Zugleich
sind aber auch eine Tröstung und Stärkung in der augenblicklichen Trübsal zu bedenken, bei Paulus angesichts des eschatologisch begonnenen
und von da aus für die Zukunft verbürgten, durch Jesus Christus her-
aufgeführten Heils, in den jüdischen Apokalypsen unter der Voraussetzung der Offenbarung an den Seher und der göttlichen Verheißung für
den kommenden Äon, der sicher und bald eintreffen wird.

Bevor wir uns äthHen 91-105 selbst zuwenden, soll zunächst noch auf
die ausgesprochenen Geschichtsüberblicke der Apokalypsen geschaut werden. Dabei stellen diese Geschichtsüberblicke ein wesentliches Merkmal
der Apokalypsen dar. Sie vermitteln uns einen Kontrasthorizont für die
Analyse von äthHen 91-105 und zeigen uns bezeichnende Unterschiede zu
den Paulusbriefen. Denn ein charakteristischer Unterschied zwischen den
jüdischen Apokalypsen und den Paulusbriefen besteht darin, daß jene die
Zeit vor dem Ende in detaillierten Geschichtsüberblicken bis hin zu Berechnungen und Geschichtsbildern in Form etwa der schon genannten
Zehn-Wochen-Apokalypse oder Tiersymbol-Apokalypse einzufangen versuchen, während das bei Paulus nicht in vergleichbarer Weise der Fall ist.
Sogar in unserem paränetischen Teil äthHen 91-105 weist uns in der vorliegenden Überlieferung die Zehn-Wochen-Apokalypse auf die Bedeutung
dieser Fragen hin. In solchen detaillierten Geschichtsüberblicken, die der
Seher in der Vision geschaut hat, treffen wir nun häufiger auf Begriffe
der Hoffnung, Erwartung usw., so daß dadurch eine "Hoffnung" in die
Geschichte bis zum Kommen des zukünftigen Äons eingebaut wird, mag
das nun die Frommen oder auch andere Menschen zu den verschiedenen
Zeiten dieses Geschichtsablaufs betreffen. Das ist im äthHen bemerkenswerterweise nur außerhalb unseres paränetischen Teils der Fall, d.h. auße
halb von 91-105, und zwar auch nicht in der Zehn-Wochen-Apokalypse[324].
Für solche Aussagen, die die "Hoffnung", mag es sich dabei um die spes
qua oder auch die spes quae speratur handeln, in die Geschichtsvision bzw
in den Geschichtsüberblick einordnen, seien aus den jüdischen Apokalypser
folgende Beispiele genannt: äthHen 10,10; 46,6; 48,4; 62,9; ApkBar (syr)
25,4; 57,2; 63,3.5; 70,5; 4 Esr 5,6.12; 11,46 u.ö.[325]. Dadurch tritt uns
ein charakteristischer Sprachgebrauch für den Ort der "Hoffnung" entgegen. Dabei sind Visionen für die jüdische Apokalyptik geradezu bezeichnend[326]. Charakteristisch für den apokalyptischen Sprachgebrauch sind
in diesem Zusammenhang auch noch ein "Warten" des Sehers beim Offen-

barungsempfang (vgl. ApkBar (gr) 6,12; 7,2.6 u.ö.) und der Ort der
"Hoffnung" im Himmel (vgl. ApkBar (syr) 59,10). Abgesehen vom letzteren ist all das in den Paulusbriefen nicht zu beobachten. Doch wird
auch die ἐλπίς als "Hoffnungsgut" an der entsprechenden Stelle Gal 5,5
immerhin fest an den Akt des ἀπεκδέχεσθαι gebunden. Bei Paulus haben das Christusgeschehen und das mit ihm aufgetretene eschatologische
Heil offensichtlich einen Heilsprozeß in solcher Dynamik in Gang gesetzt,
daß für detaillierte Geschichtsüberblicke und ausgebaute Geschichtsbilder kein Platz blieb. Andererseits hat der Äonendualismus mit seinem
ausschließlichen Schwarz-weiß-Gegenüber von "jetzt" und "dann" die
Zeit vor dem Ende vielleicht so zubereitet, daß sie in den Apokalypsen
als gegenwärtiger böser Äon universalgeschichtlich und determiniert genauer entfaltet werden konnte. Demgegenüber gibt Paulus keine entsprechenden Überblicke bis zur Wiederkunft Jesu Christi. So faßt er den Zeitraum von der Gegenwart bzw. dem zurückliegenden Christusgeschehen
und der jeweiligen Bekehrung bis zur Parusie als eine einheitliche und
durch eine eschatologische Dynamik geprägte Größe zusammen oder überspringt sie bei Ausblicken auf die eschatologische Zukunft, mögen dabei
durchaus ein duratives Moment und eine zeitliche Erstreckung für die
Zwischenzeit aufleuchten (vgl. z.B. 1 Thess 1,3). Allerdings finden sich
bei Paulus aber relativ ausführliche Schilderungen der mit der Wiederkunft
einsetzenden Ereignisse[327]. Sie werden jedoch gerade an der Christologie
orientiert und setzen bezeichnenderweise mit der Wiederkunft ein. Von da
aus zeigt sich in den Paulusbriefen statt eines Interesses an Geschichtsüberblicken und Geschichtsbildern ein solches an dem eschatologischen
Heil selbst, an der Person Jesu Christi, an der Durchsetzung der Macht
Gottes. Dadurch treten existentiell-dynamische und personale Momente
hervor. All dem dürfte es entsprechen, daß wir bei Paulus keine charakteristische literarische und formgeschichtliche Verwurzelung der "Hoffnung"
mehr feststellen konnten. Das war noch bei Deuterojesaja anders, ist es
dann aber auch in den jüdischen Apokalypsen. Denn zum einen zeigen uns
die Geschichtsvisionen eine charakteristische Einbettung der Aussagen mit
Begriffen der Hoffnung, Erwartung usw. Dabei mag hier zugleich ein ge-
lehrtes und "wissenschaftliches" Interesse der Tradition und vor allem
des "weisen" Verfassers und Sammlers zutagetreten.

Zum anderen ist in dieser Richtung auf unseren paränetischen Teil äthHen
91-105 hinzuweisen. In ihm finden wir eine recht starke Häufung von Vokabeln der Hoffnung, Erwartung usw. vor. Dabei läßt sich auch dort über
eine traditionsgeschichtlich-sachliche Verwurzelung dieser Begriffe hinaus
noch eine literarisch-formgeschichtliche vermuten. Denn die Paränesen besitzen im ganzen äthHen eine literarische Funktion als Abschluß des Werkes. Formgeschichtlich mag für sie u.U. ein "Sitz im Leben" in apokalyptischen Konventikeln bestanden haben. Deutet das auf Unterschiede zu Paulus hin, so legt sich jedoch anders als weithin bei den Geschichtsvisionen
und -überblicken der Apokalypsen eine Entsprechung zu Paulus in der Beziehung nahe, daß wir auf eine pointierte Gegenüberstellung von "jetzt"

und "dann" treffen. Bei ihr setzen die paränetischen Ausführungen sogar theologisch ein. Doch schauen wir nun genauer auf äthHen 91-105[328].
Dieser Teil der Apokalypse beginnt in 91,1-19 bzw. 91,1-10/11.18 f mit
der fiktiven Situation des Henoch entsprechend dem pseudepigraphen
Charakter dieser ganzen Apokalypse. Henoch läßt seine Söhne versam-
meln, um sie zu einem Leben in Rechtschaffenheit und Gerechtigkeit zu
ermahnen und ihnen einen Überblick über die Zukunft zu geben. Der Gerichtsgedanke hält beides zusammen. Dabei wird eine Geschichtsdarstellung gegeben, in der das Sintflutgericht (vgl. die fiktive Situation) und
das Endgericht (vgl. den Standort des Apokalyptikers) die wesentlichen
Einschnitte darstellen. Insofern kann man hier zumindest unter dem Gesichtspunkt der Redaktion des ganzen äthHen eine Verdichtung der Geschichtsausführungen von vorher sehen, und zwar sozusagen als Fundament der paränetischen Passagen unseres Buchteils. Der Zusammenhang
von Geschichtsüberblick bis zum Ende und Paränese wird dabei in 91,1-11.
18 f selbst schon deutlich, weil dort beides bereits kombiniert wird. Angesichts des Geschichtsüberblicks ist es nicht ganz unverständlich, daß
zu Beginn die sog. Zehn-Wochen-Apokalypse in den paränetischen Teil
eingeschaltet wird, obwohl man sie sachlich näher zu den Teilen vorher
rechnen muß[329]. Sowohl in 91,1-10/11.18 f als auch in der Zehn-Wochen-
Apokalypse finden wir aber in der äthiopischen Überlieferung keine Begriffe der Hoffnung, Erwartung usw. vor[330]. Hier zeigt sich erneut, daß
eschatologische Sachverhalte nicht unbedingt als "Hoffnung" ausgedrückt
zu werden brauchen.

Das ist dann in dem Abschnitt 92; 94-105 anders[331]. Nach der Einleitung
in 92, in der belehrend, mahnend und tröstend auf die Weisheit, das zukünftige Gericht über die Sünde und das zukünftige Heil für die Gerechten hingewiesen wird, werden in 94,1 ff Gerechte und Gottlose einander
gegenübergestellt. Das geschieht unter dem Gesichtspunkt der Paränese
und Paraklese, von Weherufen und Trostworten im Horizont des zukünftigen Gerichts und eines im Himmel schon bereiteten Heils. Dadurch werden
vor allem die Gerechten angesprochen. Weherufe über die Gottlosen, Tröstung und Heilszuspruch für die Gerechten sind dabei leitend. Warnung
und Appell zum Durchhalten im gegenwärtigen Leid spielen eine Rolle.
Die fiktive Situation des Henoch wird durch besondere Hnweise durchzuhalten versucht (vgl. z.B. 94,1 f)[332]. So muß man das Gegenüber von
Gerechten und Frevlern, Heils- und Wehe-Aussagen als für diese paränetischen Ausführungen charakteristisch ansehen. Der Bezugspunkt ist das
Endgericht. Dieses wird eine Umkehrung der Verhältnisse bringen. In dieser Weise stoßen wir charakteristisch auf einen eschatologischen Dualismus
der jüdischen Apokalyptik. Dabei können sich Darlegungen über die eine
Seite häufen, wie in 98,2-102,3 über die Toren, Gottlosen, Apostaten
usw.[333] und in 102,4 ff über die Gerechten, Weisen usw.[334].

Im Sinn solcher sachlichen Zusammenhänge beobachten wir in 98,2-102,3
Begriffe der Hoffnung, die die Gottlosen, Sünder und Toren meinen. So

wird in 98,10 zu den Sündern gesagt, daß sie nicht "hoffen" sollen[335], am Leben zu bleiben; sie werden vielmehr sterben. Das bezieht sich, wie die Ausführungen im Kontext zeigen, vor allem auf das Endgericht, das in der Vergeltung der bösen Taten als Vernichtungsgericht wirkt[336]. In 98,12 werden diejenigen, die die Tat des Unrechts lieben, gefragt, warum sie für sich auf Schönes "hoffen"[337]. Vorher wird ein Wehe über sie ausgesprochen, anschließend wird ihnen angekündigt, daß sie in die Hände der Gerechten gegeben werden, die sie töten werden. Letzteres bringt deutlich eine Umkehrung der Verhältnisse[338]. Ein weiteres Wehe ergeht in 98,14 über diejenigen, die das Wort der Gerechten zunichte machen. Für sie wird keine "Hoffnung" auf Leben existieren. Dabei wird wieder vor allem an das Endgericht gedacht[339]. In all diesen Variationen wird das kommende Unheil der Gottlosen ausgedrückt. Dabei wird es in dem ganzen Abschnitt 98,2-102,3 z.T. auch ohne Verwendung von Begriffen der Hoffnung usw. ausgesagt. Negationen sind hier verständlich.

Im Blick auf die Gerechten spielt in 102,4 ff eine genaue Umkehrung eine Rolle. An diesem Punkt kann auf eine Parallelität zu dem Verhältnis zwischen 1 Thess 4,13 und 5,8 hingewiesen werden. So wird gleich in 102,4 hervorgehoben, daß sich die Seelen der Gerechten nicht fürchten sollen und bei ihrem Tod in Gerechtigkeit "hoffen" sollen[340]. Bemerkenswert ist das Gegenüber zu "sich fürchten" (102,4) und "trauern" (102,5)[341]. Die Umkehrung der Verhältnisse wird in 103,10 f deutlich. Das ist einmal in der Weise der Fall, daß die betrübliche Situation der Gerechten in der Gegenwart betrachtet wird. In V.10 betonen sie, daß sie in ihren Leiden nicht "erwarteten" (und vielleicht nicht einmal mehr "hoffen" konnten)[342], das Leben zu sehen täglich. In 103,11 sagen sie, daß sie "hofften", das Haupt zu werden, und der Schwanz wurden[343]. Das zeigt, daß sich die Gerechten durchaus gute Hoffnungen für die Zukunft machten, aber faktisch immer wieder in diesem bösen Äon enttäuscht wurden[344]. Positiv wird die "Hoffnung" der Gerechten in 104,2.4 herausgestellt. Dabei wird wieder eine eschatologische Umkehrung der Verhältnisse, aber auch pointiert das Durchhalten wichtig. So wird in 104,2 den Gerechten zugerufen, das sie "hoffen" sollen[345]. Das wird durch den Hinweis darauf begründet, daß sie zuerst, d.h. in ihrem irdischen Leben, in Bösem und Mühsal waren, jetzt aber, d.h. im kommenden Äon, wie die Lichter des Himmels leuchten werden[346] und die Tür des Himmels ihnen aufgetan werden wird. Das ist zugleich der Inhalt der "Hoffnung". Die eschatologische Zukunft stellt dabei den Blickpunkt dar, unter dem betrachtet wird. So ist auch vorher in 104,1 schon, und zwar als Begründung für die Sicherheit des Erhofften und für die Gewißheit des Hoffens, hervorgehoben worden, daß der Heilsanteil der Gerechten im Himmel feststeht. Hier kann eine Anspielung auf die himmlischen Tafeln vorliegen[347]. Das zeitliche Gegenüber wird eindrücklich klar, und zwar soteriologisch selbst unter Berücksichtigung des Sachverhalts, daß das Heil gegenwärtig schon im Himmel bereitliegt. In 104,4 werden die Gerechten dann noch einmal gemahnt, zu "hoffen" und ihre "Hoffnung" nicht aufzugeben[348]. Als Begründung wird darauf hingewiesen, daß für die Gerechten so große Freude wie für die Engel im Himmel bestehen wird. Zugleich stellt das wieder den Inhalt der "Hoffnung" dar.

Ähnlich hatte sich 96,1 vorher schon an die Gerechten gewendet. Die Gerechten sollen nämlich "hoffen"[349]. Denn die Sünder werden schnell bzw. plötzlich zugrundegehen. Dabei spielt wieder die Umkehrung der Herrschaftsverhältnisse eine Rolle. Und zwar wird darauf hingewiesen, daß die Gerechten über die Sünder herrschen werden. Bei der Deutung von ፍጡነ: (fətunā) durch "schnell"[350] oder "plötzlich"[351] würde entweder die Nähe oder das unvorhersehbare Stets ausgedrückt sein. Unter Berücksichtigung der vorher gebrachten Geschichtsüberblicke wird man vielleicht eher an eine Nähe zu denken haben[352].

Bei Paulus sind nun im Vergleich zu diesen Aussagen des paränetischen Teils äthHen 91-105 an wichtigen Punkten Parallelen und Unterschiede festzustellen. So findet sich ebenfalls bei ihm die pointierte Gegenüberstellung von "jetzt" und "dann" (vgl. z.B. Röm 8,18). Im äthHen und in den Paulusbriefen ist für sie der apokalyptische Äonendualismus leitend. Dadurch liegt eine wichtige eschatologische Entsprechung vor. Doch betont Paulus nicht in vergleichbarer Weise eine Umkehrung im Verhältnis zu den Nichtchristen. Hier wirkt sich vielleicht seine Mission unter den ἔθνη aus[353]. Zudem spielt bei ihm eschatologisch-gegenwärtiges Heil eine differenzierende Rolle, so daß auch das Leid einen anderen Stellenwert erhalten kann (vgl. Röm 5,2 ff). Ferner zeichnet die Christologie selbst schon ein anderes Bild vor, wenn an das Leiden Jesu gedacht wird. Überhaupt ist hier auf die unterschiedliche Soteriologie bei Paulus und in der jüdischen Apokalyptik hinzuweisen. So erhält die paränetische Perspektive im äthHen z.T. einen anderen Stellenwert (vgl. 91,18 f). Dabei kann dort wie generell in der jüdischen Apokalyptik eine Kompensationstheorie einen stärkeren Anhalt als bei Paulus finden. Denn vor allem in diesem Bereich ist nachzufragen, inwieweit angesichts der vorfindlichen Wirklichkeit, die durch Leiden der Frommen und das Zerbrechen der synthetischen Lebensanschauung gekennzeichnet ist, eine Umkehrung der Verhältnisse in die Zukunft projiziert wird, indem man einen Ausgleich ausschließlich in der Zukunft sucht. Doch müssen auch bei der jüdischen Apokalyptik Gottes Handeln, Gottes Verheißung, Gottes Bestimmung, Schöpfung, Offenbarung u.ä. berücksichtigt werden[354]. So sind nicht nur Determinismus und Berechnung, sondern auch aktuell die Plötzlichkeit und die Nähe des Endes zu beachten. Ferner ist Paulus und der jüdischen Apokalyptik gemeinsam, daß die himmlische Welt und in ihr existierendes Heil in räumlichen Kategorien vorgestellt werden können, daß solche Gedanken aber gegenüber einem eschatologisch-dualistischen Nacheinander theologisch zurücktreten dürften. Zumindest äthHen 91-105 zeigt uns für die jüdische Apokalyptik solch eine Gewichtsverlagerung[355]. Überhaupt ist bei Paulus und in diesen Apokalypsen eine eschatologische Grundrichtung übereinstimmend vorhanden. Das liegt schon allein daran,

daß Paulus auf apokalyptischem Boden steht (vgl. z.B. Röm 8,18 ff). So
ist schließlich beiden die endgültige Beseitigung der Sünde und des Bösen das eschatologische Endziel. Dieser Sachverhalt ermöglicht die Gemeinsamkeit des Gegenübers von "jetzt" und "dann". Auf diese Antithetik stoßen wir nun gerade in unserem paränetischen Teil äthHen 91-105
charakteristisch. Er erweist sie als für die Apokalyptik fundamental. Er
macht überhaupt deutlich, daß die Ausführungen der Paränesen auf dem
Boden der vorangegangenen Geschichtsüberblicke deshalb möglich sind,
weil der Äonendualismus bei beidem leitend ist. Insofern darf der Äonendualismus als apokalyptischer Kern vermutet werden, den sowohl die Geschichtsdarstellungen als auch die Paränesen entfalten.

Schauen wir zurück, so ergibt sich durch den Blick auf die jüdischen
Apokalypsen und speziell auf äthHen 91-105 im Rahmen dieses ganzen
Werkes für unsere Frage nach der eschatologischen Einbettung von Begriffen der Hoffnung, Erwartung usw., daß zwei charakteristische Orte
der spes zu beobachten sind, nämlich Geschichtsvisionen und Paränesen.
Im ersten Fall wird die "Hoffnung" in umfassende und detaillierte Geschichtsüberblicke eingebaut, im zweiten Fall in das Gegenüber von "jetzt"
und "dann". Beides steht im Zusammenhang des Äonendualismus. Dadurch
kommt eine besondere Verbindung von sachlich-traditionsgeschichtlichen
und formgeschichtlich-literarischen Aspekten für die eschatologische Einbettung zum Vorschein[356]. Wir finden auf diese Weise noch eine Nähe zum
AT, aber zugleich auch schon eine Entwicklung gegenüber dem AT vor.
Vor allem die Antithetik von "jetzt" und "dann" im Rahmen des Äonendualismus erweist sich für den Sachverhalt bei Paulus als geschichtlich
wichtig. Deshalb haben wir oben äthHen 91-105 gezielt untersucht. Doch
ist bei Paulus die eschatologische Dynamik zwischen "jetzt" und "dann"
im Sinn des Weges vom einen zum anderen stärker als in solchen apokalyptischen Paränesen. Hier macht sich bei Paulus das für die Christen eschatologisch bereits begonnene Heil bemerkbar. Überhaupt wirkt sich aus, daß
sich die eschatologische Einbettung der "Hoffnung" bei Paulus primär auf
das Heil selbst verlagert hat. Dabei kann allerdings wie in 1 Thess 5,1-11
eine spezifische Verbindung von Indikativ und Imperativ (vgl. Paränese)
vorliegen. Im äthHen haben gegenüber den Paränesen die Geschichtsdarstellungen vielleicht viel von der Dynamik aufgesogen.

Nun stellen sich uns im Blick auf die Geschichtsvisionen und das Gegenüber von "jetzt" und "dann" im Rahmen des apokalyptischen Äonendualismus theologisch und hermeneutisch noch zahlreiche Fragen. Für unseren
Zusammenhang ist dabei zum ersten folgendes wichtig. Wir beobachten im
äthHen wie auch sonst in der jüdischen Apokalyptik nämlich im Geschichtsüberblick schon in der Vergangenheit Heilszeiten (vgl. bei Abraham, Noah,
Mose usw.) oder auch Vorformen des Endgerichts (vgl. das Sintflutgericht; s. etwa in äthHen 93; 91,12-17). Ferner ist in dieser Hinsicht zu
berücksichtigen, daß die Gerechten bereits in der Gegenwart als Gerechte leben und das Heil jetzt schon im Himmel bereitliegt[357]. Das könnte

nun gegen Äonendualismus und Geschichtsauffassung angeführt werden, wie sie gemeinhin für die Apokalyptik angenommen werden. Nun ist eine derartige Äonenstruktur zwar nur als Destillat der Interpretation anzusehen, tritt aber immerhin in 4 Esr als Gegenüber der beiden Äonen mehr oder weniger direkt hervor (s. 4 Esr 4,11.26.27; 6,7 ff u.ö.) und liegt den Paränesen des äthHen bei der Antithetik von "jetzt" und "dann" eindeutig zugrunde. Überhaupt hat sich uns der Äonendualismus immer wieder als apokalyptischer Kern gezeigt[358]. Die genannte Sicht der Gerechten kann man immerhin noch in der Weise zu verstehen versuchen, daß sich für sie das Heil erst im zukünftigen Endgericht entscheidet[359]. Ähnlich ist im Blick auf das im Himmel schon bereitliegende Heil zu bedenken, daß es soteriologisch erst im kommenden Äon aktiv wird[360]. Das Auf und Ab in den Geschichtsüberblicken steht aber weiterhin zur Klärung an. Grundsätzlich ist zu beachten, daß dieses Auf und Ab in einer teleologischen Struktur der Geschichte steht, die mit einer zunehmenden Verschlechterung auf das Ende zuläuft. Bei dieser Zielorientierung besteht eine Übereinstimmung mit dem Äonendualismus. Dabei hebt die Antithetik von Gegenwart und Zukunft in den paränetischen Passagen solche Geschichtsüberblicke gerade nicht auf. Sie ist literarisch (vgl. die Redaktion) sogar auf deren Grundlage zu sehen. Wahrscheinlich gehen die Höhen in der Vergangenheit zunächst darauf zurück, daß sie nun einmal in der Schrift und Tradition vorgegeben waren, daß der pseudepigraphische Charakter der Apokalypsen bereits eine derartige Differenzierung verlangte[361], aber auch etwa darauf, daß die Depravation nicht von vornherein eine extreme Boshaftigkeit voraussetzte, daß der Schöpfungsgedanke festgehalten wurde. Dabei ist wohl an eine mehrfache Entsprechung von Urzeit und Endzeit zu denken, nämlich nicht nur zwischen Paradies und Eschaton, sondern auch zwischen Sintflutgericht und Endgericht, zwischen Sündern und Gerechten zu beiden Zeiten und überhaupt zwischen Auf und Ab in der Vergangenheit und eventuell auch in der Zukunft. Außerdem ist zu berücksichtigen, daß das Auf und Ab in dem gegenwärtigen Äon sich durch den Äonendualismus überhaupt auf das Gegenüber selbst verdichten kann, so daß wir wieder auf unser Verhältnis von "jetzt" und "dann" stoßen, zumal der Äonendualismus als apokalyptischer Kern vermutet werden darf, den die Geschichtsüberblicke und Paränesen entfalten. Schließlich ist wichtig, daß für den Apokalyptiker besonderes Gewicht auf der Gegenwartssituation mit ihrer Trübsal und ihrer Stellung unmittelbar vor dem Ende liegt, also bei aller Geschichtstheologie und bei allem universalgeschichtlichen Entwurf auf der aktuellen Situation[362]. Dem entspricht das Äonengegenüber insofern, als bei ihm der Umschlag nahe ist. Deshalb steht der Apokalyptiker wie die at. Propheten an einer Wende. Die Geschichtsüberblicke rücken den Seher und die Leser in diese Lage hinein. Dadurch tritt die Gegenwart mit ihrem Leid für die Gerechten der kommenden Befreiung unmittelbar gegenüber. Das Ende soll eingeschärft werden. Von solchen Schwerpunkten her ist eine Erklärung für das Miteinander des geschichtlichen Auf und Ab und des Äonendualismus zu versuchen. In diesem Zusammenhang lassen sich viele Parallelen und Beziehungen zu Paulus durchdenken. Das gilt auch etwa im Blick auf vergangene Heilszeiten, die bei Paulus jedoch wieder nicht in ein so geschlossenes Geschichtsbild wie in den Visionen eingebaut werden. Stattdessen ist in den Paulusbriefen ein einfaches eschatologisches Vorweg wichtig, und zwar auf dem Boden der Soteriologie (vgl. z.B. die ἐλπίς des Abraham in Röm 4,18 und die Aussagen in Röm 1,16f; 3,21 ff). Oder es ist bei Paulus auf eine stärkere Antithetik hinzuweisen, die wieder mehr dem Äonendualismus entspricht (vgl. z.B. Adam - Christus in Röm 5,12 ff; 1 Kor 15,20 ff). Dadurch treten dualistische und dialektische Verhältnisse hervor. Doch ist auch das Vorweg im Rahmen apokalyptischer Geschichtsvisionen beachtlich (vgl. z.B. ApkBar (syr) 57,2; 59,10). Solche Verschiebungen zeigen sich bei Paulus aber auch in der Zukunftsrichtung, wenn wir an das Fehlen von detaillierten Darstellungen für die Zeit bis zur Parusie, das Gegenüber von "jetzt" und "dann", die christologische Konzentration denken, während wir in den jüdischen Apokalypsen und verwandter Literatur auf demgegenüber sehr viel stärker divergierende Vorstellungen treffen[363].

Ein zweiter Fragenbereich betrifft schließlich das Miteinander der Geschichtsvisionen in mehr oder weniger umfassender Perspektive und der Paränesen mit ihrem existentiell-universalen Gegenüber von "jetzt" und "dann" in der Weise, daß das Problem von Geschichte und Geschichtlichkeit thematisch wird. Eine Verbindung zwischen den Zeit- und Geschichtsaspekten beider Bereiche hat sich uns eben allerdings schon angedeutet. In den Paränesen wird nun die Geschichtlichkeit bei der menschlichen Existenz und dem Gegenüber von gut und böse deutlich festgehalten. Zwar könnte durch die betonte Antithetik die Tendenz zu einer Aufhebung der Geschichte vermutet werden, was eine zeitliche Erstreckung angeht. Doch lebt dieses Gegenüber letztlich gerade von einem Nacheinander. Außerdem wollen die Apokalypsen, in denen sich die Paränesen auf dem Boden der Geschichtsausführungen erheben, die Nähe des Endes und den Charakter der Gegenwart als Endzeit herausstellen. Denn die Stunde hat geschlagen, es ist letzte Zeit[364]. Das ist geradezu geschichtlich gedacht. Dadurch werden ein Prozeßcharakter und die Geschichtlichkeit gewahrt. Wir haben die Verstärkung in dieser Richtung bei Paulus oben schon erwähnt. Dagegen droht im Fall der Geschichtsvisionen schon eher ein Geschichtsverlust. Man wird sich allerdings wegen der thematischen Ausführungen zur Geschichte gerade hier fragen, warum denn das der Fall sein soll. Das liegt insofern vor, als sich der Seher in der Vision an einen Ort außerhalb der Geschichte begibt oder zu ihm entrückt wird, damit er die Geschichte überblicken kann. Sein eigener geschichtlicher Ort als Mensch wird dabei verlassen. Deshalb muß es auch zu besonderen Korrekturversuchen bei der Verzögerung des Endes kommen (vgl. schon Dan 12,5 ff). Hier besteht theologisch eine große Gefahr in der Apokalyptik, zumal in den großen Apokalypsen des Judentums die Visionen weithin das Hauptgewicht der Darstellung an sich rei-

ßen und formgeschichtlich-literarisch ein wesentliches Merkmal der Apokalyptik ausmachen. Begünstigt wird das in den Apokalypsen u.U. durch
solch eine Verlagerung der Gewichts bei dem Äonendualismus, daß das
Heil im Himmel präformiert und auf Tafeln festgelegt vorhanden ist. Auch
mag man hier überhaupt auf Prädestination und Determinismus hinweisen.
Von da aus ist eine Entwicklung in der späteren Apokalyptik zu räumlich-
kosmologischen Schwerpunkten bei der Himmelsreise des Sehers nicht einmal verwunderlich, wenngleich dabei auch noch andere Einflüsse zu beachten sind, wie vor allem die eines kosmologischen und zyklisch-ge-
schichtslosen Denkens der Antike[365]. All dem entsprechen auch die apokalyptischen Berechnungsversuche[366]. Solche Tendenzen und Gefahren
liegen bei Paulus sehr viel weniger oder gar nicht vor, da schon das
eschatologisch begonnene Heil hier fester in der Geschichte festhält und
an den Geschichtsprozeß selbst bindet. So erscheint in Phil 3,20 das
himmlische πολίτευμα auch stärker als Richtpunkt der christlichen Existenz[367]. Gleichwohl ist die Apokalyptik gerade wegen der Spannung,
die sich aus dem Miteinander von Geschichtsvisionen und Paränese, Ge-
schichtserstreckung und schroffen Gegenüber der beiden Äonen, Geschichtlichkeit und Geschichtsverlust ergibt, als historische Vorstufe
oder Voraussetzung für den Sachverhalt bei Paulus wichtig. So haben
wir in unserer bisherigen Analyse bereits viele Beziehungen festgestellt.
Dabei darf man schließlich fragen, ob nicht Darstellung und Beurteilung
der Apokalyptik unter dem Gesichtspunkt neu zu durchdenken sind, daß
in der Apokalyptik bei aller Gefahr des Geschichtsverlustes gerade ein
Prozeßcharakter und eine Dynamik zum eschatologischen Heil hin noch
mehr oder weniger stark durchschimmern oder sogar wichtig werden, und
zwar indem sie über den Gedanken der Endzeit, der letzten Zeit, der Nähe des Endes, der Wende nicht nur eine existentielle Betroffenheit und
ein besonderes Verständnis menschlichen Daseins, sondern auch übergeordnet und universal die ganze Wirklichkeit in einem eschatologischen
Rahmen ins Auge fassen[368]. Das gilt besonders im Blick auf ihre Wir-
kungsgeschichte bis zu Paulus. Darauf dürfte auch deuten, daß die "Hoffnung" in der Apokalyptik lebendig bleibt.

10.6.3. 1 QH 3,19-36 im Zusammenhang der Qumrantexte

Schließlich soll noch auf die Qumrantexte geblickt werden, weil wir in ihnen auf eschatologisch bereits gegenwärtiges Heil stoßen. Die Qumrantexte gehen auf eine jüdische Sondergemeinde zurück, die in Chirbet Qumran
am Toten Meer als ihrem Mittelpunkt ungefähr seit der Mitte des 2.Jh.
v.Chr. bis wahrscheinlich 68 n.Chr. in mehreren Perioden existiert hat.
Für ihre Gründung und Gestaltung hat die Person des "Lehrers der Gerechtigkeit" eine wesentliche Rolle gespielt. Sie hat sich als Heilsgemeinde
des erneuerten Gottesbundes und mit dem Ziel der Toraverschärfung zu-
sammengetan, hat apokalyptisches u.a. eschatologisches Gedankengut des
Judentums, aber auch genuin at. Tradition verarbeitet (vgl. z.B. 1 QS,

1 QH)[369]. Deshalb erscheint ein Strukturvergleich mit dem Sachverhalt
bei Paulus nun im Anschluß an unsere Ausführungen zur Apokalyptik und
at. Prophetie fruchtbar. Wir wählen als speziellen Text 1 QH 3,19-36 zur
Besprechung aus, weil sich dort diese Probleme verdichten, und zwar unter Verwendung von Begriffen der Hoffnung.

1 QH 3,19-36 stellt ein Gemeindelied dar. Das bedeutet, daß seine Aussagen für die Mitglieder der Qumrangemeinde allgemein charakteristisch sind,
da sie es - wohl im Unterschied zu den Lehrerliedern - alle gebetet haben[370]. Das Ich meint deshalb den Qumranfrommen. Er dürfte so etwa bei
dem Eintritt in die Gemeinde, dem jährlichen Bundeserneuerungsfest, in
den gemeinsamen Gottesdiensten oder in seiner persönlichen Andacht gesprochen haben. Von da aus stoßen wir auf einen "Sitz im Leben"[371].
Das weist schon auf eine Bedeutung formgeschichtlicher Gesichtspunkte
für das Verständnis der Hoffnungsaussagen in ihm. Es läßt eine Nähe zu
at. Redeweise vermuten, zumal wir in 1 QH formgeschichtlich und literarisch, vielfach auch sachlich eine Nähe zu den at. (und jüdischen) Pss
vorfinden. 1 QH 3,19-36 ist gut aus dem Kontext ausgrenzbar, weil in
3,19 und 3,37 die Wendungen אודכה und אודכה אדוני כיא stehen, die
den Beginn der einzelnen Stücke andeuten[372]. Der Aufgliederung der
Gattung "Gemeindelied" in 1 QH und speziell der von 1 QH 3,19-36 durch
H.W.Kuhn[373] wird man im wesentlichen zustimmen dürfen. So ergibt sich
folgendes Bild[374]:

3,19	- 20bα	erweiterte Einleitung,
3,20bß	- 23bα	soteriologisches Bekenntnis,
3,23bß	- 25	Elendsbetrachtung,
3,26	- 36	Apokalypse.

Dabei stoßen wir auf Vokabeln der Hoffnung in 3,20 (מקוה), also im soteriologischen Bekenntnis, und in 3,27 (תקוה), also in der Apokalypse.
Gleich in der erweiterten Einleitung geht der Beter auf Gottes geschehenes Heilshandeln an ihm ein. Dadurch werden diese Aussagen sachlich
schon in die Nähe des anschließenden soteriologischen Bekenntnisses gerückt[375]. Dabei tritt als für das Heilshandeln Gottes charakteristisch die
Blickrichtung "Vergangenheit-Gegenwart" hervor, und zwar in einer eschatologischen Färbung: Gott hat den Beter aus der Grube (שחת) erlöst;
er hat ihn aus der Totenwelt des Untergangs (שאול אבדון) zur ewigen
Höhe (רום עולם) geführt. Hier treffen wir auf at. Vorstellungen über
die Machtsphäre des Totenreichs (vgl. Ps 30,4)[376], und zwar in einen
eschatologischen Rahmen gespannt[377]. Der Beter ergeht sich deshalb
auf einer grenzenlosen Ebene (מישור לאין חקר)[378]. Auf diese Weise wird
einem Sein, das im Bereich von Sünde und Unheil stand und das der Beter hinter sich gelassen hat, ein Sein gegenübergestellt, das sich gegenwärtig im Heilsbereich, und zwar dem der Qumrangemeinde, befindet.
Der Umschlag ist bei dem Eintritt in die Einung anzusetzen[379].

Es wird dann im soteriologischen Bekenntnis eine Erkenntnis angeschlossen, die sich aus diesem neuen Sein ergibt bzw. ihm korrespondiert[380].

Deshalb kann sie seit dem Eintritt zeitlich allgemeiner gemeint sein[381].
Der Inahlt dieser Erkenntnis besteht in der מקוה, genauer darin, daß
der Beter weiß bzw. als Erkenntnis besitzt: Es gibt eine "Hoffnung" für
den, den Gott aus dem Staub zur ewigen Gemeinschaft geschaffen hat.
Es wird Schöpfungsterminologie verwendet (vgl. יצר, עפר), die im Kontext ethische und eschatologische Qualifikationen beinhaltet. Mit Recht
weist H.-W.Kuhn deshalb auf den Gedanken der Neuschöpfung hin[382].
Zugleich ist wie oben schon an Machtsphären zu denken. Dem entspricht
dann auch der "ekklesiologische" Zusammenhang in der Qumrangemeinde.
Die Eschatologie wird überhaupt nun durch den speziellen Schöpfungsgedanken, die Qumran-"Ekklesiologie", durch עולם, aber vor allem dann
durch מקוה eingebracht. Dabei verlängert מקוה wie עולם die eschatologische Gegenwart in die Zukunft hinein. Denn in מקוה, das typisch absolut verwendet wird[383], ist sicherlich vor allem das eschatologische Heil
der Zukunft gemeint, das sich an den Endkrieg und verwandte Ereignisse anschließt, wie wir das später in der Apokalypse 3,26 ff, dann aber
auch in anderen Texten der Qumrangemeinde kennenlernen[384]. Der Zusammenhang von Wissen und "Hoffnung" entspricht der katechetisch-
kerygmatischen Tradition der Qumrangemeinde. Hier besteht eine Parallelität zu dem kerygmatisch-katechetischen christlichen Wissen, auf das wir
oben schon öfter bei Paulus gestoßen sind, und zwar auch im Blick auf
die "Hoffnung". Dadurch wird nun das in מקוה als "Hoffnung" bereits
angelegte Moment der Vorstellung verstärkt. Zugleich stoßen wir auf eine
soteriologische Erkenntnis. Denn sie umfaßt nicht nur eine Wissensüber-
eignung, sondern auch ein Heilsgeschehen. Das bleibt inhaltlich aber in
der Beziehung zur "Hoffnung" auf die Zukunft orientiert, also insofern
noch stärker intellektuell[385]. Ferner spricht der Beter angesichts seines
gegenwärtigen eschatologischen Heilsanteils ein besonderes Zutrauen und
eine besondere Zuversicht in seiner "Hoffnung" aus[386]. Man könnte sogar
von "Erwartung" in diesem theologischen Sinn reden[387]. Zugleich beinhaltet die absolute Aussageweise die Sicherheit des "Erhofften"[388]. Sachlich
besteht auf diese Weise bei unserem מקוה eine Nähe zu ἐλπίδα ἔχειν in
2 Kor 3,12. So erweckt die "Hoffnung" an beiden Stellen einen vorgegebenen Eindruck, beinhaltet sie ein besonderes Zutrauen und eine besondere Zuversicht. Kaum dürfte es jedoch in 1 QH 3,20 angemessen sein,
die מקוה selbst, und zwar parallel etwa zu Aspekten bei dem Wissens-
bzw. Erkenntnisbegriff der Qumrantexte, schon im Sinne einer "Hereinnahme eschatologischer Akte und Zustände in die Gegenwart"[389] als einen
speziell gegenwärtig-eschatologischen Begriff anzusehen. Dafür bleibt in
מקוה als "Hoffnung" die Zukunftsperspektive zu sehr leitend[390]. So ist
in 1 QH 3,20 wie in 2 Kor 3,12 der eschatologische Charakter der מקוה
bzw. der ἐλπίς so gemeint, daß das "Hoffen" auf die noch ausstehende
Heilszukunft in einem eschatologisch schon stattfindenden Prozeß geschieht. Der Zusammenhang von spes qua und spes quae speratur in
מקוה verdichtet diesen eschatologischen Prozeßcharakter dann sogar in
diesem Begriff selbst[391]. Zum Teil gilt Ähnliches auch für ידע, sicher-

lich in 1 QH 3,20 wegen der Verbindung mit מקוה. Auf diese Weise wird
deutlich, wie sehr die "Hoffnung" des Qumranfrommen an unserer Stelle
positiv in einen eschatologischen Heilsprozeß eingebettet ist. Das ist hier
zugleich fest und charakteristisch an eine formgeschichtliche Einheit gebunden, nämlich durch die Zugehörigkeit zum sog. soteriologischen Bekenntnis.

Ähnliche Heilsstrukturen finden sich dann auch in den anschließenden Ausführungen des soteriologischen Bekenntnisses. Dabei ist aber nicht eindeutig zu entscheiden, ob רוח נעוה וגו' syntaktisch noch direkt auf die Hoffnungsaussage in 3,20 zu beziehen ist. Die veränderte Wortstellung könnte
dagegensprechen[392]. Ein sachlicher Zusammenhang besteht aber auf jeden
Fall. Es wird gesagt, daß Gott den verkehrten Geist von großer Missetat
gereinigt hat, auf daß er sich stelle an den Standort (מעמד) mit dem Heer
der Heiligen und in die Gemeinschaft (יחד) mit der Gemeinde der Himmels-
söhne eintrete. Aufhebung des vergangenen Sündenzustands und eschatologische Existenz in der Qumrangemeinde rücken in den Blick. Machtsphären
und personale Gemeinschaft sind zu beachten. Kriegerexistenz und Gemeinschaft mit den Engeln in eschatologischem Zusammenhang werden wichtig[393].
Man fühlt sich an die militia Christiani in 1 Thess 5,8[394] und an die Aussagen über die ἅγιοι, τέκνα τοῦ θεοῦ u.ä. in Röm 8,18 ff; 1 Kor 6,2 f
bei Paulus erinnert. So leuchtet auch wieder ein Heilsprozeß auf, der auf
ein Untergehen des Bösen hinausläuft. Dann hebt der Beter in 3,22 f als
Abschluß des soteriologischen Bekenntnisses hervor, daß Gott dem Mann
ein ewiges Los mit den Geistern des Wissens bzw. der Erkenntnis
(רוחות דעת) warf, auf daß er Gottes Namen in gemeinsamem Jubel[395] preise und Gottes Wunder vor allen Werken Gottes erzähle. Mit diesem Mann ist
der Qumranfromme gemeint. Der gemeinsame Jubel bezieht sich auf die ganze Qumrangemeinde, etwa im gemeinsamen Gottesdienst. Formgeschichtlich
stoßen wir hier wieder charakteristisch auf Pss-Elemente. In Entsprechung
zum Verhältnis des soteriologischen Bekenntnisses von 1 QH zum Bekenntnis der Zuversicht der at. Pss treten an unserer Stelle das schon geschehene Heilshandeln Gottes und die gegenwärtige Reaktion des Beters hervor.
Insofern werden wir an das at. berichtende Lob erinnert, weniger an das
Lobgelübde, wenngleich das Lob als Ziel und Zweck des Heilshandelns Gottes in 3,22 f angedeutet wird. Rückwirkend ergibt sich von da aus zugleich
eine Beziehung des Lobes zur "Hoffnung". Dadurch wird die Zukunftsperspektive des Heilshandelns Gottes bei all den starken Gegenwartsaussagen
offengehalten[396]. Dabei braucht bisher jedoch nicht von retardierenden Momenten gesprochen zu werden. Die "Wunder" beziehen sich wohl auf solche
Sachverhalte, wie sie vorher über die Heilserfahrung ausgedrückt worden
sind. Dabei ist besonders an die Schöpfungsaspekte zu denken. Dadurch
wird das eschatologisch Neue deutlich. Schöpfungstradition wird auch bei
den "Werken" - man kann auch übersetzen "Geschöpfen" - aufgenommen.
Diese Aussage bezieht sich sicherlich auch besonders auf die Qumrangemeinde im Sinn der Neuschöpfung. Zu beachten ist nun aber, daß die Qualifizierung "ewig" (עולם) bei dem "Los" (גורל) zwar ebenfalls die Eschatologie

beinhaltet, daß aber auch erwogen werden muß, ob so nicht zugleich
noch die Prädestination zum Ausdruck kommt, die in der Qumraneinung
eine große Rolle gespielt hat[397]. Dadurch würde Protologie in den Blick
rücken, und zwar überhaupt in Entsprechung zur Aufnahme von Schöpfungstradition an unserer Stelle[398]. So gehört diese Dimension dann wohl
auch noch zur דעת des Qumranfrommen[399]. Wir treffen zwar auch bei
Paulus auf solche Gedanken (vgl. z.B. 1 Thess 1,3; 5,3 ff im Verhältnis
zu Röm 9). Doch bringt bei Paulus die Christologie in einer ganz neuen
Weise das Gewicht der Geschichtlichkeit zum Tragen. Allerdings ist nicht
nur bei Paulus, sondern gerade auch in den Hodajoth von Qumran eine
doxologische Aussagenstruktur zu beachten. Auf jeden Fall wird in 1 QH
3 bei einem protologisch-prädestinatianischen Verständnis die "Hoffnung"
auch noch in einer solchen weiteren Hinsicht verankert, nämlich über die
Eschatologie im eigentlichen Sinn hinaus[400].

Für den Leser unvermittelt geht der Beter nun in 3,23bß zu einer Elendsbetrachtung über. Zwar haben מקוה , Kriegersituation u.ä. im Gedankengang ab 3,19 keine besondere retardierende Funktion besessen, sondern
eher wie 2 Kor 3,12 das gegenwärtige eschatologische Heil in einem dynamischen Prozeß in die Zukunft verlängert. Immerhin haben sie dadurch
aber eine gewisse Offenheit für die weiten Dimensionen der Zukunftsperspektive bereitgestellt, also auch dafür, daß die Gegenwart noch nicht
das "Ende aller Dinge" ist. Trotzdem erscheint es abrupt, wenn der Beter
nun plötzlich auf seine Grenzen hinweist, indem er sich als "Gebilde aus
Lehm", als "mit Wasser Geknetetes" bezeichnet. Bemerkenswert ist, daß
wir selbst hier an sich wieder auf Schöpfungstradition treffen. Dabei sagt
der Qumranfromme sogar, daß er im Gebiet (גבול) des Frevels und mit Bö-
sewichten in demselben Los (גורל) steht. Stoßen wir hier auf den Stim-
mungsumschwung eines Orientalen, für den u.U. der Plan schon die Ausführung, die Lebensgefahr schon den Tod darstellt[401]? Sicherlich ist hier
auch psychologisch die Funktion von Stimmungen des Orientalen zu berücksichtigen. Sie kann aber nicht zum ausschließlichen oder hauptsächlichen Erklärungsgrund gemacht werden. Dagegen spricht schon, daß
der Beter im Rest von 3,25 auf seine Verirrungen und überhaupt auf seine Sünde hinweist. Sie ist ebenfalls bei dem Qumranfrommen noch mächtig,
und zwar nicht nur als subjektives Erlebnis. Vielmehr werden Elend, Sünde usw. in einem so weiten Sinn gesehen, daß sie eine Stimmung übersteigen, die sich aufgrund einer Einzeltat und einer daraus sich konkret er-
gebenden Einzelemotion ergibt[402]. Es zeigt sich hier vielmehr so etwas
wie eine Existenzdialektik[403]. Ähnliches ist auch bei Paulus zu beobachten, wenn wir z.B. an die Aussagenfolge in Röm 8 auf dem Boden des
Weges von Röm 7 zu Röm 8 denken. Dabei muß dem Beter in Qumran die
eigene Sünde um so mehr zum Bewußtsein kommen, als er ja gerade in seiner Einung auf das Tun des Gesetzes in einer Toraverschärfung verpflich-
tet ist.

Ist schon in 3,24 f auf den Beter übergreifende Wirklichkeiten hingewiesen worden, die den Charakter von Machtsphären besitzen und in Verbindung mit der Hoffnungsaussage und der Elendsbetrachtung die Vorläufigkeit der gegenwärtigen Existenz aufscheinen lassen, so spannt die Apokalypse in 3,26-36 Existenzdialektik, Zukunftsorientierung und Sphärenaspekte pointiert in einen eschatologisch-dualistischen Prozeß[404].
Der Übergang zur Apokalypse kann schon in 3,24 ab כיא gesehen werden.
Der Beter weitet seine Darstellung des Elends in eine allgemeine apokalyptische Beschreibung aus, in der er selbst nicht mehr genannt wird.
Die Bereichsaussagen verzahnen beides. Bemerkenswert ist in 3,26 ff, daß kein ausgesprochener Geschichtsüberblick gegeben wird, sondern das Endgericht und das Wirken Belials[405] entfaltet werden. So ragen in unserem Gemeindelied existentielle Beziehungen hervor und stehen zwei eschatologisch-dualistische Wirklichkeiten einander schroff gegenüber.
Das Endgericht tritt als Vernichtungsgericht, nicht aber als forensisches Gericht auf. Ein heiliger Endkrieg kommt in den Blick. Insofern wird auch eine Verbindung zu dem Hinweis in 3,21 f auf den Standort des Qumranfrommen mit dem Heer der Heiligen geschaffen. Gott und seine Helden, zu denen auch die Qumranleute gehören[406], stehen Belial und seinem Machtbereich gegenüber. Insofern ist ein eschatologischer Dualismus auf apokalyptischem Boden zu beachten. Eine Jesus Christus und dem apokalyptischen Menschensohn vergleichbare Person fehlt aber auf Gottes Seite[407]. Überhaupt ist auffällig, wie altertümlich die Vorstellungen in dieser Apokalypse sind, wenn man sie mit den großen literarischen Apokalypsen wie äthHen, 4 Esr usw. vergleicht. Eine Vision und detaillierte Periodisierung der Geschichte liegen nicht vor. Es scheinen noch sehr viel stärker at. Denktraditionen aufgenommen worden zu sein, vor allem was Sphärenaspekte und das Weltbild anbelangt[408]. Von daher ist es wohl auch zu verstehen, daß weithin in 3,26 ff offensichtlich eine Machtausübung Belials geschildert wird, und zwar im Sinn eines Mächtigwerdens des Bereiches des Bösen und des Unheils in universaler Perspektive. Zugleich ergibt sich der Eindruck von Übergängen zum Vollzug des Endgerichts selbst, so daß vielfach anscheinend nicht mehr getrennt werden kann.
Dadurch kommt auch in die Zeitbezüge ein Schillern[409]. Der Endpunkt ist aber deutlich mit der Vernichtung Belials und überhaupt des Bösen erreicht[410]. So ist es angemessen, wenn in 3,27 von Pfeilen der Grube, die beim Endgericht "hoffnungslos" wirken (לאין תקוה), die Rede ist[411]. Es wird dabei natürlich auf die zu Belial Gehörigen geblickt[412]. Diese Hoffnungsaussage ist erneut absolut, nun aber antitypisch zu der "Hoffnung" des Qumranfrommen in 3,20[413]. In diesem Schlußpunkt der endgültigen Vernichtung des Bösen sowie dem Zusprechen und Absprechen der "Hoffnung" kommt unser Gemeindelied aus Qumran mit den großen jüdischen Apokalypsen und Paulus sachlich zusammen. Die Soteriologie bringt aber Unterschiede, indem sie unter dem Gesichtspunkt von Gesetzesauffassung und Christologie den Christen Paulus und das Judentum voneinander trennt, zum anderen aber unter dem Blickwinkel von Geschichts-

überblicken bzw. Geschichtsschau und eschatologisch schon begonnenem
Heil zumindest formal Paulus und unser Gemeindelied näher zusammenrückt
und der jüdischen Apokalyptik in Gestalt der großen Apokalypsen gegenüberstellt. Eine Sonderposition besitzen die Qumrantexte hier aber bei den
konkreten Vorstellungen. Auch muß im Verhältnis zu Paulus angemerkt werden, daß das Gericht an unserer Stelle viel selbständiger geschildert und
ausgemalt wird. Hier tauchen unter dem Blickwinkel der Frommen ähnliche
Entlastungstendenzen wie in den großen jüdischen Apokalypsen auf. Doch
ist wegen des eschatologisch schon begonnenen Heils und der Kampfsitua-
tion in Qumran eine Vertröstung auf die Zukunft wohl nicht mehr so stark
zu erwägen. Bei Paulus bringen im Rahmen der Eschatologie vor allem die
Christologie und die Wendung zu den ἔθνη eine veränderte Perspektive.
So geht es z.B. in 1 Thess 1,10 gerade um die Rettung der Christen vor
dem kommenden Gericht durch Jesus Christus, nicht aber um eine Ausma-
lung des Gerichts über die Nichtchristen und das Böse[414].

So ergibt die Analyse von 1 QH 3,19-36, daß die "Hoffnung" dort charakteristisch eschatologisch eingebettet ist. Das gilt für מקוה in 3,20 im Blick
auf eschatologisch erhaltenes, d.h. eschatologisch begonnenes Heil, das
allerdings vielleicht zugleich speziell protologisch-prädistinatianisch verankert ist. תקוה in 3,27 ist dagegen in die Situation des Endgerichts gestellt worden, das sich offensichtlich jetzt schon vollzieht[415]. 3,20 bezieht
sich dabei auf die Qumranfrommen, 3,27 durch die Negation auf die zu
Belial Gehörigen. Auf diese Weise stoßen wir auf einen eschatologischen
Prozeß im Widereinander der Machtbereiche von Heil und Unheil, Gutem
und Bösem, Gott und Belial und beider Heer, in den die "Hoffnung" charakteristisch eingebettet ist[416]. Bemerkenswert ist dabei die formgeschichtliche Gebundenheit der Hoffnungsaussagen. Denn 3,20 gehört zum sog. soteriologischen Bekenntnis. Für 3,27 ist die Zugehörigkeit zu der Apokalypse 3,26 ff zu beachten. Beides ist Bestandteil der Gattung "Gemeindelied"
in 3,19-36. Im Verhältnis dazu ist bei Paulus die Lösung von solchen formgeschichtlichen Bindungen zu betonen.

Doch könnten nun andere Stellen der Qumrantexte bei dem Gebrauch von
Vokabeln der Hoffnung, Erwartung usw. immerhin ein anderes Bild ergeben. Wir finden in der Überlieferung der Qumrangemeinde nämlich noch
zahlreiche solcher Stellen. Der Blick auf sie zeigt aber, daß sie vielfach
wieder eine formgeschichtliche, z.T. auch besondere literarische Bindung
der Aussagen aufweisen. Das gilt im soteriologischen Bekenntnis (1 QH 6,6;
9,14; Fragment 1,7[417]), in Teilen, die gleichsam ein Bekenntnis der Zuversicht ausdrücken (11 QPs^a Plea 16-17; 1 QH 7,18; 9,10 u.ö.), oder sonst
in entsprechenden Ps-Stücken (11 QPs^a Zion 2 f.8 f[418]), in Apokalypsen
und ähnlichen auf die Geschichte bezogenen Einheiten (DJD V 185, 1-2,
Col, I, 7 und 12; 1 QH 6,32; CD 8,4; 1 QM 11,9), in sonst bemerkenswerten Texten (s. 4 QSl 39 I,1,23) bis hin zu den Pescharim (vgl. 1 QpHab
1,2). Teils ist aber zu überlegen, inwiefern wir es hier mit genuinen Er-
zeugnissen der Qumrangemeinde oder mit von ihr übernommenem Gut zu
tun haben[419]. Aber auch in der Qumrangemeinde selbst und in den von ihr

erhaltenen Texten sind verschiedene Schichten und Vorstellungen im Rahmen geschichtlicher Entwicklung zu bedenken. Das betrifft durchaus auch den eschatologischen Dualismus, den Endkrieg, das Endheil[420]. Dabei sind auch Auswirkungen auf die eschatologische Einbettung der "Hoffnung" vorhanden, wie etwa der Vergleich von 1 QH 3,20.27 mit CD 8,4; 1 QM 11,9 zeigt. Bemerkenswert ist aber, daß wir an keiner Stelle in den bisher zugänglichen wichtigen Texten eine Einbettung der "Hoffnung" in solche ausgebauten Geschichtsüberblicke wie in den jüdischen Apokalypsen äth Hen usw. antreffen[421]. So wird dann auch die konkrete Geschichte nicht in eine entsprechend umfassende Schau des Ablaufs der Gesamtgeschichte eingebaut. Überhaupt fehlen Geschichtsvisionen mit Tiersymbolen u.ä.[422]. Immerhin stoßen wir öfter auf umfassende Dimensionen von der Prädestination am Anfang bis zum endgültigen Heil und der endgültigen Vernichtung des Bösen am Ende sowie der Wegstrecke des Kampfes in der zeitlichen Erstreckung dazwischen. Das liegt teils ausdrücklich vor, wie z.B. in 1 QS 3,13 ff (aber ohne konkrete geschichtliche Anspielungen; vgl. auch 1 QH 1), wird teils vorausgesetzt, wie viele Hinweise auf den eschatologischen Dualismus, die Prädestination u.ä. deutlich machen. Der Endkampf kann eine besondere Schilderung erhalten (vgl. 1 QM). Ähnlich werden Heilsgestalten wie die beiden Messias u.U. recht konkret dargestellt (vgl. z.B. 1 QSa II, 11b ff). Einzelne Perioden der Geschichte Israels können hervortreten (vgl. die Anspielung in 1 QM). Es ist sogar öfter zu beobachten, daß konkrete historische Ereignisse und Abschnitte in die Geschichtsauffassung eingebaut werden, so die Rückblicke des Lehrers der Gerechtigkeit (vgl. 1 QH 2; 5,20 ff) oder die auf den Lehrer der Gerechtigkeit (vgl. CD I,1 ff), die Aufnahme at. Geschichte in den Pescharim oder gar in 1 QM[423] und CD, konkrete zeitgeschichtliche Anspielungen im Blick auf den Endkampf (vgl. 4 QpNah). Es können sogar 40 Jahre eschatologisch berechnet werden (vgl. 1 QM 2,6 ff; CD 20,14 f; 4 QPs 37 zu V.10)[424]. Es ist aber noch einmal darauf hinzuweisen, daß ausgebaute Geschichtsüberblicke und Geschichtsvisionen fehlen, die die konkrete Historie so in eine Universalgeschichte miteinbauen, wie das etwa im äthHen und selbst schon im Dan der Fall ist. Das wirkt sich auch für den Gesamteindruck der Aussagen mit Vokabeln der Hoffnung in den Qumrantexten aus (vgl. z.B. CD 8,4; 1 QM 11,9; 1 QpHab 1,2). Doch ergibt sich in CD 1,1 ff immerhin, daß dieser Text stark in die Nähe solcher Darstellungen zu kommen scheint, allerdings bezeichnenderweise in eine Mahnung und nicht in eine Vision eingekleidet[425]. Insofern stehen die Qumrantexte dem Sachverhalt bei Paulus offensichtlich näher als dem in den großen jüdischen Apokalypsen[426]. Allerdings gehen sie insgesamt gesehen aber vielleicht doch schon weiter auf die Darstellungsweise dieser Apokalypsen zu, als das bei Paulus der Fall ist[427]. So findet sich bei Paulus keine 1 QM vergleichbare Behandlung des Endkampfes[428]. Denn während in 1 QM durch die spezielle Art der Teilnahme der Qumranleute die Grenzen zwischen konkreter Geschichte und eschatologischem Ende, zwischen konkretem Krieg und eschatologischem heiligen Krieg ins Fließen geraten, wird bei Paulus deutlicher unterschieden. Es fehlt bei ihm ein Hin-

weis darauf, daß die überlebenden Christen eine Kampfabteilung der Trup-
pen Jesu Christi bei seiner Parusie darstellen. Hier haben sich vielleicht
nicht zuletzt soteriologische Unterschiede in die Geschichtsauffassung hinein durchgehalten[429]. Aber auch die Rückblicke auf Israel können in den
Qumrantexten einen anderen geschichtlichen Stellenwert als bei Paulus erhalten, da das Verhältnis des zum Christentum bekehrten Juden Paulus
zum Judentum und seiner at. Geschichte ein eschatologisch noch sehr viel
stärker gebrochenes als in der Qumrangemeinde ist. Weithin erwecken die
Qumrantexte einen "primitiveren" und "urtümlicheren" Eindruck als die
großen jüdischen Apokalypsen und die Paulusbriefe, die auf ihre Weise
"gebildeter" und sicherlich im Fall der literarischen Apokalypsen sogar
"akademischer" erscheinen. Andererseits rückt die Dynamik eschatologisch
begonnenen Heils und eschatologischer Existenz die Qumrangemeinde und
Paulus gegenüber diesen Apokalypsen zusammen. Denn diese Dynamik
dürfte sich hemmend oder gegenläufig zu ausgebauten Geschichtsbildern
und Geschichtsvisionen ausgewirkt haben. So ließ sie leichter den eigenen
geschichtlichen Ort im eschatologischen Prozeß im Ansatz festhalten[430].

Auf diese Weise ergibt sich, daß uns das Gemeindelied 1 QH 3,19-36 ein
charakteristisches Bild für die Qumraneinung zeichnet, und zwar wegen
seiner Aussagen über מקוה und תקוה in 3,20 und 3,27 gerade auch für
die eschatologische Einbettung der "Hoffnung". 3,27 zeigt uns, daß in
Qumran die "Hoffnung" ebenfalls in die apokalyptischen Geschichtsdarstellungen eingerückt wurde. Doch wird dort bereits das Gewicht besonderer eschatologischer Dynamik klar. Vor allem 3,20 verdeutlicht dann,
daß das sog. soteriologische Bekenntnis im Rahmen eines eschatologischen
Dualismus für die Qumrangemeinde ein wesentlicher Ort der "Hoffnung"
war. Wahrscheinlich ist es sogar als der ursprüngliche und eigentümliche
Ort anzusehen, wohl eher als ausgesprochene Geschichtsdarstellungen,
wenn man von dem theologischen Gewicht ausgeht. Darauf dürfte auch
die Beobachtung weisen, daß wir auf die meisten Stellen mit Vokabeln
der Hoffnung in 1 QH stoßen und daß unter ihnen die formelhaften Aussagen im Stil eines soteriologischen Bekenntnisses recht häufig sind und
leitend erscheinen. Überhaupt haben die Hodajoth durchgehend für die
Frömmigkeit der Qumranleute eine wesentliche Rolle gespielt. Sie geben
das Selbstverständnis dieser eschatologischen Heilsgemeinde wieder, die
sich in einem eschatologisch-dualistischen Heilsprozeß stehen sieht und
diesen Sachverhalt in der Vergangenheits- und Zukunftsrichtung geschichtlich ausbaut, prädestinatianisch verankert und nomistisch-paräne-
tisch aktualisiert, wobei die Doxologie eine wichtige Funktion besitzt. In
dieser Richtung scheinen mir theologisch die Schwerpunkte der im einzelnen recht differenzierten, komplexen und spannungsgeladenen Aussagen
der Qumrantexte zu suchen zu sein, wenn man sich von der Frage nach
der Eschatologie leiten läßt[431]. Dadurch schwebte die Qumrangemeinde
von ihrem Grundsatz her vielleicht weniger als die großen jüdischen Apokalypsen in der Gefahr, einem Verlust der Geschichtlichkeit anheimzufal-
len[432]. All das spiegelt sich in 1 QH 3,19-36[433]. Dieses Gemeindelied

macht zugleich deutlich, wie sehr in Qumran die eschatologische Einbettung der "Hoffnung" noch formgeschichtlich gebunden gewesen ist. Hier zeichnen die Qumrantexte für den Weg von den at. zu den paulinischen Sachverhalten einen bemerkenswerten Ausschnitt. Denn die formgeschichtliche Gebundenheit steht noch näher zum AT, während die Art der eschatologischen Einbettung Übereinstimmungen mit Paulus aufweist. Diese Einbettung hat bei Paulus dann sogar das Hauptgewicht übernommen. Zwischen Qumran und Paulus sind hier aber nicht Abhängigkeiten, sondern vielmehr Analogieverhältnisse anzunehmen. Sie unterstreichen die paulinischen Sachverhalte zeitgeschichtlich markant[434]. Dabei darf im Rahmen des eschatologischen Heilsprozesses, und zwar in vieler Hinsicht parallel zu den Paulusbriefen, die "Hoffnung" der Qumranleute nicht nur unter dem Gesichtspunkt der Gewißheit betrachtet werden. Vielmehr spielen neben Zuversicht und Zutrauen bei dem Gebrauch von מקוה , חקוה usw. Spannung, Wunsch, Sehnsucht, Wissen, Erkenntis in der "Hoffnung" eine Rolle. So zeichnen die Qumrantexte und speziell unser Gemeindelied extreme eschatologische Dimensionen damaliger jüdischer "Hoffnung", insofern sie sich im eschatologischen Heilsprozeß stehen sah.

10.6.4. Ergebnis

Blicken wir auf den Strukturvergleich zurück, so zeigt sich uns, daß in den untersuchten Bereichen bei der Frage nach der eschatologischen Einbettung der Aussagen mit Vokabeln der Hoffnung, Erwartung usw. durchgehend ein Prozeßcharakter und eine Dynamik des Heils oder zum Heil hin wichtig sind, und zwar trotz aller kosmologisch-räumlichen und deterministisch-prädestinatianischen Gedanken, selbst bis hin zu geschlossenen und detaillierten Geschichtsbildern. Solch ein Prozeßcharakter und solch eine Dynamik gehören zu den leitenden Aspekten. Den Orientierungspunkt stellt jeweils eine Wende dar. So steht bei Deuterojesaja das eschatologische Heil bevor. Es wird konkret auf die Befreiung Israels aus dem Exil bezogen, erhält aber zugleich in der Botschaft dieses Propheten weltweite Perspektiven. Spannkraft, Zutrauen und Zuversicht soll das Disputationswort Jes 40,27-31 in der "Hoffnung" stärken, und zwar angesichts eines Erlahmens der Gemüter. Eine formgeschichtliche Gebundenheit der Aussagen ist vorhanden. Das entspricht at. Redeweise. Insgesamt gesehen kommt in der at. Prophetie das eschatologische Heil auf dem Boden der Heilstraditionen Israels recht differenziert zur Darstellung. In späten Schichten stoßen wir dann sogar auf Übergänge zur Gedankenwelt der Apokalyptik. In der jüdischen Apokalyptik hat uns das Beispiel des äthHen ebenfalls auf das Gewicht einer Wende zum eschatologischen Heil verwiesen. Denn es ist für den Apokalyptiker letzte Zeit vor dem Ende. Die Uhr läuft gerade ab. Als Schwerpunkte der eschatologischen Einbettung der "Hoffnung" haben wir Geschichtsdarstellungen bzw. Geschichtsvisionen und paränetische Passagen festgestellt. Das läßt im ersten Fall das Problem eines Geschichtsverlustes aufleuchten. Im zweiten Fall soll durch den Ausblick auf die Zukunft eine tröstende und ermunternde Wirkung der "Hoffnung" für die geplagten Frommen erreicht werden. Dabei spielt die Antithetik von "jetzt" und "dann" im Sinn des apokalyptischen Äonendualismus eine große Rolle. Auch hier ist eine formgeschichtliche Verwurzelung der Aussagen zu beachten. Literarische Fragen sind wichtig. Vor allem eine formgeschichtliche Verwurzelung hält sich ebenfalls in den Qumrantexten noch durch. Dabei hat dort das sog. soteriologische Bekenntnis ein besonderes Gewicht erhalten. Zugleich treffen wir dadurch charakteristisch auf eschatologisch begonnenes Heil. Denn während für die großen jüdischen Apokalypsen das eschatologische Heil nahe ist[435] und als soteriologisch aktives zeitlich noch aussteht[436], ist es für die Qumrangemeinde im Zusammenhang eines eschatologischen Dualismus bereits dynamisch wirksam. Wir haben das anhand des Gemeindeliedes 1 QH 3,19-36 gesehen. Dadurch besteht die Gefahr eines Geschichtsverlustes nicht mehr in demselben Maß wie in den großen jüdischen Apokalypsen. Auch ist eine Entlastungsfunktion der Zukunft wohl nicht mehr so gewichtig wie dort. Das bedeutet für die "Hoffnung" eine besondere Ausprägung von Zutrauen, Zuversicht, Wunsch, Sehnsucht, Vorstellung, Wissen u.ä. Wenngleich in den Qumrantexten Geschichtsvisionen fehlen, so hat sich allerdings auch die Qumrangemeinde mehr oder weniger breiten Geschichtsdarstellungen zugewandt. Ferner müssen die extremen prädestinatianischen Aussagen in diesem Zusammenhang durchdacht werden. Bei Paulus stoßen wir im Vergleich zu diesen Horizonten auf eine zu den Auffassungen der Qumrangemeinde analoge eschatologische Struktur. Denn auch bei ihm ist das Heil eschatologisch bereits da und verwirklicht sich dynamisch in der Zukunftsrichtung. Dabei steht Paulus vor allem auf apokalyptischem Boden, wie die Verarbeitung des Äonendualismus zeigt. Doch nimmt er auch noch mannigfaches hellenistisch-synkretistisches Gedankengut auf. In solchem Zusammenhang sind die theologischen Schwerpunkte seiner Hoffnungsaussagen zu sehen. Allerdings ist in den Paulusbriefen im Unterschied zu diesen at.-jüdischen Bereichen keine charakteristische formgeschichtliche und literarische Einbettung des Gebrauchs von ἐλπίς κτλ mehr zu beobachten[437]. Vielmehr ist nun das eschatologische Heil selbst als der primäre und eigentliche Ort der "Hoffnung" zu beurteilen. Auf diese Weise sind eine Kontinuität, aber auch Verschiebungen und Brüche gegenüber dem AT und dem Judentum wirksam geworden. Solches betrifft ebenfalls die Objekte von מקוה, ἐλπίς und synonymen Wörtern, wenn wir vor allem an Gott und besondere Mittler des Heils bis hin zu Jesus Christus denken. So ist in der Entwicklung seit dem AT bei dem Christen Paulus schließlich Jesus Christus in der eschatologischen Zukunftsperspektive als spes quae speratur hervorgetreten[438].

Damit haben wir die Bereiche betrachtet, die unter eschatologischem Blickwinkel die wesentlichen, engen Voraussetzungen oder Analogien in der antiken nichtchristlichen Umwelt für den paulinischen Sachverhalt bereitstellen. Nun ist aber bei Paulus hier, wie oben an vielen Punkten klar geworden ist, ferner ein hellenistisch-synkretistischer Hintergrund oder gar Einfluß zu beachten. Will man ihn genauer erarbeiten, so müssen entsprechend einzelne Strukturvergleiche durchgeführt werden. Das ist hier aber nicht mehr möglich. Es ist angesichts der obigen Ergebnisse auch nicht mehr unbedingt nötig. So möchte ich mich mit einigen Hinweisen begnügen. In dieser Richtung sind profane klassische und hellenistische Quellen[439], das hellenistische Judentum[440], die Hermetik[441] und die Gnosis[442] zu nennen[443]. Dabei haben die neugefundenen Nag Hammadi-Texte sogar für die Gnosis selbst das Problem gleichsam eschatologisch-universalgeschichtlicher Aussagen aufgeworfen[444]. Hier stellen sich der Forschung noch zahlreiche, vielfach erst ganz neu aufgetretene Aufgaben[445]. Auf den Standort an einer Wende vom Alten zum Neuen, von einem Weltzeitalter zum anderen, also auf eine Wende sogar bis hin zu kosmisch-universalen Ausmaßen, stoßen wir allerdings auch im zu Paulus zeitgenössischen nichtchristlichen und nichtjüdischen Bereich. Das ist vor allem im Zusammenhang von "Heilserwartungen" bei Beginn des Regierungsantritts eines Herrschers der Fall, mag dabei das Neue selbst noch ausstehen oder die Wende schon vollzogen sein, mag an eine Rückkehr des goldenen Zeitalters gedacht sein[446]. Gleichwohl sind die at.-jüdischen Traditionen, die wir eben behandelt haben, für unsere Fragen wichtiger. Denn gerade sie legen sich unter Berücksichtigung eschatologischer Dynamik und eschatologischer Inhalte als Voraussetzungen und Analogien nahe. Die rabbinische Überlieferung ist dabei nach meiner Einsicht in die Quellen in ihrem Rahmen oder als ihre Fortsetzung oder Fortbildung zu beurteilen. Sie könnte zwar u.U. einen bemerkenswerten Verstehensbeitrag für die Gedankenwelt des Paulus, eines ehemaligen Pharisäers, leisten. Doch bringt sie hier faktisch gegenüber den oben untersuchten at.-jüdischen Horizonten nichts grundsätzlich Neues. Schwer fällt es, einen charakteristischen Graben zwischen ihr und der Apokalyptik zu ziehen. Allerdings spielt in ihr im Unterschied zur Apokalyptik, eigenartigerweise aber parallel zur Qumrangemeinde, die Gestalt des Menschensohnes keine Rolle, wohl aber um so stärker der Messias. Häufig wird auf die kommende Welt (vgl. עולם הבא u.ä.) hingewiesen. Visionäre Geschichtsüberblicke sind meines Wissens aber nicht in demselben Maß wie in den at.-jüdischen Apokalypsen Dan, äthHen usw. von Belang[447]. Vor allem Gottes Herrsein ist bei den Rabbinen zu beachten[448].

Schließlich wird man noch die spezielle Ausgestaltung der Eschatologie im beginnenden Christentum, bei der die konkreten geschichtlich-eschatologischen und personalen Beziehungen zu Jesus Christus und seinem Werk eine zentrale Rolle spielten, würdigen müssen. Dabei sind genauer Differenzierungen etwa zwischen mehr apokalyptisierenden Tendenzen im palästinischen Raum und hellenistischen und synkretistischen Verschiebungen in anderen Teilen des Mittelmeergebietes zu berücksichtigen. Auch mögen besondere formgeschichtliche und literarische Verhältnisse hier und da noch eine größere Bedeutung als bei Paulus besitzen (vgl. z.B. Mt 11,3 par aus der Logienquelle). Doch führen uns solche Einzelheiten nicht mehr grundsätzlich im Verhältnis zu den bisher erarbeiteten hauptsächlichen Strukturen für das Verständnis des Paulus weiter[449]. Das gilt

vor allem auch für die eschatologische Dynamik bei der Einbettung der
"Hoffnung". In dieser Hinsicht ist es bemerkenswert, daß Paulus nicht
einfach im Strom einer hellenistischen Umprägung des Evangeliums mit-
schwimmt, sondern gerade auf eschatologisch-apokalyptischem Boden stehende Gedankeninhalte in einem hellenistisch-synkretistischen Milieu zur
Geltung bringen will, wie uns bei den Objekten unserer Synonyme die Bedeutung der Totenauferweckung, der Parusie u.ä. gezeigt haben. Bei
den Denkbewegungen spielen hier das zurückliegende Christusgeschehen
und seine Verlängerung in die Zukunft eine wesentliche Rolle[450].

10.7. Ἐλπίζειν und ἐλπίς in der eschatologischen Zukunft (Röm 15,12; 1 Thess 2,19; 1 Kor 13,13)?

All das bisher Herausgearbeitete gilt primär für die Aussagen, wo zumindest der Akt der spes vor der eschatologischen Zukunft liegt, mögen nun
die Objekte in den Bereich des irdischen bzw. gegenwärtigen Lebens oder
in die eschatologische Zukunft gehören. Dabei ist eine zeitliche Distanz
zu dem "Erhofften" vorhanden. Nun müssen in den Paulusbriefen aber
auch noch Aussagen thematisch erwogen werden, bei denen sowohl der
Akt als auch die Objekte in der eschatologischen Zukunft liegen, insofern
nur an die Zeit seit der Wiederkunft Jesu Christi gedacht wird[451]. Dafür
sind in den Paulusbriefen Röm 15,12; 1 Thess 2,19 f; 1 Kor 13,13 zu beachten. Man könnte zwar auch noch auf Gal 5,5 hinweisen, wo ἐλπίς als
"Hoffnungsgut" über das Endgericht hinausreicht. Doch ist dabei einerseits der Akt selbst verblaßt, andererseits aber ἀπεκδέχεσθαι noch extra hinzugefügt worden[452]. Durch Röm 15,12; 1 Thess 2,19 f; 1 Kor 13,13
treten ἐλπίζειν und ἐλπίς hervor, also in der Gräzität zur Zeit des Paulus schon recht ausgeprägte und wichtig gewordene Begriffe.

Röm 15,12 ist wegen des Futur ἐλπιοῦσιν zu beachten. Denn einmal
drückt das Futur eine Zeitstufe aus, also die Zukunft[453]. Zum anderen
handelt es sich dort um ein at. Zitat aus Jes 11,10, so daß dabei in at.
Bahnen eine "Hoffnung" in der eschatologischen Heilszeit in den Blick
kommt. Das Zitat folgt der LXX. Die hebräische Vorlage dagegen bringt
keine Vokabeln der Hoffnung. Nun ist das Futur in der LXX wegen ihres
Beginns καὶ ἔσται ἐν τῇ ἡμέρα ἐκείνη sinnvoll, insofern diese prophetische Ankündigung dadurch das "Hoffen" als zukünftig in der Zeit
des kommenden davidischen Königs herausstellt. Paulus hat diesen Beginn nur auf ἔσται reduziert, und zwar wahrscheinlich absichtlich, weil
bei seiner christologischen Interpretation im Sinn der geschehenen Erfüllung der Rest dieser Wendung bei sorgfältigem und genauem Verständnis
nicht mehr angemessen erschien[454]. Dabei ist es gut möglich, daß dem
Paulus im Zusammenhang mit der Auslassung nicht mehr alle Einzelheiten
dieses at. Wortes besonders bewußt gewesen sind und er das Zitat dann
nur noch assoziativ in einem groben christologischen Sinn im Rahmen der
Zitatkombination Röm 15,9 ff auf die Heidenchristen (ἔθνη) als Beleg für
die Aussagen in V.7-9 bezogen hat. Für diesen Fall sind nicht mehr alle
Einzelheiten genau auszuinterpretieren. Dann sollte das Futur auch nicht

besonders ausgelegt werden, weil die Gefahr besteht, daß der Text zu
sehr gepreßt wird. Will man jedoch trotzdem nach einem genaueren Sinn
im Kontext fragen, so kann das Futur allerdings weiterhin unter dem Gesichtspunkt der Ankündigung durch Jesaja, und zwar unter Berücksichtigung des erst späteren Kommens Jesu Christi, verstanden werden. Die
ἔϑνη "hoffen" dann vor dem Kommen oder seit dem Kommen Jesu Christi
auf ihn, und zwar vor allem soteriologisch im Sinn eines Anteils am Heil
in der christlichen Gemeinde und dann weiter für die eschatologische Zukunft. Will man aber näher zum Kontext 15,7-9 und wegen einer schon geschehenen Erfüllung dieser Ankündigung speziell auf Heidenchristen beziehen, so ist einmal soteriologisch an eine "Hoffnung" für die eschatologische Zukunft oder zum anderen im Sinn des Führungsgedankens an eine "Hoffnung" im Christenleben zu denken. Auch hier ist das Futur unter dem Gesichtspunkt der Ankündigung durch Jesaja weiterhin sinnvoll,
mag man dabei die Situation des irdischen Lebens oder die des Endgerichts
vorliegen sehen. Wenn man die geschehene Erfüllung als leitenden Blickwinkel nimmt, von dem Paulus eigentlich auch ausgeht[455], so erweist sich
aber eine soteriologische "Hoffnung" von Heidenchristen in ihrem irdischen Leben auf Jesus Christus, und zwar für die eschatologische Zukunft, im ganzen Kontext als das bessere Verständnis[456]. Deshalb lei-
stet uns diese Stelle für unser Problem einer "Hoffnung" in der eschatologischen Zukunft keinen wichtigen Beitrag. Sie zeigt aber immerhin,
daß Paulus an Gedanken des AT anknüpft, die das "Hoffen" in der noch
ausstehenden eschatologischen Heilszeit stattfinden sehen.

Deutlicher ist in diesem Zusammenhang dagegen 1 Thess 2,19 f mit ἐλπίς
in V.19 zu berücksichtigen. Denn dort ist die Situation des Endgerichts
im Blick. Dabei geschieht die ἐλπίς in der Situation des Endgerichts.
Die Wiederkunft Jesu Christi hat schon stattgefunden oder findet gerade
noch statt, wenn man das Endgericht mit zur Parusie im weiteren Sinn
rechnet[457]. Indem die "Hoffnung" des Paulus so zum Zeitpunkt des Endgerichts geschieht, schimmern eine eschatologische Distanz und ein eschatologischer Bruch sachlich noch durch. Denn die Beurteilung im Endgericht macht für Paulus erst den Weg zu seinem eschatologisch-zukünftigen Heilszustand frei. Insofern kann hier mit einem gewissen Recht noch
eine Verdichtung der Strukturen angenommen werden, die wir bisher gesehen haben. Denn bisher ist eine sozusagen qualitative zeitliche Distanz
zwischen der Situation des "Hoffens" und dem "Erhofften" hervorgetreten.
Zu beachten bleibt daher, daß in 1 Thess 2,19 f als Situation des Aktes an
das eschatologisch-zukünftige Endgericht gedacht wird[458].

Auf demgegenüber neue Perspektiven stoßen wir in 1 Kor 13,13, wenn
dort das μένειν ein Bleiben bis in die eschatologische Zukunft für die
Trias ausdrückt. Auch in diesem Fall ist daran festzuhalten, daß bei den
Verhaltensweisen der Trias eine Objektbeziehung in der eschatologischen
Zukunft nicht beseitigt ist[459]. Das νυνί muß dann logisch aufgefaßt werden. Allerdings ist diese Deutung umstritten[460]. Aber selbst bei der Deutung Conzelmanns, der einem Vorschlag seines Schülers Reeves folgend

das μένειν im Sinn von "gültig bleiben" verstehen will, um so einer "Alternative logisch/eschatologisch" zu entgehen[461], bleiben dieser eschatologisch-zukünftige Aspekt und seine Probleme an sich bestehen[462]. Für die Interpretation auf die eschatologische Zukunft haben sich nun schon wichtige Verstehenshinweise ergeben, bei denen vor allem Bultmanns Rückgriff auf seinen at. "Hoffnungsbegriff" fruchtbar gemacht worden ist. Vertrauen auf Gott und Unverfügbarkeit im Gegenüber zu einem von Menschen entworfenen Zukunftsbild sind dabei leitend. Buldmann sagt[463]: "Von dem zugrunde liegenden at.lichen Hoffnungsbegriff aus ist nun auch verständlich, warum Paulus sagen kann, daß auch die ἐλπίς bleibt, wenn es dereinst zum βλέπειν kommt (1 Kor 13,12 f): deshalb nämlich, weil die ἐλπίς nicht auf die Realisierung eines vom Menschen entworfenen Zukunftsbildes geht, sondern weil sie das von sich und der Welt absehende Vertrauen auf Gott ist, das geduldig harrt auf Gottes Gabe, und das, wenn er gegeben hat, doch nicht im verfügenden Besitzen ist, sondern in der getrosten Zuversicht, daß Gott, was er geschenkt hat, auch erhalten wird. Christliches Sein läßt sich - dem Gottesgedanken zufolge - auch in der Vollendung nie ohne ἐλπίς denken." Conzelmann nimmt das gut auf, wenn er ἐλπίς auch als die demütige Anerkennung beschreibt, die im Verhältnis zu Gott ebenfalls im Jenseits "bleibt"[464]. Selbst wenn man kritisch gegenüber dem at. "Hoffnungsbegriff" Bultmanns eingestellt ist, muß man eine derartige Interpretation sachlich für den Akt ἐλπίς im Bereich der eschatologischen Zukunft als eine der besten wenn nicht sogar als die bisher beste würdigen. Auf diese Weise ist dann unter eschatologischem Blickwinkel anzunehmen, daß bei solcher ἐλπίς in der eschatologischen Zukunft das Moment einer eschatologischen Distanz im Sinne eines Bruches zu einer ausschließlich gefüllten personalen Relation mit einer anderen Art der Distanz geworden ist, nämlich einer durch ein subjektiv und objektiv ungebrochenes Vertrauen in der Zukunftsrichtung geprägten Distanz, wenn man nicht zu einer unio mystica gelangen will[465]. Viele Gründe, vor allem auch der Kontext vorher mit seinem Gegenüber von "jetzt" und "dann", scheinen mir nun für eine solche Deutung des νυνὶ δὲ μένει κτλ in 1 Kor 13,13 auf die eschatologische Zukunft zu sprechen. Zu ihrer Unterstützung und Verdeutlichung möchte ich im folgenden durch einen Blick auf den at. und religionsgeschichtlichen Bereich noch einige bemerkenswerte Interpretationsaspekte hinzufügen. Und zwar soll das von der Seite der "Hoffnung" her geschehen, indem ich von dem Gebrauch von ἐλπίς und äquivalenten Wörtern in den Quellen ausgehe, nicht aber speziell von allen Einzelgliedern der Trias und der Trias als ganzer[466].

Dafür ist nun gleich die oben schon öfter erwähnte Beobachtung von Interesse, daß in der LXX לבטח u.a. at. Bildungen dieser Wurzel gern durch ἐν bzw. ἐπ' ἐλπίδι wiedergegeben werden[467]. Diese Wendungen erwecken weithin einen formelhaften und recht bestimmt gemeinten Eindruck. Sie sind dabei in der BH zunächst durchaus uneschatologisch aufzufassen, wenn dadurch etwa der Zustand kanaanäischer Städte vor dem Einfall des Stammes Dan als in Sicherheit und Sorglosigkeit geschildert wird (vgl.

Ri 18,7 ff) oder ähnliche Aussagen die Pss (vgl. 4,9; 16,9) oder die
Weisheit (vgl. Spr 1,33) machen. Dabei liegt in Ri 18,7 ff eine Fülle
des Glücks vor, die ungebrochen in der Zukunftsrichtung gilt. Doch
wird dann durch den Stamm Dan eine Störung thematisch. Ferner kommen durch den Kontext in Ps 16,9 das Todesproblem und in 4,9 Not und
Gefährdungen in Sicht. Auch sind in Spr 1,33 die Gesichtspunkte von
Aufruf und Mühe zu berücksichtigen. Ferner kann ein derartiges Verhalten kritisiert werden (vgl. Jes 32,9). Fehlt auch hier ein direktes
Objekt, so ist doch ebenfalls wie in der paulinischen Trias eine Objektbeziehung nicht beseitigt. Der Gesichtspunkt einer Eschatologisierung
wird dann in Hos 2,20; Ez 28,26; 34,27 f wichtig, insofern dort diese
Ausdrucksweise zur Beschreibung eines Heilszustandes dient, der sich
durch ein endgültiges neues Heilshandeln Gottes durch Gericht hindurch
ergibt. Hier kommt eine zukünftige Heilszeit in den Blick, in der eine Fülle des Heils Sicherheit und Vertrauen ungebrochen für die ganze Zukunft
bringt. Bemerkenswert ist dabei die Verbindung mit dem Wohnen im Lan-
de[468]. Wenn die LXX an diesen Stellen durch ἐλπίς-Wendungen wieder-
gibt, so könnte man hier für ἐλπίς eine semantische Umbiegung zur Sicherheit, Sorglosigkeit, Vertrauen vermuten. Eine derartige Umbiegung taucht
überhaupt bei der Übersetzung von חסב und seinen Derivaten in der LXX
als Problem auf. Doch ist für die LXX hier ein Sinn "Hoffnung" wohl schon
deshalb nicht aufgegeben, weil sie sich kaum einem entsprechenden semantischen Zwang der Gräzität hat entziehen können. Wahrscheinlich hat sie
dieses Vertrauen in der Zukunftsrichtung dann auch direkt als "Hoffnung"
verstanden. Sie hat zugleich richtig erkannt, daß in לבטח eine Einstellung
zur Zukunft und eine Emotion im Sinn von Wünschen und Vertrauen konstitutiv sind. Dabei erscheinen in der LXX die Wendungen ἐν bzw.
ἐπ᾽ ἐλπίδι ebenfalls recht formelhaft und geprägt[469]. Schließlich ist es
auch in einer Fülle des Heils im Sinn einer "gefüllten Zeit"[470], die von
einer unio mystica unterschieden ist, nicht abwegig, von "Hoffnung" in
der Weise zu sprechen, daß alle weiterhin ausstehende Zukunft positiv ist,
und zwar in offenkundiger ungebrochener und nicht gefährdeter Entsprechung von subjektivem Wünschen, Vertrauen und objektivem Eintreffen[471].
In derartiger Richtung ist für ἐλπίζειν in eschatologischen Zusammenhängen auch noch einmal auf die Wiedergabe durch die LXX in Jes 11,10
hinzuweisen (vgl. ferner Jes 42,4; 51,5). Eine entsprechende Aussage
für die eschatologische Heilszukunft ist dann mit ἐπ᾽ ἐλπίδι deutlich in
TestBenj 10,11 zu finden, und zwar wieder in Verbindung mit dem Gedanken des Wohnens[472]. Eine Eschatologisierung im Blick auf Jesus Christus ist bei ἐπ᾽ ἐλπίδι in Apg 2,26 zu beobachten, und zwar als Zitat
aus LXX Ps 15 (16), 9.

Diese Ausführungen zeigen, daß sich im AT und in dem mit Paulus zeitgenössischen Judentum auf at. Boden die Vorstellung einer "Hoffnung" in
der endgültigen, eschatologischen Heilszeit findet. Vor allem ist dabei
ἐλπίς über die LXX wichtig gewesen. Durch die Vermittlung der LXX haben derartige Aussagen dem Paulus sicher vorgelegen. Eigenartigerweise

zitiert Paulus nun aber im Unterschied zu Apg 2,26 eine solche ἐπ' ἐλπίδι-Wendung nicht. Vielmehr ist in den Paulusbriefen eine derartige Ausdrucksweise für die Ausrichtung auf die noch ausstehende eschatologische Zukunft wichtig (vgl. Röm 5,2; 8,20 f). Hier könnte Paulus sogar uminterpretiert haben. Gleichwohl sollte man aber einen entsprechenden at.-jüdischen Hintergrund für das Verständnis von 1 Kor 13,13 erwägen. Denn in diesem Sinn ist der Akt der "Hoffnung" auch im Zusammenhang des paulinischen Denkens in der eschatologischen Zukunft annehmbar, und zwar im Rahmen einer Fülle des Heils, bei der eine Zukunftserstreckung im Unterschied zu einer unio mystica vorliegt. Sie ist aber ungebrochen und ohne Anfechtung. Ein "Zuschanden-Werden" kann überhaupt nicht in den Blick kommen. Denn diese "Hoffnung" steht jenseits einer eschatologischen Distanz und eines eschatologischen Bruchs. Das Heil ist in jeder Hinsicht offenkundig und endgültig vorhanden[473]. Derartige Gedanken passen an sich nicht schlecht zu der Bedeutung des Leibes und der Geschöpflichkeit bei Paulus, aber ebenfalls zu einem Horizont, der wie in Röm 8,18 ff die ganze "Schöpfung" in das zukünftige Heil einbezieht[474]. Allerdings bleiben nun doch auch Spannungen im Verhältnis zu Gegenüberstellungen wie von ἐλπίζειν und ἐλπίς zu βλέπειν (Röm 8,24 f) und πίστις zu εἶδος (2 Kor 5,7) zurück. Diese Aussagen sind offensichtlich traditionsgeschichtlich auf einem anderen Hintergrund zu sehen, wenn wir etwa an die Antithetik von sichtbar-unsichtbar in der jüdischen Apokalyptik und in der platonischen Tradition denken. Deshalb ergibt sich bei der paulinischen Sicht der eschatologischen Zukunft auch von hier aus noch einmal der Eindruck eines Synkretismus. Vielleicht ist es aber der eschatologischen Zukunft theologisch durchaus angemessen, daß im Blick auf sie völlig einheitliche Vorstellungen nicht möglich sind und Systematisierungen versagen[475]. Abschließend muß jedoch hervorgehoben werden, daß bei Paulus direkt nur in 1 Kor 13,13 eine solche ἐλπίς in der eschatologischen Heilszukunft zu erwägen ist. Denn auch Röm 15,12 ist in dieser Richtung nicht sicher genug interpretierbar und scheint dann eher 1 Thess 2,19 f an die Seite zu treten. Immerhin zeigt aber Röm 15,12, daß Paulus an Stellen des AT anknüpft, die ein ἐλπίζειν für die noch ausstehende eschatologische Heilszeit ansagen[476].

SCHLUSSBETRACHTUNG

11. "HOFFNUNG" BEI PAULUS (EIN FAZIT)

Wir stehen damit am Schluß unserer Untersuchungen zum Hoffnungsproblem bei Paulus. In ihnen sind wir der "Hoffnung" aufgrund der paulinischen Aussagen mit ἐλπίς und ihren Synonymen nachgegangen. Es hat sich dabei gezeigt, daß ein einheitlicher "Hoffnungsbegriff", der alle Aussagen des Paulus mit diesen Wörtern in sich zusammenfaßt, nicht vorliegt. Es haben sich jedoch sprachliche und theologische Schwerpunkte ergeben. Sprachlich ist wichtig, daß das Vokabular trotz aller Unterschiede im einzelnen eine eng zusammengehörige Größe darstellt, schon insofern es bei Paulus stets zur Bezeichnung einer Zukunftseinstellung verwendet wird. Hier ist offensichtlich eine konzentrierende Kraft des Paulus wirksam gewesen, die durchaus seinem auch sonst zu beobachtenden systematischen Vermögen entspricht. Dabei hat er zugleich an Voraussetzungen des AT (LXX) und seiner näheren Umwelt angeknüpft. Bemerkenswert ist, daß sprachlich an sich die hellenistische Koine als Fundament für die semantischen Fragen des Vokabulars wesentlich ist, daß zugleich aber in den paulinischen Aussagen durch die Sachzusammenhänge eine Färbung des Sprachgebrauchs bei den Begriffen erreicht wird, die den Einfluß theologischer Traditionen des at.-jüdischen und frühchristlichen Bereichs anzeigt, wenn wir etwa an das Gewicht von Zutrauen und Zuversicht denken. Hier besteht ein interessantes Verhältnis zwischen Sprache und gemeinter Sache. Zwar kann man nicht einfach in der Weise unterscheiden, daß die Sprachform bzw. das Vokabular griechisch und die Sache bzw. die Bedeutung semitisch oder speziell at.-jüdisch ist, und zwar schon wegen der Probleme bei solchen Bezeichnungen wie "griechisch" und "semitisch", aber auch wegen der schöpferischen Wirkung des christlichen Heils und seines Wegs in die hellenistisch-synkretistische Welt des römischen Reichs. Doch kommen auf jeden Fall genuin at.-jüdische Traditionen zum Tragen. Sie sind dabei eher primär theologisch als im Rahmen der semitischen Welt allgemeiner religiös und kulturgeschichtlich auszuwerten. Es sollte aber beachtet werden, daß das Moment von Vertrauen und Zuversicht im Alten Orient für die "Hoffnung" über den at.-jüdischen Bereich hinaus belangreich gewesen zu sein scheint[1]. Eine formgeschichtlich-literarische Prägung der paulinischen Aussagen mit unseren Synonymen ist nun allerdings im Unterschied zum Sachverhalt im AT und noch im zeitgenössischen Judentum nicht mehr charakteristisch.

Hier werden wir statt auf solche Redeweisen vielmehr auf die Theologie des Paulus und das eschatologische Heil selbst verwiesen. So ist das eschatologische Heil als der ursprüngliche, primäre und eigentliche "Ort" der "Hoffnung" bei Paulus anzusehen. Vor allem das Christusgeschehen, d.h. das eschatologische Kommen des Gottessohnes in die Geschichte, hat hier offensichtlich umgeprägt, zumal Paulus nach seiner eigenen Aussage dem auferweckten Kyrios persönlich begegnet ist. Trotzdem ist aber nun auch theologisch, und zwar ebenfalls speziell eschatologisch, bei den paulinischen Hoffnungsaussagen als ganzen ein Hintergrund bis zum AT zu beachten. Im Blick auf die Schwerpunkte und engeren Beziehungen ist Paulus dabei jedoch besonders im zwischentestamentlichen Judentum und im Christentum seiner Zeit verwurzelt. Vor allem sind die jüdische Apokalyptik und ihre Rezeption im beginnenden Christentum wichtig gewesen, und zwar in Verbindung mit hellenistisch-synkretistischen Einflüssen, die dem Paulus über das Kerygma der hellenistischen Christenheit vermittelt worden sind, aber auch sonst bei seinen Reisen und in der Beziehung zu seinen Gemeinden wirksam geworden sind[2]. Diese Sachverhalte werden z. B. dadurch gut deutlich, daß Paulus in der Auseinandersetzung mit Gegnern (vgl. 1 Kor 15,19; Gal 5,5; Phil 3,20 f) und in seelsorgerlicher Unterweisung oder Beratung (vgl. 1 Thess 4,13 ff) eschatologisches Gedankengut in der Tradition der Apokalyptik und verwandten eschatologischen Denkens in einem hellenistisch-synkretistischen Milieu zur Geltung bringen will. Es ist aber zu fragen, ob es dem Paulus hier letztlich nicht eher um die Hervorhebung eines neuen und umfassenden Heilsgeschehens durch einen eschatologischen Bruch in der menschlichen Existenz und der Geschichte geht als um ausgebaute Geschichtsüberblicke und Zukunftsbilder.

Auf solche Tendenzen weisen unsere Erwägungen in 10.7. über $\dot{\epsilon}\lambda\pi\dot{\iota}\zeta\epsilon\iota\nu$ und $\dot{\epsilon}\lambda\pi\dot{\iota}\varsigma$ in der eschatologischen Zukunft. Dann hat sich bei den absoluten Aussagen mit $\dot{\epsilon}\lambda\pi\dot{\iota}\varsigma$ in 7.3. eine Einheit der eschatologischen Zukunft angedeutet, von der her die Christen sich verstehen und auf die sie sich ausrichten (vgl. die Momente eines eschatologischen "Hoffnungsbegriffs"). Vor allem haben die Spuren eines besonderen Aussagentyps (s. 9.) eindrücklich die Zusammengehörigkeit von Akt und Objekten der "Hoffnung" gezeigt. Entsprechend liegt selbst bei der Bedeutung "Hoffnungsgut" in Gal 5,5 eine Bindung an das $\dot{\alpha}\pi\epsilon\kappa\delta\dot{\epsilon}\chi\epsilon\sigma\vartheta\alpha\iota$ vor. Dadurch wird noch einmal deutlich, daß sich bei Paulus hier keine Zukunftsvorstellungen oder Zukunftsbilder verselbständigen, daß die Heilszukunft auf die Existenz bezogen wird. Zugleich gilt auch das Umgekehrte, daß sich nämlich ebenfalls die spes qua speratur nicht verselbständigt, da sie auf Objekte bezogen bleibt. All das entspricht dem Sachverhalt, daß für Paulus der Christ auch bei seiner "Hoffnung" in Relationen lebt.

Gerade das Leben des Christen in Relationen ist für Paulus nun etwas sehr Wichtiges. Solche Relationen werden - um unsere Ergebnisse von hier aus noch einmal besonders zu beleuchten - einmal unter dem Gesichtspunkt der Objekte deutlich. Dabei treten im Blick auf die eschatologische Zukunft Jesus Christus und eschatologisch-zukünftiges Heil hervor[3]. Derartige Relationen sind aber zum anderen auch in der Zukunftseinstellung selbst thematisch. Denn eine Objektbeziehung ist selbst bei dem Extremfall der

absoluten Akt-Aussagen mit ἐλπίς und in Röm 8, 25b nicht ausgeschaltet.
Überhaupt wird das Gewicht von Relationen durch die zentralen Strukturen der spes qua speratur ausgedrückt, nämlich durch "Für-sich-Erhoffen", Wünschen, Wollen, Sehnsucht und Spannung, Zutrauen und Zuversicht, Warten sowie Vorstellung, Wissen und Folgern. Zudem weist nicht
zuletzt die Objektbeziehung den Akt als christlich aus. Eine ausgesprochene Naherwartung ist aber nicht durchgehend leitend[4].

Ein dritter Relationsbereich wird bei dem Miteinander all der vielen, z.T.
sogar recht unterschiedlichen und in Spannung zueinander stehenden Gesichtspunkte bei den Aussagen über die "Hoffnung" deutlich. Insofern
dieses Miteinander theologisch gerade dann verständlich und sinnvoll
wird, wenn eschatologisch schon begonnenes, eschatologisch noch aus-
stehendes und überhaupt eschatologisch im Prozeß befindliches Heil bedacht werden, tritt dieser dritte Relationsbereich der christlichen Existenz und der "Hoffnung" hervor, und zwar als ein wesentlicher und
eschatologisch überhaupt übergeordneter. Denn bei Paulus ist theologisch
gesehen gerade das eschatologische Heil als der eigentliche, ursprüngliche und primäre Ort von ἐλπίς κτλ anzusehen. Selbst die mehr profanen Aussagen des Paulus erhalten von hier aus ein Fundament. Auf diese
Weise wird auch noch einmal ein fester Zusammenhalt zwischen Akt und
Objekten der "Hoffnung" geschaffen. Das ist sogar als der grundlegende
Zusammenhalt anzusehen. Schließlich werden von hier aus auch die Unterschiede, Spannungen und überhaupt das Fehlen eines Systems bei den
Vorstellungen über die eschatologische Zukunft nicht mehr zu einem un-
überwindlichen Hindernis des Verstehens. Denn Paulus sieht die "Hoffnung" in einen eschatologischen Prozeß eingebettet, der mit dem zurückliegenden Kommen Jesu Christi, des Gottessohnes und Herrn, beginnt
und dessen Vollendung im Sinn eines endgültigen Abschlusses mit seiner
Wiederkunft anhebt. Umgekehrt weist die "Hoffnung" selbst gerade auf
diesen Prozeßcharakter, auf diese Dynamik hin. Dabei verdichten sich
Prozeßcharakter und Dynamik sogar in der "Hoffnung" selbst. Bei Paulus
bleibt jedoch der geschichtliche Ort in diesem eschatologischen Prozeß
theologisch wesentlich. Paulus überspringt ihn nicht in einer Geschichtsvision u.ä., indem er sich etwa betont an das noch ausstehende Ende stellt
oder ausdrücklich protologisch oder auf himmlischen Tafeln verankerte
detaillierte Geschichtsüberblicke gibt. Selbst bei "objektiven" Aussagen
über die eschatologische Zukunft (d.h. bei solchen ohne Vokabeln der
Hoffnung u.ä.) gilt diese Struktur.

Als Hintergrund für diese eschatologischen Sachverhalte muß apokalyptisches Denken festgehalten werden. Darauf weisen der zugrundeliegende
eschatologische Dualismus, das Zurücktreten Gottes als Objekt in der eschatologisch-zukünftigen Perspektive, und zwar zugunsten Jesu Christi oder
auch der Gottessöhne (Röm 8), der universalgeschichtliche Horizont. Doch
ist eine lediglich apokalyptische Ableitung der Aussagen des Paulus hier
insgesamt gesehen zu simpel. Das zeigt das schon begonnene eschatologische Heil bei den Christen, das eher Analogien in den Qumrantexten fin-

det. Das macht ferner die konkrete Zuspitzung auf den Herrn Jesus Christus als geschichtlich schon einmal in dem Menschen Jesus gekommene Person des Gottessohnes deutlich. Aber auch hellenistisch-synkretistische Einflüsse oder der Gedanke der individuellen Christusgemeinschaft des Paulus gleich nach dem Tod (vgl. Phil 1,20) beschränken den Einfluß der Apokalyptik. Dennoch ist es wichtig, daß bei Paulus der Weg zum Heil soteriologisch wie bei dem Gegenüber der beiden apokalyptischen Äonen scharf durch einen eschatologischen Bruch hindurchgeht. So bedeutet die Bekehrung der Christen einen Bruch mit dem bisherigen Leben und die Rettung hin zu einer eschatologisch neuen Existenz (vgl. καινή κτίσις in 2 Kor 5,17; Gal 6,15).

Auf diesem Hintergrund ist nun auch das Verhältnis des christlichen "Hoffens usw." zum nichtchristlichen zu bedenken, wenn wir in Erwägung ziehen, daß hier aufgrund des oben erarbeiteten paulinischen Sachverhalts nicht einfach Antithesen aufgebaut werden können. Angeknüpft wird an die auch in der Gräzität sonst vorausgesetzte Distanz zum Eintreffen der Objekte[5]. Dabei wird dann aber durch die Bekehrung der Christen ein Bruch hervorgerufen, der die Christen nun auf den Boden eschatologischen Heils stellte und von da aus semantisch vorgegebene Aspekte neu zur Geltung kommen oder auch besondere Sinnausprägungen erfahren ließ, wie etwa Zutrauen und Zuversicht in dem "Hoffen" der Christen zeigen. Es ist angesichts von 1 Thess 4,13 aber auch zu erwägen, ob damals vielfach nicht erst der Weg zum Christentum zu einer echten ἐλπίς geführt hat, zumindest was die Perspektive über den Tod hinaus und Eschatologie angeht[6]. Übergänge bleiben aber, wie das Beispiel der κτίσις in Röm 8,19 ff zeigt. Doch ist auch die "Schöpfung" dort immerhin auf das Heil Gottes ausgerichtet. Schließlich ist hier noch zu bedenken, ob bei Paulus nicht gerade durch die Herausstellung einer "Hoffnung" der "Schöpfung" zugleich zum Ausdruck kommt, daß die Bedeutung der Geschöpflichkeit auch für das Hoffnungsproblem bewußt festgehalten werden muß.

Aufgrund der bisherigen Darstellung kann sich nun der Eindruck ergeben, daß Gott insgesamt sehr zurücktritt. Doch ist zu betonen, daß es dem Paulus letztlich gerade um Gott geht[7]. Denn bei allem Zurücktreten Gottes hinter Jesus Christus in der Richtung der eschatologischen Zukunft und den Einzelausprägungen eschatologischer Dynamik bleibt Jesus Christus dennoch Gottes Beauftragter, der ihm das ganze Universum unterwirft und schließlich auch das σῶμα der Christen als der Geschöpfe Gottes verwandeln wird (vgl. Phil 3,20 f), bleibt der eschatologische Heilsprozeß für Paulus auf Gott hin orientiert (vgl. 1 Kor 15,20-28; Phil 3,20 f). Denn durch all das kommen Gott der Schöpfer und seine Geschöpfe zu ihrem Recht[8]. Die oben beobachteten schillernden Verhältnisse zwischen Gott und Jesus Christus weisen ebenfalls in diese Richtung, wenngleich das Zurücktreten Gottes in der Richtung der eschatologischen Zukunft bemerkenswert bleibt. An diesem Punkt wird nun das Beispiel des Abraham in Röm 4,17 f transparent. Das ist um so mehr der Fall, wenn wir die Zuspitzung

in Röm 4,23-25 und Aussagen wie in 2 Kor 1,9 f; 1 Thess 1,9 f berücksichtigen. Denn unter christlichen Gesichtspunkten ist für die Eschatologie und damit auch für das Hoffnungsproblem letztlich Gott als Schöpfer
des Nichtseienden zum Seienden und als Totenerwecker wesentlich. Beides drückt seine universale Macht von Anfang bis Ende aus. Sie hat er
an Jesus bei dessen Auferweckung von den Toten bewiesen (vgl. 1 Thess
1,10), so daß Jesus Christus sie an den Christen und überhaupt in dem
eschatologischen Prozeß der Durchsetzung des Heils und der Gewalt Gottes gegen die des Bösen weiterwirken lassen kann. Bedenkenswert ist
aber, daß an solchen Stellen nicht eine Neuschöpfung des ganzen Univer-
sums, sondern die Totenauferweckung hervorgehoben wird. Das weist auf
eine soteriologische Zuspitzung auf die Menschen hin[9]. Es mögen dabei
durchaus Einflüsse pharisäischer und überhaupt jüdischer Theologie direkt
oder durch die Vermittlung des Christentums bei Paulus nachwirken, wenn
wir etwa an 2 Makk und geprägt erscheinenden Sprachgebrauch an den
paulinischen Stellen denken[10]. Doch kann auch noch weiter bis zum AT
selbst zurückgestoßen werden[11]. So behält Gott also das Heft auch in der
Hand, wenn soteriologisch Jesus Christus als direktes Objekt unserer Synonyme in der Perspektive der eschatologischen Zukunft hervortritt. Deshalb wird schließlich die Bezeichnung "Gott der Hoffnung" (Röm 15,13)
sinnvoll. Sie korrespondiert dem "Gott alles in allem" (1 Kor 15,28). Zugleich hält sie die geschichtliche Dimension zum AT aufrecht, wie schon
der Stichwortanschluß zu Röm 15,12 zeigt[12]. So kann schließlich gefolgert werden, daß es dem Paulus bei der "Hoffnung" christlich gesehen um
Gottes universale Zukunft in Jesus Christus zum Heil geht, die die Macht
des Bösen endgültig beseitigen und Gottes Herrsein völlig durchsetzen
wird. In diesen Prozeß, der eschatologisch im Sinn des Aufeinandertref-
fens von zwei Machtsphären (vgl. den apokalyptischen Äonendualismus)
geschieht, sieht Paulus die Christen und die "Hoffnung" theologisch eingebettet. Unter diesen Voraussetzungen wird ein Verstehenshorizont wichtig, in dessen Richtung die Paulusinterpretation vor allem seit A.Schweit-
zer und E.Käsemann gewiesen worden ist.

Man wird nun aufgrund der bisherigen Ausführungen und speziell der gerade erarbeiteten theologischen Schwerpunkte fragen wollen, wo die Rechtfertigungslehre des Paulus bleibt. Denn daß die Gottesgerechtigkeit und
Glaubensgerechtigkeit in der Theologie des Paulus eine zentrale Rolle spielen, ist sachlich festzustellen und wird gegenwärtig auch in der Forschung
weithin anerkannt. Wir haben das Gewicht der Rechtfertigungslehre oben
vor allem bei der Analyse von 2 Kor 3 und Röm 5,1-5 bereits gesehen. Nun
zeigt aber die Betrachtung der Aussagen des Paulus mit ἐλπίς und ihren
Synonymen, daß im Blick auf die Frage nach der "Hoffnung" die Eschatologie gegenüber der Rechtfertigungslehre übergeordnet ist bzw. den weiteren und charakteristischeren Bereich darstellt. Denn wir haben oben
das eschatologische Heil als den primären, eigentlichen und ursprünglichen Ort der "Hoffnung" bei Paulus erkannt. Diesen Beobachtungen entspricht es, daß wir nicht von allen theologisch wichtigen Aussagen des

Paulus mit unseren Synonymen direkte Beziehungen zum Bereich der Rechtfertigungslehre herstellen können. Gleichwohl bleibt im Rahmen der Frage
nach der Theologie des Paulus noch die Aufgabe, die Beziehung des Hoffnungsproblems zum Rechtfertigungsproblem thematisch zu untersuchen.
Das muß allerdings in einem selbständigen Beitrag geschehen, der das Verhältnis zwischen beidem in einer Motivuntersuchung gezielt angeht. Überhaupt sollte berücksichtigt werden, daß wir oben nicht alle Bereiche des
Hoffnungsproblems analysiert haben. Zwar haben wir die theologisch zunächst wichtigen Fragen untersucht, nämlich den Akt, die Objekte und die
eschatologische Einbettung. Aber selbst im Blick auf die Eschatologie sind
Grenzen des Ergebnisses zu bedenken[13]. Aber auch die Beziehungen der
"Hoffnung" zu einigen weiteren Theologumena und Motiven müßten jeweils
noch gezielt untersucht werden.

Schon aus solchen Gründen ist keine abschließende Antwort auf die Frage
nach einer "Theologie der Hoffnung" oder einem "Prinzip Hoffnung" oder
überhaupt nach dem Gesamtstellenwert der "Hoffnung" in der Theologie
des Paulus möglich. Es dürfte jedoch klar geworden sein, daß die Dinge
bei Paulus differenzierter liegen, als es solche Schlagworte wie "Theologie
der Hoffnung" oder "Prinzip Hoffnung" ausdrücken können. Immerhin
darf aufgrund der bisherigen Ausführungen aber schon gesagt werden,
daß bei Paulus eine "Theologie der Hoffnung" insofern vorliegt, als auf
dem Boden eines konzentrierten Sprachgebrauchs theologische Schwerpunkte zu beobachten sind. Sie setzen nämlich bei aller Anlehnung an Tradition eine ausdrückliche theologische Reflexion des Paulus voraus. Dem
entsprechen die Verzweigungen in die wichtigen Bereiche der Theologie
des Paulus. Auch ist hier bei Paulus der ausführlichste und konzentrier-
teste Beitrag im NT festzustellen. Dennoch deckt das Thema "Hoffnung"
nicht die ganze Theologie des Paulus ab. Schon die Eschatologie ist an
diesem Punkt umfassender. Es dürfte aber deutlich geworden sein, daß
derjenige, der der Eschatologie des Paulus nachgeht, nicht an der "Hoffnung" vorbeikommt. Denn ἐλπίς und ihre Synonyme sowie eschatologisches Heil stehen bei Paulus in einem Verhältnis wechselseitiger Abhängigkeit zueinander, da ihr Miteinander gerade auf den bei Paulus wichtigen Prozeßcharakter des eschatologischen Heils hinweist und ihn sichert.
Wer die Eschatologie des Paulus ernst nehmen will, der muß deshalb auch
die "Hoffnung" ernst nehmen und umgekehrt.

12. MODERNE "THEOLOGIE DER HOFFNUNG" UND "PHILOSOPHIE DER HOFFNUNG" IM LICHTE DER PAULINISCHEN THEOLOGIE

Aufgrund der bisherigen Ausführungen ist nun in einem gewissen Umfang
auch ein vergleichender Blick auf das moderne Programm einer "Theologie
der Hoffnung" und "Philosophie der Hoffnung" möglich. Das Programm einer "Theologie der Hoffnung" finden wir vor allem bei J.MOLTMANN in
seinem gleichlautenden Buch ausgeführt[1]. Von den Erkenntnissen her,

die wir durch unsere Paulusinterpretation gewonnen haben, stellen sich dabei im Blick auf den Titel und die Darstellung dieses Buches einige Probleme. In unserem Zusammenhang betrifft das vor allem das Verhältnis von Obertitel "Theologie der Hoffnung" und Untertitel "Untersuchungen zur Begründung und zu den Konsequenzen einer christlichen Eschatologie". Bei dieser Kombination von Ober- und Untertitel ist an sich die Verbindung von Hoffnungsproblem und Eschatologie legitim. Sie ist sogar theologisch angebracht. Sie entspricht grundsätzlich den theologischen Schwerpunkten des Hoffnungsproblems, die wir bei Paulus festgestellt haben. Es stellt sich dann aber die Frage, ob diese Arbeit Moltmanns im Blick auf den Titel und Untertitel in sich konsequent ausgeführt worden ist. Der Gang der Untersuchungen Moltmanns zeigt nämlich, daß letztlich eine Darstellung der Eschatologie vorherrscht, also der Untertitel tonangebend geworden ist[2]. Im Blick auf die Hoffnung finden sich dagegen keine Ausführungen, die als thematische und ausreichende Reflexionen über die Hoffnung selbst angesehen werden können[3]. Vielleicht liegt das nicht zuletzt daran, daß der Untertitel umfassender als der Obertitel ist. Hier zeigt sich hinsichtlich des Programms einer "Theologie der Hoffnung" ein methodischer Mangel. Aber auch für den Bereich der Eschatologie selbst stellt sich die Frage, ob Moltmann der Weite der paulinischen und überhaupt der christlichen Eschatologie gerecht geworden ist. So ergibt der Vergleich mit unserer obigen Paulusanalyse, daß Moltmann bei der Eschatologie sozusagen eine überstarke Apokalyptisierung durchgeführt hat, insofern er durchgehend eine derartige Prävalenz der Zukunft hervorhebt, daß eschatologisch-begonnenes und -gegenwärtiges Heil zu kurz kommt, und zwar im Verhältnis sowohl zum paulinischen Sachverhalt als auch zu anderen nt. Auffassungen und überhaupt zu vielen Konzeptionen christlicher Dogmatik[4]. Gleichwohl sollte positiv festgehalten werden, daß Moltmann für Mensch und Welt, für die Christen und die Kirche, für Geschichte und Offenbarung eine Zukunftsorientierung theologisch thematisch gemacht hat und in dieser Richtung zugleich Anstöße für die nt. Exegese gibt. Denn die Berücksichtigung einer solchen Zukunftsorientierung ist auch für das Verständnis der Theologie des Paulus fruchtbar. Das gilt zumindest dann, wenn man Eschatologie und Hoffnung in der Theologie des Paulus zu ihrem Recht kommen lassen will. Allerdings ist festzuhalten, daß der Prozeßcharakter des eschatologischen Heils und die Stellung der Hoffnung in ihm von Moltmann nicht in einer Weise dargestellt werden, die der paulinischen Sicht voll entspricht. Auch wird man vom Sachverhalt bei Paulus her im Blick auf das Programm einer "Theologie der Hoffnung" bescheidener als Moltmann sein müssen. Das ist zumindest der Fall, wenn man bei der Frage nach der Hoffnung in den Paulusbriefen methodisch verantwortet bei ἐλπίς und synonymen Vokabeln einsetzt. Es gilt selbst unter Berücksichtigung des Sachverhalts, daß Paulus bei seinem Gebrauch von ἐλπίς und synonymen Wörtern im NT noch den ausgeprägtesten Beitrag zum Hoffnungsproblem bringt. Ein vollständiger Vergleich zwischen den Paulusbriefen und Moltmanns "Theologie der Hoffnung" ist jedoch erst dann möglich, wenn auch die paulinische Eschatologie als ganze thematisch untersucht worden ist. Denn bei Moltmann sind Hoffnungsproblem und Eschatologie in einer solchen Weise miteinander vermischt worden, daß eine derartige Untersuchung vorher notwendig ist[5].

Wenn wir uns nun dem philosophischen Bereich zuwenden, dann tritt im Blick auf das Programm einer "Philosophie der Hoffnung" vor allem E. BLOCH hervor. Schauen wir dabei auf Blochs hier besonders charakteristischen Beitrag "Das Prinzip Hoffnung", so ergeben sich strukturell verwandte Fragen. Das Erscheinungsjahr und die Entstehungsgeschichte dieses Werkes[6] zeigen, daß es schon älter als Moltmanns "Theologie der Hoffnung" ist. Deshalb stellen sich unter Berücksichtigung einer Beeinflussung Moltmanns durch Bloch diese Fragen bei E.Bloch u.U. ursprünglicher, ist die Konzeption möglicherweise aber auch noch in sich geschlossener und elementarer. Es muß ferner beachtet werden, daß Bloch in "Das Prinzip Hoffnung" marxistisch-philosophisch ansetzen will, so daß dadurch die spezielle Art einer "Philosophie der Hoffnung" zum Vorschein kommt[7], während Moltmann in seiner "Theologie der Hoffnung" theologisch vorgehen will. Durch diese Unterschiede verschieben sich Vergleich und Beurteilung, obwohl apokalyptische Tradition sowohl in der Konzeption Blochs als auch in der Moltmanns nachwirken dürfte. Anders als Moltmann reflektiert Bloch die Hoffnung selbst bereits ausdrücklich. So bestimmt er sie in dem zweiten Teil des Werkes, der Grundlegung, die das antizipierende Bewußtsein behandelt, als "positiven Erwartungsaffekt"[8]. Das betrifft den Akt und geht psychologisch vor. Affekt, Trieb und Traum spielen eine große Rolle. Gerade das letztere steht dabei im Rahmen zeitbedingter Auffassungen. Bloch schneidet sie dann allerdings noch auf seine Sicht zu. Sie sind z.T. aber auch heute noch aktuell[9]. Für die Hoffnung dürften auf jeden Fall das emotionale Moment und die Ausrichtung auf etwas Positives richtig erkannt worden sein. Diese Bestimmung der Hoffnung hat bei Bloch aber leider nicht dazu geführt, daß das Verhältnis der Hoffnung zur Ontologie des Noch-Nicht-Seins[10], die die Struktur der übergeordneten Wirklichkeit beschreibt, evident geklärt worden wäre. Zwar sieht Bloch, daß ein Ausgehen allein vom Bewußtsein nicht genügt, sondern daß eine Entsprechung in der übergeordneten Gesamtwirklichkeit bestehen muß, damit die Hoffnung "objektiv-real" bezogen bleibt. Deshalb sind für ihn hier die Kategorien "Front, Novum, Ultimum, der Horizont, utopische Funktion u.ä." wesentlich. In der Welt hat utopische Phantasie ein "Korrelat"[11]. Auch mag man Bloch eine ausschließliche Zukunftsorientierung im Sinn einer Entsprechung von Hoffnung und Ontologie des Noch-Nicht-Seins philosophisch als Programm zugestehen. Dennoch bleibt genau betrachtet die Frage bestehen, ob sich "Das Prinzip Hoffnung" und die Ontologie des Noch-Nicht-Seins sachlich in vollem Umfang entsprechen. Das liegt strukturparallel zum Sachverhalt bei Moltmann. Denn zunächst ist auch bei Bloch wieder zu bedenken, ob es sachlich angemessen ist, mit so umfassendem Anspruch von "Das Prinzip Hoffnung" zu reden, wenn der übergreifende und insofern konstitutive und leitende Bereich

die Ontologie des Noch-Nicht-Seins ist. Überhaupt stellt sich dann die
Frage nach dem sachlichen Verhältnis von Hoffnung und Ontologie des
Noch-Nicht-Seins: Setzt nicht Hoffnung selbst in einem umfassenden "Prinzip Hoffnung" ein Bewußtsein voraus, das für die Ontologie des Noch-
Nicht-Seins als ganze nicht charakteristisch ist[12]? Aufgrund dieser Differenz ist eine Übereinstimmung zwischen der Hoffnung (als spes qua speratur und auch als spes quae speratur) und der Ontologie des Noch-Nicht-
Seins nicht durchgehend gegeben. Es ist sogar ein positiver Zusammenhalt zwischen beidem noch nicht einmal unbedingt garantiert. So ist es
vor allem auch die Frage, aus welchen Gründen das Bewußtsein überhaupt die Wirklichkeit im Sinn einer Ontologie des Noch-Nicht-Seins interpretieren oder voraussetzen darf. Bloch deutet derartige Probleme zwar
selbst an[13], kann aber andererseits wieder von einer "Prozeßwelt, realen
Hoffnungswelt" reden[14]. Die bloße Behauptung eines Korrelats- bzw. Kor-
respondenzverhältnisses reicht nicht aus[15], da das einen Zusammenhalt
nicht begründet[16]. Der Rückgriff auf einen dynamischen Materie- oder
Naturbegriff in den Bahnen einer Aristotelischen Linken[17] hilft bei solchen Problemen nicht in allen Punkten, zumal dieser Begriff selbst noch
einer Überprüfung bedarf. Eine Anknüpfung an Röm 8,19-22 ist philosophisch ebenfalls nur begrenzt möglich[18]. Die Ausführungen über Akt-Inhalt (d.h. "die positive utopische Funktion") und Geschichts-Inhalt (d.h.
"die menschliche Kultur bezogen auf ihren konkret-utopischen Horizont")
der Hoffnung[19] überbrücken auch nicht begründet den Graben zur Ontologie des Noch-Nicht-Seins. Ähnliches gilt für die Aufnahme der klassischen Unterscheidung von spes qua und spes quae speratur[20]. Denn hier
überall wird das philosophische und speziell erkenntnistheoretische, aber
vor allem auch marxistische Problem des Verhältnisses von Sein und Bewußtsein, Seiendem und Bewußt-Seiendem erneut thematisch, und zwar unter dem Gesichtspunkt von Zeit und Geschichte[21].

Auf diese Weise ergeben sich für einen Vergleich mit Paulus bei dem Verhältnis von Hoffnung und Ontologie des Noch-Nicht-Seins in Blochs "Das
Prinzip Hoffnung" formal ähnliche Probleme wie bei dem Verhältnis von Hoffnung und Eschatologie in der "Theologie der Hoffnung" von Moltmann.
Doch fehlt bei Bloch im Unterschied zu Moltmann und Paulus das personale
Moment. Hier hätten an sich gesellschaftlich-soziale Beziehungen leitend
werden können. Doch dürften sie für Bloch philosophisch als Prinzip noch
nicht ausreichend und umfassend genug sein. Demgegenüber spielen christlich gesehen Gott und sein universal ausgerichtetes Handeln durch Jesus
Christus eine zentrale Rolle, also personale Relationen in umfassender Perspektive. Dadurch wird ein Vertrauen zur eschatologischen Wirklichkeit
und zum eschatologischen Heilsprozeß personal begründet und insofern soteriologisch einsichtig gemacht. Bei Bloch scheint demgegenüber die eigene
menschliche Aktivität ein sehr viel größeres soteriologisches Gewicht zu erhalten[22]. Allerdings verliert nun aber auch Moltmanns Auffassung dadurch
(theologisch) an Evidenz und Stringenz, daß er den Gesichtspunkt des Prozesses wie Bloch in der Weise zeichnet, daß die Gegenwart als Provisorium

hervortritt. Deshalb kann sie nämlich nicht mehr voll eschatologisch qualifiziert sein. Das muß zu Lasten eines begründeten Zutrauens und einer begründeten Zuversicht zum eschatologischen Heil gehen. Hier erscheint in der Philosophie Blochs trotz des nicht überbrückten Grabens zwischen Hoffnung und Noch-Nicht-Sein die prozeßhafte Parallelschaltung bei der Hoffnung und der Welt sogar noch elementarer und in sich geschlossener. So bleibt Bloch an sich in seinen Ausführungen auch näher an der Hoffnung selbst, als das bei Moltmann der Fall ist. Das zeigen etwa die ausführlichen Darstellungen zu den Utopien, die nicht zuletzt zum Bereich der spes quae speratur gehören und sich charakteristisch in das Programm Blochs einordnen. Wohl weist auch bei Moltmann die Prävalenz der Zukunft in eine solche Richtung systematischer Geschlossenheit. Doch werfen die von ihm angegebenen Hoffnungsinhalte immerhin theologische Probleme auf[23]. Überhaupt dürfte hier wieder zu beachten sein, daß in Moltmanns "Theologie der Hoffnung" für die Hoffnung eine Verschiebung zu apokalyptischer Problemsituation einsetzt, die die eschatologische Qualifizierung der Gegenwart nicht mehr voll zu ihrem Recht kommen läßt, so daß menschliche Projektionen und Entlastungsfunktionen der Hoffnung und der Zukunft ein sehr viel größeres Gewicht als etwa bei Paulus erhalten können, und zwar - nun in gewisser Weise parallel zu E.Bloch - im Verein mit einer Aktionswirkung. Die Aktionswirkung kann bei Moltmann dann aber nicht mehr speziell in einem apokalyptischen Horizont gesehen werden, zumindest wenn wir an das Eintreffen des kommenden Äons in der Apokalyptik denken.

Trotz all der genannten Kritik ist es E.Bloch wie dann auch J.Moltmann jedoch gutzuschreiben, daß durch sie Zukunft und Hoffnung in Verbindung mit der Frage nach dem Menschen und seiner Gesellschaft und überhaupt nach der Gesamtwirklichkeit philosophisch und theologisch in einer grundsätzlichen Weise wieder thematisch gemacht worden sind, so daß dadurch Anstöße zu einer erneuten Diskussion dieser Probleme gegeben worden sind. Dabei müssen speziell in der Theologie aber auch noch andere Arbeiten in dieser Richtung angeführt werden, wie z.B. von G.SAUTER[24]. Dem Beitrag des Paulus zu diesen Fragen ist die vorliegende Untersuchung nachgegangen. Sie ist jedoch bestrebt gewesen, nicht einfach den Sachverhalt bei Paulus in moderne Konzeptionen und Programme einzupassen. Sie hat vielmehr versucht, den Stellenwert der "Hoffnung" in der Theologie des Paulus exegetisch immanent aufgrund eines Einstiegs bei ἐλπίς und synonymen Wörtern zu erarbeiten. Dennoch haben sich bemerkenswerte Konvergenzen zu modernen Auffassungen gezeigt, wenn wir an den Sachverhalt denken, daß derjenige, der die "Hoffnung" bei Paulus ernst nehmen will, auch die Eschatologie des Paulus ernst nehmen muß und umgekehrt, wobei für die Eschatologie des Paulus eine Dynamik und ein Prozeßcharakter als wesentlich hervortreten, die gerade die "Hoffnung" bei ihrer Einbettung in das eschatologische Heil ausdrückt und zugleich in einer Wechselbeziehung sichert. Auf diese Weise kommen die Anstöße durch E.Bloch, J.Moltmann, G.Sauter u.a. zugleich mit dem Horizont der Paulus-

interpretation zusammen, wie er schon durch A. Schweitzer und in letzter
Zeit durch E. Käsemann gewiesen worden ist und sich oben bei unserer
Paulusanalyse als wichtig gezeigt hat. Es haben sich jedoch auch Diffe-
renzen ergeben. Deshalb müssen diese Fragen weiterdiskutiert werden.
Dabei wird man sich einmal an dem Problem eines Hoffnungsbegriffs und
einer Elpologie orientieren müssen. Zum anderen wird es um das Problem
der Zukunft überhaupt gehen müssen. Stichworte wie absolute Zukunft
und eschatologische Zukunft Gottes in Jesus Christus[25], Utopie[26] und Verheißung Gottes[27], Zukunft des Individuums sowie Zukunft der menschlichen Gesellschaft und der Welt, Optimismus und Pessimismus[28], Offenheit
und Geschlossenheit[29] stellen hier leitende Diskussionsgesichtspunkte bereit. Schließlich wird man aber auch speziell den Weg zu dieser Zukunft zu
bedenken haben. Dafür ist entsprechend etwa auf Ontologie des Noch-Nicht-
Seins[30], "politische Theologie"[31], Evolution und Revolution, christliche
Eschatologie mit einer Prävalenz der Zukunft[32], status promissionis[33], Dynamik und Prozeßcharakter des eschatologischen Heils[34] mit den jeweiligen Auswirkungen für die Hoffnung und überhaupt für das Verhalten der
Menschen hinzuweisen. Die Funktion des Leidens und des Kreuzes Christi[35],
das theologische Verhältnis von Glaube und Erfahrung[36], das Offenbarungs-
problem[37] spielen hier eine Rolle. Schließlich müssen überhaupt hermeneutische Voraussetzungen berücksichtigt werden, wenn wir uns etwa latente
oder offenkundige, indirekte oder direkte Einflüsse der Apokalyptik, der
Ontologie, der Naturphilosophie, der Naturwissenschaft, der Spekulation,
des utopischen Denkens bei diesen Fragen vor Augen halten[38]. Vielleicht
gelingt es unserer protestantischen Theologie bei diesem Gespräch, einen
Standort zu finden, der jenseits von ausschließlich existentialer Interpretation und jenseits eines engen Widereinanders von dialektischer Theologie
und Kulturprotestantismus oder modifizierter Neuauflage dieses Widerein-
ders Weltverantwortung und Weltgestaltung, Gesellschaftsverantwortung
und Gesellschaftsgestaltung zugleich exegetisch und theologisch begründet
in ausreichendem Umfang wahrnimmt. Denn diese Aufgaben sind gegenwärtig
in einem Maße dringlich geworden, wie das in früheren Generationen nicht
der Fall gewesen zu sein scheint, vor allem was die Notwendigkeit und die
Möglichkeiten angeht. So muß die Arbeit am Hoffnungsproblem in vieler
Hinsicht weitergehen[39], und zwar in Entsprechung zu einer lebendigen
christlichen Hoffnung.

13. OFFENE FRAGEN IM BLICK AUF GESCHICHTSAUFFASSUNG UND ESCHATOLOGIE BEI PAULUS

Es sollen nun noch einige spezielle Bemerkungen zu Geschichtsauffassung
und Eschatologie bei Paulus angefügt werden. Den Betrachter der Paulusforschung im 20. Jh. wird in diesem Zusammenhang leicht eine Resignation
überkommen, wenn er an die vielen Aporien bzw. Antinomien denkt, mit

denen es die Paulusforschung hier immer wieder zu tun bekommen hat.
Nachdem KÜMMEL solche Aporien bzw. Antinomien schon einmal 1934
klar aufgezeigt und zugleich zu lösen versucht hatte[1], zeigt sich bei
ihm in einem neueren forschungsgeschichtlichen Fazit für das 20.Jh.
schließlich eine gewisse Resignation[2]. Kümmel hatte in diesem Beitrag
vorher betont, daß BULTMANNs[3] anthropologische, "im wesentlichen uneschatologische Paulusdeutung" so geschlossen und in vieler Hinsicht auch
so zutreffend sei, daß die Paulusforschung seither nur noch als zustimmen-
de Weiterführung oder als kritische Abgrenzung gegenüber Bultmann möglich gewesen sei[4]. So sieht Kümmel dann etwas resignierend seitdem zwei
Paulusdeutungen sich fast unversöhnlich gegenüberstehen, eine grundsätzlich eschatologische und eine, die Paulus im Entscheidenden als den Theologen eines gegenwärtigen Heilsverständnisses beschreibt. Man könne
schwerlich voraussagen, welcher Deutung die Forschung auf die Dauer
Recht geben werde bzw. ob ein Ausgleich zwischen beiden gewonnen werden könne. Auf der einen Seite sieht Kümmel hier solche Forscher wie
B.RIGAUX, E.KÄSEMANN, H.J.SCHOEPS, O.KUSS, P.STUHLMACHER,
L.GOPPELT, auf der anderen Seite G.BORNKAMM, E.JÜNGEL, E.GÜTT-
GEMANNS, G.KLEIN. Kümmel spannt dabei den Bogen für das 20.Jh. von
H.J.HOLTZMANN bis zu den gerade genannten Exegeten. Es wäre hier
aber auch noch bes. auf die Deutung O.CULLMANNs hinzuweisen, der das
Gewicht der Heilsgeschichte und der Spannung zwischen "schon" und "noch
nicht" betont[5]. Kümmel selbst steht auf der Seite, die bei aller Gegenwart
des Heils die noch ausstehende Heilsvollendung und die Heilsgeschichte
theologisch ernst nehmen will[6]. Es stellen sich somit forschungsgeschichtlich um die Mitte des 20.Jh. im Blick auf Geschichtsauffassung und Eschatologie bei Paulus etwas pauschal betrachtet[7] vor allem existentiale, auf
die Gegenwart bezogene Interpretation, heilsgeschichtliches Verständnis,
eschatologisch-zukünftig bezogene[8], apokalyptische Deutung heraus.

Nun ist aber die Forschung in den letzten Jahren weitergegangen. Dabei
ist zu beobachten, daß die Zukunftsvorstellungen des Paulus, daß die eschatologische Zukunft bei Paulus in einigen Spezialarbeiten oder im Rahmen
der Frage nach Geschichtsauffassung und Eschatologie des Paulus bewußt
thematisch angegangen worden sind. Hier wird so nach und nach einiges
aufgearbeitet, was lange Zeit liegengeblieben oder vernachlässig worden
war. Allerdings fehlt m.W. bisher im deutschsprachigen Raum immer noch
eine zusammenfassende Darstellung, wie sie etwa noch in älteren Arbeiten
vorliegt[9], zumal viele Fragen und selbst der theologische Stellenwert der
eschatologischen Zukunft in diesen neueren Untersuchungen kontrovers
bleiben[10]. Trotzdem wird durch diesen Weg der Forschung schon deutlich,
daß die eschatologische Zukunft in der Eschatologie und Geschichtsauffassung des Paulus ein nicht zu übersehendes Gewicht besitzt.

Dadurch erhält nun das Gegenüber der Deutungen, das Kümmel aufgezeigt
hat, aber noch keine Auflösung. Es stellt sich vielmehr noch um so vehe-
menter die Frage nach dem Miteinander der verschiedenen auf Geschichte

und Eschatologie bezogenen Aussagen bei Paulus. Blicken wir auf die
Paulusbriefe selbst, so finden wir in der Tat auch in den Texten eine
große Spannungsbreite der Aussagen. Wir stoßen dort auf starke Gegenwartsaussagen (vgl. z.B. die Christen als καινή κτίσις in 2 Kor 5,17;
Gal 6,15; das Jetzt in 2 Kor 6,2)[11], aber auch auf eine pointierte Hervorhebung der eschatologischen Zukunft mit apokalyptischen Motiven (vgl.
z.B. 1 Kor 15; 1 Thess 4,13 ff)[12], auf den Weg von dieser Gegenwart bis
in diese immer näher kommende Zukunft (vgl. z.B. Röm 13,11 f; Phil 1,6;
1 Thess 3,12 f; 5,1 ff.23 f). Wichtig sind der καιρός (vgl. Röm 13,11 ff),
ein ὡς μή (vgl. 1 Kor 7,29-31)[13], das paulinische Widereinander von
πνεῦμα und σάρξ (vgl. Gal 5,16 ff)[14], das Leiden, Kreuz und Tod Christi
(vgl. Röm 5,1 ff; 2 Kor 4,7 ff), das Kommen des Gottessohnes in die Welt,
überhaupt der Weg Christi vom Himmel zur Erde und wieder zurück (vgl.
Gal 4,4; Phil 2,6 ff), Christi kosmische Unterwerfertätigkeit (vgl. 1 Kor
15,23 ff; Phil 3,20 f), eschatologische Drangsale (vgl. 1 Kor 7,26; 1 Thess
3,3 f), die Geschichte Israels (vgl. Röm 9-11), der Weg zum Glauben bis
hin zu Aussagen über ἐκλογή und καλεῖν Gottes und zu prädestinatianischen Gedanken und einer speziellen Vorzeitigkeit (vgl. Röm 8,1 ff.28 ff;
9,11 ff; 1 Kor 2,7; 1 Thess 1,2 ff; 4,7). In der Richtung der Vergangenheit sind ferner ein eschatologisches Vorweg, die Spanne von Verheißung
und Erfüllung, geistliche Vaterschaft zu beachten (vgl. Röm 1,16 f; 4,1 ff;
Gal 3,6 ff; 4,21 ff). Ja sogar Adam und Eva, die ganze "Schöpfung" und
der Schöpfungsvorgang kommen in den Blick (vgl. Röm 4,17; 5,12 ff;
8,18 ff; 1 Kor 8,6; 15,20-22.45-48; 2 Kor 4,6; 11,3). Auch hier ist ein
Gegenüber zu bedenken, nun von damals und jetzt neben dem von jetzt
und dann. Zugleich dürfte dem Paulus eine zeitliche Erstreckung in dieser Richtung bewußt gewesen sein (vgl. bes. 2 Kor 3,14-16; Gal 3,17).
Trotzdem ist gerade in der Vergangenheitsrichtung auffällig, daß ein eschatologisches Vorweg oder ein eschatologisches Gegenüber hervorstechen.
Eine heilsgeschichtliche Erstreckung von der Zeit des AT bis zu der des
neuen Bundes spielt bei Paulus offensichtlich keine Rolle, zumindest wenn
man an Geschichtsüberblicke u.ä. denkt[15]. Stattdessen sind eschatologisch-
dualistisch Heil und Unheil, die gläubige oder ungläubige Existenz, Glaube
und Gesetz wichtiger. Aber auch in der Zukunftsrichtung sind trotz der
zeitlichen und geschichtlichen Momente keine ausgesprochenen Geschichtsüberblicke u.ä. festzustellen. Das gilt selbst für die Hinweise auf die eschatologischen Drangsale, die Paulus i.U. gerade zum Sachverhalt in den
Apokalypsen nicht in einen Geschichtsüberblick bis zur Wiederkunft ein-
reiht. Das gilt für die kosmische Unterwerfertätigkeit Jesu Christi, selbst
bei den τάγματα in 1 Kor 15,23 f. Bezeichnend ist, daß Paulus die Äußerungen über seine eigene Biographie, bei denen eine zeitliche und geschichtliche Erstreckung durchaus zum Ausdruck kommen, nicht ausdrücklich in solch eine Universalgeschichte eingliedert. Wenn er auf sein Leben
zurückblickt (vgl. 2 Kor 1,3 ff.12 ff; Gal 1,6 ff) oder planend voraus-
blickt (vgl. Röm 1,10 ff; 15,14 ff; 1 Kor 16,1 ff), dann legt er andere
Schwerpunkte. Bei diesen Schwerpunkten sind ein eschatologisch-dualistisches Gegenüber und die gläubige Existenz in der Zukunftsrichtung sehr

viel wichtiger. Zugleich ist in der Zukunftsrichtung selbst im Blick auf
das Heil sowohl eine Kontinuität (vgl. die christliche δόξα in 2 Kor 3,6 ff)
als auch eine Diskontinuität (vgl. 1 Kor 15,35 ff) zu beachten.

Diese Beispiele zeigen schon zur Genüge, wie viele Aussagen hier bei Paulus zusammenkommen, wie spannungsvoll oder gar widersprüchlich sie erscheinen. So stellt sich gerade auch von den Texten selbst her die Frage,
wie das Miteinander all solcher untereinander spannungsvoller Aussagen
im Rahmen von Eschatologie und Geschichtsauffassung bei Paulus möglich
und verständlich ist. Sicherlich geht ein Weg zu Lösungen über die traditionsgeschichtliche und formgeschichtliche Fragestellung. So ist es z.B.
hilfreich, bei Spannungen zu verstehen, daß Paulus Traditionsgut aufgreift
und es nur mehr oder weniger glatt in seine eigene Gedankenführung eingebaut hat. Das ist z.B. in Röm 3,24-26[16]; Phil 2,5 ff[17] zu berücksichtigen. Literarkritische Operationen mögen an manchen Punkten Erfolg ver-
sprechen. Auch mag an manchen Stellen ein bes. Eingehen auf die Empfänger, auf gegnerische Auffassungen oder sogar ihr Zitat in den Blick kommen (vgl. z.B. 1 Kor 2,6 ff). Doch bleibt an solchen Punkten vieles problematisch und kontrovers[18]. Es können von hier aus auch nur ein Teil
der Spannungen verständlich gemacht werden. Überhaupt darf in diesem
Zusammenhang nicht vergessen werden, daß Paulus eine Persönlichkeit
war, ein Christ, der Theologie getrieben hat, der nicht lediglich Vorgegebenes mehr oder weniger glatt zusammenaddiert hat.

Unter solchen Voraussetzungen scheint sich mir nun ein Weg zu Lösungs-
versuchen von den Ergebnissen her aufzutun, die unsere obigen Analysen
erbracht haben. Wenn man die "Hoffnung" in der Theologie des Paulus
ernst nimmt, dann scheinen sich mir im Blick auf Eschatologie und Geschichtsauffassung an vielen und zentralen Punkten bessere Verstehens-
möglichkeiten des spannungsvollen Miteinanders aufzutun. Wir haben bei
der Analyse der Hoffnungsaussagen des Paulus gesehen, daß bei ihnen
ein eschatologischer Prozeß, eine eschatologische Dynamik Gegenwartses-
chatologie und Zukunftseschatologie zusammenhalten. Das apokalyptische
Gegenüber der beiden Äonen ist dabei wesentlich. Eine lediglich apokalyptische Herleitung der eschatologischen Sachverhalte ist aber zu eng, schon
wegen des eschatologisch-gegenwärtigen, eschatologisch-angebrochenen
Heils. Dabei ist zu fragen, ob die Apokalyptik bei Paulus nicht eher wegen ihrer Betonung eines eschatologisch neuen, umfassenden Heilsgeschehens durch einen Bruch in der menschlichen Existenz und der Geschichte
hindurch wichtiger ist als wegen mehr oder weniger ausgebauter Geschichtsüberblicke und Zukunftsbilder, und zwar auf einem Hintergrund bis zur
Eschatologie der at. Propheten. Paulus hält für die Christen am geschichtlichen Ort im Heilsprozeß fest. Er verläßt ihn nicht wie der Apokalyptiker
in einer Vision. Es fehlen bei ihm solche Geschichtsüberblicke, wie sie die
jüdischen Apokalypsen mehr oder weniger detailliert kennen. Paulus fängt
die Zeit von der Gegenwart bis zur Parusie nicht durch (konkrete) Geschichtsbilder ein. Wenn er die Erstreckung der Zeit bis zur Parusie be-

rücksichtigt, dann bezieht er das auf die Existenz und den eschatologisch-dualistischen Prozeß zwischen Heil und Unheil. Erst die Geschehnisse mit der Wiederkunft schildert er dann inhaltlich genauer, und zwar charakteristischerweise bes. vom Kerygma her (vgl. 1 Kor 15,1 ff; 1 Thess 4,13 ff)[19]. Christen gehen auf die Parusie zu, die Jesu Macht und damit zugleich Gottes Macht öffentlich, allgemein sichtbar durchsetzen wird (vgl. ἀποκάλυψις 1 Kor 1,7). Auch für die Christen ist bei aller eschatologischen Heilsgegenwart, bei aller eschatologischen Kontinuität noch eine eschatologische Distanz zum endgültigen Heil vorhanden.

Vielleicht besteht auf diesem Hintergrund auch in der Richtung der Vergangenheit zurück in die Zeit des AT nicht in vergleichbarer Weise das Gewicht einer Erstreckung. Denn diese Vergangenheit steht vor allem zurück als eschatologisches Vorweg oder als überholt. Vielleicht können unter diesen Voraussetzungen auch die Aussagen des Paulus über ἐκλογή und καλεῖν Gottes, über eine spezielle Vorzeitigkeit, die prädestinatianischen Gedanken in ein Licht kommen, das ihnen viel von ihren Verstehensschwierigkeiten nimmt. Möglicherweise sieht Paulus gerade diese Aussagen und Gedanken von einem Standort in der eschatologischen Dynamik aus. So könnte gerade von hier aus ein doxologischer Charakter solcher Aussagen deutlich werden.

Das mag als Folgerungen aus den Ergebnissen unserer obigen Analysen genügen. Es sollte zunächst erst einmal als mehr programmatische Folgerungen aufgefaßt werden, die durch Einzelanalysen noch zu bestätigen sind. Immerhin weisen die Hoffnungsaussagen des Paulus deutlich in eine solche Richtung. Schließlich soll nun noch auf einige ausgewählte neuere Arbeiten zu Eschatologie und Geschichtsauffassung bei Paulus aus den letzten Jahren geblickt werden. Es soll bei ihnen beispielhaft vor allem danach gefragt werden, inwieweit sie die Forschung im Blick auf die Antinomien und Aporien weitergeführt haben.

Einen wichtigen Punkt, der zur Klärung ansteht, hat A.STROBEL aufgegriffen, und zwar das Verhältnis von Kerygma und Apokalyptik[20]. Denn wenn die Apokalyptik in der nt. Überlieferung wirklich ein größeres Gewicht besitzt, als es ihr die kerygmatisch orientierte Existenztheologie zugesteht, dann muß dieses Verhältnis geklärt werden. Mögen dabei die Ergebnisse Strobels umstritten sein, so ist doch wichtig, daß Strobel sich diesem Thema überhaupt zugewandt hat, daß ihm Kerygma *und* Apokalyptik, Glaube *und* Geschehen am Herzen liegen[21], daß er in diesem Zusammenhang die Christologie ins Spiel bringt, ja daß er gerade bei der Christologie einsetzt[22]. Da sich Strobel dabei Paulus jedoch nicht thematisch zugewandt hat, weist Strobel hier der Paulusforschung eigentlich erst einmal nur einen Weg und eine Vorgabe auf.

Einen anderen hier grundlegenden Bereich hat C.DIETZFELBINGER aufgegriffen, als er nach Heilsgeschichte bei Paulus fragte[23]. Er geht dabei zunächst den (Denk-)Formen bzw. Geschichtsbildern nach, in denen Paulus die at. Geschichte eingefangen hat[24]. Er findet drei: die Adam-Christus-Typologie, den Gegensatz Verheißung-Gesetz (vgl. Abraham, Mose, Christus), eine traditionelle heilsgeschichtliche bzw. erwählungsgeschichtliche Sicht. Es zeigt sich Dietzfelbinger dann in einem 2. Teil bei der Frage nach dem Geschehen, das sich nach der Meinung des Paulus in der at. Geschichte zugetragen hat ("Heil und Unheil in der Geschichte")[25], daß Israels Geschichte in ihrem Ergebnis nicht Geschichte des Heils, sondern des Unheils ist. In der Zeit des Gesetzes ist die Schrift, Gottes in die Geschichte sprechendes Wort, und nicht die Geschichte selbst der Ort des Heils. In einem 3. Teil werden dann einige Konsequenzen aus der paulinischen Sicht der at. Geschichte gezogen[26]. Die drei Denkformen bzw. Geschichtsbilder sind alle nicht von Paulus entworfen, sondern übernommen. Sie stehen an sich selbständig nebeneinander, können sich aber auch berühren und Widersprüche bringen. Paulus bedient sich der drei Denkformen, insofern sie ihm für die Entfaltung seiner theologischen Absichten dienen. So sehr Paulus im Bereich des alten Bundes keine Heilsgeschichte kenne, so unbestritten sollte es sein, daß Heilsgeschichte im Bereich des neuen Bundes ihren Platz habe. Entsprechend interpretiert Dietzfelbinger die Aussagen über Israel in Röm 11,11 ff und über das eigene apostolische Wirken des Paulus in Röm 15,16 ff in dieser Richtung. So hat Dietzfelbinger in der at. Dimension, also in solcher Vergangenheit-Gegenwart-Perspektive, Spannungen, sozusagen paulinische Aporien bzw. Antinomien, aufgegriffen und durch einen hermeneutischen Weg verständlich zu machen versucht. Dagegen bleiben die Ausführungen über den Bereich Gegenwart-Zukunft eigentlich nur programmatisch und insofern im Blick auf einen Nachweis noch offen. Ich glaube kaum, daß man angemessen unterscheiden kann, daß es für den alten Bund nur eine Geschichte des Unheils gebe und für den neuen Bund eine Heilsgeschichte. Hier müßte erst einmal genauer noch dem eschatologischen Zusammenhang nachgegangen werden, was bei Dietzfelbinger sozusagen ganz fehlt.

Obwohl Dietzfelbingers Beitrag bereits eine Stellungnahme zu U.WILCKENS bedeutet[27], soll jetzt auf U.Wilckens geschaut werden, da bei ihm zugleich die eschatologische Dimension berücksichtigt wird. Wilckens hat es einmal als Ziel des Programmes "Offenbarung als Geschichte" bezeichnet, "durch überlieferungsgeschichtliche Differenzierung und geschichtsphilosophische Begründung die heilsgeschichtliche Theologie auf eine höhere Stufe theologischer Reflexion zu heben"[28]. Hier wird bewußt bei dem Gegenüber eingesetzt, das sich durch den Ausgangspunkt bei dem "Wort Gottes" der dialektischen Theologie und die Zuspitzung auf die existentiale Interpretation bei Bultmann auf der einen Seite und durch die heilsgeschichtliche Interpretation bei Cullmann auf der anderen Seite ergeben hat. Die Antinomien bzw. Aporien, die sich für die Bereiche Geschichte und Kerygma, Heilsgeschichte und Existenz, Universalgeschichte und Individualgeschichte, Offenbarung und Geschichte aufgetan hatten, werden bewußt aufgegriffen. Das, was bei Strobel und Dietzfelbinger letztlich noch mehr als Aufgabe stehengeblieben ist, wird direkt angegangen und durch ein Programm "Offenbarung als Geschichte" zu lösen versucht, und zwar indem in gewisser Weise für eine Seite Partei ergriffen wird.

Wilckens hat in einer entsprechenden Programmschrift[29] einen Beitrag verfaßt, und zwar über das Offenbarungsverständnis in der Geschichte des Urchristentums[30]. Er kommt dort zu der Einsicht: "Offenbarung in dem hier zugrunde gelegten theologischen Begriff gibt es nach dem übereinstimmenden Urteil aller sonst noch so unterschiedlichen Zeugnisse des Urchristentums einzig in dem Geschehen der Auferweckung des gekreuzigten Jesus von Nazareth von den Toten, in welchem Gott den Neuen Äon hat anbrechen lassen."[31] So gründet der urchristliche Glaube im Geschehensein der Auferweckung Jesu als des entscheidenden Anbruchs der eschatologischen Selbtoffenbarung Gottes. Die palästinische Urgemeinde erkannte in der Auferstehung die endgültige Bestätigung des einzigartigen Selbstanspruchs Jesu durch Gott. Es kam nun letztentscheidend auf die Zugehörigkeit zu Jesus an. Das Geschick Jesu sei im Zusammenhang jüd.-apokalyptischen Denkens als Selbstoffenbarung Gottes verstanden worden. Offenbarung sei dies eine, bestimmte Geschehen als die "Summe" der Universalgeschichte. Im Geschick Jesu habe sich das Ende der Geschichte bereits ereignet. Unter dem Eindruck des Anbruchs dieses Endes schien die eigene Gegenwart selbst unmittelbar eschatologische Zeit zu sein. Solchem Gesamtverständnis habe die Vergangenheit des Jesusgeschicks noch nicht als abständige Vergangenheit und die Zukunft des Eschaton noch nicht als ausstehende, entfernte Zukunft sichtbar werden können. In dem faktischen geschichtlichen Vollzug des Übergangs vom Juden- zum Heidenchristentum habe sich jedoch dieses Gesamtverständnis zusehends verändert - weithin kaum bemerkt.

Überlieferungsgeschichtlich haben für Wilckens hier nun Paulus und Lukas eine wichtige Funktion besessen. So haben inmitten dieser gleitenden Übergänge die Auseinandersetzungen des Paulus mit den judaistischen Galatern und den hellenistisch-gnostischen Korinthern ein erstes, klärendes Licht gebracht: Paulus[32] hat einerseits der Universalität des eschatologischen Christusgeschehens dadurch geschichtlich Bahn gebrochen, daß er mit allen Konsequenzen den gleichen Zugang der Heidenchristen zum eschatologischen Heil in Christus verfocht; andererseits hat Paulus die gnostische Überfremdung des eschatologisch-erwählungsgeschichtlichen Grundcharakters der urchristlichen Überlieferung erkannt und den gekreuzigten Christus als Grund christlichen Heils und die Zukunft christlicher Heilsteilhabe zu erweisen gesucht und also den Abstand der christlichen Gegenwart von Jesus betont. Dem Paulus selbst seien beide Entscheidungen aber noch nicht in ihrer geschichtlichen Bedeutung und Tragweite voll bewußt gewesen. Hier kommt nun der überlieferungsgeschichtliche Ansatz von Wilckens voll zum Tragen, insofern Paulus primär aus der Überlieferungsgeschichte des frühen Christentums interpretiert und beurteilt wird. Wilckens betont, daß Paulus weder habe voraussehen können, daß das Heidenchristentum sehr bald der einzige Träger der urchristlichen Überlieferung sein werde mit der Folge des vollen geistesgeschichtlichen Übergangs der christlichen

Überlieferung in den Traditonsbereich nichtjüdischen Denkens; zum andern
sei sich Paulus dessen nicht wirklich bewußt gewesen, daß der zeitliche Abstand zwischen Christus und den Christen einen geschichtlichen Abstand
implizierte, der sich in einer zweiten christlichen Generation so auswirken
mußte, daß die gesamteschatologische Grundvorstellung der urchristlichen
Überlieferung faktisch durch die Wirklichkeit fortschreitender geschichtlicher Zeit überholt war. In dieser Situation habe Lukas die Entscheidung
des Paulus der Sache nach festgehalten, indem er im Jesusgeschick den Ort
alles christlichen Heils behauptet habe, also eine geschichtliche Vermittlung
des Heils im Zuge der Kirchengeschichte angenommen habe. Wilckens
schreibt dem Lukas dabei sogar eine ganz fundamentale Funktion zu: "Ohne
das starke Gewicht der lukanischen heilsgeschichtlichen Theologie jedoch
wäre die Kirche gewiß Gefahr gelaufen, das Erbe apokalyptischer Vorstel-
lungsstruktur gänzlich zu verlieren; mit diesem Erbe aber hätte sie das für
den christlichen Glauben fundamentale Wissen um die geschichtlich geschehene Selbstoffenbarung Gottes als Heil aller Menschen verloren."[33] Dabei
gewinnt man den Eindruck, daß Lukas in diesem überlieferungsgeschichtlichen Konzept eine wichtigere Position als Paulus selbst einnimmt[34].

Wilckens hat diesen Interpretationsansatz in mehreren Arbeiten entfaltet un
in der Auseinandersetzung mit Kritik durchzuhalten versucht. So hat er im
Blick auf die Rechtfertigungslehre und überhaupt den Zentralgedanken der
Theologie des Paulus zu zeigen versucht, daß die Grundstruktur der paulinischen Theologie entscheidend durch den heilsgeschichtlichen Gesamtentwurf der jüdischen Apokalyptik bestimmt ist. Genau an der Stelle des Gesetzes stehe für den christlichen Theologen Paulus das Christusgeschehen.
Schon der vorchristliche Paulus sei im bestimmenden Ansatz seines Denkens
ein apokalyptischer Theologe gewesen. Die Wende habe das Ereignis bei Da-
maskus bewirkt[35]. So hat Wilckens bei der Interpretation von Röm 4 (zugleich in der Auseinandersetzung mit G.Klein)[36] nach der heilsgeschichtlichen Bedeutung des christlichen Rekurses auf die Väter Israels und von
da aus nach dem Gesetz in seiner Funktion als "Schrift" gefragt. Er hat
auch bei Paulus im Sinn der beiden Thesen G.von Rads über das Verhältnis von AT und NT gefunden: "Erstens: Das Alte Testament ist von Christus her zu verstehen, und zweitens: Wir bedürfen des Alten Testaments,
um Christus zu verstehen." Er findet einen Zusammenhang durch das Interesse des erwählungsgeschichtlichen Kontinuums. Der Glaube an Gott
habe seinen elementaren Ort in der Geschichte. Geschichte sei kein "Akzidenz der Offenbarung", sondern "der Ort des wirklichen Handelns Gottes"
(G.von Rad)[37]. So hat Wilckens die existentiale Paulusinterpretation zu
hinterfragen versucht, indem er "Lukas und Paulus unter dem Aspekt dialektisch-theologisch beeinflußter Exegese" betrachtet hat[38]. Dabei kommt
er zu dem Ergebnis, daß der Zusammenhang zwischen Eschatologie und
Geschichte nicht der Punkt sei, an dem zwischen Paulus und Lukas zu unterscheiden und - im Sinn des einen oder des anderen - zu entscheiden
wäre. Die Tatsache, daß dies dennoch heutzutage weithin geschehe, habe
ihren eigentlichen Grund nicht so sehr in der Lukas- als vielmehr in der.

Paulusexegese. Es sei der existential interpretierte Paulus der dialektischen Theologie, der in so scharfen Gegensatz zu Lukas trete als dem bedeutenden, aber gefährlichen Verderber des paulinischen Evangeliums. Der existential interpretierte Paulus sei aber nicht der historische Paulus[39].

All das erweckt den Eindruck einer in sich geschlossenen Konzeption. Geschichte und Heilsgeschichte bzw. Erwählungsgeschichte[40], Apokalyptik und Eschatologie spielen dabei eine zentrale Rolle. Es werden also Desiderate der Forschung aufgegriffen. Richtig wird die Verwurzelung der Eschatologie im apokalyptischen Denken herausgestellt. Allerdings ergibt sich die Frage, ob die geschlossene Konzeption in der Einzelinterpretation sowohl im at. und jüd.-apokalyptischen Bereich, als auch im Blick auf Paulus selbst und die Geschichte des Urchristentums so durchgehalten werden kann. Ich möchte hier aber gar nicht auf solche besonderen Probleme eingehen. Ich möchte nur anfragen, ob nicht die spezielle Wilckensche überlieferungsgeschichtliche Interpretation des Paulus Zugänge zu wichtigen Aspekten in der Theologie des Paulus verstellt. Mag man es Wilckens durchaus zugestehen, daß sein Herz besonders für Lukas schlägt und ihm entsprechend die Heilsgeschichte wichtig ist, so ist doch hervorzuheben, daß es eminent existentiell orientierte Schwerpunkte in der Theologie des Paulus gibt, die nicht lediglich durch eine Brille dialektischer Theologie erscheinen, die durch ein entsprechendes überlieferungsgeschichtliches Konzept außer Sicht geraten können. Denn ich glaube, nicht erst dialektische Theologen, sondern schon die Reformatoren haben richtig beobachtet, daß Paulus den Hörer seiner Botschaft direkt und unmittelbar anspricht, daß Paulus direkt und unmittelbar etwas über die Existenz des Menschen in der Welt vor Gott aussagt. Vielleicht geht Wilckens hier in seiner (z.T. berechtigten) Kritik an der existentialen Interpretation einseitig zu weit.

Überhaupt erwecken seine Ausführungen einen hermeneutisch-intellektuellen Eindruck auf Kosten des hermeneutisch-existentiellen Momentes. Zwar will Wilckens gerade auch bei den Antinomien des Paulus ansetzen[41]. Wenn es ihm aber im Sinn des Programmes "Offenbarung als Geschichte" - wie schon erwähnt - darum geht, "durch überlieferungsgeschichtliche Differenzierung und geschichtsphilosophische Begründung die heilsgeschichtliche Theologie auf eine höhere Stufe theologischer Reflexion zu heben", so verstärkt das gerade diesen Eindruck einer Intellektualisierung und Theoretisierung. Von da aus erscheint es mir fraglich, ob die bei Paulus sich zeigenden Antinomien bzw. Aporien auf diese Weise tief genug angegangen werden können. Wird so ein Zugang zur kerygmatischen Dimension des Heils, zur paulinischen Existenzdialektik möglich? Liegt überhaupt in der heilsgeschichtlichen Dimension das, was Paulus in seiner Botschaft weitersagen wollte? Droht bei der Wilckenschen Interpretation nicht eine ausgesprochene Geschichtsontologie? Wohl hat Wilckens richtig gesehen, daß Paulus als existential interpretierter nicht ausreichend ausgelegt wird. Aber er hat dabei nicht das Gewicht von

Dynamik und Prozeßcharakter des eschatologischen Heils in genügender
Weise gewürdigt, obgleich er an sich schon 1961 zu dem Urteil gekommen
war: "und dementsprechend hat das Urchristentum tatsächlich aus dem
Geschehensein der Auferweckung Jesu als der Bestätigung des irdischen
Jesus den Anbruch des Endes erschlossen und die kurze Zeit zwischen
Ostern und dem faktischen universalen Eintreten des Eschaton sozusagen
als im Gang befindlichen Prozeß der Endereignisse selbst verstanden."[42]

P.STUHLMACHER hat 1967 einen Beitrag über "Erwägungen zum Problem
von Gegenwart und Zukunft in der paulinischen Theologie" veröffent-
licht[43]. Er geht dort davon aus, daß das Mit- und Ineinander der präsentischen und futurischen Argumentationsreihe bei Paulus derartig auffällig
sei, daß mit Recht theologische Absicht des Paulus vermutet werden dürfe.
Man dürfe hier nicht nur konstatieren oder in einer zeitlosen Struktur eines "Schon" und "Noch nicht" gerinnen lassen. Vielmehr müsse verstanden
und erklärt werden. Es müsse der innere Beweggrund für die theologische, christologische, kosmologische und anthropologische Zerdehnung
von Gegenwart und Zukunft aufgespürt und benannt werden[44]. Den findet Stuhlmacher in einer proleptisch-christologischen, doxologischen Deutung der paulinischen Eschatologie. Er fragt, ob die doxologische und ho-
mologische paulinische Geschichts- und Zeitauffassung überhaupt adäquat
in einem graphischen Schema dargestellt, d.h. rational verrechnet werden
können[45]. Er weist auf ein spezifisches jüdisch-assoziierendes Denken bei
Paulus[46] und ein besonderes "Zeit-Raum"-Verständnis[47] hin. Dem Apostel
begegne die Spannung zwischen Heilsgegenwart und Heilszukunft bereits
im Ursprung seiner Sendung (vgl. seine Bekehrung als Diasporapharisäer):
Gott eile aus der seine Gottheit ausmachenden verborgenen Zukünftigkeit
heraus vorzeitig auf den Apostel zu und erkläre sich ihm in seinem Heils-
willen, und zwar an und in der Gestalt des gekreuzigten Auferstandenen.
Es handelt sich hier um ein proleptisches Geschehen, und zwar um eine
Vorausnahme des endzeitlichen Heils in das Unheil der alten Weltzeit herein[48]. Auch das Evangelium ist ein proleptisches Kommen Gottes, d.h. ein
Kommen im Wort[49]. Antizipation und Telos sind hier wichtig. Die Spannung
von Gegenwart der Heilsankunft und Hoffnung auf die Heilsvollendung sei
die "Innenschau" der vorzeitigen Selbstauslegung Gottes in Christus[50].
Der apokalyptische Horizont im Sinn einer proleptischen Offenbarung ist
hier überall deutlich leitend, wobei schon bei den at. Propheten eine proleptische Offenbarungsstruktur als wichtig vorgefunden wird[51] und auf
den Beitrag der Qumranfunde hingewiesen wird[52]. Unter solchen Voraussetzungen werde die Stellung des Paulus in der Geschichte des Urchristentums um vieles verständlicher[53]. Der Blick auf die Dimension des AT und
der Vorzeitigkeit zeigt, daß nicht nur Gegenwart und Zukunft, sondern
auch die geschichtliche Vergangenheit für Paulus zu Aussageweisen des
Kommens Gottes werden[54]. Hier sind typologische und heilsgeschichtliche
Bewegung wichtig. Überhaupt ist Gott mit seiner Gnade in Christus der
Geschichte schon ein für allemal voraus[55]. Die Zeit im ganzen werde von
Paulus als Wort des kommenden Gottes erfahren[56].

Dieser programmatische Deutungsversuch wirkt in sich geschlossen. Trotzdem kommen mir gleich bei dem Verhältnis von Prolepse und Doxologie Fragen. Für Stuhlmacher liegen beide auf einer Ebene. Das ist mir fraglich. Denn ein doxologischer Standort ist fest in der Geschichte verhaftet, er ist eminent geschichtlich. Dagegen ist Prolepse bzw. Antizipation eine hermeneutische Kategorie, die vom Ende her denkt, also an das Ende vorlaufen muß und den geschichtlichen Standort insofern erst einmal verlassen haben muß. Nicht von ungefähr greift Stuhlmacher hier auf die Apokalyptik, speziell die apokalyptische Offenbarung zurück. Dabei hat er in der Tat richtig erkannt, daß bei Paulus i.U. zur genuinen Apokalyptik keine geschichtswissenschaftliche Planung zu finden ist[57]. Er beobachtet auch im Gefolge A.Schweitzers ein Sich-In- und Sich-Übereinanderschieben der zwei Äonen bei Paulus[58]. Trotzdem setzt er nicht bei dem soteriologischen Geschehen der eschatologischen Wende der Äonen an, sondern bei der Offenbarung im proleptischen Sinn. So wird m.E. die doxologische Deutung durch die proleptische paralysiert. Es kann auch gefragt werden, ob ein Begriff Prolepse bzw. Antizipation nicht mehr in der Deskription bleibt, als daß er erklärt und deutet. Zwar wird man schließlich wie Stuhlmacher daran festhalten müssen, daß die Aussagen des Paulus über das eschatologische Heil nicht logisch glatt in einem System verrechnet werden können. Und doch gehen bei Stuhlmacher die Dinge z.T. mehr als nötig auseinander bzw. bleibt er an wesentlichen Punkten eine Erklärung des Miteinanders schuldig. So stellt er einmal die Prävalenz der Gegenwart heraus, und zwar in einer Weise, daß die Zukunftsaussagen nur noch gleichsam einen hermeneutisch funktionalen Sinn erhalten[59]. Zum andern setzt er dann wieder bei der eschatologischen Zukunft proleptisch an[60] und betont er heilsgeschichtliche Aspekte[61]. Zwar haben wir bei den Hoffnungsaussagen des Paulus beobachtet, daß sich der hoffende Christ durchaus im Horizont der vorgegebenen eschatologischen Zukunft versteht, daß er hier gleichsam rezeptiv eingestellt ist. Trotzdem müssen wir festhalten, daß dies auf dem Boden einer geschehenen bzw. dynamisch geschehenden Äonenwende, eines eschatologisch-dualistisch angebrochenen Prozesses vor sich geht. Und gerade das finde ich bei Stuhlmacher nicht betont. Dabei hatte er doch gleich zu Beginn seines Beitrags auf einen Auslegungstyp hingewiesen, der die paulinischen Aussagen über Heilsgegenwart und Heilszukunft im Sinn einer "sich realisierenden Eschatologie" interpretiert. Er hatte dort sogar vorerst noch offengelassen, ob das die ideale Bezeichnung auch der paulinischen Eschatologie bietet[62].

Zu diesem Beitrag von Stuhlmacher bestehen einige Verbindungen in der umfangreichen Arbeit "Das Geschichtsverständnis des Paulus" von U.LUZ, die 1968 erschienen ist. So fordert auch Luz, bei der Interpretation der paulinischen Eschatologie die Dialektik zwischen "Jetzt schon" und "Noch nicht" nicht einfach zu konstatieren, sondern "nach ihrem innern Grund, nach der Intention der einzelnen Aussagereihen und nach ihrer Verankerung im Ganzen der paulinischen Theologie" zu fragen[63]. Überhaupt meint Luz, einen eigentlichen Gegensatz zwischen seiner und Stuhlmachers Ar-

beit nicht zu sehen[64]. Doch weist er zugleich auf den Unterschied hin
(nach seinen Worten ein "Akzentunterschied"), der sich durch das
Stuhlmachersche Stichwort "Prolepse" ergibt. Und gerade hier scheint
mir nun eine entscheidende Differenz vorzuliegen. Das wird auch an folgenden Worten von Luz deutlich: "Stuhlmacher scheint das sachliche Gewicht auf 'proleptisch' zu legen und fragt: Wie geschieht in der Geschichte, vor allem aber im Christusgeschehen das vorlaufende Kommen Gottes?
Wir fragen primär christologisch: Wie geschieht von der Christologie her
und auf die Christologie hin die Entfaltung der paulinischen Zukunftserwartung?"[65]

Luz will das Geschichtsverständnis des Paulus untersuchen. Hier wird
nun also die Geschichtsauffassung des Paulus bewußt thematisch gemacht.
Das theologiegeschichtliche Problem (Eschatologie-) Geschichte - Kerygma
kommt in den Blick. Luz läßt sich dabei von Ebeling, Fuchs und Jüngel
beeinflussen, wie etwa der Hinweis auf das Stichwort "Sprachgeschehen"
oder auf "Geschichte als Sprachgeschehen" zeigt[66]. Zugleich wird das Gewicht auf eine historisch-kritisch vorgehende theologische Interpretation
gelegt. Allerdings will sich Luz nicht thematisch mit dem Zeitempfinden
oder der Zeitvorstellung bei Paulus beschäftigen[67]. Auch im Blick auf
die paulinische Eschatologie will er nur einige Vorarbeiten und Hinweise
bringen[68].

In einem ersten Teil werden "Vergangenheit und Gegenwart" betrachtet,
in einem zweiten "Gegenwart und Zukunft"[69]. Im ersten Teil wird zunächst
auf die gegenwärtige Vergangenheit geblickt, d.h. das Gotteswort des AT,
dann auf die abgetane Vergangenheit, d.h. Gesetz und Geschichte[70].
Schließlich wird unter dem Gesichtspunkt "Gottes Plan und Prädestination"
nach einer Gesamtschau der Geschichte gefragt[71]. Im zweiten Teil wird mit
dem Blick auf die Zukunft Israels eingesetzt (Röm 11,25 ff)[72]. Es folgen
ein Überblick über die Zukunftsaussagen bei Paulus (kerygmatisch begründete Zukunftsaussagen, Parusie- und Gerichtsaussagen), Ausführungen
über die Zukunft des Glaubens (vgl. 1 Thess 4,13-18; 1 Kor 15,23-28),
über das Verhältnis von Gegenwart und Zukunft (vgl. 2 Kor 5,1 ff; Röm
8,18-39) und über die Zwischenzeit bis zur Parusie (vgl. die Probleme
Apostolat, Heidenmission, Verhältnis von Juden und Heiden)[73]. Eingesetzt
wird bei Röm 9-11[74]. Denn hier sind für Luz die Vergangenheits- und Zukunftsaspekte in einem zusammenhängenden Gedankengang jeweils auf die
Gegenwart bezogen[75], findet er "vielleicht das schönste und eindrücklich-
ste Beispiel, wie sich das Nachdenken des Paulus über Vergangenheit und
Zukunft zu einer Einheit zusammenfindet in der Ansage der Gnade Gottes"[76]. Aber schon am Ende der Prolegomena, dem Überblick über Röm
9-11, bemerkt er, "daß es R.9-11 nicht um das Geschichtsverständnis als
Thema geht"[77]. Deshalb müsse beachtet werden, "daß 'Geschichte' im Sinne des uns heute beschäftigenden theologischen und philosophischen Problems für Paulus als Thema und als Frage vielleicht so gar nicht existier-
te"[78].

Entsprechend gelangt Luz dann auch im Blick auf sein Thema eigentlich zu einem negativen Resultat. Denn die ganze Darstellung zeigt,
daß die Frage nach dem Geschichtsverständnis des Paulus wohl zu wesentlichen Aspekten, nicht aber zur Mitte der paulinischen Theologie
führt. Diese Mitte scheint für Luz, so entnehme ich seinen Ausführungen, durch die Stichworte Kerygma und Anrede[79], Existenz, Glaube und Wirklichkeit[80], Christologie und Theozentrik umschrieben zu
sein. So kann Luz im Blick auf einen Zusammenhang zwischen diesen
Stichworten z.B. sagen: "Weil Gott in Christus gehandelt hat, beschäftigt sich Paulus mit der Gottesgeschichte des alten Bundes um
Gottes willen, der der gleiche in der Geschichte mit Israel und in der
Gegenwart ist."[81] "Von der zukünftigen Überwindung des Todes war
um der Auferstehung Jesu willen die Rede ... Von der Auferstehung
Jesu war letztlich um der Gottheit Gottes willen die Rede."[82]

Dabei kommt Luz in vieler Hinsicht zu bemerkenswerten Ergebnissen.
Vor allem finde ich es gut, daß er die Breite der Aspekte bei Paulus bis
hin zu widersprüchlich erscheinenden Gedanken nicht einfach überspielt,
sondern festhält. Und gerade an dem Punkt der Bandbreite der paulinischen Aussagen entstehen mir nun Fragen. Ich gebe dafür einige Beispiele. So stellt Luz einmal kritische Momente im Blick auf die Apokalyptik heraus[83], aber auch wieder eine Apokalyptisierung[84]. So wird einmal auf das Gegenüber der beiden Äonen bzw. die Äonenwende positiv
hingewiesen, dann wird das aber auch wieder zurückgestellt[85]. Das Stichwort Heilsgeschichte wird kritisch und weniger kritisch bzw. positiv angeführt[86]. Es wird einmal gesagt, daß die Gegenwart nicht in derselben
Weise gegenübertreten kann wie vergangene Ereignisse und Zukunftser-
wartungen[87], zugleich wird aber ein Gegenüber von Gegenwart und Gegenwart betont, nämlich von Gegenwart des unerlösten Menschen und Gegenwart Gottes[88]. Luz weist auf ein Schillern der Aussagen zwischen Individualgeschichte und Weltgeschichte[89], auf eine universalgeschichtliche Entfaltung des "Endes"[90] und zugleich auf das Fehlen einer Gesamtgeschichte der Zukunft[91], auf Röm 5,12 ff als einzigen Gesamtentwurf
vergangener Geschichte[92] hin. Hier wird sehr Disparates miteinander
verbunden, und ich frage mich, ob Luz' deutende Hinweise ausreichen.
Das gilt im Blick auf ein Denken auf verschiedenen Linien[93] und in Kon-
trasten[94], ein eigenartiges Schwanken zwischen geschichtlichen und existentialen Kategorien[95], von uns als diastatisch empfundene Strukturen[96],
den Unterschied zwischen dem paulinischen und unserem Denken[97], die
Grenzen unserer menschlichen Einsicht[98]. Denn z.T. bleibt das in der
Deskription. Aber auch im Blick auf die Schwerpunkte, die Luz bei der
Interpretation legt (vgl. Kerygma, Christologie usw.) ergeben sich mir
Fragen. Ordnet sich all das so glatt in diese Schwerpunkte ein? Ist es
wirklich angemessen, von einer "Kontaktlosigkeit", einem unsystematisier-
ten Nebeneinander der Zukunftsaussagen des Paulus zu sprechen[99]? In
dieser Richtung frage ich mich auch, warum Luz die Enthusiasmuskritik
des Paulus gezielt nur von der Existenzbestimmung her deutet, nicht

aber auch durch den Schwerpunkt des "Noch nicht", der Zukünftigkeit[100].
Hier hätte Luz gerade die Bandbreite der paulinischen Aussagen ernster
nehmen sollen! Denn Käsemann hat hier durchaus Richtiges gesehen (vgl.
auch 1 Kor 15,19).

Es stellt sich mir überhaupt die Frage, ob der Stellenwert von Röm 9-11
von Luz richtig bestimmt worden ist. Ich habe mich auch von Luz nicht
davon überzeugen lassen können, daß Röm 9-11 in einem solchen Maße
für die Theologie des Paulus zentral ist, was das Problem des jüdischen
Volkes angeht[101]. Ich bin nämlich weiterhin der Überzeugung, daß Paulus
hier im Blick auf das (zukünftige) Schicksals Israels ausgesprochen heilsgeschichtlich denkt[102], und zwar als einzige Ausnahme in der Richtung
zur Parusie. Man wird zur Deutung dieser Aussagen des Paulus im Gesamt
seiner Theologie wohl nach anderen Gründen Ausschau halten müssen.

Liegt ein großer Teil all dieser Problematik, so möchte ich fragen, vielleicht nicht zuletzt daran, daß die Frage nach der Eschatologie selbst
nicht genug zum Tragen kommt, vor allem auch was die at.-religionsge-
schichtliche Perspektive angeht[103]? Überhaupt wird das Verhältnis von
Eschatologie und Geschichtsauffassung nicht genug deutlich. Wäre nicht
das eigentlich negative Ergebnis von Luz zur Geschichtsauffassung ein An-
stoß, die paulinische Eschatologie thematisch anzugehen[104]? Liegt es vielleicht auch an diesen Desideraten, daß die Christologie bei Luz nicht in
einem Maß entfaltet wird, wie das ihrem von Luz herausgestellten sachlichen Gewicht entspricht[105]? Schließlich stellt sich mir die Frage nach dem
Stellenwert der Gegenwart. Kann bei einer Zweiteilung "Vergangenheit
und Gegenwart" und "Zukunft und Gegenwart" überhaupt so etwas wie
eine Dynamik, ein Prozeßcharakter des eschatologischen Heils genug in
den Blick kommen, wie wir sie z.B. in 1 Thess 5,1 ff festgestellt haben[106]?
So ist mir aufgefallen, daß im ersten Teil bei den dort herangezogenen Aussagen die Linien bei weitem nicht genug in der Richtung der eschatologischen Zukunft ausgezogen worden sind[107], zumal diese Aussagen im zweiten Teil nicht wieder aufgegriffen worden sind und so auch ein eschatologisches Vorweg im AT nicht in seiner vollen Perspektive in Sicht kommen
kann. So wirkt insgesamt gesehen Stuhlmachers eben besprochener Beitrag geschlossener[108], während Luz' Buch für mich seine größere Stärke
in der Detailarbeit besitzt, obgleich gerade auch seine Betonung von
Kerygma, Christologie und Theozentrik zugleich richtige systematische
Schwerpunkte angibt.

Wir haben bisher gesehen, wie schillernd die Apokalyptik beurteilt worden ist. Deshalb verwundert es nicht, daß dieses Problem thematisch aufgegriffen worden ist. J.BAUMGARTEN hat sich dem in seiner Arbeit "Paulus und die Apokalyptik. Die Auslegung apokalyptischer Überlieferungen
in den echten Paulusbriefen" zugewandt[109]. Baumgarten will im Rahmen
der Fragestellung, wieweit sich neuere theologische Versuche, einen kosmischen Horizont der Eschatologie herauszustellen, exegetisch verifizieren lassen, "einen kleinen Ausschnitt herausgreifen und fragen, in wel-

chem Verhältnis Tradition und Interpretation urchristlicher Apokalyptik
bei Paulus stehen und welche Funktion der urchristlichen Apokalyptik
zukommt, sofern Paulus sie rezipiert"[110]. Er will dadurch einen Beitrag
leisten, die traditionsgeschichtliche "Lücke" zu schließen zwischen der
"spätisraelitischen" bzw. "nachalttestamentlichen" bzw. "frühjüdischen"
Apokalyptik und der Apokalyptik, wie sie ihren Niederschlag in den
Schriften des NT (bes. der Apk) gefunden hat[111]. Er möchte es durch
sein Ausgehen vom corpus Paulinum vermeiden, in den Fehler zu ver-
fallen, dort, wo die Quellen für die urchristliche Apokalyptik schweigen,
diese zu ersetzen und Vorstellungen bzw. Vorstellungskomplexe einfach
durch spätisraelitische bzw. frühchristliche Quellen und die dort bezeugten Vorstellungen und Vorstellungskomplexe aufzufüllen[112]. Als Arbeits-
hypothese für den Ausgangspunkt dient die beschränkte Synonymität von
urchristlicher Apokalyptik und futurischer Eschatologie[113]. Statt an den
einzelnen Briefen entlangzugehen, zieht Baumgarten es vor, den Versuch
einer Systematisierung anhand von Themenkreisen bzw. Vorstellungskom-
plexen zu wählen. Da die ganze Arbeit als ein Beitrag zur Definition dessen verstanden wird, was man "urchristliche Apokalyptik" zu nennen
pflegt, wird bewußt keine Definition vorweg gegeben[114].

In diesem Sinn wird in einem ersten Teil unter der Fragestellung "Zum
Verhältnis von spätisraelitischer und urchristlicher Apokalyptik"[115] auf
die Problematik einer Definition von "spätisraelitischer" und "urchristlicher" Apokalyptik (§ 2), die gegenwärtige Forschung zur urchristlichen
Apokalyptik (§ 3), die Trägerkreise spätisraelitischer Apokalyptik (§ 4)
und die urchristlichen Propheten als Träger urchristlicher Apokalyptik
(§ 5) eingegangen. In einem zweiten Teil "Themenkreise und Funktion
urchristlicher Apokalyptik bei Paulus"[116] werden nach einer Übersicht
über die zu behandelnden Belegstellen und Abschnitte (§ 6) bearbeitet:
"Die Zukunftserwartung als Parusie- und Gerichtserwartung. Tod, Auferweckung und ewiges Leben. Erhöhung und Entrückung. Angelologie,
Dämonologie, Satanologie. Schöpfung und Kosmos. Das paulinische Zeitverständnis. Enthusiasmus und Naherwartung" (§ 7-13). In einem Schlußteil wird zusammengefaßt:[117] "Paulus als 'Apokalyptiker'. Der Schlüssel
zum Verständnis paulinischer Apokalyptik: Kosmologie - Anthropologie -
Ekklesiologie" (§ 14-15).

Das zeigt, daß Baumgarten seine Untersuchung sachlich in einen weiten
Rahmen gespannt hat. Er kommt dabei zu vielen richtigen Ergebnissen,
zu Ergebnissen, die wir auch festgestellt haben. Das betrifft z.B. Erkenntnisse zum terminologischen Befund bei dem paulinischen Gebrauch
von αἰών[118], die Beobachtung, daß Paulus nicht von einer Neuschöpfung
(vgl. καινὴ κτίσις) in der Zukunft redet[119]. So ist er auch zu der richtigen Einsicht gekommen, daß Paulus i.U. zur Apokalyptik keine "Geschichtswissenschaft", keine Äonen-Spekulation, keine Terminberechnung
des Gerichts oder der übrigen Endereignisse bringt, auf die Deutung von
Zeichen der Zeit als Vorzeichen des Endes und auf Periodisierungen der

Geschichte etwa in 10 oder 12 Zeitepochen verzichtet[120]. Bezüglich "Naherwartung" und Entwicklung des Paulus sieht Baumgarten ersteres als nur
sehr schwach belegt und als kaum konstitutiv an[121], führt er letzteres auf
inadäquate Interpretationsversuche zurück[122].

Leider vermißt man eine wenigstens kurze oder exemplarische eigenständige
Behandlung jüdischer Apokalypsen. Denn auf diese Weise bleibt die Kritik
Baumgartens an bisherigen Versuchen, zentrale apokalyptische Gedanken-
strukturen zu bestimmen, etwas in der Luft hängen. So begnügt er sich
religionsgeschichtlich mit Hinweisen auf starke Differenzierungen in der
Apokalyptik, ohne selbst den Versuch zu machen, nach besonderen Grundstrukturen zu fragen und seine Aussagen an den Texten selbst zu verifizieren[123]. Im Zusammenhang solcher religionsgeschichtlicher Unschärfen
ist es wohl auch zu sehen, daß die besonderen eschatologischen Ausprägungen und Fragen in den Qumrantexten und in JosAs zu schnell kurzgeschlos-
sen werden[124]. Im Blick auf die Qumrantexte dürften die Untersuchungen
H.-W.Kuhns dazu nämlich nicht so einfach und schnell abzulehnen oder zu
übergehen sein. Denn sie dürften die Hereinnahme apokalyptisch-eschatolo-
gischen Heils in die Gegenwart grundsätzlich richtig beobachtet haben[125].

Indem Baumgarten bei der forschungsgeschichtlichen Alternative "Anthropologie - Kosmologie" und überhaupt bei dem theologischen Problem der
Apokalyptik ansetzt (vgl. das Verhältnis zwischen R.Bultmann und E.Kä-
semann, die Beziehung von präsentischer und futurischer Eschatologie)[126],
versucht er eine These J.Beckers, daß nämlich "alle kosmischen Belege
nur gleichsam Restbestände" seien, "die unter dem Druck der Tradition
mit einfließen", auf eine breitere Basis zu stellen und auf weitere Bereiche
auszudehnen[127]. Zugleich möchte er diese Antithese überwinden bzw. als
nicht sachgemäß aufzeigen. Hermeneutisch greift er dabei vor allem auf
das Verhältnis von Tradition und Interpretation zurück[128]. Entsprechend
will er deutlich machen, "wie Paulus durch Rückgriff und Neuinterpreta-
tion urchristlicher Apokalyptik den Glauben als Hoffnung angesichts der
Welterfahrung unter christologischem Aspekt auslegt."[129] Dabei zeigt diese Bemerkung, daß Baumgarten hier grundsätzlich im Rahmen traditionel-
ler Exegese bleibt, die die Hoffnung vom Glauben her versteht. Für Baumgarten ist Paulus kein Apokalyptiker gewesen[130]. Es leuchten Tendenzen
auf, die wir schon bei Luz und Harnisch festgestellt haben. Wohl nicht
zuletzt deshalb ist auch das Gewicht von Prozeßcharakter und Dynamik
eschatologischen Heils im Zusammenhang eines eschatologischen Dualismus
bei Paulus nicht genügend erkannt und gewürdigt worden[131]. Überhaupt
lassen die Ausführungen von Baumgarten schließlich einen schillernden
Eindruck zurück[132]. An manchen Punkten erscheinen sie zudem zu sehr
verkürzt-tendenzionell[133].

Zum Schluß soll noch auf zwei Beispiele aus der römisch-katholischen Exegese geblickt werden. Vielleicht nicht von ungefähr befassen beide sich -
traditionell ausgedrückt - mit dem Verhältnis von Eschatologie und Ethik.
So hat F.LAUB "Eschatologische Verkündigung und Lebensgestaltung

nach Paulus" untersucht, und zwar anhand des 1 Thess (und 2 Thess)[134].
Obschon er nur eine Spezialthematik und eine begrenzte Textbasis berücksichtigt, kommt er trotzdem zu bemerkenswerten Ergebnissen im Blick auf
die Eschatologie, und zwar aufgrund der Analyse des eschatologischen Dualismus in 5,1-11. Er arbeitet dabei das Leben des Glaubenden im raum-
zeitlichen Spannungsfeld von Gegenwart und Zukünftigkeit des Heils heraus,
als ein Leben "zwischen den Zeiten"[135]: Die Zeit, in der die Gemeinde jetzt
lebt, ist vom Ende durch den bevorstehenden "Tag des Herrn" bestimmt.
Mit Christus ist die Macht des alten Äon grundsätzlich schon gebrochen
und hat das Gegenüber von "Licht" und "Tag" zu "Finsternis" und "Nacht"
begonnen. Der Christ lebt im Zeichen der in Christus geschehenen Äonenwende. Der Bruch zwischen "Finsternis" und "Christus" wird durch Glaube
und Taufe vollzogen. Daß das eschatologische Heil zugleich schon gegenwärtig ist, macht den Unterschied zur jüd. Apokalyptik aus, von der das
Äonenschema übernommen ist[136]. Der Christ lebt in einer "Zwischenzeit",
die aufgrund des Weiterbestehens des alten Äon eine Zeit der Bewährung,
des Kampfes ist[137]. Dabei bestimmt sich im Rahmen des paulinischen Äonen-
denkens das Leben der Glaubenden als "Existenz in dem Kraftfeld einander
widerstreitender Energien" (Kuss). Die von Gegenwärtigkeit und Zukünfig-
keit des Heils bestimmte Situation führe dabei zu Aussagen über Heilsgewißheit und Heilsgefährdung, über das Handeln Gottes und ein vom Menschen verlangtes Tun, die in starker Spannung zueinander stehen. Es wird
von den Thessalonikern gefordert zu sein, was sie sind.

Das bringt richtige Beobachtungen zum Ausdruck. Allerdings sieht Laub
nun bei Paulus fundamental das Parusieverzögerungsproblem zum Vorschein
kommen. So erklärt er diese eschatologische Struktur grundlegend von der
Naherwartung des Paulus her[138]. Dabei nimmt er eine Akzentverschiebung
im Laufe des Lebens des Paulus an[139]. Zugleich sieht er die von ihm herausgearbeitete eschatologische Struktur in dem Rahmen der Heilsgeschichte.
So kann er sagen, und zwar im Zusammenhang der Frage von Heilsindikativ
und ethischem Imperativ (entsprechend 5,4-8 ermögliche und erfordere die
Zugehörigkeit zum "Licht" und "Tag" die entsprechende Haltung der Nüchternheit und Wachsamkeit - eine "echte Antinomie")[140], daß Paulus seine
Gemeinde in jene heilsgeschichtliche Situation stelle, in der es der Gegenwärtigkeit und Zukünftigkeit des Heils und der Fortdauer des alten Äons
gerecht zu werden gelte[141]. Aber kann man so von Heilsgeschichte bei
Paulus sprechen? Ist die Parusieverzögerung ein solch gravierendes Problem bei Paulus? In diesem Zusammenhang sollte auch beachtet werden,
daß Laub die Aussagen des Paulus hinterfragt und geschichtlich-theolo-
gisch begrenzt, und zwar in ekklesiologischer Richtung: "Hier wird die
Spannung sichtbar, in der Paulus sich mit seiner Position befindet, die
beidem gerecht zu werden sucht: der enthusiastischen Überzeugung von
der Gegenwärtigkeit und baldigen Vollendung des Heils und dem Fortbe-
stehen der gültigen Ordnungen dieser Welt. Die Position entspricht der einmaligen historischen Situation des Anfangs. Je länger die Parusie ausblieb,
um so weniger konnte sie durchgehalten werden. Mit seinem Realismus hat

Paulus selbst die ersten Anfänge gesetzt für eine Kirche, die sich in dieser Welt auf Dauer einzurichten hatte."[142]

Schon etwas älter ist das Buch von A.GRABNER-HAIDER: "Paraklese und Eschatologie bei Paulus. Mensch und Welt im Anspruch der Zukunft Gottes"[143]. Dafür aber knüpft es an Anstöße durch die "Philosophie der Hoffnung" an. Es geht nun um das Spezialthema Paraklese. Der Untertitel deutet dabei schon die Stoßrichtung an. Grabner-Haider arbeitet für die Eschatologie ähnliche Strukturen heraus wie Laub, und zwar auf der Grundlage einer ausdrücklichen Reflexion über den Begriff Eschatologie (Eschatologie als "Logos vom endzeitlichen und endgültigen Handeln Gottes an den Menschen und an der Welt, das einerseits noch in der Zukunft liegt, andererseits aber schon in die Gegenwart hereinreicht"[144]): Die Zeit ist zur Endzeit geworden. Gott hat nämlich im Christusgeschehen seine endgültige Entscheidung getroffen. Diese Entscheidung bestimmt nun die Zeit. Die Endzeit sei auf die gefallene Gottesentscheidung als auf ihre Zukunft gerichtet, denn diese Zukunft werde endgültig und offenbar über sie kommen. Gottes vollendendes Handeln steht schon als Gegenwart in die Endzeit herein. Im Christusgeschehen ist für Paulus die Fülle der Zeit angekommen, hat sich Äonenwende ereignet, ist neue Schöpfung geworden. Apokalyptik und Qumrantexte werden gewürdigt. Die Paraklese gründe sowohl im zukünftigen als auch im gegenwärtigen Handeln Gottes, ihre ganze Aufgabe und Bedeutung aber erhalte sie von der noch ausstehenden Zukunft. "So ist die paulinische Paraklese der Anruf an die Christen, in den Gang der endgültigen Geschichte Gottes mit der Welt einzusteigen, in eine Geschichte, die er in seiner endgültigen Entscheidung, nämlich in seinem Handeln in Christus, für die Menschen verfügt hat. Deswegen gründet die Paraklese im eschatologischen Horizont des Christusgeschehens als ganzem ... Jeder geschichtliche Augenblick dieser Weltzeit birgt in sich die Möglichkeit und die Aufgabe des Tagesanbruchs."[145] Die Christen werden aber nicht nur auf ihren eschatologischen Daseinshorizont hin ermahnt, "sondern sie werden auch aufgefordert, diesen Horizont als ihre eigene Existenz zu vollziehen, ihn in den Daseinsvollzug einzuholen und so in der Zukunft Gottes zu leben"[146]. Es geht um einen Kampf[147]. Der kosmologische Horizont, die Beziehung auf Welt und Schöpfung werden herausgestellt: "Da im Christenleben die Gottesherrschaft anfanghaft in die jetzige Weltzeit hereinsteht, sind die Christen berufen, in ihrem Existenzvollzug die neuen Dimensionen der Gottesherrschaft in der Welt anbrechen zu lassen."[148] Durch seinen weltlichen Gottesdienst muß der Christ Welt aus ihrer Selbstverfremdung befreien[149]. Der Gedanke der Entscheidung ist wichtig[150].

Mit Kuss weist Grabner-Haider auf eine "gespaltene Eschatologie" hin[151]. Naherwartung und Parusieverzögerungsproblem spielen eine wichtige Rolle, zugleich mit Kritik an des Paulus Standort wie bei Laub, aber ohne daß Laubs ekklesiologischer Weg direkt als Lösungsweg zum Ausdruck kommt[152] Geschichte und Heilsgeschichte werden angeführt[153]. Hier muß ähnliches wie zu Laub gesagt werden. Allerdings scheint mir Grabner-Haider zugleich stärker als Laub noch den eschatologischen Dualismus in der Zukunftsrichtung gewürdigt zu haben. Er denkt bei der Interpretation noch sehr viel stärker von der Zukünftigkeit her und weiß diese Zukünftigkeit bis in die gegenwartseschatologischen Aussagen hineinzunehmen[154]. Hier werden Prozeßcharakter und Dynamik eschatologischen Heils deutlich, allerdings ohne daß das besonders betont und reflektiert wird. Grabner-Haider bringt das faktisch im Vollzug der Interpretation. Er weist nicht auf eine Verstehensmöglichkeit von gegenwärtigem und zukünftigem eschatologischem Heil von hier aus hin, zumal er ja gerade eine gespaltene Eschatologie bei Paulus annimmt. Es besteht hier bei ihm letztlich ein Miteinander im Sinn von Spannungen, Aporien und Antinomien, was Eschatologie, Geschichte, Heilsgeschichte, Gegenwart und Zukunft angeht. Leider ist es auch so, daß die Ausführungen weithin den Eindruck von Systematik und Programmatik ohne einzelexegetischen Nachweis erwecken. Zu oft werden Paulustexte in einer systematisch-programmatischen Richtung einfach ausparaphrasiert. Dabei scheinen mir die Aussagen über den Weltbezug der Paraklese so weit zu gehen, wie das eher in einer "Philosophie der Hoffnung" und "Theologie der Hoffnung" der letzten Jahre, als bei Paulus zu finden ist[155].

Die gerade besprochenen Beiträge zeigen beispielhaft, was in den letzten Jahren geleistet worden ist, aber auch, was an Desideraten, Antinomien und Aporien noch bestehen geblieben ist, was an offenen Fragen weiter gestellt ist. Aber vielleicht sollte gerade aus diesen offenen Fragen eine offene Frage aufgenommen werden, nämlich die Frage, ob nicht gerade der Ausgangspunkt bei Dynamik und Prozeßcharakter des eschatologischen Heils, bei einem eschatologischen Dualismus (in der Zukunftsrichtung) an wesentlichen Punkten bei der Interpretation weiterhelfen kann. Oben bei der Untersuchung der Aussagen des Paulus mit ἐλπίς und ihren Synonymen hat sich das bewährt. Eine Arbeit wie die von Grabner-Haider lädt dazu ein[156].

14. ÜBERSICHTSTABELLE ÜBER OBJEKTAUSSAGEN BEI VOKABELN DER HOFFNUNG, ERWARTUNG USW. IN AT. PSEUDEPIGRAPHEN UND QUMRANTEXTEN

Im Blick auf die Tendenzen bei den Objektbeziehungen von Vokabeln der Hoffnung, Erwartung usw. im AT, in den at. Apokryphen, in den at. Pseudepigraphen und verwandten Schriften bis hin zu den Qumrantexten und im NT empfiehlt sich ein genauerer Nachweis durch eine statistisch-tabellarische Aufstellung. Doch ist das hier wegen des breiten Quellen-materials vollständig nicht möglich. Auch erweist es sich für das hebräisch-aramäische AT, die LXX und das NT deshalb nicht als unbedingt notwendig, weil, die Konkordanzen schon einen ausreichenden Eindruck vermitteln[1]. Für den Bereich der at. Pseudepigraphen und verwandter Schriften bis hin zu den Qumrantexten ist eine solche Aufstellung dagegen schon eher angebracht. Das hat einmal sachliche Gründe, weil wir in diesen Quellen auf wesentliche Voraussetzungen und Parallelen der paulinischen Aussa-gen stoßen. Zum anderen sprechen aber auch praktische Gründe dafür, da Hilfsmittel wie Konkordanzen und Indizes diesen Bereich nicht vollstän-dig erfassen[2].

Die folgende Aufstellung greift nun für diesen Bereich auf wichtige und charakteristische Schriften zurück. Und zwar werden die at. Pseudepi-graphen in dem Umfang wie bei Kautzsch, Pseudepigraphen (II), heran-gezogen. Aus dem jüdisch-hellenistischen Raum wird aus sachlichen Grün-den noch JosAs ausgewählt. Aus der Überlieferung des palästinischen Ju-dentums werden zusätzlich die erst seit einigen Jahren bekannten Qumran-texte berücksichtigt[3]. Durch diese Quellen wird bereits ein repräsentati-ves Bild gewonnen. Dabei schlüsseln wir sie nach Stellen, Sachrubriken und Vokabeln des Hoffens usw. auf. Als Sachrubriken der Objekte empfeh-len sich Gott, Gottes Heilshandeln, Mittlergestalten u.ä., ihr Wirken, Heil sonst, Rest. Dabei wird die ganze Aufstellung wie folgt geordnet: 1) Quel-len, 2) Gott, 3) Gottes Heilshandeln, 4) Heil, 5) Heilshandeln und -wirken von Mittlergestalten u.ä., 6) Mittlergestalten u.ä., 7) Rest, 8) Vokabeln.

1)	2)	3)	4)	5)	6)	7)	8)
At.Pseudepigraphen							
Arist 18						x	ἐλπίς + ἔχειν
175	x						ὑπομένειν
261							ἐλπίς
Jub 20,9	x			(Gottes Antlitz)			ḥ ḥ☐:/t/2 tasaffawa[4]
22,22	x					x	†ḥ ḥ/taṣaffā
31,32		x	x				†ḥ ḥ
PsSal 5,11	x				x		ἐλπίς
,14	x						ἐλπίς
6 inscr.		x					ἐλπίς
6,6	x						ἐλπίζειν
8,31	x						ἐλπίς
9,10	x	x					ἐλπίζειν
11 inscr.		x					ἐλπίζειν
15,1	x						προσδοκία
,1							ἐλπίζειν
17,2	x						ἐλπίς
,3	x						ἐλπίζειν
,33					(negiert)		ἐλπίζειν
,33					(negiert)		ἐλπίζειν
,34	x						ἐλπίς
,34	x						ἐλπίς
,39							ἐλπίς
18,2	x						ἐλπίς
4 Makk 4,14							παραδοξία
11,7	x						ἐλπίς + ἔχειν v.l.
17,4		x					ἐλπίς (+ ὑπομονή)

Ref	1)	2)	3)	4)	5)	6)	7)	8)
Sib			(x bzw.	x bzw.				
3,283						x)		μένειν
,315				x			x	ἐπελπίζειν
4,94							x	ἐλπίς
5,75		x					x	μένειν
,285								ἐλπίζειν
,312				x				μένειν
äthHen[5]								
10,10				x	(vgl. noch den Engel Phanuel)			ሰፈወ:, ἐλπίζειν
40,9				x	(negiert)			ተሰፈወ:
46,6				x				ተሰፈወ:
48,4				x	(bei der Offenbarungsvision)			ተሰፈወ:
52,5						x		ኣዝኀ/ sanha
62,9				x		x		ሰፈወ:
63,7							x	ተሰፈወ:
96,1				x				ሰፈወ:, [ἐλπίζειν]
98,10				x	(negiert)			ሰፈወ:, ἐλπίς [+ καλή, ἔχειν]
98,12				x				ሰፈወ:
,14				x	(negiert)			ተሰፈወ:, ἐλπίς
102,4				x	(negiert)			ሰፈወ:, (θαρσεῖν)
103,10				x				ሰፈወ:, ἀπελπίζειν
,11				x				ሰፈወ:, ἐλπίζειν
104,2				x				ሰፈወ:, (θαρσεῖν)
,4				x				ሰፈወ:
,4				x				ተሰፈወ:
108,2				x				ኣዝኀ:
,3				x				ኣዝኀ:
4 Esr								
5,6						(Antichrist)	x	sperare
,12				x				sperare
7,18				x				sperare

1)	2)	3)	4)	5)	6)	7)	8)
4 Esr							
7,66					(Gericht)	x	sperare
,117					(Strafe)	x	sperare
,120							spes
11,46		x					sperare
ApkBar (syr)							
12,3			x	(negiert)			[Syriac] /sbr, προσδοκᾶν (?) POxy
14,3				x		x	[Syriac] / sky
,12			x				
,13			x	(+ Verheißung Gottes)			[Syriac]/ mskyn
,14						x	
22,6						x	
25,4			x	(die Hoffnung aufgeben)			[Syriac] / psq sbr'
30,1				x	x		[Syriac]
44,7			x	(+ Furcht bzw. Verehrung Gottes)			[Syriac] / qwy
,11			x				
48,19			x	(+ Gott dabei)			
51,7					x		[Syriac]
,13				(vgl. noch die Gerechten)	x		[Syriac]
55,6				(Tag des Allmächtigen)		x	[Syriac] / swky'
,6				(Tag des Allmächtigen)		x	
57,2			x				[Syriac]
59,10			x				[Syriac]
63,3	(Hiskia auf seine Gerechtigkeit)		x				
,5	(Hiskia auf sein Gebet)		x				[Syriac] / hr
70,5			x	(negiert)			[Syriac]
,5			x	(negiert)			[Syriac]
75,5	(dabei Gedanken des Verstandes Gottes)		x				[Syriac]

	1)	2)	3)	4)	5)	6)	7)	8)
ApkBar (syr)	77,7	x						ܣܒܪ
	78,6			x				ܣܟܐ
	85,9			x				ܣܟܐ
ApkBar (gr)	6,12 bei der Himmelsreise		→					
	7,2					(Gottes Herrlichkeit sehen)	x	μένειν
	,6					(Gottes Herrlichkeit sehen)	x	ἐκδέχεσθαι
	9,3						x	ἐκδέχεσθαι
	11,2						x	ἀναμένειν
	13,5					(Gottes Herrlichkeit sehen)	x	ἐκδέχεσθαι
Test XII								
Jud	26,1					x		ἐλπίς
Iss	4,3				(Gottes Wille)	x		ἐκδέχεσθαι
Naph	7,2						x	יחל
Gad	7,4				("Ziel" Gottes)		x	ἐκδέχεσθαι
Ass	5,2						x	ἀναμένειν
Jos	7,7				(Gottes Erbarmen)	x		ἐλπίς v.l. / προσδοκία
Benj	10,11			x				ἐλπίς
JosAs (ed.Batiffol)								
	50,10 (9,2)						x	περιμένειν
	56,15 (12,11 bzw. 13)	x						ἐλπίς
	77,1 (24,9 bzw. 8)						x	ἀναμένειν

	1)	2)	3)	4)	5)	6)	7)	8)
Qumrantexte[6]								
1 QH 3,20								מקוה
,27				x	(negiert)			חמלה
6,6				x				מקוה
,32				x	(negiert)			מקוה
7,18			x (Gottes חסד)					חיל
9,10			x (Gottes חסד)					חיל
,12				x				מקוה
,14				x	(Anschluß mit ב keine Objekt-bezeichnung)			מקוה
,14				x				תחלה
10,22				x	(Gottes סליחה)			קוה
11,31				x	(Gottes טוב)			חיל
,31				x	(Gottes חסד)			קוה
Fragmente								
1,7				x				מקוה
4,17				x	(?)			חיל
52,2								מקוה (?)
CD 8,4				x	(kritisiert)			חיל
1 QM 11,9				x				מקוה
1 QpHab 1,2				x				תחלה/ת
DJD IV:								
11QPs^a Plea		x						
16 f								קוה

	1)	2)	3)	4)	5)	6)	7)	8)
11QPs^a Zion								
2 f / V.2				x	(?)			יהוה
8 f / V.9 f				x	(?)			יהו/ה (?)
DJD V:								
The Vision of Samuel								
160,3-4 Col.II,2				x	(negiert)			יהו
,7,3				x	(negiert)			יהוה
185,1-2 Col.I,7				x				יהו/ה (?)
,12			x					יהוה
4 QSl 39,I,1,23		x						יהה

15. ZU K.M.WOSCHITZ ÜBER "ELPIS/HOFFNUNG"

1979 ist die Arbeit von K.M.Woschitz über "Elpis/Hoffnung, Geschichte, Philosophie, Exegese, Theologie eines Schlüsselbegriffs" erschienen[1]. Sie ist die 1978 von der Katholisch-Theologischen Fakultät der Universität Graz angenommene Habilitationsschrift[2].

Der Leser steht voll Ehrfurcht vor den XVI + 773 Seiten[3], vor der Weite der philosophischen und theologischen, sprachwissenschaftlich-philologischen und exegetischen Horizonte, vor der Sprachgewalt und Eleganz, mit denen schwierige Problembereiche vorgeführt werden. Ich selber habe trotz langer eigener Beschäftigung mit dem Thema diese Untersuchung mit Gewinn gelesen, frage mich aber, ob ein einzelner solche weiten Bereiche philologisch und exegetisch tief genug durchdringen und darstellen kann. W. will nämlich das "vielsagende" Thema "Elpis/Hoffnung" exponieren, und zwar will er in analytisch-deskriptiver Erhellung die gedankliche Genese eines anthropologischen wie theologischen Grundbegriffs aus den beiden Fundierungsvorgängen abendländischen Selbstverständnisses darlegen, dem griechisch-antiken und dem biblisch-christlichen[4]. Dabei führt er von der Antike bis in unsere Gegenwart aus[5], gleichsam abendländische Hoffnung "in Geschichte und Gegenwart".

Ich habe Verständnis für das Ansteuern eines solch weiten, gleichsam universalen Horizontes. Mir hat so etwas auch einmal vorgeschwebt. Es entspricht in gewisser Weise dem universalen Anspruch des Blochschen Programms und den sozusagen enzyklopädischen Ausführungen in E.Blochs "Das Prinzip Hoffnung". Ist dort bei Bloch allerdings ein durchgehender roter Faden leitend, so ist das bei W. zwischen den einzelnen Bereichen nicht mehr der Fall. Zwar sieht W. "Elpis/Hoffnung" als Schicksalsthema der Geschichte des homo viator an, kann das dann aber nur noch "in der Form eines vielblütig gewundenen Straußes" präsentieren[6]. Wegen solcher Probleme habe ich mich in meiner eigenen Arbeit schließlich auf die Paulusbriefe beschränkt, dabei allerdings gerade aus einem theologisch-existentiell engagierten Interesse. Es sei mir deshalb erlaubt, im folgenden auch nur speziell zu den Paulusausführungen und begrenzt zu ihrem vorbereitenden Horizont Stellung zu nehmen.

1. W. ist ausführlicher als ich, was den Umfang der behandelten Bereiche angeht. Deshalb führt er nun auch an mehreren Punkten, wo ich nur angerissen habe, das Material hilfreich vor. Allerdings soll und kann seine Untersuchung Thesauri nicht ersetzen.

2. Solches gilt bes. für den Bereich der griech.-röm. Antike[7]. Die dreifache terminologische Differenzierung bei ἐλπίζειν κτλ in rational-estimativen Aspekt, emotiv-expressiven Bedeutungswert und als "fürchten", "befürchten", "mit Besorgnis erwarten"[8] ist meines Erachtens schlechter als der Ausgangspunkt Lachnits in Übereinstimmung mit den WB bei den vier Bedeutungen "erwarten, hoffen, meinen, fürchten". Denn dadurch

wird bei W. das Problem des konstitutiven Zukunftsbezugs nicht in gleicher Weise deutlich. Anzumerken ist, daß W. schon in früherer Zeit als Lachnit den Sinn "hoffen, Hoffnung" vorliegen sieht, d.h. schon bei Homer. Leider habe ich die einschlägigen Untersuchungen von Lachnit, Schrijen, Finke nicht angeführt gefunden. Daß hier das Gespräch nicht aufgenommen worden ist, ist um so bedauerlicher, als sie bereits wichtige Ausschnitte dieses Bereiches bearbeitet haben[9]. Warum fehlen bei dem umfassenden Programm z.B. gezielte Darstellungen antiken utopischen Denkens, heidnischer Hermetik und Mysterienfrömmigkeit in hellenistisch-röm. Zeit? Überhaupt werden in diesem 1. Themenkreis die Zukunftsvorstellungen an sich weniger beleuchtet. Warum orientiert sich W. hier eigentlich nur am Stamm ἐλπὶς κτλ bzw. spes usw.?

3. Denn das ist dann im Blick auf das AT und Spätjudentum[10] (Themenkreis 2)[11] sowie das NT (Themenkreis 3)[12] anders[13]. Hier fragt W. sowohl nach den Vokabeln in einer größeren Wortstammvariabilität als auch nach den Zukunftsvorstellungen und theologischen Zusammenhängen, z.T. losgelöst vom Vokabular. Im Grunde genommen geht er dabei für das AT nicht über W. Zimmerli[14] hinaus. Wie Zimmerli[15] faßt er die Synonymie z.T. recht weit[16]. Demgegenüber halte ich die vorsichtige Begrenzung des Vokabulars bei Westermann[17] methodisch für angemessener. Was die theologischen Zusammenhänge angeht, so erscheint das Bild bei Zimmerli durch die Ausrichtung am Gottesbegriff geschlossener als bei W.[18], bei Westermann durch die konsequente formgeschichtliche Betrachtung. Ausgesprochen dünn ist die Darstellung zum zwischentestamentlichen Judentum, vor allem was die Pseudepigraphen angeht. Flavius Josephus wird gar nicht, das hellenistische Judentum überhaupt zu wenig gewürdigt. Auch die Apokalyptik und die Qumrangemeinde werden etwas kurz und dünn gezeichnet[19]. All das ist um so bedauerlicher, als die Untersuchung zum NT zeigt, daß W. das zwischentestamentliche Judentum als wichtige Voraussetzung ansieht[20].

4. Das Verhältnis Vokabel-Sache wird dann bes. im nt. Teil zum Problem. Dabei frage ich mich allerdings, warum die gezielten hermeneutischen Überlegungen dazu (vgl. zur Metaphorik usw.) erst hier gebracht werden[21], da sie doch auch schon in den Bereichen vorher virulent sind[22]. Im Rahmen dieser nt. Untersuchung kommt auch Paulus zur Sprache, und zwar recht ausführlich und mit angemessen kritischer Beachtung der echten Briefe[23]. W. analysiert die Paulusbriefe nacheinander, bringt insofern eine gute Ergänzung zu meinem andersartigen Vorgehen. Zugleich geht er umfassender als ich vor, da er sich auch hier nicht nur am Vorkommen von Hoffnungsvokabeln orientiert. So beschäftigt er sich u.a. mit Texten wie 2 Kor 5,1-10. Ich habe mich aber auch von seinen Ausführungen nicht davon überzeugen lassen können, daß dieser Zugang zum Hoffnungsthema der methodisch angemessene oder zumindest der nach Lage der Dinge erst einmal angebrachte ist. Denn dann sollte man gleich die ganze Eschatologie des Paulus untersuchen, wenigstens im Sinn der (eschatologischen) Zu-

kunft und der Relation zu ihr. In gewissem Sinn tut W. das auch. Seine
Ergebnisse führen hier aber die Forschung insofern nicht weiter, als sie
bei einem schon länger herausgestellten Nebeneinander, Miteinander und
Sowohl-als-auch bleiben. Zwar verweist W. zu Recht auf solche Dimensionen wie Christologie, Pneumatologie, Anthropologie, Kosmologie, Ekklesiologie, Sakramententheologie, Theo-logie, Eschatologie[24]. Er versucht aber
nicht bewußt weiter zu bündeln und in weiterführender Weise neu zu verstehen. So finden sich im Blick auf die enger eschatologischen Strukturen
Kategorien wie Schon und Noch-Nicht, Spannung von Gegenwart und Zukunft, Paradoxie, Dialektik oder Existenzdialektik, eschatologischer Prozeß, Prolepse, Heilsgeschichte, Kairos u.U. in gegenseitiger Korrektur,
aber letztlich nicht weiter hinterfragt[25]. Immerhin hätte W. ja versuchen
können aufzuzeigen, daß ein solches Miteinander gerade bei Paulus der
einzige Verstehenshorizont ist, daß Paulus sich hier immer wieder einem
umfassenden exegetischen Zugriff zu entziehen scheint. Gerade beim Thema "Hoffnung" erweisen sich solche Schwierigkeiten im Sinn einer theologia
et ars exegetica viatorum als sinnvoll. Δικαιοσύνη θεοῦ wird als Interpretationshorizont nur zu Beginn der Analyse des Röm thematisiert. Die
Art der Synonymie von ἐλπίς κτλ[26] besitzt im Blick auf Vokabeln wie
γρηγορεῖν, πεποίθησις ihre Probleme[27]. Mehr in profane oder alltäg-
liche Richtung gehende Aussagen mit diesen Vokabeln werden beiseitege-
stellt. Indem W. das synoptische Kerygma untersucht[28], kommen die
Schichten vor Paulus zur Sprache. Aber gerade hier hat sich mir auch bei
W. wieder einmal gezeigt, wie begrenzt der Beitrag bei der Redeweise mit
ἐλπίς und ihren Synonymen ist. W. stellt hier streckenweise rein theolo-
gisch-eschatologisch dar. Das Verhältnis von Verkündigung Jesu und
nachösterlichem Kerygma scheint mir schillernd geblieben zu sein[29].

5. Auf das Ganze gesehen überwiegt der Eindruck von enzyklopädisch
orientierten, dadurch vielfach flächig-deskriptiven und z.T. eklektizisti-
schen Ausführungen. Deshalb stellt sich mir diese Arbeit weniger als eine
solche dar, die der Forschung vorgegebene Probleme und Aporien aufgreift
und zu lösen versucht. In dieser Hinsicht war mein Ansatz ein anderer.
Denn ich habe mich bei dem Hoffnungsthema bewußt beschränkt, habe in
stärkerer Weise als bisher zu hinterfragen und zu bündeln versucht[30].

Trotz solcher kritischen Bemerkungen muß W. für diese Untersuchung
herzlich gedankt werden. Sie kann aber genau so wenig wie meine Untersuchung ein non plus ultra der Forschung darstellen. Die Arbeit am Hoffnungsproblem muß, wie ich oben schon einmal angemerkt habe, weitergehen, sowohl an dem großen Rahmen, dem sich W. zugewandt hat, als auch
an den Einzelbereichen, zu denen meine Arbeit ihren Beitrag leisten soll.

ANMERKUNGEN

Zu S. 7-8:

1 S. z.B. Lain Entralgo, Espera; E.Bloch, "Das Prinzip Hoffnung",
  J.Moltmann, "Theologie der Hoffnung".

2 Vgl. dazu Buchrucker, RE VIII, 234. Beachtenswert sind aber in
  dieser Richtung schon die der Arbeit Zöcklers beigelegten Thesen,
  bes. die VI.

3 Eigentlich hätte F.C.Baur schon in derartiger Richtung wirken können. Auch ist es bemerkenswert, daß sich Zöckler später mit den
  Apokryphen des AT und der Pseudepigraphenliteratur beschäftigt
  hat (Apokryphen, 1891).

4 So bei den Ausführungen zu Paulus 80 ff.

5 So wegen eines unreflektiert strukturellen Vorgehens z.B. TREGEL-
  LES, Hope.

6 Vgl. z.B. Paulus II, 249 ff (dabei die Trias als die drei Momente
  des christlichen Bewußtseins mit der Unterscheidung der Beziehung
  der einzelnen Glieder auf Vergangenheit, Gegenwart und Zukunft);
  Vorlesungen 191 f. 202 ff.

7 Vgl. das Urteil von Büchsel, TheolNT 187 Anm. 12, zu § 37); die
  Umschreibung des Programms von Baur durch Bultmann, TheolNT
  592.

8 S. den Gesichtspunkt des "Lehrbegriffs" im Aufriß der Vorlesungen; ferner "Idee bzw. Wesen der Religion" ebd. 132; vgl. auch
  Paulus II, 255 ff.

9 Ich habe sie nur ganz selten zitiert gefunden, so z.B. bei B.Weiß,
  Lehrbuch 29.

10 Vgl. z.B. H.J.HOLTZMANN, Lehrbuch II, 179 f. 220 f (s. auch
   das Sachregister); P.WERNLE, Anfänge 200 ff; W.BEYSCHLAG,
   TheolNT II, 258 ff.

11 Vgl. BUCHRUCKER, Hoffnung; GUNKEL und GRAFE, Hoffnung.

12 A.a.O. 97, wenn man einmal von Zöckler absieht.
   Beiseite bleiben können hier auch methodisch für das Problem
   "Hoffnung" nicht zulängliche Arbeiten wie P.WERNLE, Reichsgot-
   teshoffnung; S.MATHEWS, Hope; R.KNOPF, Zukunftshoffnungen;
   W.A.BROWN, Hope. Forschungsgeschichtlich instruktiv sind über-
   haupt auch die dünnen Angaben bei W.BOUSSET, Kyrios, oder
   H.WEINEL, TheolNT (vgl. die Register oder Aufrisse).

13 Hoffen (1915). Pott kennt das Urteil Grafes (ebd. 1).

14 A.a.O. 7 ff. Es werden aber die kanonischen Pss des AT berücksichtigt (38 ff). Enger philologische Fragen werden kurz bedacht
   (1 ff). Das Material der Koine wird jedoch beiseite gelassen (4).
   Für die spätjüdischen Schriften geht Pott nur nach der dt. Ausgabe der Apokryphen und Pseudepigraphen von Kautzsch vor (vgl.
   den Hinweis a.a.O. 9).

Zu S. 8-9:

15 48 ff. 190 ff.
16 95 ff.
17 Vgl. den Schlußsatz des Buches (203). Theologiegeschichtlich bezeichnend dürften Aussagen wie die sein (a.a.O. 1): "Die Stimmung des Urchristentums war Enthusiasmus: Hoffnung; in der
Verkündigung Jesu, des Paulus und des Johannes steht die enge
Beziehung des Gotteskindes zum Vatergott im Vordergrund: Glauben." Für Pott waren alle Religionen damals Erlösungsreligionen,
in denen Juden und Heiden auf Gott und Leben hofften, die Juden
dabei auf Werke vertrauten, die Heiden auf Mysterien, das Christentum den Weg über den Glauben nahm (3).
18 Vgl. entsprechend zum Programm 1 f. Eine psychologische Problemstellung beherrscht etwa auch das schon erwähnte Lehrbuch von
HOLTZMANN.
19 Vgl. z.B. Angaben wie "wünschen", "planen".
20 Man kann fragen, ob ein derartiges Bild von Unausgeglichenheiten
und Brüchen nicht gerade an dem Zurückstellen eines einheitlichen
"Lehrbegriffs" liegt (dieser ausdrücklich 156 f kritisiert). So werden folgende zwei Thesen der Zusammenfassung über den Sachverhalt bei Paulus als Schlüssel für das Verständnis der paulinischen
Theologie im allgemeinen und der Relation von Hoffen und Glauben
im besonderen an die Spitze gestellt (155): "Einmal nämlich: die Wurzeln seiner Frömmigkeit sind das Diasporajudentum und seine Bekehrung. Sodann aber: Paulus ist sich einer fortschreitenden Entwicklung bewußt." Doch kann Pott daneben auch wieder von paulinischer Theologie (z.B. 155), einer einheitlichen und geschlossenen
Frömmigkeit des Paulus (197), scharfen Umrissen seiner Hauptbe-
griffe (157), einem allgemeinen Begriff von Hoffen und Glauben
(192), von verschiedenen Höhelagen (155 ff) reden.
21 So ausschließlich negativ bei Terstiege, Hoffen S. IX u.ö., was
von Kerstiens, Hoffnungsstruktur 11 Anm. 1, übernommen wird.
22 Geschichte, bes. 185 ff; vgl. Mystik passim.
23 Vgl. Geschichte 185 ff.
24 Vgl. TheolNT 76. 278 ff; Paulus 379 ff (trotz umfassend-enzyklopä-
discher Tendenzen und einer Erweiterung der TheolNT durch eine
RelNT).
25 TheolNT, z.B. 156.
26 Auferstehungshoffnung.
27 Vgl. "Eschatologie" und "Mystik" 17 f. 46 ff.
28 Vgl. TheolNT 121 ff.
29 Artikel in Nachschlagewerken bleiben wie schon früher und dann in
der Regel auch später wenig ertragreich (vgl. z.B. WISSMANN,
Hoffnung). S. aber stärker dogmatisch W.HADORN, Zukunft.
30 Formel u.ö.
31 Ursprung u.ö.

Zu S. 9-10:

32 Trias. Vgl. auch R.R.MARETT, Glaube (religionsgeschichtlich für die Trias selbst weniger austragend).

33 Dekret.

34 A.a.O. 170 ff, bes. 170 f. Dort findet sich die Unterscheidung zwischen einer bestimmten Erwartung, die sich auf die bereits gewonnene Sicherheit vom Eintreffen des ersehnten Gutes stütze, und der Hoffnung, die sich auf eine Wahrscheinlichkeit dieses Eintreffens stütze und mithin unsicher sei (in Abgrenzung von unvernünftigen Hoffnungen, die sich auf die bloße Möglichkeit des ersehnten Grundes gründen). Für Holzmeister ist die nahe Wiederkunft "nur" eine Hoffnung des Paulus.

35 Emploi.

36 Bei einigen Wörtern kann man fragen, ob sie zu Recht als Synonyme herangezogen werden, so z.B. bei θαρρεῖν, πεποίθησις.

37 S. Bultmann ThW II, 515 (Literatur). Da de Guibert auch Wörter des Vertrauens heranzieht, liegt eine sachliche Nähe zur Fragestellung Potts vor. Überhaupt nimmt er πίστις als komplexen Ausgangspunkt an, der "später" bis zur ἐλπίς auseinandergefaltet worden sei.

38 Révélation. Vgl. später noch seine Arbeiten über Agapè und seine TheolNT.

39 S. Révélation Avant-Propos.

40 S. Révélation 1-98.262-265 (vgl. u.a. den Rückgriff auf Thomas von Aquin).

41 Vgl. Sachregister s.v. "Hoffnung", bes. 311.315 ff. 325 ff.

42 II, 364.

43 S. gleich das Vorwort des Glaubensbuches (7 f). Vgl. Bultmann, TheolNT 598.

44 Vgl. TheolNT II, 365.

45 Vgl. dafür abgesehen von Bultmann etwa K.BARTH, Röm; E.BRUNNER, Faith (zur Trias); Das Ewige (vgl. die engl. Übersetzung); Dogmatik III, bes. 377 ff; F.GOGARTEN, Verhängnis; Chr. Hoffnung.

46 Vgl. z,B. Barth, Röm 118 f; Brunner, Das Ewige S. III f; Gogarten, Verhängnis 127 ff.178 u.ö.

47 Vgl. Brunner, Das Ewige S. IV; Gogarten, Verhängnis 174 ff.

48 Vgl. kritisch Brunner, Dogmatik III, 388 ff.449 ff; Das Ewige S. I ff.126 ff. Dagegen scheint Gogarten Bultmann näher zu stehen, wenn man z.B. seine Ausführungen Verhängnis 127 ff bedenkt.

49 ThW II 515, 5 ff (mit K.H.RENGSTORF); TheolNT 320 ff.348.

50 In der Rundfunkdiskussion "Die christliche Hoffnung ...".

51 515,7-530,12.

52 Vgl. 527,24-529,17.

Zu S. 10-11:

53 S. im Aufriß jeweils "Hoffnungsbegriff", nur beim rabb. und hellenistischen Judentum, offensichtlich entsprechend der besonderen
Sachlage dort, lediglich "Hoffnung".

54 Vgl. "Hoffnungsgedanke" und "ὑπομονή-Begriff" 529,23 f.

55 Vgl. 518,13 f und schon 515,18 f.

56 So 519,19-21.

57 Vgl. 527,5 f; 528,14 f.

58 518,37-519,3.

59 527,24-27.

60 An mehreren Stellen wird das aber auch in diesem ThW-Art. selbst
sichtbar, z.B. 525,41 ff.

61 Vgl. zu Bultmanns Theologie Fuchs, Bultmann.

62 S. Jesus Christus 188 zum "Zusammenfallen von Grund und Gegen-
stand des Glaubens", in unserem ThW-Artikel im Blick auf die
Hoffnung ähnliche Tendenzen für das AT 519 Anm. 34 und für das
NT 527 Anm. 100. Vgl. Fuchs, Bultmann 1511; Stuhlmacher, NT und
Hermeneutik 157 f.

63 All das gilt auch unter Berücksichtigung dessen, daß für Bultmann
der Unterschied zwischen dem AT und NT, bes. Paulus, in der Situation des Hoffenden liegt, mithin in der eschatologischen Einbettung (528,14 ff). Dieses betrifft nämlich nicht das direkte Verhältnis von Hoffen und Erhofftem selbst, soweit das die Struktur des
ἐλπίς-Begriffes angeht.

64 Vgl. TheolNT 591 ff.

65 520,28-525,40.

66 521,3-6. Vgl. schon vorher in Anlehnung an ein Urteil A.Schlatters.
Dabei wird in derartiger Richtung die sprachliche Situation für das
"palästinische Spätjudentum" überhaupt umrissen gesehen (520,29
ff). Von daher erklärt sich vielleicht das Zurücktreten des zwischentestamentlichen Judentums in Apokalyptik u.ä. Richtungen in
Aufriß und Darstellung dieses ThW-Artikels. Überhaupt ergibt sich
schließlich die Frage, ob das rabb. Judentum und das "palästinische Spätjudentum" in dieser Weise zusammengestellt werden dürfen.

67 Allerdings erfordert das eine Spezialuntersuchung (vgl. die Thesauri
ri von Kasowski). S. auch die Kritik von jüd. Seite an Rengstorf,
so z.B. durch STEIN, "Gute Hoffnung" 378 f, und WERBLOWSKI,
Faith 117 (vor allem dogmatisch im Blick auf das Problem von "Lei-
stungsreligion" und "Heilsgewißheit"); vgl. auch Sanders, Paul
225 ff.

68 Vgl. Bultmanns eigene Aussagen in derartiger Richtung (Jesus
Christus 188): "Entmythologisierung ist in der Tat eine parallele
Aufgabe zu der Formulierung von Paulus und Martin Luther in ihrer Lehre von der Rechtfertigung allein aus Glauben ohne des Gesetzes Werke. Genauer ausgedrückt, ist Entmythologisierung die ra-
dikale Anwendung von der Lehre von der Rechtfertigung durch

Zu S. 11-13:

den Glauben auf das Gebiet des Wissens und Denkens." Vgl. auch Fuchs, Bultmann 1511.

69 Vgl. 528,14.

70 Natürlich ergeben sich diese Beschränkungen aufgrund der Spezialisierung der einzelnen Artikel im ThW. Immerhin greift Bultmann in seinem Teil nicht nur auf ἐλπίς und ἐλπίζειν zurück, sondern auch noch auf weitere Derivate und auf προσδοκία. Das ist aber im Blick auf die Synonyme und den Anspruch der beiden "Hoffnungsbegriffe" nicht umfassend genug. So findet sich auch kein Verweis Bultmanns auf II 49,1 ff. Allerdings sind die Beiträge im ThW zu den Synonymen (z.T. erst später erschienen, ἀναμένειν offensichtlich vergessen) von W.GRUNDMANN, G.DELLING, C.MAURER, HAUCK forschungsgeschichtlich nicht so markant.

71 Vgl. jedoch 527,24-27.27 ff; 528,30.

72 Vgl. die Kritik J.Beckers, Heil 264 Anm. 1.

73 Im Blick auf die Vorgänger in der Forschung ist aber die besondere Struktur des Glaubens zu bedenken (vgl. TheolNT 315 ff).

74 Alles a.a.O. 320.

75 321.

76 322 (die Zitate ohne Sperrung übernommen).

77 323.

78 Vgl. "Sein und Zeit" 345, wo im Zusammenhang der Furcht auch auf die Hoffnung geblickt wird. Da das die einzige Stelle in "Sein und Zeit" mit Aussagen Heideggers über die Hoffnung ist (s. den Index von Feick), erscheint diese Zuordnung bei Bultmann von daher noch bemerkenswerter. Die Beziehung von Furcht und Hoffnung ist schon in der Antike vor allem als Antithese wichtig gewesen (s. dazu z.B. Finke, Furcht).

79 Dort ist eine positive Beziehung zu beachten, wie Spr 23,17 f zeigt; vgl. Bultmann, ThW II 520,16 ff.

80 348 (vgl. § 40 überhaupt).

81 S. Christliche Hoffnung 21-32.45-62.

82 Vgl. die Berufung Bultmanns auf M.Luther bei der Interpretation von Röm 8 (a.a.O. 58): "die christliche Hoffnung weiß, daß sie hofft, sie weiß aber nicht, was sie erhofft". Das Recht dieser Berufung ist in der Literatur umstritten geblieben, wie die Rundfunkdiskussion selbst (58 ff) oder die Kritik Sauters, Zukunft 60 Anm. 38, zeigen.

83 Vgl. im Blick auf eine derartige Antithetik die "Zwei Glaubensweisen" M.Bubers.

84 An diesem Punkt zeigen sich im Blick auf die Einordnung des Paulus Spannungen, wenn Bultmann ihn sonst vor allem auf dem Boden des hellen. Christentums sieht (vgl. TheolNT 187 ff). Es ergeben sich aber auch Spannungen hinsichtlich der Beurteilung des Urchristentums als eines synkretistischen Phänomens (vgl. Urchristen-

Zu S. 13-14:

tum 163 ff) oder der Sicht des Weges des eschatologischen Denkens aufgrund des NT (vgl. dazu die Darstellung bei J.Körner, Eschatologie 11 ff). Allerdings ist für Bultmann die LXX bei dem "Hoffnungsbegriff" wichtig. Überhaupt müßte man an diesen Punkten einmal dem Verhältnis Bultmanns zur Religionsgeschichtlichen Schule und zu andere Schwerpunkte legenden Theologen wie A. Ritschl, A. von Harnack, K.Holl, A.Schlatter nachgehen.

85 Hier sind Anstöße durch seinen Lehrer W.Herrmann (vgl. Der geschichtliche Christus) zu vermuten.

86 Vgl. auch noch einige andere Gesichtspunkte wie das Verhältnis von profaner und religiöser bzw. theologischer Hoffnung (vgl. ThW II 527, 5 ff) oder subjektiver und objektiver Hoffnung (vgl. a.a.O. 528, 32 ff) oder Hoffnung und Erwartung in bonam partem, neutral, in malam partem (vgl. a.a.O. 515,20 ff). Sie sind gerade nicht extra aufgegriffen worden, weil sie in der Literatur vorher schon zur Genüge herausgestellt worden sind. Bultmanns Eintragungen in seinem ThW-Handexemplar s.v. (vorhanden bei Abteilung I, Evangelische Theologie, der Ruhr-Universität Bochum) bringen Ergänzungen zu den Belegen, nicht aber eine Änderung seiner Auffassung.

87 Chr. Hoffnung 9-20.45-62. Vgl. auch noch Bornkamms Äußerungen über die Hoffnung Paulusartikel 189, Paulusbuch 225 ff, Hoffnung im Kol (für die Paulusschule).

88 A.a.O. 33-44. 45-62.

89 Eschatologie.

90 Bes. 30 ff.

91 130 f.131 ff (Zitat 132).

92 43 f.

93 Allgemeiner strukturell bleibt für das Hoffnungsproblem a.a.O. 87 ff. Das gilt auch für Endgeschichtliche Parusieerwartung, trotz bemerkenswerter Aussagen über die Hoffnung, die in der Kritik an Bultmann auf der Linie der anderen Arbeit liegen und auch auf das Verhältnis von Was und Daß eingehen (a.a.O. 190 f).

94 Vgl. z.B. Zukunft 335.359; Hedinger, Glaube.

95 Vgl. Paulus 66 ff (Zitat 70).

96 Vgl. z.B. Stuhlmacher, Erwägungen 449 f, wo auch ein charakteristisches Zitat Käsemanns gebracht wird.

97 Vgl. "Der Gott der Hoffnung" (nicht von ungefähr in der Blochfestschr. 1965 erschienen; zur Formulierung des Titels vgl. Röm 15,13); ders., Mensch 31 ff; ders., Grundzüge 80-82 u.ö.

98 Vgl. "Heil als Geschichte" generell und speziell Hoffnung der Kirche; Albert Schweitzers Auffassung; Was erhofft. S. in diesem Rahmen auch noch W.G.KÜMMEL, Enderwartung.

99 Bes. die Qumrantexte (1947 ff). Hinweise oder ein kurzes Eingehen auf dort vorkommende Aussagen mit Wörtern der Hoffnung usw. finden sich u.a. bei H.-W.KUHN, Enderwartung 34.179 f; E.NEUHÄUS-

Zu S. 14-15:

LER, Art. Hoffnung 416.418; K.H.SCHELKLE, Hoffnung 195 f;
ders., TheolNT III, 105. Ferner sind die Nag Hammadi-Texte
(1945/46) zu nennen. Vgl. kurze Hinweise bei E.NEUHÄUSLER,
Art, Hoffnung 417.

100 So P.A.H. DE BOER, Etude; J. VAN DER PLOEG, Espérance;
T.C.VRIEZEN, Hoffnung; ders., Hope; C.WESTERMANN, Hoffen;
ders., ThHWBAT I, 727-730 (יחל). II, 619-629 קוה; W.ZIMMER-
LI, Mensch (bereits im ausdrücklichen Gespräch mit E.BLOCH).

101 Vgl. R.J.Z.WERBLOWSKI, Faith (allerdings in der Fragestellung
von Bultmann beeinflußt; s. 96 Anm. 3).

102 Vgl. H.-G.FINKE, Furcht; O.LACHNIT, Elpis; J.J.A.SCHRIJEN,
Elpis.

103 Vgl. G.BORNKAMM, Hoffnung im Kol; W.GROSSOUW, Espérance
(zum NT, aber vor allem dabei zu Paulus). Strukturell bleibt im
Blick auf das NT und seine Umwelt E.SCHWEIZER, Gegenwart.

104 Vgl. Zimmerlis Einsetzen bei den Wörtern (Mensch 7 ff) und aus-
drückliches Verlassen der Vokabelbasis (48 ff); C.WESTERMANNs
Kritik (Rezension) an D.BALTZER, Ezechiel.

105 In RGG[3].

106 417.

107 Vgl. den Hinweis, daß der theologische Gebrauch der Wortgruppe
"Hoffnung" im wesentlichen auf den Umkreis der paulinischen Theologie begrenzt sei (417).

108 207-214, § 22.

109 208.

110 207 f.

111 208.

112 210 ff.

113 Vgl. die zahlreichen, z.T. schon angeführten Arbeiten über die
Hoffnung in ihrem Einflußbereich.

114 Vgl. die Konferenzberichte "The Evanston Report" und "Evanston
Dokumente"; ferner "Hoffnung in der Bibel"; Christian Hope;
Meaning of Hope; Nature of Christian Hope; P.S.MINEAR, Time;
den Literaturbericht bei R.T.STAMM, Literature.

115 Vgl. dafür T. DE ORBISCO, Motivos; F.ORTIZ DE URTARAN
DIAZ, Esperanza; P.A.TERSTIEGE, Hoffen.

116 Vgl. Theologie 125 ff.

117 Vgl. Hoffnungsstruktur 120 ff.

118 So Zukunft 50 ff. Vgl. auch F.KERSTIENS, Hoffnung 726-728.

119 Vgl. Welt (gezielt kurz); ders., Paraklese 147 ff.155 f u.ö.

120 Zukunftsbedeutung 175-181. Zur Kritik an Moltmann u.a. von der
Theologie des Paulus her vgl. H.THYEN, Studien 181 ff.

121 Vgl. aber noch Bemerkungen wie bei K.H.SCHELKLE, TheolNT III,
102.115 f; ders., Hoffnung 193 f.203 f.

122 So bei Grabner-Haider und Kimmerle a.a.O.

Zu S. 15-16:

123 Am Schluß dieses Punktes möchte ich es nicht versäumen, auf
"The Christian Hope According to Bultmann, Pannenberg, and
Moltmann" von A.P.PARK hinzuweisen. Leider hilft diese Arbeit
im Blick auf unsere exegetischen Fragen nicht besonders weiter.
Vgl. zu Bultmann und Moltmann ähnlich noch J.PIKAZA IBARRAN-
DO, Esperanza.

124 Dadurch entfallen schon viele Beiträge, so z.B. F.J.DENBEAUX,
Biblical Hope; C.H.GIBLIN, Hope; J.GNILKA, Jenseitserwartung;
M.GOGUEL, Espérance; P.NORMANDIN, S.Paul; P.SIBER, Mit
Christus; J.A.SINT, Parusieerwartung.

125 Vgl. die schon erwähnte ThW-Art.; G.BERTRAM, 'Αποκαραδοκία.

126 Vgl. G.BERTRAM a.a.O. 264 f; L.FEDELE, Speranza 21.22; R.
FERRARA, Esperanza 58 u.ö.; W.GROSSOUW, Espérance 508 ff;
E.HOFFMANN, Hoffnung; T. DE ORBISO, Motivos 66 ff, bes. 70 f.

127 Vgl. L.FEDELE a.a.O. 22; R.FERRARA a.a.O.; W.GROSSOUW a.a.
O.; T. DE ORBISO a.a.O. Doch grenzt neuerdings E.HOFFMANN
a.a.O. für das ganze NT im großen und ganzen schon recht genau
ab. In diesem Zusammenhang sind wegen ihrer generalisierenden
Gegenüberstellungen von intellektuellen, emotionalen, griechischen,
jüdischen, christlichen Aspekten auch noch J.L.MYRES, 'Ελπίς,
und E.RANWEZ, Espérance, zu beachten.

128 Vgl. G.BARBAGLIO, Speranza 33 und passim; L.FEDELE, Speranza
21.23 ff; R.FERRARA, Esperanza 59 ff; M.FRAEYMANN, Essentialia
41-43; W.GROSSOUW, Espérance 513 ff.528 ff; H.SCHLIER, Hoffnung 140 ff; P.A.TERSTIEGE, Hoffen passim.

129 So bei G.BARBAGLIO a.a.O.; L.FEDELE a.a.O.; W.GROSSOUW
a.a.O. 530 (ausdrücklich mit Hinweis auf Bultmann die Beziehung
zur Furcht herausstellend); H.SCHLIER a.a.O. 140-143; ferner bei
A.BARR, "Hope" 69 (zum ganzen NT); vgl. auch M.FRAEYMANN
a.a.O. 41 f (desiderium, firma fiducia bzw. confidentia, patientia
als structura spei).

130 So bei M.FRAEYMANN a.a.O. 42 f (vgl. als habitus christianus);
W.GROSSOUW a.a.O. 513 ff u.ö. (vgl. als vertu théologale); P.A.
TERSTIEGE, Hoffen (vgl. die röm.-kath. Tradition, nach der die
Hoffnung den Glauben zur absoluten Voraussetzung hat: der Glaube stelle der Hoffnung intellektuell das Ziel bereit, auf das diese
sich dann als Inklination des Willens ausrichten könne, a.a.O. 77 ff
u.ö.).

131 Vgl. R.BARACALDO, Gloria; L.FEDELE, Speranza 21.36 ff; R.
FERRARA, Esperanza 65 ff; M.FRAEYMANN, Essentialia 38 f; W.
GROSSOUW, Espérance 523 ff.527 f; sogar P.A.TERSTIEGE, Hof-
fen 19 f u.ö.

132 So bei FEDELE, FERRARA, FRAEYMANN, GROSSOUW a.a.O. Vgl.
zum Verhältnis von beidem für das ganze NT A.BARR, "Hope" passim (u.a. mit den Relationen Grund-Vertrauen, Inhalt-Erwartung).

Zu S. 16-18:

Eine Unterscheidung spes qua speratur und spes quae speratur findet sich im Rahmen einer "Hermeneutik biblischer Eschatologie und Apokalyptik" bei K.H.SCHELKLE, Hoffnung 203.

133 Vgl. L.FEDELE, Speranza 21.48 ff; M.FRAEYMANN, Essentialia 39 f; W.GROSSOUW, Espérance 526 f; T. DE ORBISO, Motivos; H.SCHLIER, Hoffnung 135 ff; P.A.TERSTIEGE, Hoffen, z.B. 17 ff.

134 So bei L.FEDELE in seiner tesi di laurea (s. den Hinweis ders., Speranza 21 Anm. 1).

135 Vgl. G.BARBAGLIO, Speranza 33 ff, und zwar jeweils unter dem Gesichtspunkt: l'attesa, la fiducia et la constanza (also nach Bultmanns nt. Hoffnungsbegriff).

136 So bei G.BARBAGLIO a.a.O. 33 ff.39 ff; L.FEDELE, Speranza generell.

137 So bei G.BARBAGLIO a.a.O.; R.BARACALDO, Gloria; L.FEDELE, Speranza; R.FERRARA, Esperanza; M.FRAEYMANN, Essentialia; T. DE ORBISO, Motivos.

138 Am weitesten scheint mir hier L.FEDELE gekommen zu sein, zumindest methodisch formal betrachtet. Sein hier wichtiger Beitrag besteht aus tesi di laurea und Speranza. Nach Speranza 21 Anm. 1 stellt Speranza einen Teil seiner tesi di laurea an der "Pontificia Facoltà Teologica S. Luigi" di Napoli unter dem Titel "La speranza cristiana nelle Epistole Paoline" dar. Leider ist mir die tesi di laurea selbst bisher nicht zugänglich geworden. In diesem Zusammenhang soll auch noch auf Exkurse in Kommentaren und auf Passagen in den TheolNT hingewiesen werden; vgl. J.BONSIRVEN, TheolNT 367-369; F.BÜCHSEL, TheolNT 122 ff u.ö.; W.G.KÜMMEL, TheolNT 126-128. 211 ff; R.P.LEMONNYER - L.CERFAUX, TheolNT 149 ff; E.LOHSE, TheolNT 109 ff; M.MEINERTZ, TheolNT II,99; K.H.SCHELKLE, TheolNT III,102-116 u.ö.; O.KUSS, Röm 195-198. Sie bleiben sachlich in dem bisher beschriebenen Rahmen.

1 Vgl. den Sachverhalt, daß z.B. ἐλπίς und προσδοκία, "Hoffnung" und "Erwartung" beides schon im Substantiv selbst beinhalten.

2 Das Gewicht der übergeordneten Zusammenhänge schimmert selbst bei Bultmann noch auf (vgl. ThW II 528,14 ff; TheolNT 322 f).

3 Sie werden heute gemeinhin so beurteilt und verwertet; vgl. die EinlNT von Feine-Behm-Kümmel 175 ff bzw. Kümmel 214 ff und Marxsen 25 ff oder die TheolNT von Bultmann 191 und Conzelmann 175. Allerdings sind der 2 Thess und Kol umstritten (als echt z.B. bei Kümmel a.a.O. 226 ff.294 ff). Mir scheint aber der Beitrag von G.Bornkamm über den Kol gerade aufgrund des Themas "Hoffnung" die Unechtheit dieses Briefes nahegelegt zu haben. Im Blick auf den 2 Thess ist es so, daß das geprägt und formelhaft erscheinende ἐλπίς ἀγαθή in 2,16 in den sicher echten Paulusbriefen keine volle Entsprechung besitzt. Da man zudem auf die semantischen

Zu S. 18:

Probleme des Gebrauchs von ὑπομονή in 2 Thess 3,5 im Verhältnis zum Sprachgebrauch bei Paulus sonst hinweisen kann, scheint
mir schon von da aus ebenfalls für den 2 Thess ein Grund zur einleitungswissenschaftlichen Vorsicht vorzuliegen. Die Aussagen, die
dem Paulus in Apg in den Mund gelegt werden (vgl. z.B. 23,6;
24,15), müssen hier erst recht aus methodischen Gründen als primäre Quellen beiseite bleiben.

4 Kümmel, EinlNT 216. Freilich ergibt sich ein etwas anderes Bild
aufgrund neuerer Untersuchung zur paulinischen Chronologie bei
G.Lüdemann, Paulus I, weniger dagegen durch Suhl, Paulus.

5 Zu Möglichkeiten einer an sich genaueren Differenzierung vgl. Hdb.
der Linguistik 476-479; 563 f; WB philosophischer Begriffe (Hoffmeister) 107-110; 606 f; 675 f; Seiffert, Einführung I,15 ff. Da
jedoch die semantischen Fragen (wie überhaupt so manche sprachwissenschaftlichen Fragen) in der modernen Linguistik an vielen
Punkten noch kontrovers oder ungeklärt sind (vgl. z.B. auch
Lyons, Einführung 409 ff zur Semantik), halte ich es für angebracht, sprachwissenschaftlich wie unten erfolgt vorzugehen (s.
vor allem die Möglichkeit der Substitution als Maßstab für die Synonymie).

6 Vgl. kritisch dazu z.B. Kümmel, NT 550 Anm. 278[a]. S. auch H.-W.
Kuhn, Enderwartung 12 Anm. 5.

7 Immerhin deutet der Gebrauch von ἔσχατος in 1 Kor 15,26.45.52
in die Richtung der gleich gebrachten Bestimmung. Vgl. auch weitere nt. Stellen (s. Moulton-Geden, Concordance 391 f s.v.) und
G.Kittel, ThW II 695,1 ff.

8 Insofern kommen Gericht und Unheil in den Blick.

9 Vgl. zu ihnen von Rad, TheolAT II,121 ff (bes. auch die dort
erwähnte Arbeit von Rohland, Erwählungstraditionen). S. zum
Problem der at. Eschatologie jetzt auch den Sammelband Eschatologie im AT.

10 Vgl. zur Apokalyptik aus der großen Zahl der Darstellungen die
von Vielhauer bei Hennecke, Nt. Apokryphen II,408 ff. Weiteres
s.u. in 10.6.2.

11 Weitere Einflüsse, wie aus dem iranischen Bereich etwa, lasse ich
unter diesen Voraussetzungen hier einmal beiseite, wenngleich sie
insgesamt sicher zu berücksichtigen sind. Auch reicht mein Einblick in die Quellen für den iranischen Bereich nicht zu einem fundierten Urteil aus. Zum Begriff des "Eschatologischen" vgl. H.-W.
Kuhn, Enderwartung 11 f. Seine Bestimmung des Begriffs ist ebenfalls stark von G. von Rads Auffassungen geprägt. Die Literatur
zum Problem und Begriff "Eschatologie" ist an sich unüberschaubar
geworden und sachlich auch recht kontrovers. Ich gebe noch folgende Beispiele, die sachlich und geschichtlich instruktiv sind:
Althaus u.a., Art. Eschatologie (RGG[3] II,650 ff); Bultmann, Ge-

Zu S. 18-19:

schichte; Carmignac, Dangers; Dahl, Eschatologie 3 ff. Den Gedanken eines Bruches finde ich schon bei H.Gunkel in der Paulusinterpretation (vgl. Wirkungen 74 f. 77 f). Dabei bezieht sich Gunkel auf
A.Ritschl (Rechtfertigung und Versöhnung II, 2. Aufl., 1882, S.82),
der in der Botschaft der atl. Propheten einen Bruch in der Geschichte vorgestellt sieht.

12 Wie wir noch genauer sehen werden (s.u. bes. 10.6.3.), stoßen wir
in den Qumrantexten ebenfalls auf eschatologisch-gegenwärtiges
Heil. Doch deutet dieser Sachverhalt weniger auf Abhängigkeitsver-
hältnisse zwischen Qumrangemeinde und Christentum als auf Analogie-
bildungen hin (vgl. schon Bultmann, TheolNT Vorwort).

13 Vgl. zu derartigen Fragen Stellen wie 2 Kor 5,16 f. Allerdings möchte
ich auf dem Boden des bisher Dargestellten (vgl. auch unten 10.6.)
nicht so (grundsätzlich) zwischen Apokalyptik und Eschatologie unterscheiden, wie das in der neueren Zeit in der theologischen Forschung gern getan wird, so z.B. bei Balz, Heilsvertrauen 39.129
(mit Literaturverweisen): "In dieser Untersuchung wurde zwischen
Eschatologie und Apokalyptik in der Weise unterschieden, daß die
Apokalyptik als eine spezifische und durch zahlreiche literarische
Vorbilder bestimmte Form der Eschatologie angesehen wurde. Eschatologie wiederum galt als der Typus einer Theologie, die die Bedeutung des Glaubens und der christlichen Existenz für eine vom Unglau-
ben und von der Gottesferne gezeichnete Wirklichkeit erfassen will."
(a.a.O. 129).

14 Allerdings vertritt Paulus offensichtlich keine Unsterblichkeit der
Seele, so daß von hier aus ein Jenseits anders gesehen werden muß.
Für den hellenistisch-synkretistischen Bereich darf man vielleicht
mit einem gewissen sachlichen Recht da von eschatologischen Perspektiven oder Vorformen reden, wo ein Jenseits nach dem Tod der Gegenwart wertend übergeordnet oder eventuell auch noch gleichgestellt
wird. Dafür ist die positive Bewertung des Jenseits z.B. in den
Schriften Platons (z.T. als "Hoffnung" ausgedrückt, wie etwa Phaed
58e-59a; 62a.c-d; 63b-c; 63e-64a) im Verhältnis zu unerfreulichen
Vorstellungen über die Unterwelt (vgl. Hades, Scheol u.ä.) im
griech. oder at. Bereich (vgl. z.B. Jes 38,18 im Blick auf die "Hoffnung") illustrativ. Die parallele Kopflastigkeit einer Zukunfts- und
Jenseitsorientierung dürfte eine Voraussetzung der genannten Verbindung gewesen sein.

1 Nicht schlecht bezeugt stattdessen ὑπομένειν, aber textkritisch
sekundär.

2 Textkritisch sekundär noch ein drittes Mal in einigen Hss.

3 Vgl. die indogermanische Wurzel u̯el mit der Bedeutung "vouloir,
souhaiter, espérer" (Boisacq, WB 246) oder "choisir, agréer,
vouloir" (ebd. 239) oder "wollen" (Frisk, WB I,502 f; vgl. lat.
vel-le) bzw. "wollen, wählen" (Pokorny, WB I, 1137 f).

Zu S. 19:

4 Die Funktion des zunächst hinzugetretenen p/π (vgl. das Verb
ἕλπω) scheint nicht bestimmbar zu sein (vgl. Frisk, WB I,503).
(F)ἐλπ- ist dann durch -ιδ- erweitert worden bzw. das Verb
ist im Rahmen von -ιζειν- und -αζειν- Ableitungen und das
Substantiv im Rahmen von -ίς- Bildungen glatter entstanden (vgl.
generell dazu Debrunner, Wortbildungslehre § 252 ff). Zu den Fra-
gen von Etymologie und Wortbildung s. noch Brugmann-Delbrück,
Grundriß II,3 231; Bultmann, ThW II 516,1 f (mit Anm. 7); Frisk,
WB I,502; Hirt, Hdb. § 448d; Krahe, Sprachwissenschaft II § 44,3;
Lachnit, Elpis 21.75.91); Schwyzer, Grammatik I,735 f.

5 Es kann keine charakteristische semantische Funktion der Entwicklung sicher erhoben werden. Das gilt für das Verb im Blick auf
Sinnfunktionen wie faktitiv, instrumentativ, zuständlich u.ä., bei
Deverbativa intensiv oder iterativ; vgl. die Angaben bei Debrunner, Wortbildungslehre § 260 ff; Kühner-Blaß, Grammatik I,2 261 f.
Ähnliches liegt bei dem Substantiv vor; vgl. die Angaben bei Debrunner a.a.O. § 379 ff. Deshalb wird man eine Erklärung wie bei
Pott (Hoffen 4: ἐλπίς als ein abstraktes Substantiv vom Stamm
ἕλπω; ἐλπίζειν von ἐλπίς abgeleitet, und zwar in iterativer Form,
welche die Wiederholung oder das Anhalten bezeichnet; vgl. ähnlich schon Zöckler, De vi 1.4) nicht mehr sicher begründen können. Vor allem ist in der späteren Zeit angesichts des Zurücktretens der Stufe ἐλπ- und der Bildung zahlreicher Komposita semantisch eine solche Funktion vermutlich kaum mehr besonders empfunden worden.

6 Vgl. die WB und z.B. auch Lachnit, Elpis 1.

7 So Lachnit, Elpis (vgl. 21 f die entsprechende resümierende Gegenüberstellung von ἕλπεσθαι und "hoffen"; 82 f zu "schätzen").
Die Bedeutung "Hoffnung" finde sich beim Substantiv zuerst und
selten in der Klassik (sicher nur zwei Stellen: König Ödipus 834 f;
836 f des Sophokles; vgl. a.a.O. 72-74), beim Verb ἐλπίζειν zuerst Thukydides III 97,2 (vgl. a.a.O. 101 f). Zumindest beim Substantiv ist für Lachnit dann aber in der Sophistik ein deutliches
Auseinanderbrechen in zwei Bedeutungsweisen zu beobachten, d.h.
die traditionelle (vgl. "schätzen") und die neue (vgl. "hoffen"),
wobei vor allem das Gegenüber von Wahrscheinlichkeit und Möglichkeit wichtig sei (100). Doch deutet Schrijen i.U. zu Lachnit
schon für eine frühere Zeit durch "Hoffnung" (z.B. schon gleich
bei der Homerinterpretation Elpis 1 ff; vgl. auch die WB). Dabei
sieht er von Anfang an "Hoffnung" in malam partem (vgl. als trü-
gerisch) und in bonam partem (vgl. als nützlich in Not u.ä.) vorliegen.

8 Schrijen sieht bis zur Zeit Platons den Übelaspekt überwiegen. Bei
Plato und seinen Zeitgenossen bahne sich ein Wandel an, für den

Zu S. 19-20:

Schrijen auf den Einfluß religiöser Vorstellungen mit ihren Jenseits-
erwartungen, vor allem in den eleusinischen Mysterien und in der
Philosophie Platons, hinweist (vgl. die Zusammenfassung 171 f).

9 Darauf könnte ein Blick auf den Gebrauch des Wortstammes bei
Aristoteles (nach dem Index von Bonitz 209.239 f.294) hindeuten,
da sich dort die Bedeutung "Hoffnung" noch sehr viel stärker als
bei Plato (s. Ast, WB I,573.684 f.845) nahelegt.

10 Vgl. die Studie von Birt, Elpides. Das wird einmal aus der Rekon-
struktion des Inhalts der Literaturgattung "Elpides" deutlich (a.a.O.
72: "Will man Vermuthungen wagen, so bietet sich nur die eine mög-
liche Annahme: es ist von ihm (sc. Theokrit) die Elpis in den verschiedenen Erscheinungsarten des arbeitenden und leidenden Men-
schenlebens durch eine Reihe von Idyllien zur Darstellung gebracht
worden: poeta de spe queritur per exempla." und a.a.O. 81: "Wir
denken uns hiernach das Buch Elpides als eine Sammlung von Idyllien, die sich zu ihrem Titel exemplificierend verhalten haben und
neben den Fischern muthmaßlich den Vogelsteller, den Landmann sowie jenen Strafarbeiter darstellten, der gleichwie der Fischer in seiner Noth noch goldne Träume der Hoffnung träumen kann, unver-
drossen sein Lied anstimmt auch bei dem härtesten und verächtlich-
sten Tagewerk."). Zum andern zeigen das die Beispiele, die Birt
als Hintergrund heranzieht. Nicht zufällig dürfte Birt bei Aristoteles
und der pseudo-platonischen Definition einsetzen (6). Ferner ist das
Gegenüber zu φόβος charakteristisch (vgl. 6; zu dieser Antithese
im lat. Sprachraum s. die Diss. von Finke).

11 Nach dem ThW-Art. von Bultmann und Rengstorf scheint eine Entwicklung in der Gräzität aufzuleuchten, bei der ursprünglich ἐλπίς
als vox media vorlag und später auch ohne Zusatz den positiven
Sinn "Hoffnung" erhielt (vgl. ThW II, 515,20 ff; 526,23-25), so
daß in dieser Weise sogar von einem späteren griechischen Sprachgebrauch die Rede sein kann (a.a.O 526,23 f). Vor allem für den
at. und urchristlichen "Hoffnungsbegriff" wird ein positiver Sinn
als wesentlich herausgestellt (vgl. 518,37-519,3 und 527,24-27 zur
Struktur des at. und nt. "Hoffnungsbegriffs"), wobei auch das
hellenistische Judentum in derartiger Sinnrichtung gezeichnet wird.
Nach 526 Anm. 92 folgt Josephus aber dem allg. griech. Sprachgebrauch, wobei er ἐλπίς auch zum Ausdruck der Erwartung eines
Schlimmen gebrauchen könne. Das zeigt, daß für Bultmann, und
zwar angesichts der Quellen mit Recht, im griech. Sprachgebrauch
keine Entwicklung zur ausschließlichen Bedeutung "Hoffnung"
oder "Erwartung eines Willkommenen" vorgelegen hat.

12 Schon früh kann die Zukunftsorientierung ausdrücklich betont sein,
wie sich bei Plat Phileb 39c-40a (in Reflexionsansätzen) und Aristot
De Memoria 1p449b10 ff.27 f oder später Philo Leg All II § 42 f (ne-

Zu S. 20:

ben προσδοκᾶν und προσδοκία) zeigt. Auch ist in dieser Richtung
auf antike Definitionen hinzuweisen, da sie die semantischen Tendenzen der Antike hervortreten lassen. Können bei Plato die δόξαι
μελλόντων (d.h. φόβος und θάρρος) noch durch das κοινὸν
ὄνομα ἐλπίς bezeichnet werden (Leg I 644c), so sieht die platoni-
sche Tradition hier dann eine vox bona, wenn ἐλπίς als προσδοκία
ἀγαθοῦ bestimmt wird (Pseud-Plat Def 416a). Das hat sich bis zu
Philo (Abr § 14) oder zur Gnosis bei Anhängern des Basilides (nach
Cl Al Strom II 6, § 27,2 als προσδοκία κτήσεως ἀγαθοῦ) durchgehalten. Es gilt auch noch für Suidas (WB ed. Adler II,250), während Hesychius (WB ed. Latte II,72) durch προσδοκία deutet.
Allerdings wird Thesaurus (Stephanus) III,787 Pseud-Plat Def 416a
als falsch bezeichnet, offensichtlich angesichts eines zähen Gebrauchs in malam partem bis in spätere Zeit. Doch ist hier z.B.
auch noch auf die Tendenzen hinzuweisen, die sich aus den Darstellungen bei W.Fauth, Elpis; H.-G.Finke, Furcht (für spes usw.);
Latte, Spes; W.H.Roscher, Elpis; Waser, Elpis;G.Wissowa, Spes,
ergeben.

13 Vgl. die Stellen und Angaben bei Hatch-Redpath, Concordance
453 f.509.569. Wird in der LXX wegen der häufigen Wiedergabe
von hebr. בטח und חסה durch unsere Wörter und der Übersetzung
der beiden hebr. Wurzeln noch bes. durch πεποιθέναι und
πεποίθησις das Vertrauen thematisch, so hat man das aber nicht
unbedingt so stark wie Bultmann (vgl. ThW II,518,16 ff) und seine
Vorläufer (vgl. schon Wahl, Clavis 185) oder Nachfolger zu bewer-
ten. Insgesamt ist nämlich nach meinem Eindruck der Sprachgebrauch in der LXX wie bereits in der BH differenzierter. Es fehlt
aber leider eine Spezialuntersuchung zur LXX. Das betrifft auch
das genaue semantische Verhältnis zu den hebr. Wurzeln. Doch ist
in den at. Pss der Gesichtspunkt des Vertrauens (auf Gott) sicher
wichtig. Aber auch hier ist zu fragen, ob bei der Wiedergabe durch
ἐλπίς κτλ nicht in jedem Fall ein Sinn "Hoffnung" wesentlich geworden ist. Dafür sind das Problem einer Eschatologisierung in der
LXX und die eschatologische Interpretation des AT im beginnenden
Christentum zu berücksichtigen. Überhaupt scheint es mir wegen
der Zeitbezüge zweckmäßiger zu sein, Zutrauen statt Vertrauen zu
sagen (vgl. auch Zuversicht statt Gewißheit).

14 Vgl. z.B. Sententiae Phocylidis 102-104 (ed. Denis, Fragmenta 152);
Test XII öfter (s. ed. Charles Index 307) und die Stellenangaben
bei Wahl, Clavis Anhang 511 ff bzw. 517 ff). Allerdings ist bei diesen Quellen zu bedenken, ob Übersetzungen und in der Überlieferung späterer griech. oder gar christlicher Sprachgebrauch vorliegen. Daß hier terminologisch nicht zu schnell und einseitig geurteilt
werden sollte, dürfte schon der Gebrauch von sperare in 4 Esr 5,6;
7,66.117 zeigen, der nicht positiv ist.

15 Exemplarisch sind die Stellen mit bes. Häufung unserer und synony-
mer Vokabeln zu nennen, und zwar Leg All II § 42 f; III § 85-87.

Zu S. 20-21:

164; Det Pot Ins § 138-140; Mut Nom § 158.161.163-165; Abr § 7-17; Praem Poen § 10-15. Dabei ist aber öfter die Parallelität oder Beziehung zu προσδοκᾶν und προσδοκία zu beobachten. Vgl. die hier schon instruktiven Angaben im Index von I.Leisegang (ed. Cohn-Wendland VII/1 212.242-244.265.305).

16 Trotz eines breiteren griech. Sprachgebrauchs bis hin zur vox mala überwiegen bei ihm aber die Bedeutungen "hoffen" oder auch noch "erwarten", was dem Kontext von Krieg, Politik u.ä. entspricht. Die Angaben bei Thackeray, WB 248-250, machen die quantitativen Verhältnisse schon recht gut deutlich.

17 Vgl. Kraft, Clavis 49.147.

18 Vgl. die Stellen nach Goodspeed, Index 100.119.

19 Vgl. die Angaben bei W.Bauer, WB 500-502; Moulton-Geden, Concordance 326 f. Doch sollte man sich für das NT vor zu pauschalen Urteilen hüten, wie sie z.B. bei Pott, Hoffen 192, und Zimmerli, Mensch 9, vorliegen.

20 Das Verb ἔλπω spielt keine Rolle mehr und wird später wohl nur noch in Tradition oder archaisierend gebraucht. Im antiken Judentum und beginnenden Christentum bis zu den frühchristlichen Apologeten habe ich es gar nicht gefunden.

21 So Bultmann (s.o. 1.2.).

22 Ich möchte hier schließlich auch noch die z.T. veralteten Auffassungen O.Zöcklers (De vi) und A.Potts (Hoffen) erwähnen. Zöckler weist a.a.O. bes. 1 ff.11 ff.88 ff auf eine durchgehende Verwendung in bonam partem im NT und auf den Unterschied zwischen einem usus vulgaris und religiosus bzw. theologicus hin (23 ff). Für ihn treffen sich zwei wichtige Bedeutungsstränge in ἐλπίζω und ἐλπίς, nämlich notio prospectandi s. protendendi in futurum und sensus contrahendi sese s. patienter expectandi. Pott (Hoffen 4.5; vgl. auch 190) stellt heraus, daß das abstrakte Substantiv gewöhnlich in gutem Sinn gebraucht werde. Für das iterativ vom Substantiv abgeleitete Verb gelte: "demnach bedeutet ελπιζειν das begehrende Ausschauen in die Zukunft und das Beharren dabei". Der psychische Akt trete hervor und das Hoffen sei selten intellektuell, gewöhnlich gefühlsmäßig oder Sache des Willens (καρδία, θυμός); es bezeichne auch die allgemeine Stimmung.

23 Allerdings sind derartige Hinzufügungen nicht nur für den christlichen oder jüd. Bereich zu bedenken; vgl. den Brief des Flottensoldaten Apion (2.Jh.n.Chr.) bei Deissmann, Licht 147,17 f.

24 So Blaß-Debrunner-Rehkopf, Grammatik § 350. Der Ausdruck "Abbiegung" ist vielleicht schon bezeichnend.

25 Vgl. die dt. Ausdrucksweise: "Ich hoffe, daß du .. getan hast.", wo der Sprecher das zwar wünscht, aber noch nicht weiß.

26 Vgl. Windisch, 2 Kor 247 (ἐλπίζειν hier gleich προσδοκᾶν, das Paulus nie verwende); Bultmann, ThW II 527,10 f ("mit der Nuance des Darauf-Rechnens").

27 Allerdings wird zweimal durch "Hoffnung" bei Käsemann, Röm 111, interpretiert: "Er glaubte gegen (irdische) Hoffnung in Hoffnung

Zu S. 21-22:

... ". Daneben finden sich recht freie Wiedergaben, wie z.B. "Wo nichts zu hoffen war, hat er in Hoffnung geglaubt ..." (so H.W. Schmidt, Röm 85). Ähnlich wie ich übersetzt Lietzmann, Röm 54: "Wider (menschliches) Erwarten hat er in Hoffnung geglaubt ..." (vgl. auch O.Michel, Röm 172).

28 "Meinung" dagegen wäre im Rahmen der Gegenüberstellung zu schwach.

29 Vgl. dazu die Angaben z.B. bei Pape I,802; Thackeray 250 (zu Josephus); bei I.Leisegang, Index 244 (ed. Cohn-Wendland VII/1; zu Philo). Stob IV 1003-1007 (Περὶ τῶν παρ᾽ ἐλπίδα) ist hier als Beleg allerdings weniger angebracht.

30 Vgl. zur Spaltung Lachnit, Elpis 75.100 (Zeit der Sophistik).

31 Man darf aber vielleicht schon auf Vorbereitungen durch die Antithetik oder den Dualismus in der Weisheit und Apokalyptik hinweisen. Dort könnte es nämlich semantisch zu speziellen Differenzierungen und Brüchen gekommen sein, so daß ἐλπίς oder äquivalente Wörter nicht mehr nur eine vox bona darstellten. Zwar sind viele Gegenüberstellungen dort wahrscheinlich objektiv gemeint, so daß die Bedeutung "Hoffnung" paßt. Doch ist der Sprachgebrauch von תקוה in Spr 11,23; Hi 11,20; Sir 7,13.17 (vgl. Ab 4,4), von sperare in 4 Esr 5,6; 7,66.117, von ἐπελπίζειν Sib 3,315 und ἐλπίς Hi 11,20(?); Sib 4,94(?), von προσδοκᾶν Lk 12,46 und προσδοκία Lk 21,26 bemerkenswert.

32 So sieht auch Bultmann hier ein "Erwarten", und zwar "mit der Nuance des Darauf-Rechnens", vorliegen (ThW II 527,10 f). Aber z.B. Lietzmann, 1 Kor 40.41, deutet durch "Hoffnung". "Aussicht" wäre im Zusammenhang etwas zu blaß.

33 Auch Lietzmann, 2 Kor 100: "Hoffnung".

34 Diese spiegelt sich in den unterschiedlichen Textüberlieferungen für V.6 f wider.

35 Vgl. das "Hoffen" in V.10.13.

36 Z.B. W.Bauer, WB 502 (als Vermischung von zwei Wendungen).

37 Vgl. zum Akkusativ des Inhalts Schwyzer, Grammatik II,74 ff.

38 Vgl. ApkBar (syr) 59,10. Vielleicht ist unter solchen Voraussetzungen der Hinweis Potts zu sehen, daß diese Bedeutung von ἐλπίς in den Lexika fehle und daß stattdessen für das Konkretum klassisch τὰ ἐλπιζόμενα und bei Späteren τὸ ἔλπισμα gebraucht worden sei (Hoffen 5). Doch sind demgegenüber die Angaben und Ausführungen bei W.Bauer, WB 502, und Bultmann, ThW II 527 Anm. 100, zu bedenken. An Stellen wie Kol 1,5 liegt gegenüber Gal 5,5 noch eine Weiterentwicklung vor.

39 Vgl. dazu Schlier, Gal 232-234.

40 So allerdings W.Bauer, WB 502.

41 Vgl. die Parallelität zu Gal 5,1a. Allerdings sollte im Kontext eine Objektperspektive nicht völlig außer acht gelassen werden (vgl. auch die Antithetik zum Motiv im 1 Thess 4,13).

42 Eher wäre das erste ἐλπίς in V.24b direkt als "Hoffnungsgut" an-

Zu S. 22-24:

zusehen, wenn dieses Substantiv in V.24a wie bei Cambier als Objektausdruck zu verstehen wäre (Espérance 95 f). Das würde auch für das zweite ἐλπίς in V.24b diese Sinnrichtung verlangen, dann aber zu V.24c.25 einen Bruch entstehen lassen.

43 Allerdings meint Käsemann, Röm 230, daß nicht deutlich sei, ob βλεπομένη passivisch oder medial gebraucht werde.

44 Aufgrund all dieser Überlegungen halte ich die Deutung: "Ein Hoffnungsgut, das gesehen wird, ist kein Hoffnungsgut." nicht für sinnvoll. In dieser Richtung interpretieren H.W.Schmidt, Röm 149; O.Michel, Röm 271.

45 In 1 Thess 4,13 ist nicht eindeutig zu klären, ob dort subjektive oder objektive Sicht vorliegt (s.u. 10.2. dazu).

46 Darauf, daß eine intentional-emotionale Grundstruktur im Sinn von Wünschen und Wollen in der Zukunftsperspektive wesentlich ist, könnte auch eine syntaktische Beobachtung hinweisen: Während sich in den Paulusbriefen bei ἐλπίζειν häufig die Konstruktion mit Infinitiv Aorist findet (vgl. auch 1 mal bei ἐλπίς), ist das bei πεποιθέναι nicht der Fall. Ähnliches gilt für εἰδέναι. Bei πιστεύειν bringen selbst Röm 4,18 und 14,2 nicht einen in vergleichbarer Weise eindrücklichen Sprachgebrauch. Da diese Infinitiv-Konstruktion bei ἐλπίζειν (und ἐλπίς) aber nur in mehr profanen Aussagen vorliegt, ist im theologisch-eschatologischen Bereich semantisch eine Verschiebung zu erwägen, die jedoch ein Wollen und Wünschen nicht beseitigt.

47 Hier sah schon Zöckler richtig, wenn er seine Arbeit mit dem Satz begann: "Nomen ἐλπίς est forma substantivi abstracti ducta a themate ΄ΕΛΠΩ ..." (De vi 1).

48 Vielleicht fehlt bei Paulus deshalb auch ein Zusatz wie ἀγαθή (erst 2 Thess 2,16) oder πονηρά, während βεβαία hinzugefügt wird. Auf diese Weise tritt eine stärkere Beziehung zur Wurzel als zum möglicherweise ältesten faßbaren Sinn "meinen", "schätzen" hervor.

49 Die entsprechend zusammenhängenden deutschen Synonyme sind "hoffen, Hoffnung, warten (auf), erwarten, Erwartung, harren". Diese deutschen Wörter gehören nämlich unter Berücksichtigung der spezifischen Intention und Emotion, des spezifischen Objekt- und Zeitbezugs als Synonyme zusammen. Sie stecken erst einmal grob den Rahmen für Hoffnungswörter ab. Vgl. zu diesen deutschen Begriffen die WB, z.B. von J. und W.Grimm, Kluge, Paul, Trübner.

50 Die v.l. ὑπομένειν (p[46]) entspricht nicht dem paulinischen Sprachgebrauch.

51 Zur indogermanischen Wurzel men- vgl. Boisacq, WB 627; Frisk, WB II,209; Pokorny, WB I,726 ff; Walde-Hofmann, WB II,26.

52 Grundbedeutung von ἀνα-: "hinauf, auf, in die Höhe, entlang" (vgl. Frisk, WB I,100; Pokorny, WB I,39).

53 Vgl. Liddell-Scott, WB 1103; Pape, WB II,133 f; Passow, WB II,1 184.

54 Vgl. Liddell-Scott, WB 112; Pape, WB I,197; Passow, WB I,1 184.

55 Vgl. W.Bauer, WB 114.995-997. Der Sinn "jemandes warten bzw. harren" als "bereitstehen für jemanden" braucht in der vorliegenden Un-

Zu S. 24:

> tersuchung nicht berücksichtigt zu werden, da Subjekt und Objekt im Blick auf den Akt vertauscht worden sind und somit kein Hoffnungswort vorliegt.

56 Vgl. W.Bauer, WB 1673 f. Sonst im NT als Komposita synonym oder sinnverwandt als "ausharren, beharren" noch περιμένειν und διαμένειν, ἐμμένειν, ἐπιμένειν, παραμένειν, προσμένειν.

57 Vgl. das Urteil bei Pape, WB I,198.

58 Vgl. Hatch-Redpath, Concordance 79 (LXX); Wahl, Clavis Anhang 511 ff bzw. 517 ff (at. Pseudepigraphen); ed. Charles 301 (Test XII); ed. Philonenko 222 (JosAs); G.Mayer, Index 23 (Philo); Rengstorf, Concordance I,103, und Thackeray, WB I,39 (Flavius Josephus).

59 Neben 1 Thess 1,10 bei den apostolischen Vätern (Kraft, Clavis 35) und den frühchristlichen Apologeten (Goodspeed, Index 19).

60 So in der LXX, bei Philo und Josephus; IgnMagn 9,2; Ign Phld 5,2. In apokalyptischen Zusammenhängen kann es in absoluter und intransitiver Richtung als "(ab)warten" stehen, nämlich als Verhalten des Sehers bei der Vision (ApkBar (gr) 9,3; 11,2). Häufig wird es als "(ab)warten bis" gebraucht, so wahrscheinlich auch in JosAs 24,8 bzw. 9 (ed. Batiffol 77,1). So geht unser Verb in diesen Quellen in die Richtung eines Äquivalenzsinns bis direkt hin zu "warten auf, erwarten". Es ist dabei charakteristisch durativ.

61 Da das Simplex bei Paulus einen anderen Sinn besitzt, könnte, trotz der schon alten und festen semantischen Grundlage, die Funktion des Präfixes um so eher auszuwerten sein. Vgl. zu dieser Funktion Liddell-Scott, WB 98; Pape, WB I,179; Passow, WB I,1 162; Schwyzer, Grammatik II,440. Dabei werden 1. "in die Höhe, hinauf, auf", 2. Verstärkung des Begriffs, 3. "wieder, zurück", 4. ein Gelangen zu einem Ziel, als lokale, zeitliche und übertragene Aspekte wichtig.

62 Vgl. Kühner-Gerth, Grammatik II,2 8, über den Begriff des Willens in μένειν und seinen Komposita, wenn sie mit dem Infinitiv "warten, abwarten" bedeuten. In 1 Thess 1,10 liegt allerdings kein abhängiger Infinitiv vor.

63 Vgl. den Kontext.

64 Vgl. als indogermanische Wurzel dek- mit der Bedeutung "nehmen, aufnehmen" (Pokorny, WB I,189) oder dē(i)k, dek, dik mit der Bedeutung "tendre les mains ouvertes pour recevoir, accorder ou saluer" (Boisacq, WB 172 f).

65 S. Pape, WB I,554 (auch als "erwarten"); vgl. ferner Boisacq a.a.O. 172; Frisk, WB I,373; Grundmann, ThW II 49,15 ff; Liddell-Scott, WB 382.

66 Zum Unterschied zu λαμβάνειν s. die antike Bestimmung durch Pseud-Ammon Adfin Vocab Diff 294 s.v. λαβεῖν (λαβεῖν καὶ δέξασθαι διαφέρει. λαβεῖν μὲν γάρ ἐστι τὸ κείμενόν τι ἀνελέσθαι, δέξασθαι δὲ τὸ διδόμενον ἐκ χειρός; vgl.

Zu S. 24-25:

Grundmann, ThW II 49,5 ff; Pape, WB I,554 f). Auf diesen Unterschied könnte es zurückgehen, daß λαμβάνειν und seine Ableitungen nicht als Hoffnungswörter in der Gräzität in Frage kommen.

67 Aber auch blasser als "abwarten".

68 Vgl. zu all dem die Angaben bei W.Bauer, WB 352; Liddell-Scott, WB 382 f; Pape, WB I,554 f; Passow, WB I,1 610; Thesaurus (Stephanus) II, 1028-1032.

69 Dort noch ἐκδοχή und προσδέχεσθαι, letzteres aber nur z.T. äquivalent, bei Paulus gar nicht (vgl. W.Bauer, WB 473 f.1412 f).

70 Grundbedeutung "aus"; vgl. Frisk, WB I,527; Pokorny, WB I s. v. eĝhs (eĝhz) 292; ferner Boisacq, WB 259.

71 Als Funktionsmöglichkeiten treten hervor: 1. die Entfernung ("heraus, weg"), 2. der Ursprung, 3. die Vollendung, das Herausarbeiten (vgl. eine Perfektivierung). S. dazu Blaß-Debrunner-Rehkopf, Grammatik § 318, 4 Anm. 5; Liddell-Scott, WB 499; Pape, WB I,751; Passow, WB I,2 820; Schwyzer, Grammatik II,462.

72 Eine Bedeutung "annehmen, aufnehmen, empfangen" könnte in beiden Versen zur Not zwar auch noch vertreten werden, ist im Kontext aber bei weitem nicht so passend.

73 Vgl. Pape, WB I,756.

74 So nach den Angaben bei Liddell-Scott, WB 503; Pape a.a.O.; Passow, WB I,2 827; Thesaurus (Stephanus) III,390.

75 Vgl. Hatch-Redpath, Concordance 422; Wahl, Clavis 172 f.

76 Vgl. TestIss 4,3; TestGad 7,4; Aesop Vita W 122 (ed. Denis, Fragmenta 146,23) sowie die Angaben bei Wahl, Clavis Anhang 511 ff bzw. 517 ff; G.Mayer, Index 95 (für Philo); Thackeray, WB I,229 (für Flavius Josephus). Apokalyptischer Sprachgebrauch über den Seher bei der Vision (ApkBar (gr) 7,2.6) und Bedeutungen wie "abwarten" weisen ähnliche Verhältnisse wie bei ἀναμένειν auf. S. auch W.Bauer, WB 472.

77 Vgl. W.Bauer, WB 472.

78 S. Kraft, Clavis 140 (bei Herm im schon genannten apokalyptischen Sprachgebrauch).

79 Vgl. die Stellen bei Goodspeed, Index 95.

80 Vgl. Grundmann, ThW II 55,10 (ff).

81 Vgl. auch W.Bauer, WB 165; Grundmann, ThW II 55,10 ff; Lampe, WB 181; Liddell-Scott, WB 184; Moulton-Milligan, WB 56; Pape, WB I,285; Passow, WB I,1 307; Sophocles, WB 205; Thesaurus (Stephanus) I,2 1255. Bei Hesychius und Suidas finden sich keine Angaben.

82 Hipparch Arat Phaen I 6,11; 7,7.18. Während in I 7,7 der negative Sinn erst durch ἅπαν ψευδές geschaffen sein könnte, ist das aber in 6,11 und 7,18 nicht der Fall. Deshalb ist hier unter Berücksichtigung des Sachverhalts, daß δέχεσθαι und ἐκδέχεσθαι selbst

Zu S. 25-26:

schon "verstehen" bedeuten können, eine negative Funktion des
Präfixes ἀπο- zu beachten.

83 So durchweg in der Forschung anerkannt, und zwar mit den Bedeutungen "erwarten, warten, abwarten" und den Differenzierungen
"ängstlich, bis zu Ende, immerfort und sehnsüchtig, ungeduldig".

84 Im christlichen Bereich überwiegt offensichtlich die paulinische Bedeutung; vgl. Lampe, WB 181. Für die Profangräzität besteht in
der Forschung aber keine einheitliche Zuordnung der Stellen zu den
beiden Sinnbereichen.

85 Ed. James 96,23. Vgl. Wahl, Clavis Anhang 652. Dort bedeutet das
Wort "warten auf", und zwar wartet der Tod auf den Befehl Gottes.
Dabei fügt der Kontext noch ausdrücklich ein Stöhnen und Zittern
hinzu. Vgl. Turner, TestAbr 220.223. Allerdings zeigt sich beim
TestAbr das Problem der Tradierung derartiger Schriften, insofern
sie älteren Stoff in sehr viel jüngerer Letztgestalt bringen können,
so daß für den Sprachgebrauch beachtliche Unsicherheitsfaktoren
entstehen: Test Abr B verwendet das Wort nicht.

86 Moulton-Geden, Concordance 85. In Hebr 9,28 ist die "Parusieerwartung" gemeint. Dagegen ist in 1 Petr 3,20 abgeblaßt nur vom
"Abwarten" der Langmut Gottes in den Tagen des Noah die Rede.

87 In seiner Grundbedeutung eine Trennung, Scheidung, Entfernung
bezeichnend (so schon bei der indogermanischen Wurzel apo-; vgl.
Pokorny, WB I,53; Schwyzer, Grammatik II,444). Für die Komposi-
tionsfunktion wird angegeben: 1. "weg, ab, fort", 2. Ablassen,
Nachlassen, Aufhören, 3. Fertigmachen, Vollenden (vgl. eine Perfektivierung), 4. "zurück" (bei einer Handlung, die als eine Pflicht
erscheint und deren man sich entledigt), 5. Verwandeln in etwas,
Machen zu etwas, 6. wie das α- privativum den Begriff des Simplex
aufhebend, 7. Verstärkung des Verbalbegriffs. Vgl. dazu Pape,
WB I,296; ferner Blaß-Debrunner-Rehkopf, Grammatik § 318 4 Anm.
5; Liddell-Scott, WB 192; Schwyzer, Grammatik II,444 f.

88 So sind die Belege unseres Wortes dafür schon recht charakteristisch (vgl. Nägeli, Wortschaft 42.43). Ferner darf in derartiger
Richtung auf ἀποκαραδοκία hingewiesen werden. Ebenfalls sind
hier neben den zahlreichen einfachen Komposita des 4 Makk die
Doppelkomposita in 2,9 (ἐπικαρπολογούμενος, ἐπιρρωγολογού-
μενος).10 (καταπροδιδούς) zu beachten. Zur Beliebtheit der De-
komposita in der Koine s. W.Bauer, Einführung 70 f. Doch ist an
sich ἀπέξ/ἀπέκ schon älter und eine Doppelpräfixbildung schon in
früherer Zeit üblich; vgl. Schwyzer, Grammatik II,428-430; Kühner-
Gerth, Grammatik II,1 528-530.

89 Vgl. Grundmann, ThW II 55,16-18: Im NT sei ἀπεκδέχομαι gegenüber ἐκδέχομαι bei Paulus der Ausdruck der das Ende erwarten-
den Haltung; in dieser Verwendung liege besonderer Sprachgebrauch des Paulus vor.

Zu S. 26-27:

90 Vgl. z.B. J.Weiß, 1 Kor S.9, und Schlier, Gal 233 Anm. 1. Perfektive Funktion bei Moulton-Milligan, WB 56.

91 Vgl. Grundmann, ThW II 55,38-41: "Der Begriff ἀπεκδέχεσθαι bezeichnet also die Existenz der Christen als eine solche,die aus dem Empfangen heraus ... die Vollendung erwartet, eine Haltung, in die der Kosmos eingeschlossen ist."

92 Der Zusammenhang scheint in der Antike für das Verständnis von ἀπεκδέχεσθαι überhaupt wichtig zu sein. So reicht bei diesem Verb die Beschränkung auf einen semantischen Innenaspekt der Komposition auf keinen Fall aus. Vgl. E.Hoffmann, Hoffnung 727.

93 Vgl. die Perfektivierungsfunktion der Präfixe. Geduld (vgl. warten) und Distanz hebt E.Hoffmann a.a.O. 727 hervor.

94 Bereits bei Hipparch liegt ein ausgesprochen übertragen-abstrakter, ja sogar schon wissenschaftlich-präziser Sinn vor.

95 Zwar stoßen wir bei ἀπεκδέχεσθαι wortgeschichtlich auf zwei Bedeutungsstränge, die auf eine Parallelität zu ἐλπίζειν und ἐλπίς hinweisen. Doch ist bei diesen beiden Wörtern z.Z. des Paulus die Emotion im Sinn des Wünschens sehr viel ausgeprägter als bei ἀπεκδέχεσθαι, so daß demgegenüber das rationale Moment in ἐλπίζειν und ἐλπίς zugleich schwarz-weiß sehr viel stärker werden konnte. Andererseits ist unter solchen Voraussetzungen ein intellektueller Aspekt in ἀπεκδέχεσθαι durchgehend wichtiger. Es kann bei unserem Wort aber kaum eine direkte Entwicklung von einem allgemeinen Verstehen und Folgern zu einem speziellen im Blick auf die Zukunft für den Sachverhalt bei Paulus angenommen werden. So stark ist das rationale Moment bei Paulus hier nun doch nicht.

96 Vgl. die Bedeutungsangaben bei Liddell-Scott, WB 184 (einmal "ängstlich, eifrig erwarten" zum anderen "mißverstehen" und "ein Wort aus dem Kontext verstehen").

97 Als dt. Wiedergabe empfehlen sich etwa "sehnsüchtig erharren" bzw. "sehnsüchtig harren bzw. warten auf" (Röm 8,19), "sehnsüchtig und zugleich zutrauend-zuversichtlich warten auf" (Röm 8,23), mit einem entsprechenden Zusatz "gerade" oder "stets" (Gal 5,5), "warten bzw. harren" (Röm 8,25), "eifrig warten bzw. harren auf" (1 Kor 1,7), "sehnlich warten bzw. harren", vielleicht mit einem Zusatz "gerade" oder "stets" (Phil 3,20). Etwas faszinierend, aber kaum richtig erscheint in Gal 5,5 eine Deutung, die von dem schon vorpaulinisch belegten hermeneutisch-intellektuellen Sinn ausgeht. Hier würde unsere Vokabel intensiv aufgefaßt folgendes Verständnis bringen: "Wir nämlich verstehen gerade durch den Geist aufgrund des Glaubens die Hoffnung auf Gerechtigkeit bzw. das Hoffnungsgut der Gerechtigkeit." - und nicht wie die Gegner aufgrund der eigenen Werke des Gesetzes.

98 Vgl. zur Belegsituation Bertram, Ἀποκαραδοκία 265 ff. Die Belegsituation hat sich seitdem nicht mehr grundsätzlich verändert,

Zu S. 27:

sofern das die für die Paulusbriefe wichtigen Fragen betrifft. Vgl. auch W.Bauer, WB 183. 797; Lampe, WB 194.702; Moulton-Milligan, WB 63; Thesaurus (Stephanus) I,2 1460. IV,957.

99 Hatch-Redpath, Concordance 719.

100 Vgl. Bertram a.a.O. 265.

101 G.Mayer, Index 156 (8 Stellen).

102 Konkordanz ed. Rengstorf II,428 (καραδοκέω 10 mal). I,186 (άποκαραδοκέω 1 mal). Vgl. zu letzterem Thackeray, WB I,69.

103 Hatch-Redpath a.a.O. 132.719. Vgl. Bertram a.a.O. 265 f.

104 So sind mir bis zu den frühchristlichen Apologeten abgesehen von den Paulusbriefen keine Belege begegnet; vgl. neben der schon genannten Literatur noch Delling, ThW I 392,25 ff; Sophocles, WB 219. 629.

105 Vgl. Pape, WB I,581 (als Bedeutung "ganz abwarten"); ferner Liddell-Scott, WB 396; Thesaurus (Stephanus) II,1168 ff.

106 Vgl. für καραδοκέω "mit aufgerichtetem, hingerecktem Kopf nach etwas hinsehen, mit vorgestrecktem Kopf nach etwas sehen oder hören, lauern, aufpassen, aufmerken, erwarten, ersehnen, erharren, erhoffen, sehen auf, warten auf" (schon bei Hesychius ed. Latte II,412 als προσδοκᾶ,ἐκδέχεται und Suidas ed. Adler III,29 f als προσδοκᾶ, κατασκοπεῖ); für καραδοκία "gespanntes oder langes Erwarten, sehnsüchtige oder eifrige Erwartung, Hoffen, Harren, Aufmerken, Auflauern, Aufpassen"; für άποκαραδοκέω "abwarten (in Ruhe oder in Spannung), den Ausgang von etwas abwarten, ergeben warten, auf etwas warten, erwarten, sorgfältig aufpassen, ängstlich oder eifrig erwarten"; für άποκαραδοκία "Abwarten, unbestimmtes Abwarten, sehnsüchtige, sehnliche, eifrige Erwartung, Harren, ängstliches oder erwartungsvolles Harren" (schon bei Hesychius a.a.O. I,216 als προσδοκία, άπεκδοχή; vgl. für die letzten beiden Bildungen Suidas a.a.O. I,298 als προσδοκία, προσδοκῶν, άνελπιστία).

107 Ein Neutrum, mit der Bedeutung "Haupt, Kopf", ohne Entwicklung zu einem übertragenen Sinn; vgl. Liddell-Scott, WB 877; Pape, WB I,1325; Passow, WB I,2 1583 f. Allerdings kann es auch zur Umschreibung einer Person dienen. Zum indogermanischen Hintergrund s. Pokorny, WB I,574(ff).

108 Wieder der Stamm dek- (vgl. δέχεσθαι und e-o-Ablaut). Ein Verb δόκω bzw. δόκομαι fehlt in den WB.

109 Bei Bildungen mit δοκ- ist in der Gräzität neben konkret rezeptiv gemeinten Ableitungen (vgl. z.B. ἡ δοκός "der Balken", ὁ πανδοκεύς "der Gastwirt") eine Intention entwickelt worden, wie zahlreiche Vokabeln und ihre Bedeutungen zeigen (vgl. ὁ δόκος "die Meinung" sowie zahlreiche entsprechende Bildungen, die Pape, WB I,652-654, bringt), und zwar bis hin zu "erwarten u.ä.": vgl. δοκάζω (Liddell-Scott, WB 441), δοκεύω (Liddell-Scott, WB 441; s. schon Hesychius ed. Latte I,469, u.a. προσδοκᾶν), δοκέω (Liddell-Scott, WB 442; s. auch Konkordanz zu Flavius Josephus ed. Rengstorf I,511 f), δόκημα (Liddel-Scott, WB 442), ὁ δόκος (viel-

Zu S. 27-28:

leicht als "Erwartung" nach Liddell-Scott, WB Supplement 44). An sich gehen bei Wörtern mit δοκ- rezeptives und intentionales Moment hin und her. Allein dieser Bestandteil δοκ- ist wohl kaum schon als für den Sinn "erwarten" wesentlich anzusehen (vgl. auch die Kompositionen προσδοκάω und προσδοκία).

110 Es ist aber nur von einer Form ἡ κάρα möglich (so Thesaurus (Stephanus) IV,957).

111 In dieser Weise ist schon in der Antike gedeutet worden; vgl. Suidas ed. Adler III,29 f und die Angaben bei Bertram a.a.O. 268, auch Anm. 11; ferner Boisacq, WB 411; Thesaurus (Stephanus) IV, 957 (als quasi τῆ κάρα δοκεύω). Auch ist in dieser Richtung auf Bertram hinzuweisen, wenn er formuliert: "Demgegenüber ist ἀποκαραδοκία (καραδοκία) ein Bildwort, das von der äußeren Haltung des Menschen ausgeht, der neugierig und ungewiß den Kopf dem Kommenden gespannt entgegenstreckt, um rechtzeitig sich auf den Ausgang einer Sache einstellen zu können." (a.a.O. 265). Hier wird durchaus noch sinnfällig-konkret bzw. plastisch gedeutet.

112 Wegen der Probleme der Objektfunktion kritisch Frisk, WB I,786.

113 So Blaß-Debrunner-Rehkopf, Grammatik § 119,1 Anm. 2.

114 S. aber bei der indogermanischen Wurzel den Gesichtspunkt "die Hände entgegenstrecken".

115 Allerdings könnte die iterative Funktion mit zur Entstehung der besonderen Intention beigetragen haben (immer wieder den Kopf vorstrecken = lauern, sehnlich erwarten u.ä.). Vgl. zu solcher Verbalbildung auf -έω Debrunner, Wortbildungslehre § 187 ff; Kühner-Blaß, Grammatik I,2 260; Schwyzer, Grammatik I,717 ff.

116 Vgl. Debrunner a.a.O. § 287; Kühner-Blaß a.a.O. I/2 275; Schwyzer a.a.O. I,468 f.

117 Vgl. Schwyzer a.a.O. I,544 (neben Eigenschaftsabstrakta), auch 469.

118 Dabei wird sich zeigen müssen, ob sich die Auffassung von Bertram bewahrheitet, nämlich: "Das Kompositum ist als Intensiv-Bildung mit Verstärkung des negativen Momentes zu verstehen: einen unsicheren Ausgang sehnsüchtig, aber mit ängstlicher Spannung erwarten." (a.a.O. 265).

119 Doch nimmt Debrunner hier ein Wortbildungsschema an (Wortbildungslehre § 38; § 72 Anm. 1; Blaß-Debrunner-Rehkopf, Grammatik § 119,1 Anm. 2).

120 Vgl. das Urteil von Frisk, WB I,405, daß sich die semantischen Beziehungen der Bildungen dieses Stammes leichter ahnen als genau verfolgen lassen.

121 Vgl. dazu die zusammengehörigen Wörter ἐπιθυμέω und ἐπιθυμία, ἐπιποθέω und ἐπιποθία bei Paulus.

Zu S. 28-30:

122 So allerdings z.B. Delling, ThW I 392,31 ff; Bertram a.a.O. 265.
267.269 f u.ö.; Gnilka, Phil 67. Vielfach sind die Auffassungen
nicht durchreflektiert und uneinheitlich; vgl. z.B. O.Michel,
Röm 264.266; E.Hoffmann, Hoffnung 722.726.727. Dagegen hatte
schon B.Weiss im 19.Jh. hier richtige Kritik geübt (Röm 360
Anm.**).

123 Als Intensivbildung auch bei B.Weiss ebd.; T.Zahn, Röm 401
Anm. 6, und in der kurzen Spezialbetrachtung von Pope, Earnest
Expectation. Ältere Beispiele bringen Wettstein, NT II,60 zu Röm
8,19, und Bertram a.a.O. 268 f. Perfektivierende Funktion für
ἀπο- bei Moulton-Milligan, WB 63.

124 Paulus wünscht nicht nur, sondern er rechnet in gewisser Weise
auch mit einem positiven Ausgang seiner Gefangenschaft. Vgl.
aber auch noch Zutrauen und Zuversicht in Entsprechung zur
Kombination πεποιθὼς οἶδα in V.25, wo aber nun die Zukunft
alternativ entschieden wird. Ein einseitiges Wünschen kommt vorher in V.23 zum Ausdruck. In der Sekundärliteratur wird für V.20
z.B. durch "zuversichtliche Erwartung" (so für beide Wörter zusammen M.Dibelius, Phil 66) oder durch "Harren und Hoffen" (so
Gnilka, Phil 65) interpretiert, wenn beide Vokabeln in paralleler
Sinnrichtung aufgefaßt werden. In Phil 1,20 das absichtlich gegen
das Geschick aufgerichtete "Haupt" eines Gefangenen in Fesseln zu
sehen, würde nun doch zu sehr überspitzen.

125 So könnte ἐπιποθία im Verhältnis zum schon vorher belegten Verb
ebenfalls als Schöpfung des Paulus angesehen werden. Auch ist zu
erwägen, inwieweit den Paulus bei ἀποκαραδοκία die ähnlichen lat.
Bildungen exspectare - exspectatio beeinflußt haben könnten.

126 Vgl. die stammverwandten Vokabeln καραδοκεῖν und ἀποκαραδοκεῖν
bei Philo und Flavius Josephus, also in einem engen hellenistischen
Sprachumkreis des Paulus.

127 Aufnahme aus der Umgangssprache der Koine nach Nägeli, Wortschatz 52 (unter der Rubrik von Wörtern, die sich nur bei Paulus
und in der christlichen Literatur finden); paulinische Bildung bei
Moulton-Milligan, WB 63, und Bertram a.a.O. 266 positiv erwogen.

128 Ausgesprochene Gegenbegriffe wie ἐξαπορεῖσθαι (vgl. 2 Kor 1,8),
λυπεῖσθαι (vgl. 1 Thess 4,13) treten eigenartigerweise zurück. Eine ausdrückliche Antithese zu φόβος fehlt sogar.

129 Auf dieser Grundlage ist Kritik an Auffassungen zu üben, die z.B.
noch γρηγορεῖν, ὑπομένειν für das NT (so bei Kerstiens, Hoffnung 727) oder ὑπομονή, παρρησία, πεποίθησις, θάρσος für
die Paulusbriefe (so bei de Orbiso, Motivos 70 f) mit berücksichtigen.

130 Man könnte stattdessen auch von einem Funktionszusammenhang reden, insofern das Zusammenspiel einer bestimmten Zahl von charakteristischen Gesichtspunkten unsere Synonyme zusammenhält. Zur

Zu S. 30-32:

Erfassung der semantischen Zusammenhänge unserer Synonyme erweisen sich Begriffspyramiden, ein zwei- oder mehrdimensionales
Koordinatensystem oder eine lineare Darstellung (vgl. Westermann,
Hoffen 219, für das AT) als nicht so zweckmäßig. Eher schon könnte man im Sinn der Wortfeldforschung ein Wortfeld erstellen (vgl.
zu ihr Hdb. der Linguistik 568-570; L.Schmidt (Hg.), Wortfeldforschung) oder in einer tabellarischen Darstellung den Zusammenhang
zu erfassen versuchen (Anordnung: etwa in der Waagerechten die
Wörter und in der Senkrechten die zugehörigen semantisch wichtigen Gesichtspunkte). Doch würde das hier zu weit führen.

131 Allerdings ist bei einem ausgesprochen rationalen Sinn "erwarten"
und "Erwartung" zumindest eine positive inhaltliche Übereinstimmung zwischen dem Akt des "Erwartens" und dem "erwarteten" Objekt vorhanden.

132 Immerhin decken in den Paulusbriefen ἐλπίζειν und ἐλπίς selbst
schon die Bedeutungen "erwarten" und "Erwartung" ab. Doppeltes
ἐλπίς ist im Oxymoron von Röm 4,18 außerdem viel eindrücklicher.

133 So Grossouw, Espérance 513.

134 Auch erfährt eine derartige sprachliche Abgrenzung im NT sonst
sowie im zeitgenössischen Christentum und Judentum keine Stütze.

135 Vgl. die schon erwähnten Definitionen wie Pseud-Plat Def 416 a.

136 Allerdings hat auch die Antike sonst nicht alle zu ἐλπίς äquivalenten Wörter in einem System erfaßt, selbst nicht in den lexikalischen
Arbeiten. Das ist in einer lebendigen Sprache wohl auch niemals
möglich.

137 Die Abhängigkeit der Wortwahl von der Gedankenführung macht
der Stichwortanschluß von Röm 15,12 zu 15,13 (vgl. auch von 15,4
zu 15,5) gut deutlich.

138 So ist die semantische Konzentration im Verhältnis zum Sachverhalt
im NT sonst oder in der LXX durchaus als eine Wirkung theologischer Systemansätze bei Paulus oder als eine Entsprechung zu ihnen
zu erwägen.

139 Die Beziehung des Paulus zur LXX scheint überhaupt nur die ganz
normale paulinische Wortwahl zu betreffen, da lediglich ἐλπίζειν
und ἐλπίς dabei in Frage kommen (vgl. Röm 15,12 und Stellen wie
Röm 4,18; 5,5; 1 Kor 9,9 f und sogar Phil 1,20).

140 Vgl. dazu die Angaben für das at. Hebr. bei Gesenius, WB 706
s.v. I קוה (vgl. "Stärke, Schnur"). 778 s.v. שבר (vgl. "untersuchen"); Koehler-Baumgartner, WB 830 s.v. I קוה. 914 s.v. שבר;
Baumgartner, WB 300 s.v. חכה (vgl. "etwas fest machen"). 481 s.v.
I כתר (vgl. "bleiben"); für das Neuhebr.-Aram. bei Jastrow, WB
989 s.v. סכי, סכא (vgl. "to look out"); für das Syr. bei Brockelmann, WB 456 s.v. ܣܒܪ (vgl. hebr. שבר); für das Äthiop. bei
Dillmann, WB 407 s.v. ጸፐወ II,2; III,2 usw. (vgl. hebr. צפה);
für das Kopt. bei Crum, WB 340a s.v. COMC ("look, behold")

Zu S. 32-33:

mit ЕΒΟΛ (für ἀποκαραδοκία u.a.). 536 ff s.v. Ѡ2Є (intransitiv "stand, stay, wait"), auch mit ε. 838b s.v. δѠѠT ("look, see") mit ЕΒΟΛ (für ἀπεκδέχεσθαι, ἐλπίζειν u.a.).

141 Vgl. für das AT H.W.Wolff, Anthropologie 222 f.

142 So nach den Angaben bei L.Brunner, Wurzeln; Lokotsch, WB; Möller, WB (s. die Indizes).

143 Vgl. die WB und Birt, Elpides passim.

144 Vgl. Thesaurus (Stephanus) III,786 (im Griech. oft der Plural statt des Singular); Wahl, Clavis 27 f.185.

145 S. Hatch-Redpath, Concordance 454.

146 S. aber den Plural bei der Gottesbeziehung in 2 Makk 7,14.20; vgl. auch Arist 261.

147 Vgl. die Elpides in der Studie von Birt und im Judentum den Plural bei den nichtigen "Hoffnungen" des Unverständigen u. ä. (z.B. Weish 13,10; 15,6; Sir 31 (34),1).

148 Vgl. überhaupt ein möglicherweise entsprechendes griech. Sprachmilieu im beginnenden Christentum unter Einwirkung des Hebr. und Aram. Im beginnenden Christentum findet sich nämlich der Plural von ἐλπίς auch bei den apostolischen Vätern noch nicht (Kraft, Clavis 147 f), sondern erst bei den frühchristlichen Apologeten (Goodspeed, Index 100). Dabei ist im NT der Plural wegen sonstiger Hinzufügung von Objekten u.ä. aber eigentlich nicht so sinnvoll möglich (vgl. z.B. Apg 16,19; 1 Thess 4,13), bei den apostolischen Vätern ähnlich (vgl. z.B. Barn 16,2). Eine Verbindung mit πᾶσα findet sich in Apg 27,20; Herm 33,7 (mand V 1). In der Überlieferung des hellenistischen Judentums ist der Plural allerdings nicht ungewöhnlich.

149 Vgl. Blaß-Debrunner-Rehkopf, Grammatik § 318, zur Zeitfunktion des Futur.

150 Vgl. Blaß-Debrunner-Rehkopf ebd.; Schwyzer, Grammatik II,246 ff.

151 Vgl. Blaß-Debrunner-Rehkopf a.a.O. § 350 (mit dem Hinweis auf Wahrung der Aktionsart und Aufgabe der futurischen Zeitstufe). 338,3; Schwyzer a.a.O. II,296. Zum Wechsel zwischen Infinitiv Futur und Aorist s. noch Mayser, Grammatik II,1 216 ff. Dort wird bei "Hoffen", "Erwarten" besonders auf den Infinitiv Futur hingewiesen (216). Doch zeigen die Angaben in den WB daneben einen Wechsel zwischen Futur, Aorist und Präsens.

152 In 1 Kor 16,7 wegen des längeren Bleibens in Korinth ein komplexiver Aorist.

153 Vgl. Blaß-Debrunner-Rehkopf, Grammatik § 338,2 f; Mayser, Grammatik II,1 159 ff.

154 ThW II 519 Anm. 34 für das AT; 527 Anm. 100 auf das NT übertragen.

155 An der letzten Stelle kommt aber zu der präpositionalen noch eine ὅτι-Konstruktion hinzu, die nicht unbedingt auf at. Boden zu ste-

Zu S. 33:

hen braucht. In den Past und überhaupt in den nachpaulinischen
Briefen des NT scheint solcher at. Sprachgebrauch teils wichtiger
zu werden (vgl. Moulton-Geden, Concordance 362 f), ähnlich bei
den apostolischen Vätern (vgl. Kraft, Clavis 147 f). Auch bei den
frühchristlichen Apologeten ist hier ein häufiger direkter und mit-
telbarer Rückgriff auf das AT zu bedenken (vgl. unter den Stellen bei Goodspeed, Index 100, z.B. Justinus Martyr Apol 32,12;
Dial 11,3; 47,2; 69,4; 135,2). Zur patristischen Lit. vgl. die Angaben bei Lampe, WB 452 f. Allerdings ist nun zu fragen, inwieweit in der LXX an diesem Punkt formal die griech. Wiedergabe
von hebr. präpositionalen Konstruktionen vorliegt und welche sachliche Tragweite dabei vorhanden ist. Überhaupt stellt sich das Problem des sachlichen Gewichts dieser syntaktischen Erscheinung.
Nach Mayser, Grammatik II,2 360 ff, ist die Umschreibung eines
direkten Objektakkusativs durch eine präpositionale Wendung möglich, doch meist bei einer prädikativen Apposition durch εἰς und
ἐν vorhanden. Bei der Wendung ἐλπίδα ἔχειν ist eine Konstruktion mit ἐν, ἐς, ἐπί in der profanen Gräzität vorpaulinisch schon
nicht ungewöhnlich und ἐλπίς mit εἰς ebenfalls überliefert (vgl.
Pape, WB I,802; Passow, WB I,2 882). Bei ἐλπίζειν sind mir
aber keine besonderen Belege sonst bekannt geworden, wo sicher
kein Einfluß at. Sprachgebrauchs vorliegt. Allerdings ist hier überhaupt darauf hinzuweisen, daß in antiken Sprachen dieses geogra-
phischen Raumes bei äquivalenten Verben solche Konstruktionen
nicht nur für das AT und von da aus für die LXX und ihre Wirkungen charakteristisch sind, sondern bereits im Akkadischen vorkommen (vgl. W.von Soden, WB II,931 s.v. qu''û(m) mit ana, das
dem hebr. ﬥ entspricht). Später im Äthiop. (vgl. Dillmann, WB z.B.
407 f s.v. ∩ Ꮟ ▭ / safawa) und Syr. (vgl. Brockelmann, WB z.B.
456 s.v. ⟨⟩ / sbar) sind aber schon biblische Einflüsse zu berücksichtigen. Die präpositionalen Konstruktionen bei spero führen
dagegen in eine andere Richtung (vgl. Georges, Ausführliches
HandWB II,2756 f, d.h. mit de, ex, ab). Bei spes ist das anders
(vgl. ebd. 2757 f, d.h. mit in), in gewisser Weise parallel zu ἐλπίς.
Die gelegentliche präpositionale Konstruktion bei ἐλπίζειν wird in
den Paulusbriefen deshalb auf den Einfluß der LXX zurückgehen
oder schon durch jüd. und christlichen Sprachgebrauch rezipiert
von ihr zu Paulus gelangt sein.

156 Anders ist das im Zitat Apg 2,26. Vgl. zu diesen Wendungen Hatch-
Redpath, Concordance 454.

157 Vgl. auch Philo Leg All III § 85 mit ἐλπίζειν. Andere Beziehungs-
versuche führen in dieser Richtung ebenfalls nicht besonders weiter. Das gilt z.B. für das Problem der Objektrelation auf der Grundlage des hebr. Piᶜel. Kann sich sonst in semitischen Sprachen bei
Vokabeln des Wartens u.ä. schon eine besondere Orientierung am Ob-

Zu S. 33-34:

jekt zeigen (vgl. W.von Soden, Akkadische Grammatik § 88h, zu einer besonderen Gruppe von meist schwachen Verben des Wartens, Betens und Suchens im nicht-faktitiven, z.T. sogar intransitiven Doppelungsstamm ohne Grundstamm mit durativer Bedeutung, denen die Hingabe an ein Objekt eigentümlich sei), so könnte man versuchen, auch das häufige Pi^{c}el im AT bei hebr. Verbaläquivalenten in derartiger Richtung zu interpretieren (vgl. neuerdings die Arbeit von Jenni zum Pi^{c}el, dabei ebd. 171-173 zu solchen Verben in der Objektbeziehung). Doch erscheint es wegen des paulinischen Koinesprachgebrauchs wenig aussichtsreich, eine direkte Relation zu Paulus herzustellen. Analogieverhältnisse sind dagegen im Blick auf die Objektbeziehung beim Pi^{c}el im AT und den Infinitiv Aorist bei ἐλπίζειν in den Paulusbriefen durchaus möglich.

158 Blaß-Debrunner, Grammatik § 3 S.3; vgl. überhaupt § 3.§ 7 (bei Rehkopfs Überarbeitung etwas verändert).

159 Vgl. Conzelmann, 1 Kor 38 ff.

160 Diese ist mir eigenartigerweise auch sonst in der Gräzität selten begegnet; vgl. in dieser Richtung Pseud-Pythagoras Carmen aureum 53 (ed. Diehl, Anthologia 2,88).

161 Grossouw, Espérance 522; vgl. auch Bujard, Untersuchungen 116.

162 Blaß-Debrunner-Rehkopf, Grammatik § 493,3. Vgl. auch die Hinweise auf die Form des Kettenschlusses bzw. Sorites bei O.Michel, Röm 179 f; Strack-Billerbeck, Kommentar III,222.

163 Vgl. z.B. Bultmann, ThW II 527,35 ff. S. auch Blaß-Debrunner-Rehkopf a.a.O. § 252.

164 Schlier, Gal 233 Anm. 3 (mit Parallelen).

165 S. zu dieser Figur Blaß-Debrunner-Rehkopf, Grammatik § 493,1; vgl. auch Schwyzer, Grammatik II,699 f, zur totalen Interation.

166 Vgl. zu ihren Möglichkeiten Schwyzer a.a.O. II,700 (ferner II,74 ff zur Variationsbreite beim Akkusativ des Inhalts); Blaß-Debrunner-Rehkopf a.a.O. § 488,1.

167 Vgl. dazu z.B. die Angaben bei Hatch-Redpath, Concordance 454; Lampe, WB 181.452 f; I.Leisegang, Index zu Philo (ed. Cohn-Wendland VII) 242-244.686; Liddell-Scott, WB 1506 f; Moulton-Geden, Concordance 327 (bes. Tit 2,13 oder auch Apg 24,15); Schlier, Gal 233 Anm. 3; Thesaurus (Stephanus) III 788; Wahl, Clavis 425. Schöne Beispiele stellen die jüd. Grabinschrift CIJ Nr.1513 (aus Tell el-Yehoudieh in Ägypten) Z.7-9 und die Stellen bei Philo mit einer Häufung von ἐλπίς und äquivalenten Wörtern (s.o. Anm. 15 zu 3.1.) dar.

168 Vgl. z.B. Ps 40,2 (aufgenommen in LXX Ps 39,2); 1 QH 9,14; 11,31; ApkBar (syr) 70,5. Zur Paronomasie in den semitischen Sprachen s. Reckendorf, Paronomasie.

Zu S. 35:

1 Das ist aber der Fall in den von Birt untersuchten "Elpides", in
   PsSal 6 und 11 und offensichtlich auch in dem von Clemens Alexandrinus genannten Werk des Parmenides über die ἐλπίς (s. zu
   Parmenides B4 bei Diels, Vorsokratiker I 232,1 ff).
2 Anders ist das dann in der Paulusschule in 1 Tim 1,1; Tit 1,2.
   Vgl. auch IgnTrall inscriptio.
3 Vgl. Conzelmann, 1 Kor 38-43.
4 Vgl. 2 Kor 13,6 nach 10,15 und Phil 3,20 nach 2,19.23 und später 1 Tim 3,14 im Verhältnis zu 4,10; 5,5; 6,17. Die Durchführung
   einer literarkritischen Scheidung in einigen Paulusbriefen ordnet
   hier für den 2 Kor auch nicht zwingend besser, wenn man an die
   Aufstellung bei Marxsen, Einleitung 97, denkt. Dagegen könnte sich
   das für den Phil (vgl. a.a.O. 73) schon eher positiv auswirken.
5 Vgl. andere nt. Privatbriefe: 2 Joh 12; 3 Joh 14.
6 Faktisch ist dieser Vers aber kein Schlußwunsch, auch nicht unter Berücksichtigung der textkritischen Fragen; vgl. zu diesen
   Fragen des Briefschlusses des Röm Feine-Behm-Kümmel, EinlNT
   225 ff.
7 In Röm 15,12 ist noch zu berücksichtigen, daß wir hier zugleich
   auf den Schluß einer at. Zitatkombination stoßen.
8 Eigenartigerweise fehlen in den Paulusbriefen sozusagen redaktionel-
   le Aussagen mit unseren Wörtern, die sich auf den Gedankenfort-
   schritt selbst beziehen. Derartiges liegt z.B. in Hi 36,2 und bei
   Plato Resp V 449c-d; Justinus Martyr Dial 115,3 vor. Dadurch erweist es sich, daß die Paulusbriefe nicht dialogisch im echten Sinn
   geschrieben worden sind. Auch 2 Kor 1,13; 13,6 sind nicht dafür
   anzuführen. Das besagt jedoch nicht, daß in den Paulusbriefen dialo-
   gische Elemente überhaupt fehlen (s. dazu Bultmann, Predigt 64 ff;
   vgl. 10 ff).
9 Dadurch entfallen methodische Probleme, wie sie sich durch die Literaturgattung der Ἐλπίδες und PsSal 6; 11 ergeben. Da in den
   Ausführungen der Ἐλπίδες offensichtlich nicht nur im Bereich der
   Vokabelbasis geblieben worden ist, weiten sich nämlich die sachlichen Grenzen. Während wir bei den Ἐλπίδες dafür auf Rekonstruktionen angewiesen sind (s. Birt, Elpides), zeigen PsSal 6 und 11
   das schließlich inhaltlich direkt. Anders ist der methodische Sachverhalt dagegen in der Komposition Philos über die ἐλπίς als
   ἡ πηγὴ τῶν βίων in Praem Poen § 10 f, da dort bei den Einzelaussagen immer wieder neu mit der ἐλπίς eingesetzt wird (vgl.
   auch Hebr 11 über πίστις und 1 Kor 13 über ἀγάπη).

Zu S. 36-39:

1 Hoffen; s. bes. 263.265 zusammenfassend mit dem Hinweis auf den
ursprünglichen Ort der Vokabeln des Hoffens und Wartens (auf
Jahwe) im Bekenntnis der Zuversicht in den Klagepsalmen.

2 Vgl. auf dem Hintergrund des Bekenntnisses der Zuversicht, das
Westermann für das AT herausgestellt hat, 11 Q Ps[a] Plea Z. 17
(DJD IV,77), dann auch die für die Qumrangemeinde offensichtlich
typischen formelhaften Wendungen in 1 QH 3,20; 6,6; 9,14 (vgl.
Fragment 1,7) als Bestandteil des sog. soteriologischen Bekenntnisses (vgl. zum soteriologischen Bekenntnis H.-W.Kuhn, Enderwartung 26 f, und zu 1 QH 3,20 f ebd. 34).

3 Vgl. die Annahme fester Überlieferung bei O.Michel, Röm 445.

4 So von J.Becker, Erwägungen Phil, und zwar ein vollständiges ur-
christliches "Vertrauenslied" der griech. sprechenden Gemeinde
(29; zur Literatur 16). Man fragt sich, warum gerade ein "Vertrauenslied" und nicht ein "Hoffnungslied". Liegt hier ein Einfluß
der Auffassungen Bultmanns vor? Vgl. auch Gnilka, Phil 202 f.
208-210.

5 So bei von der Osten-Sacken, Gottes Treue, und zwar die Spruch-
Gattung eines eschatologisch-parakletischen Treuespruches (in der
Bearbeitung durch Paulus chiastisch umgestellt).

6 S.u. 10.2. zum Problem von Tauftradition hier.

7 Erwägungen zur Entlehnung aus einer geläufigen Formel u.ä. oder
zu Einflüssen von Tradition bei Best, 1 Thess 81 ff; M.Dibelius
1 Thess S.6 f; von Dobschütz, 1 Thess 80; Friedrich, Tauflied;
Holtz, Euer Glaube; E.Lohse, Entstehung 19; Munck, 1 Thess 1,9-
10; Vielhauer, Geschichte 28 f; Wengst, Formeln 29 f; U.Wilckens,
Missionsreden 80-82.

8 Vgl. in dieser Richtung die Komposition des Paulus in 1 Kor 13 mit
V.7 und V.13.

1 Dafür sind generell immer noch instruktiv Birt, Elpides; Bultmann,
ThW II 515,8 ff.

2 Vgl. dazu Birt, Elpides; Bultmann, ThW II 515,8 ff (dabei bes.
Stobaeus Ecl IV 997 ff als Quelle wichtig); Fauth, Elpis; Latte,
Spes; Roscher, Elpis; Waser, Elpis; Wissowa, Spes.

3 Vgl. Birt, Elpides passim (vor allem auch 78 zur röm. Elegie De
spe); die Elpistiker bei Plutarch, Moralia (Quaest Conv) 668E
(nach Birts Interpretation, Elpides 94, definierten sie sogar die
Hoffnung als Lebensprinzip der Welt); ferner Plato Phileb 39e
(mit bezeichnendem Plural ἐλπίδες); Epiktet Diss I 9,16 f; Philo
PraemPoen § 10 f (ἐλπίς speziell als ἡ πηγὴ τῶν βίων). S. weitere Beispiele bei Bultmann, ThW II 515 Anm. 3. Vgl. auch das
Wort "dum spiro spero".

4 Vgl. Plato Tim 69d und 70c (im Rahmen der Physiologie und Psychologie); Aristoteles PartAn III 6 p669a 19 ff (ähnlich, aber anthro-

Zu S. 39-40:

pologisch noch gezielter eine besondere Funktion der Lunge für das Klopfen des Herzens nur beim Menschen wegen ἐλπίς und προσδοκία herausstellend; vgl. aber ἀναμένειν bei Tieren Hist An IX 12 p597a 11 f) und Rhet II 12 p1389a 19 ff; ebd. 13 p1390a 4 ff (Abhängigkeit der "Hoffnung" vom Alter); schließlich Philo Det Pot Ins § 138 f; Abr 7 ff. Doch ist hier bei Philo wegen der Auslegung von Gen 4,26 noch ein at. Hintergrund zu berücksichtigen. S. auch Bultmann, ThW II 515,20 f.516,3 ff.

5 Vgl. Birt, Elpides passim, dazu und als Quellenbeispiele Plato Resp IX 584c; Phileb 32b-c; Leg I 644c; Tim 69d (die leicht zu narrende "Hoffnung" als zu der anderen, der sterblichen Seele gehörig).

6 Vgl. neben den oben schon öfter genannten antiken Beispielen (z.B. Anm. 10 und 12 zu 3.) etwa auch Philo Abr § 14 (s. zu den Einflüssen griech. Psychologie bei Philo Bultmann, ThW II 526,22 ff).

7 Vgl. in der Jenseitsorientierung des Philosophen Plato Phaed 67b ff; in den schon genannten Bestimmungen und Definitionen wie PseudPlat Def 416a; in der Berücksichtigung wissenschaftlicher Aspekte Plato Tim 69d; 70c; im Verhältnis zur Zeit Aristoteles De Memoria 1 p449b 10 ff (dabei ἡ μαντική als ἐπιστήμη τις ἐλπίστικη). 27 f und später Philo Leg All II § 42 f.

8 So Aristoteles Eth Eud III 1 p1229a 18 ff (von dem λόγος oder der μεσότης her im Blick auf die nicht echte Tapferkeit); Rhet II 12 p1389a 19ff und 13 p1390a 4 ff (zuviel bei der Jugend und zuwenig beim Alter); in der Stoa und ihrer Wirkung Epiktet Fragment 30 (ed. Schenkl 421); Vettius Valens V,9 (dort genauer ed. Kroll 219,26 ff, und zwar in Verbindung mit dem astrologischen Schicksalsglauben). Vgl. auch Bultmann ThW II 516,25 ff.518,4 ff.

9 S. dazu Birt, Elpides 25 ff (u.a. mit dem Hinweis auf Epicharms Ἐλπίς ἢ Πλοῦτος); vgl. auch Heraklit Fragment 18 (Diels, Vorsokratiker I 155,9 f; dazu Bultmann, ThW II 516 Anm. 10); Philo Praem Poen § 10 f.

10 Vgl. Panaetius Nr. 118 (ed. van Straaten 46, aus Cicero); ferner z.B. Demokrit Fragment 287 (Diels a.a.O. II 205,10 f).

11 Vgl. dazu Birt, Elpides, bes. 17 ff.

12 Z.B. Demokrit Fragment 185 (Diels a.a.O. II 183,3 f).

13 Z.B. Demokrit Fragment 176 (Diels a.a.O. II 180,9-11). Vgl. Bultmann, ThW II 516,25 ff.

14 S.o.

15 Dieses bedeutet jedoch nicht, daß kulturelle Aspekte überhaupt nicht vorhanden sind, wie 1 Kor 9,10 zeigt.

16 Z.B. Abr § 7 ff.

17 Sogar aus Tarsos, der Heimatstadt des Paulus. Vgl. zu solchen Münzen Waser, Elpis 2455 f. Allerdings stammen die von Tarsos erst aus späteren Jahren (unter Gordian III, d.h. 3.Jh. n.Chr.). Doch könnten derartige Münzen durchaus schon früher in Umlauf gewesen

Zu S. 40:

sein. Nun mag man zudem einwenden, daß Tarsos zwar die Heimatstadt des Paulus gewesen ist, er die ihn prägende Jugendzeit aber
in Jerusalem verbracht hat (so van Unnik, Tarsus, zusammenfassend 52 ff; etwas anders G.Bornkamm, Paulus-Art. 167 f; zur Deutung von Stellen wie Apg 22,3 s. Burchard, Zeuge 31 ff). Auch
wenn das der Fall gewesen sein sollte, so dürften Beziehungen zu
Tarsos jedoch weiterbestanden haben (vgl. das röm. Bürgerrecht
des Paulus, auf das Burchard a.a.O. 34 Anm. 42 in diesem Zusammenhang hinweist).

18 Vgl. dazu Abel, Spes; Latte, Spes 1635 f.

19 Vgl. neben der Fülle von Aussagen über den Vollzug der "Hoffnung" im Leben der Menschen ausdrücklich reflektierte Äußerungen in Jes 38,18; Spr 11,7; Pred 9,4. Eventuell ist auch Sir 41,2
in diesem Rahmen zu sehen. Pessimistisch gestimmt sind dagegen
1 Chr 29,15; Sir 7,17 (hebr.); vgl. Pirqe Abot 4,4a Dabei sind
die äquivalenten Vokabeln des Hebr. aber z.T. semantisch zu
"Aussicht" u.ä. abgeblaßt.

20 Vgl. Spr 19,18.

21 Vgl. Spr 13,12; Weish 17,10-12.

22 Spr 24,14; vgl. auch Sir 6,18 f; 34,1.

23 Vgl. einmal ʽΕλπίς u.ä. oder Προσδοκία. Zu Flavius Josepus
s. die Angaben bei Rengstorf (Hg.), Concordance Supplement I;
(Namenwörterbuch) 44; zu Beth Sheᶜarim s. Vol.II, 124.132. Vgl.
zum andern im semitischen Sprachbereich: תקוה eventuell als Name
in 2 Kön 22,14; Esr 10,15. Doch wird anders interpretiert bei Noth,
Personennamen 260 Nr. 1423. Auch יחלאל in Gen 46,14; Num 26,26
wird von Noth anders gedeutet (a.a.O. 204; vgl. Westermann, יחל,
ThHWBAT I,727). Dagegen ist neuerdings J.J.Stamm solchen Personennamen gegenüber aufgeschlossener, da er in חכה ליה (vgl. חכליה
Neh 1,1; 10,2 und vielleicht ḫkljhw Lachisch-Ostrakon 20,2) und
קוילילה Begriffe des Hoffens und Wartens enthalten sieht; s. Personennamen 231.233.235 u.ö. Dabei spielt das Problem einer imperati-
vischen Deutung mit der Ermahnung des Namenträgers eine große
Rolle. Dadurch dürfte auf jeden Fall deutlich werden, daß auch im
Raum des nichthellenistischen Judentums Personennamen in Entsprechung zu elpophoren Namen existierten. Vgl. zur akkadischen Überlieferung J.J.Stamm, Namengebung 195 f.

24 Vgl. dazu Fauth, Elpis; Latte, Spes; Waser, Elpis.

25 ʽΕλπίς als eschatologisches "Hoffnungsgut" in Gal 5,5 ist hier anders zu beurteilen, wenngleich für Hypostasenspekulationen an sich
ebenfalls ein jüd. Hintergrund belangreich ist; vgl. Bousset-Greßmann, Religion 342 ff.

26 So im Corpus Hermeticum Κόρη κόσμου 28 (Fragment XXIII); im
valentinianischen System nach dem Bericht des Hippolyt Ref VI
30,5 (ed. Völker, Quellen 129,12). Vgl. dazu Bultmann, ThW II
517,33 ff; Fauth; Elpis; Waser, Elpis 2455.

Zu S. 40-41:

27 Vgl. dazu Birt, Elpides 15 u.ö.; Latte, Spes 1635; Waser, Elpis
   2455. Negative Auffassungen zeigen sich z.B. Grabgedichte 449,11 f
   (ed. Peek 262).

28 Das ist höchstens durch den Satan der Fall; vgl. 1 Thess 2,18.

29 Vgl. neben Einwürfen wie μὰ Δι᾿ Plato Phileb 36a oder νὴ Δία
   bei Epiktet Diss II 20,37 das Daimonion des Sokrates Pseudo-Plato
   Alc (I) 103a-b; Plato Ap 40c; eine heidnische Form der conditio
   Iacobaea BGU II 423,17 (2.Jh. n.Chr.; vgl. Moulton-Milligan, WB
   204; dort weitere Beispiele bis zu jüd. und christlichen).

30 Das ist selbst später noch der Fall, und zwar etwa in Sir 31 (34);
   13 f; PsSal 5,11.14; 6,6; Testamentum Iobi 24,1; vgl. z.B. auch
   1 QH 10,21 f; 11,31. In diesem Zusammenhang kann ebenfalls auf
   die Sadduzäer hingewiesen werden.

31 Vgl. Ps 38,16; 119,43.74.114; Jer 14,8; 17,13; Hos 12,7; Jub 20,9;
   Antiquitates Biblicae 31,7; Apuleius Met 11,1,3. Gegenteilig negativ ist das in der Grenzsituation des Hiob in Hi 19,10.

32 Vgl. Ps 25,2 f; Jer 14,8; 17,13; Jdt 8,17.20; 9,11 u.ö.

33 So Anthologia Palatina VI 330 (bei einer Heilung durch Asklepios;
   vgl. Bultmann, ThW II 518 in Anm. 20). Hier ist dann eindeutig
   nicht eine launische Tyche im Blick. Abgeschwächter sind die Athe-
   ner selbst und die Götter die einzige Zuflucht bei Plato Leg III
   699b. Wie Götter beurteile Menschen treten als Retter Plato Theaet
   170a-b hervor.

34 S. eine gleichwertige Aussage (puqqum mit ana) im Klagelied an
   Ištar Z. 79 (The Seven Tablets, ed. King, Bd. 2 Appendix V,
   Plate LXXXI und Bd. 1 232.233, wo in der englischen Übersetzung
   aber keine Vokabeln der Hoffnung usw. gebracht werden; deutsche
   Übersetzung AOT 259, und zwar angemessen durch "harren auf").
   Von da aus sind die Urteile von Begrich, Vertrauensäußerungen
   203, und Westermann, Hoffen 243, im Blick auf die Klage im baby-
   lonischen Raum noch einmal zu überdenken. Vgl. ferner akkadische
   Personennamen mit puqqu,qu᾿᾿û, panī dagalu, ana qāti natālu, die
   J.J.Stamm, Namengebung 195 f, unter dem Gesichtspunkt "religiöse
   Vertrauensnamen" anführt.

35 So durch Westermann, Hoffen 228 f.

36 Vgl. Ps 37,34; Spr 10,28; 11,7.

37 Vgl. in den eleusinischen Mysterien nach Isocrates Paneg. 28
   (Turchi 53,17-19); nach Cicero De Leg. 2,14,36 (Turchi 98,13 f);
   nach Aelius Aristides Eleus. I (Turchi 99,10 ff); in den Mysterien
   der Isis nach Apuleius Met 11,29,4. Über die Vorstellungen der
   Griechen (Inseln der Seligen u.ä.) s. Flavius Josephus Bell 2,154 ff.
   Dagegen sind pessimistisch (das Ende der "Hoffnungen" durch den
   Tod) die Stellen aus den Grabgedichten bei Peek (s. Index 372 s.v.
   "Hoffnung").

Zu S. 41-44:

38 So Plato Phaed 63b-c u.ö., dabei aber zugleich unter religiösem
Einfluß. Vgl. auch Heraklit Fragment 27 (Diels, Vorsokratiker I
157,1 f); Epiktet Diss I 9,16 f. In einer ausdrücklichen Bestreitung ist das bei Epikur im Brief an Herodot nach Diogenes Laertius
X,81 zu lesen. Auf einem anderen Blatt steht dagegen das Motiv
in 1 Thess 4,13; Eph 2,12.

39 S. z.B. Dittenberger Or II Nr. 458,36 ff; P Oxy VII 1021,6
(Notification of the Accession of Nero); vgl. Bultmann, ThW II
518,2-4 und Anm. 22, sowie Moulton-Milligan, WB 204.546.

40 Vgl. die gerade genannte Stelle aus dem Brief des Epikur mit
προσδοκᾶν als "erwarten" in negativer Färbung.

41 Vgl. Stellen wie Phil 3,20 f.

42 Hellenistisch-synkretistische Einflüsse sind im hellenistischen Judentum hier parallel zu Paulus zu beobachten, z.T. jedoch noch
sehr viel stärker und charakteristischer; vgl. Weish 3,4; Philo
Virt § 67; Flavius Josephus Bell 2,157 f (über die Essener).

43 Ich möchte in diesem Zusammenhang auf Bultmann verweisen, der
in seiner Paulusinterpretation den Paulus zwar auf dem Boden der
hellenistischen Gemeinde stehen sieht (TheolNT 187 ff), im Blick
auf die δικαιοσύνη (θεοῦ) im Rahmen der Eschatologie aber
vom (positiven und) abgrenzenden Verhältnis zum Judentum ausgeht (a.a.O. 271 ff).

1 Bei Bultmann, ThW II 527,6 ff, wird (u.a. für die Paulusbriefe)
ein Hoffen im profanen Sinn abgetrennt.

2 Die genaue historische Bestimmung dieses Ereignisses und das Verhältnis zu ähnlichen Angaben der Paulusbriefe sonst (vgl. z.B.
1 Kor 15,32) oder der Apostelgeschichte (vgl. z.B. Apg 19,23 ff)
ist schwierig. Bei Feine-Behm-Kümmel, EinlNT 208, wird unsere
Stelle auf den in Apg 19,23 ff geschilderten Aufstand der Silber-
schmiede bezogen.

3 Dabei ist die Ausdrucksweise im Blick auf die Gegenstandsaspekte
hier aber nicht völlig glatt. Diese Probleme spiegeln sich offensichtlich in den verschiedenen Textüberlieferungen wider.

4 Vgl. oben 6.

5 Eine enthusiastische Bestreitung der eschatologisch-zukünftigen
Auferweckung der Toten und der eschatologischen Zukunft überhaupt, zumindest sofern das eine geschöpflich-somatische Dimension betrifft, scheint mir trotz aller Interpretationsprobleme relativ gesichert zu sein. Mögen die Gegner zwar auch nicht unbedingt
der Meinung gewesen sein, daß mit dem Tod alles aus ist, so haben
sie dem Blick über den Tod hinaus wahrscheinlich jedoch keine soteriologische Perspektive im somatisch-eschatologischen Sinn zugeschrieben. All diese Fragen sind im Rahmen der Interpretation von
1 Kor 15 und überhaupt des 1 Kor und der Korintherbriefe überaus

Zu S. 44:

komplex und schwierig. Vgl. zu den Anschauungen der Gegner
des Paulus im ganzen 1 Kor Feine-Behm-Kümmel, EinlNT 201 f
(eine gnostische Front); Kümmel, EinlNT 235 ff (ähnlich eine
enthusiastisch-gnostische Front); E.Lohse, Entstehung 39 f (ein
schwärmerischer Enthusiasmus, ein Pneumatikertum); Horseley,
Elitism (spiritual elitism, enthusiastic devotion to Sophia, vgl.
Philo, SapSal); Schmithals, Gnosis 239 ff (in der Zusammenfassung
als judenchristliche Gnostiker); Thiselton, Eschatology (a realized
eschatology and an enthusiastic theology of the Spirit); Vielhauer,
Geschichte 132 ff (hellenistischer Pneumatismus); speziell in 1 Kor
15 J.Becker, Auferstehung, bes. 69 ff (Enthusiasmus: Gott pflanzt
Ewigkeitsleben als Geist Christi in die Menschen durch die Taufe
ein vor dem irdischen Tod, "Auferstehung" vor dem Tod); Conzelmann, 1 Kor 308-311 (Annahme eines gewissen Mißverständnisses
seitens des Paulus, gegnerischer Glaube nur an eine Verwandlung
der Lebenden bei der Parusie); P.Hoffmann, Die Toten 240 ff (gnostische Auffassungen; vgl. Justin Dial 80, d.h. gleich mit dem Tod
kommen die Seelen in den Himmel); Lietzmann, 1 Kor 79 (die griechische Lehre von der Unsterblichkeit nur der Seele); Rissi, Taufe
85 f (wie bei den Gnostikern von 2 Tim 2,18 Realisierung der Auferstehung bereits im Geist-Erleben); Spörlein, Leugnung, bes. 171 ff
(nicht Gnosis, für die die Auferstehung schon geschehen ist, nicht
populär-platonisierende Unsterblichkeitslehre, sondern - ähnlich wie
Conzelmann - nur Erleben der Parusie sichere das Heil, während
die Toten verloren seien; vgl. schon A.Schweitzer, gegen den sich
Spörlein a.a.O. 195 Anm. 1 aber zugleich abzugrenzen versucht);
Stuhlmacher, Auferstehungszeugnis, bes. S.39 f (hellenistisches
Mißverständnis wie in 2 Tim 2,18); J.Weiß, 1 Kor 344 f (u.a. mit
dem Hinweis auf eine rein spiritualistische Lehre von der körperlo-
sen Fortexistenz der Seele); J.H.Wilson, Corinthians (Jesus als in
den Himmel erhöhter nicht leiblich auferweckt, sakramentaler Anteil
der Gläubigen daran ohne Ausrichtung auf eine zukünftige leibliche Auferweckung). Diese Literaturauswahl verdeutlicht schon recht
gut die für uns hier wichtigen Interpretationstypen. Weithin können
sie unter die Annahme einer enthusiastischen Gegnerfront subsumiert
werden, die soteriologisch nur auf das in der Gegenwart erreichte
Heil schaut und den kommenden Tod nicht mehr im Licht einer somatisch-eschatologischen Zukunft sieht. Insofern läßt sie sich
durch Auffassungen leiten, die auf dem Boden der heidnischen Antike stehen, mag es sich dabei um den Gedanken der Unsterblichkeit
(nur) der Seele, eines Geschicks wie bei den Gläubigen in den Mysterienreligionen oder sogar einer Beschränkung des Heils nur auf
das Diesseits u.ä. handeln. Ein ausgesprochen gnostischer Einfluß
ist aber historisch problematisch. Ohne Eingehen auf das Gegnerpro-
blem wird die viel verhandelte Beweisführung des Paulus in 1 Kor

Zu S. 44-48:

15,12-20 neuerdings wieder von Bucher untersucht, und zwar speziell logisch betrachtet.

6 Vgl. Conzelmann, 1 Kor 315 (1 Kor 15,19 nicht eindeutig).

7 So z.B. Conzelmann, 1 Kor 311.

8 So Neugebauer, In Christus 101, und neuerdings auch Harnisch, Existenz 30 f.

9 Vgl. Conzelmann, 1 Kor 311.315 f.

10 Allerdings wird in der Sekundärliteratur gern ein Objektverhältnis angenommen, so auch wieder bei Spörlein, Leugnung 69.

11 Vgl. auch den Sachverhalt, daß diese Wendung in Phil 2,23 gegenüber V.19 nicht fest geblieben ist. Zu diesen Wendungen s. Neugebauer, In Christus; Conzelmann, TheolNT 232-235.

12 Vgl. z.B. Röm 5,3.11 bei καυχᾶσθαι.

13 Dabei soll die conjugatio periphrastica ἠλπικότες ἐσμέν expressiv das "hoffende" Verhalten der korinthischen Gegner herausstellen. Vgl. zu expressiver Funktion der periphrastischen Tempusbildung Schwyzer, Grammatik I,811.

14 Vgl. dabei den Hinweis Conzelmanns, 1 Kor 316, auf die Apokalyptik bei dem Gedanken eines jenseitigen, "ewigen" Lebens an unserer Stelle.

15 S.o. 6. (am Schluß).

16 Eine Verwurzelung at.-jüdischer Eschatologie im Parsismus und entsprechende Aussagen mit zu ἐλπίς äquivalenten Wörtern dort muß ich hier schon deshalb zurückstellen, weil ich der für diesen Bereich wichtigen Sprachen nicht kundig bin. Immerhin dürfte der engere at.-jüdische Horizont für den Sachverhalt in den Paulusbriefen unmittelbar wichtiger sein.

17 Vgl. G. von Rad, TheolAT II,121 ff; Rohland, Erwählungstraditionen.

18 In 1 QM 11,9 aufgenommen.

19 Vgl. z.B. hinter seinem דבר in Ps 119,74.

20 In Mt 12,21 aufgenommen.

21 Bei den frühchristlichen Apologeten öfter zitiert und verarbeitet, so z.B. bei Justinus Martyr Apol 32,1.4.; 54,5.

22 In Röm 15,12 aufgegriffen.

23 Doch ist der Sinn in Dan 12,12 bei הכח bzw. ἐμμένειν rein durativ, nämlich "ausharren" bzw. absolutes "warten".

24 S.u. 10.6.3. Genaueres dazu.

25 S. die mannigfachen Parusieaussagen im Zusammenhang mit ἐλπίς und äquivalenten Wörtern, so z.B. in 1 Tim 1;1; Hebr 9,28; Ign Trall 2,2; vgl. auch Stellen wie Lk 12,36.

26 Dabei konnte die Christologie u.U. nur noch schwach durchschimmern oder zurücktreten; vgl. spätere Stellen wie Apg 24,15; Tit 1,2; 2 Petr 3,10 ff.

27 Beim Spätjudentum setzte schon Pott ein (Hoffen 7 ff).

Zu S. 48-49:

28 S. ThW II 527,5 f u.ö.

29 Vgl. Bultmann a.a.O. 527,24-27.

30 Übergänge ergeben sich da, wo eine Bewirkung des Heils und der Rettung durch Gott gemeint wird. Hier geht es uns aber primär darum, ob Gott selbst dieses Objekt ist oder nicht.

31 Es müßte an sich jeweils noch genauer nach den einzelnen Begriffen, Sachbereichen, Schriften und Redeformen differenziert werden (vgl. z.B. Gott als Objekt besonders in den at. Pss). Doch sind die im folgenden aufgezeigten Tendenzen für unsere Zwecke schon aufschlußreich genug. Eine Aufstellung über ausgewählte Quellen wird unten als Anhang noch gebracht.

32 Vgl. zur Statistik für das AT (BH) Westermann, Hoffen 221 f (mit Tabellen), dabei mit den sachlichen Gesichtspunkten "nicht auf Jahwe bezogen" und "auf Jahwe bezogen".

33 Dabei ist auch hier das Bild in den einzelnen Schriften verschieden. Z.B. ist oft eine sachliche und formgeschichtlich-literarische Nähe zu Aussagen wie in den at. Pss wichtig, wenn Gott als Objekt bezeichnet wird.

34 Vgl. zu dieser Entwicklung Bousset-Greßmann, Religion 302 ff. Allerdings meint Pfeifer, Ursprung, daß Hypostasen in der Theologie des Judentums keine beherrschende Stellung einnahmen (vgl. a.a.O. 102 ff in der Schlußzusammenfassung).

35 Vgl. in dieser Richtung auch Jes 24-27 (inklusive LXX) und Sir, so z.B. Jes 25,9; Sir 31(34),13.14.

36 Allerdings spielt Gott selbst in den großen jüd. Apokalypsen durchaus eine wichtige Rolle, so auch im Blick auf den Visionär und das eschatologische Heil (vgl. z.B. äthHen 1,2 ff). In 4 Esr 6,6 könnte dabei eine Spitze gegen die Christen vorliegen (so Gunkel bei Kautzsch, At. Pseudepigraphen (II) 364 Anm. r).

37 Allerdings konnte Gott z.T. wieder stärker als Objekt in das Blickfeld treten, wie der Gebrauch von ἐλπίζειν im 1 Tim zeigt. Das könnte auf eine Wirkung at. Sprachgebrauchs, aber auch auf eine Entschärfung eschatologischer Existenz zurückgegangen sein.

38 Vgl. die Entsprechung zur Problemstellung in 1 Kor 15,19.

39 Der anschließende Relativsatz in V.8 lenkt wohl wieder auf Gott zurück (vgl. V.4 und V.9); so auch Conzelmann, 1 Kor 42. Man könnte diesen Relativsatz nun aber auch auf Jesus Christus beziehen. Dabei müßte man wegen der christologischen Titulatur bei der Wendung ἐν τῇ ἡμέρα κτλ einen terminus technicus-Gebrauch vorliegen sehen (vgl. z.B. 1 Thess 3,11-13). Doch ist V.8 dann aber auf keinen Fall direkt Gegenstand des ἀπεκδέχεσθαι. Zum Verhältnis von theo- und christologischer Komponente vgl. Baumgarten, Paulus 63.

40 Kürzer sind allerdings Χριστῷ Ἰησοῦ in V.4 und τοῦ Χριστοῦ in V.6.

Zu S. 49-53:

41 Etwa als Beziehung der Wiederkunft zum forensischen Gericht (ἔμπροσθεν) Gottes.

42 Dagegen aber z.B. M.Dibelius, 1 Thess S.3; von Dobschütz, 1 Thess 67.

43 Das ist futurischer Gebrauch des Präsens; vgl. Blaß-Debrunner-Rehkopf, Grammatik § 323.

44 Der Plural geht wahrscheinlich auf eine Nachwirkung des Hebräischen zurück; vgl. J.Becker, Erwägungen Phil 19 f.

45 Schon deshalb sollte die Singularität des Titels bzw. Wortes σωτήρ an dieser Stelle in den Paulusbriefen nicht zu stark interpretiert werden. Das tut m.E. J.Becker, Erwägungen Phil 20; vgl. 29.
Für den Gedanken einer derartigen Rettung ist ferner etwa noch 1 Thess 5,8 zu bedenken. In der LXX und im NT sonst wird Gott selbst öfter als σωτήρ bezeichnet (vgl. Jes 12,2; 17,10; 1 Tim 1,1; 2,3), im NT sonst auch Jesus Christus (vgl. z.B. Eph 5,23; 2 Tim 1,10). In Phil 3,20 legt sich im Zusammenhang mit dem πολίτευμα aber noch die Vorstellung des hellenistischen Herrscherkultes nahe, die christologisch aufgenommen worden sein könnte.

46 Vgl. ähnliche Probleme bei den Heilsaussagen in Röm 8,23 als Objekten desselben Verbs ἀπεκδέχεσθαι.

47 Denn das entsprechende ὅτι ist kaum als rezitativ zu ἐλπίζω oder zu καθὼς κτλ anzusehen, sondern eher kausal.

48 Das göttliche πνεῦμα ist in dieser Hinsicht bei Paulus gar nicht wichtig.

49 Vgl. für die Targume G.Kittel, ThW II 248,41 ff, und zwar im Blick auf Gott und seine יְקָר (Ehre, Würde, Glanz). Religionsgeschichtlich ist derartiges aber auch anderswo zu beobachten, je nachdem ob auch dort eine Scheu vor der Macht der Gottheit u.ä. wichtig wurden (vgl. z.B. Xenophanes, Fragmente 11 ff; 23 ff, bei Diels, Vorsokratiker I 132,1 ff; 135,1 ff).

50 Vgl. in derartiger Richtung die Aufteilung zwischen Gott und Jesus Christus in 1 Thess 1,9 f. Doch ist das in nachpaulinischer Zeit dann wieder etwas anders; vgl. Apg 24,15; 1 Petr 1,13; 1 Clem 27,1. Die christologische Bedeutung der Menschensohngestalt in der frühen Christenheit machen z.B. die synoptische Apokalypse Mk 13 par und Menschensohnsprüche wie Lk 12,8 deutlich. Doch ist der Menschensohntitel in den Paulusbriefen nicht wichtig. Hier können sich also nur Strukturen traditionsgeschichtlich durchgehalten haben.

51 Das Passiv ἐλευθερωθήσεται in Röm 8,21 meint als passivum divinum wahrscheinlich Gott oder entsprechend seiner kosmischen Unterwerfungsaufgabe Jesus Christus als logisches Subjekt.

52 Gläubige oder Christen werden bei Balz, Heilsvertrauen 37 f; W. Bauer, WB 1650 (an anderen Stellen auch noch auf Engel gedeutet);

Zu S. 53-54:

Delling, Söhne Gottes 617 ff; Schlier, Röm 260; Schweizer, ThW VIII 394,5 ff, bes. 395,3 f, angenommen.

53 Doch scheut man sich andererseits wegen 1 Thess 4,13 ff, an auferweckte und verwandelte Christen zu denken.

54 Vgl. O.Michel, Röm 266 f.

55 Z.B. werden Gefährten des Messias in 4 Esr 7,28; 13,52 erwähnt. Auch eine Stelle wie ApkBar (syr) 15,7 ist religionsgeschichtlich überaus bemerkenswert. Doch werfen die genauen Beziehungen derartiger Vorstellungen zu den Paulusbriefen Probleme auf (so auch kein genaues Ergebnis bei Balz, Heilsvertrauen, bes. 36 ff). Vgl. at.-jüd. und nt. Stellen bei Delling, Söhne Gottes; Bezeichnung. Zum Ausdruck "die Heiligen" in den Qumrantexten und im sonstigen Spätjudentum s. H.-W.Kuhn, Enderwartung 90 ff; zur Gemeinschaft mit den Engeln in den Qumrantexten ders. a.a.O. 66 ff. Bemerkenswert ist, daß am Anfang und am Ende für die Unterwerfung und Befreiung der "Schöpfung" solche Wesen zu beherzigen sind. Am Anfang gilt das bei der Unterwerfung für gefallene Engel und Adam, bei der Befreiung am Ende für nicht gefallene Engel und Christen. Stets handelt es sich um Geschöpfe. Gott behält dabei an beiden Punkten das Heft in der Hand (vgl. die passiva divina). Vgl. O.Michel, Röm 267; ferner Käsemann, Röm 225 f; Strack-Billerbeck, Kommentar III,247 ff.

56 Diese ist schon bedacht worden, z.B. bei Baracaldo, Gloria; Fedele, Speranza 41 ff; Ferrara, Esperanza 67 ff.

57 Wenn man hier den Gesichtspunkt einer Ehre und eines Ruhmes (durch Gott) sehen will, so würde das an sich dem Zusammenhang der Rechtfertigung entsprechen (vgl. 5,1.5). Doch ist dieser Sinn weniger wahrscheinlich, und zwar schon wegen des Gegenübers zu ϑλῖψις. Eine Bedeutung "Meinung, Erwartung" ist hier sicher nicht wichtig. Dieser Sinn herrscht aber in der klassischen Gräzität vor; vgl. Pape, WB I,657, und bes. G.Kittel, ThW II 235,15 ff.

58 Vgl. auch die "Offenbarung" in Röm 8,19 und das Gegenüber von "hoffen usw." und "sehen" in Röm 8,24 f.

59 Nicht zuletzt im Rahmen der Antithese von γράμμα und πνεῦμα (V. 6).

60 Vgl. zur Eschatologisierung dieses Begriffes im AT von Rad, ThW II 245,10 ff, und zwar ebenfalls für den כבוד Gottes.

61 Vgl. zur Apokalyptik G.Kittel, ThW II 250,16 ff (vorher zu rabb. Gedanken). Neuerdings haben die Qumrantexte weitere Stellen gebracht (vgl. z.B. Gottes כבוד in 1 QH 3,35; CD 20,25 ff).

62 In der griech. Überlieferung aber ϑαρσεῖν.

63 In Sib 3,282 ff steht δόξα μεγίστη bereit (μένειν).

64 Es ist aber zu überlegen, inwieweit nt.-christliche Redeweise eingewirkt hat (vgl. 43,13 bzw. 14 ff).

Zu S. 55:

65 Vgl. Lührmann, Offenbarungsverständnis 159 f u.ö. Auf den Sprachgebrauch der hellenistischen Gnosis ist G.Kittel, ThW II 255,21 ff,
eingegangen. Er sieht den Hintergrund für den Sprachgebrauch der
hellenistischen Gnosis im jüd.-christlichen Bereich und kritisiert
entsprechend Reitzenstein. Da bei der Vision des apokalyptischen
Sehers eine Schau der "Herrlichkeit" gemeint ist, ist auch in der
Apokalyptik sachlich ein weiterer Horizont zu überlegen.

66 Vgl. Conzelmann, TheolNT 196 f.

67 Das gilt auch dann, wenn man hier nicht unbedingt eine direkte
Gegnerfront annehmen will, wie sie z.B. Lührmann, Offenbarungsverständnis 45 ff, in Anlehnung an ältere Vorbilder als Auseinandersetzung des Paulus mit Pneumatikern, die die Ekstase hoch-
schätzten, herausgestellt hat.

68 Vgl. auch 1 Kor 15,40 ff. Doch müßten hier die Belege im Blick
auf das Verhältnis von Wort und Sache im einzelnen geprüft werden.

69 S. aber den Unterschied auf engem Raum in Phil 3,19.21.

70 Vgl. die Aufteilung in zwei Gruppen bei Luz, Geschichtsverständnis 303 ff, nämlich 1. Aussagen über das künftige Leben bzw.
Auferstehen der Gläubigen u.ä., die kerygmatisch begründet sind,
und 2. Aussagen über Gericht und Parusie (vgl. Indikativ und Imperativ).

71 Das gilt weithin auch schon für die jüd.-Apokalyptik. Religionsgeschichtlich ist so aber z.T. abzugrenzen, wie uns die Qumrantexte gelehrt haben. Denn in ihnen ist kein forensisches, sondern
nur ein Vernichtungsgericht belegt (vgl. J.Becker, Heil 251 f.254.
255).

72 Deshalb sind die Christen bei Paulus auch noch nicht durch es
hindurchgegangen. In der johanneischen Literatur könnte man dagegen auf derartige Gedanken hinweisen (vgl. z.B. Joh 3,17 ff;
5,24; 12,31; 16,11). Doch ist immerhin der Gesichtspunkt der
ὀργὴ θεοῦ in Verbindung mit ἀποκαλύπτεται in Röm 1,18 zu beachten, sofern dort nicht ein futurisches Präsens vorliegt. Zu berücksichtigen ist in diesem Zusammenhang auch die kosmische Unterwerfung durch Jesus Christus (vgl. 1 Kor 15,23 ff; Phil 3,21).
Das Züchtigungsleiden in 1 Kor 11,32 steht dagegen auf einem anderen Blatt.

73 Aussagen über das Endgericht sind auch bei dem Gebrauch von
ἐλπίς und äquivalenten Wörtern in der Apokalyptik gängig, und
zwar in positiven und negativen Perspektiven (vgl. äthHen 98,10;
104,3 f; 4 Esr 7,66.117; 11,46). Ein at.-jüd. Hintergrund zeigt
sich für das Endgericht deutlich, wenn wir an die Vorstellung des
"Tages Jahwes" und an seine Eschatologisierung bis hin zu ApkBar
(syr) 55,6 denken (vgl. von Rad, TheolAT II,129 ff; ThW II 946,
22 ff; Delling ebd. 950,32 ff; 954,1 ff). Für ὀργή gilt ähnliches

Zu S. 55-56:

(vgl. Fichtner, ThW V 401,14 ff; Sjöberg/Stählin ebd. 416,4 ff;
Stählin ebd. 430,30 ff u.ö.). Doch müssen bei dem Gedanken des
Gerichts nach dem Tod an sich aber auch noch andere religionsgeschichtliche Parallelen berücksichtigt werden. Ihnen kann jedoch
eine geschichtliche und kosmisch-universale Eschatologie fehlen.
Vgl. z.B. die Voraussetzung eines Gerichts nach dem Tod bei Plato
Phaed 63b ff; im Corpus Hermeticum Asclepius 12; bei Epikur nach
Diogenes Laertius X,81. Gerade die Kombination von Vernichtungsgericht und forensischem Gericht setzt aber eine geschichtliche und
kosmisch-universale Eschatologie voraus, die an den gerade genannten Stellen aus Plato usw. fehlt.

74 Vgl. J.Becker, Heil 19-21 (zur Vergeltungslehre der Tannaiten).
251 ff.

75 Mattern, Verständnis, vergleicht das Verständnis des Gerichts in
der Apokalyptik, bei den Rabbinen und bei Paulus. Die Unterschei-
dungen und Schwerpunkte (vgl. das Fazit a.a.O 215) befriedigen
aber nicht in jeder Hinsicht. Kritik an Matterns Arbeit s. z.B.
bei Luz, Geschichtsverständnis 316, d.h. speziell zur Paulusdarstellung.

76 Vgl. ferner den fließenden Sprachgebrauch in 1 Thess 3,13; 5,23.

77 Mit dem "Tag" ist an derartigen Stellen an sich das Jüngste Gericht
oder Weltgericht auf apokalyptischem Hintergrund gemeint (vgl. dazu W.Bauer, WB 686 f; Delling, ThW II 955,10 ff). Dieser "Tag"
wird hier als der Jesu Christi bezeichnet. Das ist in den Paulusbriefen oft der Fall. Man könnte dabei aber umfassender auch noch
an die mit der Wiederkunft überhaupt beginnenden Ereignisse bis
zum Endgericht denken. Gottes "Tag" im Sinn des Endgerichts ist
in Röm 2,5.16 zu berücksichtigen (vgl. auch 2 Petr 3,12; Apk 16,14).
Dadurch ergibt sich die oben schon erwähnte geschichtliche Tiefe
bis zurück zum AT (vgl. von Rad und Delling im ganzen Artikel
ThW II 945,28 ff). Delling will den "Tag" als den des Weltgerichts
allerdings besonders mit Jesus Christus verbinden (s. ebd. 955,
16 ff). Das mag durchaus unserer Beobachtung des Zurücktretens
Gottes, aber auch dem Gesichtspunkt einer christologischen Gebor-
genheit unter christlichem Blickwinkel entsprechen. Jedoch liegt
bei Paulus hier offensichtlich keine völlige Einheitlichkeit der Vorstellungen vor.

78 Vgl. schon 4,23-25. Auf das Endgericht weist auch H.W.Schmidt,
Röm 91, hin.

79 Vgl. Blaß-Debrunner-Rehkopf, Grammatik § 323. Das "Präsens der
sieghaften Gewißheit", das Kühl, Röm 162 f, hier annimmt, ist
sprachlich und sachlich nicht klar genug.

80 Vgl. generell zum at. Hintergrund Bultmann, ThW II 519 Anm. 30.

81 Mit den syrischen Wurzeln ܣܒܪ / sbr und ܒܗܬ / bht. Vgl. als
Gegenaussagen etwa 4 Esr 5,12; Apk Bar (syr) 70,5.

Zu S. 56-59:

82   Die Qumrantexte verwenden dieses Motiv nicht (so nach K.G.Kuhn, Konkordanz 30, Nachträge 183; DJD-Indizes).

83   Vgl. z.B. äthHen 102,4; ApkBar (syr) 51,7.

84   Vgl. W.Bauer, WB 1148.

85   Vgl. z.B. LXX Ps 16,7; Hi 2,9 (figural); Sir 31(34),13; 2 Makk 3,29; Flavius Josephus Ant 2,162; 3,36; 12,344; Bell 1,390; 3,149. 358. Dabei ist die Ausdrucksweise z.T. etwas variiert.

86   In eschatologische Richtung gehen Bar 4,22; 4 Makk 11,7 v.l.; äthHen 98,10 und 14 (griech. Überlieferung, dabei negiert). In den Paulusbriefen sind noch Phil 1,19; 3,20 zu bedenken.

87   Eine ausführliche Exegese zu Röm 8,18 ff s.u. 10.1.

88   Vgl. zur Bedeutungsbreite W.Bauer, WB 395. Aber auch bei dem nicht schlecht stattdessen bezeugten ὅτι ändert sich dieser Sachverhalt im ganzen Zusammenhang letztlich nicht.

89   Vgl. Käsemann, Gottesdienstlicher Schrei 218 f.

90   Zur finalen Funktionsmöglichkeit von ἐπί mit Dativ s. W.Bauer, WB 569. Nach O.Michel, Römer 267, hat Gott unterworfen und gleichzeitig die Hoffnung gesetzt.

91   Vgl. diese beiden Möglichkeiten bei W.Bauer, WB 190. An sich kann σῶμα bei Paulus auch negativ wie σάρξ gemeint sein (vgl. 2 Kor 5,8). Doch ist angesichts des parallelen Phil 3,20 f eher an die andere Bedeutung zu denken. Bei Käsemann, Röm 229, wird beides zugleich angenommen.

92   S. zur neueren Diskussion K.-A.Bauer, Leiblichkeit 13 ff, zu unserer Stelle ebd. 170 ff. Zum Problem eines formal-neutralen Aspektes vgl. Bultmann, TheolNT 193 ff.

93   In dieser Richtung bleibt grundsätzlich Bultmanns Hinweis wichtig: "der Mensch hat nicht ein σῶμα, sondern er ist σῶμα" (TheolNT 195); vgl. Conzelmann, TheolNT 198. Bei Paulus finden sich nun aber auch Stellen, wo der Mensch oder der Christ eindeutig einen "Leib" hat. Sie sollten nicht einfach ausgeschaltet werden. Zudem müssen noch überindividuelle Beziehungen berücksichtigt werden, wie sie seitdem kritisch gegenüber Bultmann hervorgehoben worden sind (vgl. in dieser Richtung K.-A.Bauer). So deutet das Leitthema in Röm 8,18 ebenfalls übergeordnete Mächte an. Allerdings ist zu beachten, daß bei der "Schöpfung" hier nicht individuell ein σῶμα herausgestellt wird.

94   Vgl. W.Bauer, WB 1649.

95   Das gilt wegen des Gewichts der Textzeugen. Auch ist die Auslassung die leichtere Lesart (vgl. die Spannungen ab 8,14 ff, die als störend empfundene Häufung der Objekte). Kritisch zur Auslassung auch Käsemann, Röm 229; Kuss, Röm 638 f (mit Hinweisen auf Sekundärliteratur).

96   Vgl. ähnlich die Häufung christologischer Titulatur bei den Objekten desselben Verbs in Phil 3,20. Es fehlt dort lediglich bei dem zweiten Objekt ein Artikel.

Zu S. 59-61:

97 So auch Käsemann, Röm 221, und O.Michel, Röm 264, in der Übersetzung. In der Erklärung beziehen Käsemann (a.a.O. 229) und O.
Michel (a.a.O. 205 f) sachlich dann beides jedoch aufeinander.

98 Wenn man bei υἱοθεσία mit Bultmann (TheolNT 279) einen foren-
sisch-eschatologischen Sinn annehmen will, so könnte man hier in
gut protestantischer Tradition das Miteinander eines forensisch-
imputativen und eines effektiven Aspekts oder noch besser die
eschatologisch-zukünftige Erfüllung dieses Miteinanders sehen. Doch
ist fraglich, ob eine solche Unterscheidung und Vereinigung für
den Sachverhalt bei Paulus angemessen vermutet werden darf, zumal die Gesichtspunkte der Befreiung und Sohnschaft dann in beiden Bereichen vorliegen (vgl. Röm 8,1 ff; Gal 5,1 ff)..

99 Vgl. den Hinweis auf eine philosophische Prägung und einen helle-
nistisch-philosophischen Einschlag bei O.Michel, Röm 271 f.

100 Vgl. dazu Gnilka, Phil 208.210, der auf eine Vermengung von apokalyptischen und hellenistischen Denkweisen hinweist; s. ferner
J.Becker, Erwägungen Phil 29; Güttgemanns, Apostel 240 ff bzw.
244 f.

101 So J.Becker a.a.O. (s.o. 5.). Vorsichtiger Baumgarten, Paulus
76 ff.

102 Es ist hier letztlich müßig zu fragen, ob die Auferweckung oder
die Verwandlung gemeint ist. Eine derartige Frage scheint allerdings sogar noch bei Gnilka a.a.O. 208.210 durch. Wichtiger ist
dagegen, daß soteriologisch zugespitzt der Übergang von der un-
heilsverhafteten und sündigen irdischen zur befreiten und sündlo-
sen eschatologisch-zukünftigen Existenz herausgestellt werden soll,
der beides enthält, und zwar im Blick auf das leibliche Sein. Von
da aus erscheint die Auferweckung bzw. Auferstehung der Toten
als Heilsbegriff. In welchem Zustand die Menschen allgemein im Endgericht vor ihren Richter treten werden, wird nicht deutlich. Vgl.
zu Auferweckung und ewigem Leben bei Paulus Baumgarten, Paulus 111 ff.

103 Vgl. zur Bedeutung W.Bauer, WB 805.

104 Vgl. den Sinn des Wortes nach W.Bauer, WB 525 ("Wirksamkeit,
Betätigung, Eingreifen, Wirkungsweise"); ähnlich Bertram, ThW II
649,29 ff.

105 Man fühlt sich wegen dieses δύνασθαι an das aristotelische Be-
griffspaar δύναμις - ἐνέργεια erinnert (vgl. Bonitz, Index 207b,
28 ff; 251a,2 ff). Philosophische Einflüsse können bei Paulus - wenn
überhaupt - hier wie bei den Gestaltbegriffen vorher aber nur vul-
gär-populär vermittelt vorliegen. Doch ist auch an den "theologischen" und "dämonologischen" Sprachgebrauch des NT zu denken
(vgl. δυνάμεις und ἐνέργεια κτλ), auf den Bertram, ThW II
650,34 ff, hinweist.

Zu S. 61-62:

106 Bei W.Bauer, WB 525, wird die ganze Wendung durch "auf Grund der wirksamen Kraft, die ihn befähigt" gedeutet. Vielleicht aber gehen hier in δύνασθαι Fähigkeit und Betätigung der Macht ineinander über (vgl. δύναμις bei Paulus).

107 Vgl. W.Bauer, WB 1361. Der Himmel kommt auch in 1 Thess 1,10 vor.

108 So auch Gnilka, Phil 206; Strathmann, ThW VI 535,9 ff. Wenn Strathmann jedoch 528,37-39 der Meinung ist, der nt. Sprachgebrauch baue auf dem at. weiter, gebe ihm zugleich "aber eine neue spiritualisierende Zuspitzung im Sinne der Hoffnung", so wird nicht genug der eschatologische Charakter des Wortgebrauchs gewürdigt.

109 Andere Auffassungen werden bei W.Bauer a.a.O. und neuerdings bei Böttger, Existenz, deutlich. Böttger bringt dabei reichliches Belegmaterial für die Vokabel. Wenn er selbst nicht vom Aspekt der Heimat, sondern des Staates und seiner Macht, die dynamisch die Christen bestimmen, ausgeht (vgl. die Kritik am platonischen Verständnis gleich 245), so verschafft das u.U. bessere Voraussetzungen für das Verständnis einer eschatologischen Dynamik, kann aber grundsätzlich die gerade gegebene Deutung dieser Stelle nicht ändern.

110 Kollektiv LXX Ps 21(22),6; 24(25),3; 68(69),7.

111 Vgl. die wörtliche Übereinstimmung dieser Wendung mit einem Teil von LXX Hi 13,16.

112 Denn recht sicher sind die z.T. schwer verständlichen Aussagen zugleich in dieser Richtung gemeint.

113 Neuerdings P.Hoffmann, Die Toten 286 ff. Hoffmann weist dabei als weltanschauliche Grundlage auf die jüd. Vorstellung vom himmlischen Paradies hin, dem Aufenthaltsort der verstorbenen Gerechten und Väter, die in apokalyptischen und rabbinischen Zeugnissen belegt sei (vgl. a.a.O. 322). S. ferner Exkurs 2 bei Gnilka, Phil 76 ff.

114 Schon aus diesen Gründen möchte ich eine Bezeichnung "eschatologisch-zukünftig" auch hier für angemessen halten. Zudem beseitigen diese Gedanken für Paulus nicht die universalen Ereignisse wie Parusie usw. (vgl. 3,20 f später). Überhaupt ist bei Paulus die Christologie in der Regel eschatologisch orientiert, sofern an das Heilswerk Jesu Christi gedacht wird.

115 Vgl. ein ähnliches Miteinander bei sinnverwandten Begriffen wie πολίτευμα in Phil 3,20 und οἰκία, οἰκοδομή u.ä. in 2 Kor 5,1 ff. Diese Aspekte hat Baumgarten, Paulus 116 ff, nicht bemerkt bei seiner Frage nach der Verarbeitung apokalyptischer Tradition in Phil 1,18d ff. Denn er legt andere Schwerpunkte.

116 So Lohmeyer, Phil 49 ff. Vgl. kritisch dazu Gnilka, Phil 75. Allerdings sollte in diesem Zusammenhang beherzigt werden, daß in 4 Makk 11,7 v.l. bei der Martyriumssituation eine "Hoffnung" zu

Zu S. 62-64:

beobachten ist, die entsprechend auf ein Heil bei Gott geht
(ἐλπίδα εἶχες παρὰ ϑεῷ σωτηρίου; vgl. überhaupt in den
Makkabäerbüchern beim Martyrium eine individuelle "Hoffnung"
auf Gott über den Tod hinaus; s. Hatch-Redpath, Concordance
454.1213).

117 Eine derartige Zuspitzung hat im AT bereits bei spiritualisieren-
den Auffassungen levitischer Tempelsänger Vorformen (s. von Rad,
TheolAT I, 415 ff, zu solchen Spiritualen). Vgl. den Hinweis auf
diese Leviten bei H.-W.Kuhn, Enderwartung 185, im Zusammenhang der Frage nach dem Selbstverständnis der Qumrangemeinde.
Dadurch werden nämlich zugleich die Möglichkeiten einer geschichtlichen Wirkung derartiger Anschauungen deutlich. Auf den Beitrag
der at.-jüd. Weisheit zur Transzendierung des Todes weist Keller-
mann, Überwindung, hin. Zu beachten sind auch die differenzierten
individuellen Auffassungen über das postmortale Sein im hellenistischen Judentum der westlichen Diaspora, wie sie die Untersuchung
von Fischer, Eschatologie, aufzeigt (vgl. z.B. jenseitige Gemeinschaft mit den Frommen und Vätern, postmortales himmlisches Da-
sein in Engelsgestalt, ewiges Leben bei Gott, "Auferstehung" und
"Unsterblichkeit der Seele" nicht unbedingt alternativ). Im Verhältnis zu zeitlich-apokalyptischen Aussagen sieht Grundmann im eschatologischen Denken des Paulus die personal-kommunikativen als das
Eigentliche und Beständige hervortreten (s. Überlieferung passim
und bes. 17.26; vgl. kritisch dazu Grabner-Haider, Paraklese 68
in Anm. 200).

118 Anders ist das in Apg 23,6; 24,15 u.ö.

119 Das ist dann z.B. in Tit 1,2 anders.

120 Es stehen ungefähr 10 Fällen mit einer ausdrücklichen personalen
Vermittlung des eschatologisch-zukünftigen Heils folgende wichtige
Stellen gegenüber, wo das nicht der Fall ist: Röm 8,23 (vgl. V.
24c.25a); 2 Kor 3,12; Gal 5,5; 1 Thess 5,8. Doch ist sie auch in
diesen Texten immerhin nicht völlig ausgeschaltet.

121 Von diesen Beobachtungen her relativiert sich vielleicht schon das
Problem einer Entwicklung der Zukunftsvorstellungen des Paulus,
wie es sich angesichts von Phil 1,20 und seinem Verhältnis zu anderen Aussagen auch bei unseren Objekten auftut. Schon das Miteinander von Phil 1,20 und 3,20 f in demselben Brief rät hier zur
Vorsicht. Überhaupt erscheint die eschatologische Zukunft in den
Paulusbriefen sehr viel komplexer, als es solche Thesen einer Entwicklung des Paulus ausdrücken können. Die Sicht des Paulus ist
in wesentlichen Punkten von seinen verschiedenen Lebensumstän-
den und Darstellungszielen, aber auch den traditionsgeschichtlichen
Voraussetzungen und den geschichtlichen Bedingungen bei den Empfängern abhängig, je nachdem ob nun Paulus als Gefangener in Lebensgefahr schwebte, ob er älter wurde, ob er an andere schrieb

Zu S. 64-66:

u.ä. Sicherlich hat er sich bei einer Beseitigung von Lebensgefahr wieder persönlich mehr an der Wiederkunft orientiert. Außerdem dürfte ihm "weltanschaulich" das Verhältnis von individuellen und universalen Aspekten nicht erst im Laufe der Zeit ein völlig neues Problem geworden sein, da auch das Judentum vor und neben ihm sich schon mit einem Sterben vor dem Kommen des Messias oder vor dem Eintreten des Endgerichts auseinanderzusetzen hatte (vgl. die Zukunftsvorstellungen in 4 Makk; Weish). S. neuerdings zu diesem ganzen Problem Gnilka, Phil 76-93 (Exkurs 2), dabei mit einem Ergebnis, das eine Entwicklung der Auffassungen des Paulus ablehnt (vgl. auch Baumbach, Zukunftserwartung; Baumgarten, Paulus 57.236-238); anders dagegen Hunzinger, Hoffnung. Zwar ist jüngst durch H.Hübner in bemerkenswerten Ausführungen eine Entwicklung des paulinischen Gesetzesverständnisses vom Gal zum Röm vorgeschlagen worden (Gesetz, bes. 13 ff.44 ff.81 ff), so daß von da aus eine Entwicklung der paulinischen Theologie erneut thematisch wird. Da sich Hübner aber auf das Gesetz beschränkt und solche Problembereiche wie Geschichte und Heilsgeschichte zurückstellt (vgl. a.a.O. 14 f), was dann auch die Eschatologie betrifft, kann von hier aus für unsere Fragen nicht so ohne weiteres sofort auf eine Entwicklung bei Paulus geschlossen werden.

122 Von hier aus wird noch einmal deutlich, daß das erste ἐλπίς in Röm 4,18 und 1 Kor 9,10 sowie das ἐλπίς in 2 Kor 1,7 inhaltlich nur im Rahmen des Kontextes verstehbar sind.

1 Einschließlich der Stellen, wo mit der 1. Person Plural recht sicher Paulus gemeint ist.

2 Sie sind u.U. bei der 1.Person Plural in 2 Kor 1,7.10; 8,5; 10,15; 1 Thess 2,19 zu erwägen.

3 Teils ist das nur zu erschließen.

4 Dabei zeigt sich auch unter der Berücksichtigung einer weiten geschichtlichen Spanne von der κτίσις über Abraham, ἔθνη, die Christen allgemein bis konkret hin zu Paulus keine Veränderung des Aktes selbst, wenn man etwa unter dem Gesichtspunkt einer allgemeinen Geschichtlichkeit seiner Strukturen im Rahmen einer fortlaufenden Geschichtsentwicklung nachfragt. Hier sind in den Paulusbriefen deshalb Konstanten zu beobachten. Derartiges gilt auch im Blick auf das Problem einer Entwicklung bei Paulus selbst. Doch muß auf den geschichtlichen Weg von der nichtchristlichen zur christlichen oder wie bei der κτίσις und Abraham zu einer ihr vergleichbaren Existenz hingewiesen werden. Dabei kommen ein eschatologisch-dualistisches Gegenüber (vgl. Röm 4,18; 1 Thess 4,13) oder eine Aufstockung durch ein besonderes Zutrauen (vgl. Röm 8,19 ff) in zeitlicher Richtung zum Vorschein, nicht aber eine fortlaufende Geschichtsentwicklung. Zudem macht Paulus auch

Zu S. 66-69:

allgemeine und gleichsam zeitlose Aussagen (vgl. Röm 8,24b.c).
Schließlich sieht Paulus eschatologisches Gedankengut eigentlich
nicht in demselben Maße wie wir heute geschichtlich erst später
aufkommen.

5 Auf καρδία weist schon Pott hin, wenn er der Ansicht ist, daß
das Hoffen selten intellektuell, gewöhnlich gefühlsmäßig oder Sache
des Willens (καρδία, θυμός) ist und auch die allgemeine Stimmung
bezeichnet (Hoffen 5; vgl. 6). Ferner ordnet er ἐλπίζειν und
ἐλπίς der Sphäre des Fühlens, Denkens, Wollens (vgl. Begehren,
Wünschen, Trachten) zu (ebd. 190). All das bezieht sich für ihn
auf den allgemeinen Begriff des Hoffens. Zu καρδία, Ausdrücken
des Wollens, Trachtens u.ä. s. bes. Bultmann, TheolNT 221 ff.
Allerdings hilft die Sekundärliteratur hier in der Regel nicht konkret weiter (vgl. z.B. K.-A.Bauer, Leiblichkeit; Brandenburger,
Fleisch; Bultmann, TheolNT 193 ff; Conzelmann, TheolNT 195 ff;
Heine, Glaube; Holtzmann, Lehrbuch II,12 ff; Jewett, Anthropolo-
gical Terms; H.Kaiser, Bedeutung des leiblichen Daseins; Käsemann, Anthropologie; Kümmel, Röm 7 und Bild des Menschen; E.
Lohse, TheolNT 87 ff; A.Schweitzer, Geschichte; Stacey, View of
Man; Strieder, Bewertung).

6 So stellt Paulus in Phil 1,20 auch keine entsprechende anthropologische Beziehung zu ζωή und σῶμα her. Ähnliches gilt für σῶμα
in Röm 4,18 f.

7 Dabei dürfte Paulus hier im Unterschied zum Sachverhalt etwa bei
der σάρξ anthropologisch nicht bewußt nachgedacht haben, zumal
das Heil für ihn ja gerade extra nos eintritt.

8 Vgl. E.Lohse, TheolNT 87(ff): Die anthropologischen Begriffe be-
zeichnen bei Paulus nicht jeweils einen Teil des Menschen, sondern
den ganzen Menschen, nämlich als Geschöpf Gottes.

9 Vgl. gegebenenfalls die Begriffe der hebr. Vorlage wie נפש z.B.
Zu beachten ist, daß für das paulinische ψυχή und πνεῦμα des
Menschen ebenfalls Beziehungen zu at. Begriffen wichtig sind (vgl.
Bultmann, TheolNT 204 ff; E.Lohse, TheolNT 89 f).

10 Dabei ἐλπίς als τῶν ἀγαθῶν ... προσδοκία in Beziehung zu Gott gegenüber ἐπιθυμία in Beziehung zum σῶμα.

11 Dabei ist von Fall zu Fall zu überlegen, ob (ἡ) ψυχή u.ä. nicht
auch als Umschreibung der ganzen Person (vgl. pars pro toto)
dienen können.

12 Hier darf M.Heideggers Klassifizierung "Für-sich-erhoffen" aufgegriffen werden (s. "Sein und Zeit" 345); vgl. auch Bultmann, ThW
II 515,14 ff, über Plato im Rahmen der klassischen Antike.

13 Abgeschwächter liegt das bei den Missionsplänen u.ä. vor, insofern es auch bei ihnen zugleich um das Heil anderer Menschen geht.

14 Vielleicht tritt ein primär subjektes Wünschen in dem Maße zurück,
je näher wir zu dem Bereich der eschatologischen Zukunft kommen.

Zu S. 69-74:

Denn bei ihm wird schließlich ein vorgegebener Horizont wichtig.

15 Vgl. die Kritik des Paulus in 1 Kor 15,19.

16 Grenzen zeigen sich jedoch in Röm 8,24 f; 1 Kor 13,9 ff.

17 Überhaupt bestehen in der Forschung im Blick auf die Strukturen der Zukunftseinstellung in unseren Synonymen Desiderate, zumal vielfach Bultmanns Auffassung einfach übernommen worden ist.

18 Anders ist das z.B. im Judentum bei sperare in der lat. Überlieferung 4 Esr 7,66 und 117, im nt. Bereich bei προσδοκία in Lk 21,26.

19 So wäre sogar zu erwägen, ob man das Fehlen einer Antithese "Furcht-Hoffnung" bei Paulus nicht sogar auf eine Korrelation oder Korrespondenz zwischen beidem zurückzuführen hat. Eine ausdrückliche positive Kombination ist in den Paulusbriefen aber auch nicht zu beobachten.

20 Vgl. unsere Beobachtungen, daß auch ἀπεκδέχεσθαι und ἀποκαραδοκία bei Paulus keine Bedeutungsnunance "ängstlich, ungewiß" besitzen.

21 Zum Problem von ἐλπίζειν und ἐλπίς in der eschatologischen Zukunft s.u. 10.7.

22 Das ist in der jüd. Apokalyptik wichtig, wie z.B. negiertes Traurig-Sein in äthHen 102,4 f (griech. Überlieferung mit λυπεῖσθαι, λύπη; vgl. bei Paulus 1 Thess 4,13) zeigt.

23 Vgl. in der jüd. Apokalyptik äthHen 103,3 f (griech. Überlieferung χαίρειν, χαρά).

24 Überhaupt tritt die Freude bei Paulus, aber auch bereits bei den ersten Christen, im antiken Judentum und im AT als eschatologischer Begriff hervor. Sie ist jedoch allgemein religiös und philosophisch ebenfalls wichtig gewesen. Vgl. dazu Conzelmann und Zimmerli, ThW IX 351,34 ff.

25 Vgl. das Verhältnis von Röm 2,23; 1 Kor 1,29 zu Röm 5,2.11; 1 Kor 1,31.

26 Vgl. zu ὑπομονή bei Paulus Goicoechea Mandizábal, De conceptu ὑπομονή.

27 Vgl. dazu Hauck, ThW IV 585,6 ff generell und 588,40 ff speziell.

28 Vgl. den häufigen Wortgebrauch in 4 Makk (Hatch-Redpath, Concordance 1416) und die Stellen im Testamentum Iobi (Wahl, Clavis Anhang 733).

29 Vgl. im AT das Beispiel des Hiob (Hatch-Redpath, Concordance 1415).

30 Auf eine große Bedeutung dieses eschatologischen Themas im beginnenden Christentum weisen synoptische Gleichnisse (vgl. Mt 24,37 ff par). S. auch Oepke, ThW II 337,21 ff.

31 Vgl. für die Beliebtheit des Bildes von den Geburtswehen in eschatologischen Zusammenhängen die Ausführungen bei Bertram, ThW IX 670,21 ff u.ö. Ich halte es aber nicht für so sicher, daß

Zu S. 74-77:

in Röm 8,22 bei συνωδίνειν direkt messianische Wehen o.ä. als Ausdruck der Nähe des Endes gemeint sind. Vielmehr ist hier eine Beschreibung des Schmerzes wichtiger.

32 Vgl. zur Trias vor allem Reitzenstein, Entstehung; ders., Formel (1916, 1917, 1922); ders., Historia 100 ff; ders., Mysterienreligionen 383 ff; A. von Harnack, Das hohe Lied; ders., Ursprung; R.Schütz, Streit (zur Kontroverse zwischen beiden Forschern); ferner Brieger, Trias; Conzelmann, TheolNT 207 f; Grossouw, Espérance 513 ff; Schüttpelz, "Der höchste Weg", bes. 92 ff und Exkurs VIII 69-74; Spicq, Agapè II, 365-378; Terstiege, Hoffen 24 ff.

33 Vgl. 1 Kor 15,1 ff.

34 Allerdings wendet sich Conzelmann, TheolNT 207 f, gegen eine zeitliche Schematisierung. Aber schon F.C.Baur interpretierte in diesem Sinn (Paulus II, 249 ff).

35 Vgl. dazu z.B. Conzelmann, TheolNT 207 f; Terstiege, Hoffen 24 ff.

36 Vgl. dazu Bultmann, ThW II 517, 28-30 und Anm. 18; Reitzenstein, Mysterienreligionen 385 ff.

37 Zwar ist der Aspekt der χαρίσματα (1 Kor 12,31) und πνευματικά (1 Kor 14,1) immerhin für 1 Kor 13 zu bedenken, jedoch eher nur für die ἀγάπη selbst als für die ganze Trias.

38 Vor allem von der Trias her dürfte schon deutlich werden, daß πίστις und ἐλπίς bei Paulus selbständig nebeneinanderstehen und die "Hoffnung" nicht lediglich vom "Glauben" her zu verstehen ist.

1 Leider ist in Röm 15,4 m.E. primär als Akt zu verstehen. Sonst läge dort ein überaus charakteristisches Beispiel vor.

2 S. dazu Cumont, Lux Perpetua, bes. 240.401-405; Otzen, "Gute Hoffnung". Das könnte sich bis 2 Thess 2,16 durchgehalten haben. Dieser Meinung ist Otzen a.a.O. 284 f. Dabei sieht er den 2 Thess als paulinisch an.

3 Vgl. Bultmann, ThW II 516 Anm. 8.

4 S. aber den Kontext vorher. Gleichwohl erscheint die Aussage sentenzartig.

5 Vgl. die Ausführungen oben in 6.

6. Vgl. dazu Bultmann, ThW II 515,9 ff, vor allem in Anm. 1, und zwar mit dem Hinweis auf Stellen wie Aristoteles, De Memoria 1 p 449b 10 ff und 27 f.

7 Vgl. die schon genannten Rekonstruktionen Birts. Sie machen deutlich, daß der Titel Ἐλπίδες zwar von einem Einverständnis in der Assoziation ausgeht, die Ausführungen dieser Literaturwerke dann aber das Thema doch noch inhaltlich genauer entfalten. Auch besteht bei einem Psychologisieren allzu leicht die Tendenz, das Gewicht auf den Akt der "Hoffnung" zu verlagern, und zwar auf Kosten der Objekte.

Zu S. 77-78:

8 Vgl. zu kommunikativen Aspekten der hellenistisch-jüd. Homilie
  Thyen, Homilie 40.90 ff.

9 Sollten in diesem Bereich parallel zum hellenistisch-synkretistischen
  Heidentum Hypostasenspekulationen zu berücksichtigen sein, so mag
  eine Verdichtung des Miteinanders von spes qua speratur und spes
  quae speratur wie in den Gottheiten Ἐλπίς und Spes aufleuchten.
  Mir sind aber keine Belege für eine solche hellenistisch-jüd. Hypo-
  stasenspekulation geläufig.

10 Zumindest dann, wenn man sich über "hoffen" und seine Synonyme
   in Bd. 6 des WB von Erman-Grapow leiten läßt. So fehlt auch in
   RÄRG ein Artikel "Erwartung" und "Hoffnung".

11 Das geht aus den Ausführungen W. von Sodens, Sprache 37, hervor. W. von Soden hebt dort für das Fehlen eines Begriffs "Hoffnung" in Babylonien den engen Zusammenhang mit dem Fehlen eines eigentlichen Zeitbegriffs hervor. Überhaupt sei eine Eschatologie in Babylonien nicht konzipiert worden (trotz eines neu veröffentlichten Textfragments; s. den Hinweis a.a.O. 37 Anm. 67; mittlerweile publiziert und besprochen, vgl. Hunger, Spätbabylonische
   Texte Nr.3, S.21-23.124; Hunger-Kaufman, Prophecy Text; Höff-
   ken, Heilszeitherrschererwartung). Vgl. auch die Auslassung eines
   Artikels "Erwartung" und "Hoffnung" in RLA.

12 Vgl. zu diesem Kontrast W. von Soden a.a.O., dabei mit dem Hinweis auf die Bedeutung des Geschichtsdenkens.

13 In den Kommentaren habe ich dazu aber nichts Besonderes gefunden, so z.B. nicht bei Bertholet, Esra 42 f; Galling, Esra 211-
   213; Rudolph, Esra 92-94; H.Schneider, Esra 152 f. Auf einem
   kultischen Boden könnten auch Jer 14,8 und 17,13 stehen.

14 Vgl. eine Art kollektiven Bekenntnisses der Zuversicht, ohne daß
   Jahwe als Objekt genannt wird, zumal es nun um das eigene Tun
   des jüd. Volkes geht.

15 Das Vorkommen einer Kombination von ש׳ mit Vokabeln der Hoffnung im AT in Jer 31,17 (vgl. V.16); Spr 19,18; Hi 11,18; 14,7;
   Ruth 1,12; Klgl 3,29 bringt zwar nicht in derselben Weise einen
   solchen Aussagentyp. Es läßt aber im Verein mit den Beobachtungen in den Qumrantexten erwägen, ob sich hier nicht gerade Voraussetzungen im Sprachgebrauch des exilischen und vor allem
   des nachexilischen Judentums für unsere absolute Wortverwendung
   zeigen.

16 In 1 QH kann man "Gemeindelieder" und "Lehrerlieder" voneinander unterscheiden. Dabei sind die letzteren auf den Gründer dieser Einung, den "Lehrer der Gerechtigkeit", zurückzuführen,
   während die ersteren alle Mitglieder dieser Sondergemeinde betreffen. Das Vorkommen eines individuellen Notberichts und des Motivs
   des Offenbarungsmittlers spielt für die Ausgrenzung der "Lehrerlieder" eine wesentliche Rolle. Vgl. dazu J.Becker, Heil 50 ff; G.
   Jeremias, Lehrer 168 ff; H.-W.Kuhn, Enderwartung 21 ff.

Zu S. 78-82:

17 Vgl. H.-W.Kuhn ebd., bes. 29 ff.

18 Vgl. die Stellen mit מַשְׂכִּיל nach K.G.Kuhn, Konkordanz 134.

19 In 1 QS 3,13 ff wird zugleich die Erfüllung des Gesetzes wichtig.

20 Die Qumrantexte weisen aber auch andere, weniger präzis erscheinende absolute Aussagen auf; vgl. z.B. 1 QH 9,11 f.

21 Doch dürfte eine Gruppenbildung in der Geschichte der jüd. Apokalyptik sicherlich zu beachten sein (vgl. Plöger, Theokratie 58 ff. 134 ff; Vielhauer bei Hennecke, Nt.Apokryphen II,419 f).

22 Allerdings könnte hier wie in Apg 23,6 Parallelismus vorliegen, der im zweiten Glied den Inhalt der "Hoffnung" angibt.

23 Ed. Staerk, Gebete 13 (palästinische Rezension). 17 (heutige Form).

24 Vgl. Bultmann, ThW II 529,29 ff, bes. Anm. 118.

25 Im Parallelismus der Gegenstand allerdings dann offensichtlich folgend.

26 Dabei setzt Paulus sich mit ihnen von den Sadduzäern ab, so daß hier eine Antithetik einkommt.

27 Man kann sogar fragen, ob nicht ein Antityp zu der schon erwähnten ἐλπίς ἀγαθή vorliegt.

28 Allerdings sollte man mit einem generellen Urteil darüber vorsichtig sein, ob in der Eschatologie des frühen Christentums absolute, kurze, mittellange oder ausführliche Aussagen über die Zukunft den geschichtlichen Einsatzpunkt dargestellt haben. Wahrscheinlich ist an kurze oder mittellange zu denken, von denen aus die Entwicklung weitergegangen ist. Das besondere Gewicht von Kurzaussagen stellt Luz, Geschichtsverständnis 301 ff, heraus. Paulus habe aus sachlichen Gründen keine Apokalypse üblichen Stils schreiben können. J.Becker, Erwägungen 597 ff, setzt ebenfalls bei den Kurzaussagen (rund fünfzig Belege) und nicht bei den umfangreichen Stücken (1 Thess 4-5; 1 Kor 15; 2 Kor 5 und Röm 8) ein, um das Problem von Anthropologie und Kosmologie, Eschatologie und Apokalyptik in der Theologie des Paulus zu klären.

29 Wenn Wolter, Rechtfertigung 127 ff, einen Unterschied zwischen dem Gebrauch von ἐλπίς mit eschatologischem Objekt und als theologische Existenzbestimmung (vgl. R.Bultmanns Rückgriff auf das AT) ohne Objekt sehen will, also gleichsam einen Unterschied zwischen zwei Hoffnungsbegriffen, dann ist das schon angesichts unseres Aussagentyps problematisch.

1 Balz, Heilsvertrauen 31, hebt hervor, daß Röm 8,12 ff auf die Fragen von Röm 7 antwortet und zugleich auf Röm 5 zurückgreift.

2 Seit Kümmels Nachweis (Römer 7, 1929) hat sich in der Paulusforschung die Auffassung durchgesetzt, daß mit dem ἐγώ der unerlöste Mensch gemeint ist (vgl. a.a.O. 138: "eine Schilderung des Nichtchristen vom christlichen Standpunkt aus"). Deshalb schreibt Paulus hier sicherlich nicht autobiographisch nur über sich oder über die christliche Existenz im Zwiespalt.

Zu S. 82-83:

3 Das ist hinsichtlich der Probleme von Erfahrung und Heilsgewißheit zu beachten, die in der Sekundärliteratur eine große Rolle
spielen (s.u.).

4 Vgl. auch das Seufzen des göttlichen Geistes in den Christen im
Verhältnis zum Stöhnen der "Schöpfung" (V.22) und der Christen
(V.23).

5 Aus diesen Gründen erscheint es nicht zweckmäßig, die eschatologische Einbettung der Aussagen mit unseren Synonymen in Röm
8,19 ff direkt aufgrund von 8,1-39 oder enger von 8,18-39; 8,18-
30 u.ä. zu untersuchen. Die Einheit 8,18-39 behandeln Balz, Heilsvertrauen (unter dem Gesichtspunkt: "Heilsvertrauen und Welterfahrung. Strukturen der paulinischen Eschatologie nach Römer
8,18-39"); Lewis, Theodicy. Röm 8,18-30 wird abgegrenzt bei Kümmel, EinlNT 268; ferner z.B. bei Althaus, Röm 82 ff; Käsemann,
Röm 221 ff; Kühl, Röm 290 ff; Kuss, Röm 619 ff; A.Schlatter, Gerechtigkeit 267-285; H.W. Schmidt, Röm 144 ff; Röm 8,18-27 bei
Luz, Geschichtsverständnis 377 ff; O.Michel, Röm 264 ff; Paulsen,
Überlieferung 107 ff.179 (a.a.O. 108-109 aber mit Gespür für die
Sonderstellung von V.26 f, wenn man an das Motiv der ἐλπίς
denkt); Röm 8,14-30 bei von der Osten-Sacken, Römer 8 143 f.
260 ff. In meiner Richtung stellt Lietzmann, Röm 19, zusammen;
vgl. auch Vögtle, Aussage 362-365. Im letzten Fall spielt wahrscheinlich wieder die Berücksichtigung der stringenten Zukunftsorientierung und des Beitrags von ἐλπίς und synonymen Wörtern
eine große Rolle.

6 Von der Osten-Sacken, Römer 8 263 ff, interpretiert jedoch selbst
V.19-22 z.T. von der Christologie her.

7 Nygren, Röm 240, weist ausdrücklich auf die beiden Äonen hin
(vgl. dabei den Gesamtrahmen seiner Deutung des Röm).

8 Vgl. Moulton-Geden, Concordance 29f (ὁ αἰὼν οὗτος Röm 12,2
u.ö., ὁ αἰὼν ὁ ἐνεστὼς πονηρός Gal 1,4). Doch kann das μέλλει
durchaus noch ὁ αἰὼν μέλλων assoziieren (vgl. O.Michel, Röm 265).
Das apokalyptische Gegenüber von ὁ αἰὼν οὗτος und ὁ αἰὼν
μέλλων im Griech. und von הזה העולם und הבא העולם im Hebr.
entsprechen einander (vgl. W.Bauer, WB 54 f). Zum Sprachgebrauch von καιρός s. die Stellenangaben bei Moulton-Geden,
Concordance 515. In ὁ νῦν καιρός (Röm 3,26 u.ö.) ist die negative Färbung vielleicht nicht durchgehend so stark wie in
ὁ αἰὼν οὗτος. Dem entspricht bei καιρός das Miteinander eines eschatologisch-zukünftigen Sinns in 1 Kor 4,5 und eines
eschatologisch-gegenwärtigen Sinns in 2 Kor 6,2 (vgl. auch Röm
13,11; 1 Kor 7,29; Gal 6,9 f). Zwar ist ebenfalls bei αἰὼν der Ge-
samtsprachgebrauch des Paulus komplexer, als es der apokalyptische Äonendualismus ausdrückt (vgl. z.B. die Bedeutung "Ewigkeit"). Dadurch verschiebt sich das dargestellte Verhältnis zu
καιρός aber nicht. Käsemann, Röm 224, setzt ὁ νῦν καιρός von

Zu S. 83-84:

dem bösen ὁ αἰὼν οὖτος ab. S. auch den 29. Exkurs bei Strack-Billerbeck, Kommentar IV, 2 799-976.

9 Vgl. Käsemann, Röm 125 f. In den Qumrantexten fehlt trotz des scharfen eschatologischen Dualismus, aber vielleicht ebenfalls in Entsprechung zum eschatologisch schon begonnenen Heil ein solches Gegenüber terminologisch; s. K.G.Kuhn, Konkordanz 159 f und die Nachträge dazu 214; DJD-Indizes. Zu beachten ist auch im antiken Judentum das Problem der Zugehörigkeit der Tage des Messias zu dieser oder der zukünftigen Welt (vgl. Strack-Billerbeck, Kommentar IV, 2 814 f u.ö.). In späteren Schriften des NT werden beide Seiten wieder terminologisch gebracht, vielleicht aufgrund einer Entschärfung eschatologischer Existenz (vgl. die Angaben bei Moulton-Geden, Concordance 29 f; so z.B. Mt 12,32; Eph 1,21).

10 Kritisch dazu W.Bauer, WB 55; Conzelmann, 1 Kor 198 f.

11 Vgl. zum Gedanken des Leidens Balz, Heilsvertrauen 95 ff; Strack-Billerbeck, Kommentar III, 243 ff.

12 T.Zahn, Röm 399, hat erkannt, daß die Aussage in V.18 umfassender als die in V.17 ist.

13 Falls es nicht nur floskelhaft steht.

14 Vgl. zu ihr Balz, Heilsvertrauen 93 ff; Kuss, Röm 619 f.621 f; O.Michel, Röm 265 f; Strack-Billerbeck, Kommentar III, 244 z.St. Dabei werden hellenistische und jüd.-rabb. Hintergründe beleuchtet.

15 So aber Käsemann, Röm 224, in Anlehnung an W.Bauer, WB 990. Er sieht Naherwartung sich äußern und dadurch eine Überleitung zu V.19-22 gegeben. In Gal 3,23 besitzt die Wendung jedoch deutlich einen anderen Sinn; vgl. W.Bauer ebd. ("unausbleiblich sein, sollen, müssen", und zwar nach göttlichem Willen).

16 Vgl. W.Bauer, WB 941; Käsemann, Röm 221.

17 Nach H.W.Schmidt, Röm 145, ist λογίζομαι hier wie in 3,28; 6,11 "Ausdruck für die Logik des Glaubens". Balz, Heilsvertrauen 93, weist (mit E.Fuchs) auf ein persönliches Moment hin. Nach Käsemann, Röm 224, meint das Verb "feststellendes Urteil", nicht "Überzeugung".

18 Röm 8,18 wird als einführende These bei Kuss, Röm 619 ff, beurteilt, die durch vier Hinweise in V.19-22. 23-25. 26-27. 28-30 entfaltet werde; vgl. auch Balz, Heilsvertrauen 93 ff; Käsemann, Röm 223; O.Michel, Röm 264 f. Abgeschwächter sieht Kühl, Röm 290 f, in V.18 die Einleitung zu V.18-30 (V.19-22. 23-25. 26-27. 28-30), und zwar im Sinn eines Übergangs zu den dann folgenden Ausführungen.

19 Vielfach ist in der Forschung aber anders zugespitzt worden. Den Gesichtspunkt des Leidens deutet Lütgert auf konkrete Verfolgungen der Christen Roms (Römerbrief 106 ff zu Röm 8,17 f.31 ff).

Zu S. 84-85:

Doch sind dafür die Aussagen des Paulus zu grundsätzlich theologisch. In anderen Interpretationen werden das Problem der Sicht-
barkeit des Heils angesichts der gegenwärtigen Leiden, Drangsale
bzw. das Problem der Unanschaulichkeit oder Erfahrung des Heils
in der Gegenwart (vgl. Kuss, Röm 619.622 u.ö.; H.W.Schmidt,
Röm 144) und überhaupt das Problem der Heilsgewißheit (vgl.
Kühl, Röm 290; Kümmel, EinlNT 268; H.W.Schmidt, Röm 144 f;
kritisch dazu Käsemann, Röm 222 f) thematisch, dabei im Zusammenhang mit Zweifeln und Anfechtung (vgl. schon Melanchthon,
Röm z.St., ed. R.Schäfer 237,4-5). Das Problem von Rationalität
und Empirie betont Balz, Heilsvertrauen 95 u.ö. Doch ist die Frage nach der Gewißheit hier in vieler Hinsicht modern gestellt, und
zwar im Gefolge der Reformation, sieht aber dennoch etwas Richtiges. Denn einmal kommen solche Gedanken im ganzen Kapitel Röm
8 vor (s. z.B. 8,16). Sie entsprechen zum anderen auch wichtigen
Aspekten unseres Abschnitts. Doch können sie nicht zum Leitge-
danken von Röm 8,18-25 gemacht werden. Allerdings weist schon
T.Zahn, Röm 400, auf die zentrale Bedeutung der zukünftigen
Herrlichkeit hin (dabei mit Kritik an der Betonung der Gewißheit
oder dem Hervorheben eines retardierenden Momentes, a.a.O. 399 f),
Kühl, Röm 290, auf einen Beitrag zur Steigerung der Sicherheit
und Freudigkeit der christlichen Zukunftshoffnung (dabei mit Kritik an einer Interpretation, nach der Paulus hier trösten oder zur
Geduld im Leiden ermahnen will). Das bezieht sich bei beiden allerdings nicht nur auf V.18-25. Auf das Gewißheitsproblem selbst
lenkt dagegen neuerdings wieder Balz zurück, und zwar in ausdrücklicher Kritik an T.Zahns Betonung der unermeßlichen Größe
und Bedeutung der zukünftigen Herrlichkeit (Heilsvertrauen 101 f).
Wenngleich auch Luz das Gewißheitsproblem betont (Geschichtsverständnis 369 ff), so besitzt er doch ein Gespür für das besondere
Gewicht der Zukunft (a.a.O. 374.375.383 f u.ö.); vgl. aber auch
Balz, Heilsvertrauen 125 ff. Käsemann sieht in Röm 8,18-30 das
Thema "Das Sein im Geiste als Stand in der Hoffnung" und ent-
sprechend in V.17c eine antienthusiastische Tendenz (Röm 221 ff).
Die Hoffnung wird (neben dem Trost) auch schon bei Gager, Di-
versity 327 ff, besser gewürdigt, und zwar wohl nicht zuletzt in
Entsprechung zur richtigen Abgrenzung von 8,18-25.

20 Diese Aufteilung ist sachlich so deutlich, daß sie in der Sekundärliteratur weithin beobachtet wird; vgl. z.B. Althaus, Röm 83;
Käsemann, Röm 223 (dabei aber zugleich gegen eine Zweiteilung,
in welcher Schöpfung und Christen getrennt würden); Kuss, Röm
620; nur anklingend bei O.Michel, Röm 264 f.

21 Deshalb sollte man aber nicht gleich folgern, daß auch die Christen bei der κτίσις gemeint sind.

Zu S. 85:

22 Es kann aber auch hier wieder floskelhaft verwendet sein.

23 Wenn V.19-22 in der Forschung so aufgeteilt werden, daß V.19 eine Behauptung, V.20 f eine Begründung und V.22 eine zusammenfassende Eingliederung in den gesamten Gedankengang darstellen (vgl. Balz, Heilsvertrauen 36, ferner Paulsen, Überlieferung 108 f), dann ist das nicht unbedingt zwingend. Denn die Aussagen des Paulus über die "Schöpfung" sind nicht streng durchgegliedert. Das besagt jedoch nicht, daß sie unter dem Blickwinkel des Paulus nicht durchdacht sind. Aus der großen Fülle der Literatur zu den Aussagen des Paulus in Röm 8,19-22 sei auf folgende wichtige Beiträge hingewiesen: Balz, Heilsvertrauen 36 ff; Baumgarten, Paulus 170 ff; Biedermann, Erlösung, bes. 69 ff; Blair, Romans 8,22 f; de la Calle Flores, Esperanza; Gerber, Röm 8,18 ff; Hommel, Schöpfer 7 ff; Käsemann, Röm 221 ff bzw. 224 ff; Kuss, Röm 622 ff; G.W.H.Lampe, Doctrine; Lietzmann, Röm 84 f; Luz, Geschichtsverständnis 378; Lyonnet, Redemption; O.Michel, Röm 264 ff; Paulsen, Überlieferung 112 ff.129f; Schläger, Ängstliches Harren; A.Schlatter, Gerechtigkeit 269 f; Schlier, Das, worauf ...; H.W.Schmidt, Röm 145 f; Schwantes, Schöpfung 43 ff; Siber, Mit Christus 143 ff; Stacey, God's Purpose; Strack-Billerbeck, Kommentar III,245 ff; Viard, Expectatio; Vögtle, NT, bes. 183 ff; B.Weiß, Röm 359.361 f; T.Zahn, Röm 400 f.

24 Die Aussage in V.19 über die zukünftige Offenbarung der Gottessöhne kann hier nur indirekt angeführt werden.

25 Vgl. die Aoriste parallel zum ἐσώθημεν der Christen in V.24a.

26 S. zur Bedeutung W.Bauer, WB 406.1696.

27 Vgl. Rengstorf, ThW II 264,28-30.

28 Vgl. O.Michel, Röm 268, zu Substanzaspekten.

29 S. Hesiod Op 106 ff; Dan 2; 7; äthHen 93 und 91,12-17. Vgl. zu Hesiod und zur Apokalyptik Noth, Geschichtsverständnis, und die Beiträge in "Wege zur Forschung" Bd. 44 (zu Hesiod) 439 ff (Bamberger u.a.). Dabei wird in diesen Arbeiten auch indisches und persisches Gedankengut berücksichtigt. Daß solche Vorstellungen in der beginnenden röm. Kaiserzeit im allgemeinen kulturellen Bewußtsein vorhanden waren, zeigen z.B. die vier Weltzeitalter bei Ovid Metam I,89 ff.

30 Vgl. 4 Esr 7,11 f.

31 S. z.B. im valentinianischen System nach dem Bericht des Hippolyt Ref VI 29,1 ff (ed. Völker, Quellen 127,12 ff; vgl. W.Foerster, Gnosis I,241 ff). Anthropologisch verengt auf eine Bestrafung der Seelen sind derartige Gedanken in der Hermetik (s. Κόρη κόσμου Fragment XXIII, 14 ff) und Gnosis (vgl. den sog. Naassener-Psalm von (dem Abstieg) der Seele bei Hippolyt Ref V 10,2, ed. Völker, Quellen 26,1 ff; das sog. Perlenlied in den Thomasakten 108 ff, ed. Lipsius-Bonnet, Acta Apostolorum Apocrypha II,2 219,18 ff, u.ä.) zu beobachten. Das besitzt bis dort schon eine

Zu S. 85-86:

weite geschichtliche Tradition. Überhaupt ist in diesem Zusammenhang auf den (spät-)antiken Emanationsgedanken und einen Abstieg von oben nach unten zur Erklärung des Bösen als auf einer
tieferen und minderwertigen Seinsstufe stehend hinzuweisen. Hier
spielen räumlich-kosmologische Vorstellungen und Substanzaspekte
eine Rolle. Dagegen sind an diesem Punkt in der Weltzeitalterauf-
fassung und der Apokalyptik Zeit und Geschichte leitend.

32 Dabei zeigen sich Unterschiede z.B. in der Gnosis selbst, wenn
an Zwei-, Drei-, Vierprinzipiensysteme u.ä. gedacht wird. In der
Stoa konnte im Rahmen eines geschlossenen Kosmos sogar ein Nacheinander von Weltperioden angenommen werden, die jeweils im Wel-
tenbrand untergehen; s. z.B. von Arnim, Fragmente II 190,10 ff.
37 ff bzw. 183,41 ff (u.a. Chrysipp; vgl. Bultmann, Geschichte
25) und dann auch Philo, z.B. AetMund § 75 ff. Das Weltjahr
(saeclum), auf dessen Kommen sich alles (das ganze Weltall) freut,
bei Vergil Ecl IV 50-52 ordnet sich in den Zusammenhang solcher
Weltperioden ein (vgl. Hommel, Schöpfer 19 ff, bei der Interpretation von Röm 8).

33 S. dazu die klassisch gewordene Darstellung von Gunkel, Schöpfung;
ferner Bousset-Greßmann, Religion 283 ff.

34 Recht differenzierte Ansichten in der Apokalyptik selbst stellt Balz,
Heilsvertrauen 47, dar.

35 Vgl. zu den religionsgeschichtlichen Fragen neuerdings vor allem
Balz, Heilsvertrauen 41 ff, und zwar mit dem beachtlichen Fazit
(47): "Nur dadurch kann das Weltverständnis der Spätantike für
Paulus also zur Kommunikationsbasis werden, daß es sich die Grund-
intentionen der apokalyptischen Schöpfungstheologie gefallen läßt."
Zum at.-jüd. Horizont vgl. Kuss, Röm 630 ff.

36 An den Fall Adams wird in der Forschung weithin gedacht; vgl.
z.B. Käsemann, Röm 224 ff; O.Michel, Röm 267. Das entspricht
der Bedeutung von Texten wie Röm 5,12 ff; 1 Kor 15,21 f. Doch
sind von einer Stelle wie 1 Kor 6,3 her auch Engelwesen zu beachten. Solche Vorstellungen sind ebenfalls in der Apokalyptik wichtig
gewesen (s. z.B. äthHen 6,1 ff; vgl. auch Balz, Heilsvertrauen
42 f, der das aber nicht für Röm 8,20 auswertet, da er den Fall
a.a.O. 41.47 ff nur auf den Menschen bezieht). Allerdings ist in
äthHen 6,1 ff der Fall der Engel später als der Fall Adams (vgl.
Gen 6,1 ff). Jedoch setzt die Schlange in der at. Sündenfallüber-
lieferung eine schon ältere böse Macht voraus (vgl. 2 Kor 11,3 bei
Paulus). Auch deuten sich schon gleich in Gen 3,14 ff universale
Aspekte an (vgl. die Verfluchung des Erdbodens). Wenn die neuere
Theologie hier meist beim Menschen, also Adam, einsetzt, dann
bleibt sie bei einem anthropologischen Ansatz, schon um Geschichte gegen Mythologie hervorzuheben. Doch könnten solche mythologischen Aspekte im Blick auf die Engelwelt auch in der Moderne in-

Zu S. 86-87:

sofern zu beachten sein, als sie das Böse in einem größeren Horizont sehen lassen. Denn es hat, so lehrt uns die moderne Wissenschaft, sicher schon vor dem Menschen Leben in der Weise gegeben, daß Leben anderes Leben versklavt und vernichtet hat, daß Werden und Vergehen aufeinanderfolgten.

37 Ein jüd.-apokalyptischer Hintergrund wird in der Forschung weithin erkannt, so z.B. bei Käsemann, Röm 222 ff; O.Michel, Röm 264 ff (dabei mit Hinweis auf einen hellenistischen Einschlag).

38 Schon wegen dieser Gesichtspunkte der Unterwerfung und Befreiung ist die Auffassung von H.W.Schmidt, Röm 145 f, abzulehnen, die in der κτίσις zunächst die Menschenwelt bzw. Menschheit sieht und aus christologischen Gründen der Schöpfung nicht ursprünglich, sondern erst eschatologisch eine "Herrlichkeit" zuschreibt. Zwar macht Paulus in Röm 8,19-22 keine Aussage, die der "Schöpfung" in der Vergangenheitsrichtung eine δόξα zuspricht. Dennoch ist vorausgesetzt, daß die "Schöpfung" sich einmal in einem Zustand befand, der heilvoll war, der nicht durch ματαιότης und φθορά bestimmt war (vgl. δόξα als Gegenbegriff zu ματαιότης und φθορά).

39 So ist an den Gedanken der Nichtigkeit in Pred 2,17.23 (s. ματαιότης in der LXX) und der Vergänglichkeit in den Priene-Inschriften 105,8 (ca. 9 v.Chr.; vgl. Dittenberger Or II 458,8) zu erinnern. In der jüd. Apokalyptik sind solche Aspekte im Blick auf diesen bösen Äon und sein Ende verständlich, wie z.B. φθορά in der griech. Überlieferung äthHen 106,17 f zeigt. Vgl. Balz, Heilsvertrauen 39 f.50; Bauernfeind, ThW IV 525,5 ff; Harder, ThW IX 94,12 ff; O.Michel, Röm 266 ff.

40 Genau genommen kann man hier bei der "Schöpfung" nicht von einer gefallenen Schöpfung reden, schon da die "Schöpfung" lediglich unter den Folgen des Falls gezeichnet wird, der durch Adam und vielleicht auch durch Engelwesen eingetreten ist.

41 Wenn man von den Aussagen mit ἀποκαραδοκία, ἐλπίς, στενάζειν u.ä. ausgeht, könnte man daran verallgemeinernd denken. Doch ist das im Sinn der Schöpfungsgedankens hier nicht universal genug. Ein nicht selten in der Antike belegtes Warten u.ä. von Tieren (vgl. Aristoteles Hist An IX 12 p 597a 11 f; Ps 104,27 oder auch 4 Esr 7,65 f) führt hier letztlich nicht weiter. Das gilt auch für die Vorstellung einer Beseelung des Kosmos oder den Organismusgedanken in der Stoa (vgl. zu Zeno Citieus von Arnim, Fragmenta I 27,5 ff; zu Cleanthes a.a.O. I 110,25 ff; zu Chrysippus a.a.O. II 191,34 ff).

42 Wenn Paulus sonst noch Aussagen über Menschen macht, die z.T. in eine ähnliche Richtung wie Röm 8,19-22 zu weisen scheinen, und zwar kollektiv in Röm 5,14 und individuell vielleicht in Röm 7,7 ff, ferner in Röm 1,19 f; 2,14 f (vgl. auch Käsemann, Röm 227 f), dann

Zu S. 87-88:

bringt die Soteriologie aber auf jeden Fall Unterschiede zu Röm 8,19-22. Zu wichtigen Interpretationstypen dafür, wer mit κτίσις in Röm 8,19-22 gemeint ist, s. K.-A.Bauer, Leiblichkeit 171 f; Käsemann, Röm 224 f; Kuss, Röm 622 ff; O.Michel, Röm 266; Vögtle, Zukunft 184 ff. Eine Allversöhnung und Allerlösung (vgl. H.W.Schmidt, Röm 146) erscheint mir im Rahmen der paulinischen Soteriologie unwahrscheinlich. Denn der Gerichtsgedanke darf nicht übersprungen werden.

43 Dagegen ist die Sicht der Christen konkreter geworden, insofern sie sich an der Wiederkunft Jesu Christi orientieren. In dieser Richtung ist die Folgerung von Balz, Heilsvertrauen 54, bemerkenswert: "Lassen sich aber im Bereich der Schöpfung lediglich Harren und Hoffen auf Befreiung von der gegenwärtigen Unterwerfung unter den schuldigen Menschen konstatieren, so kennen die Christen selbst ein wesentlich konkreteres Ziel ihrer Hoffnung." Vgl. auch Käsemann, Gottesdienstlicher Schrei 218 f.

44 Es ist durchaus die Interpretationsüberlegung durchspielbar, daß die "Schöpfung" im Umkreis des Falls gesehen hat, wie die Freiheit und Herrlichkeit der Gotteskinder gewesen ist, die bei den gefallenen Geschöpfen verlorengegangen ist. Insofern kann sie auch auf einer solchen Grundlage projizieren.

45 Vgl. Käsemann, Röm 221.227 f; O.Michel, Röm 267 f.

46 So aber Käsemann, Röm 228; O.Michel, Röm 268 f. Wenn man ihnen nicht zustimmen will, so wird man jedoch traditionsgeschichtlich einen eschatologischen Horizont bei dem Bild von den Wehen zu bedenken haben. Bei dem "Stöhnen" in συστενάζειν könnte zudem ein hellenistisch-synkretistischer Hintergrund zum Vorschein kommen. Überhaupt ist der Gedanke des Stöhnens unter der Einwirkung schlimmen Geschicks u.ä. in der Antike verbreitet. So ist schon ein derartiges στενάζειν bei den Tragikern bemerkenswert, z.B. Euripides Alc 199. Vgl. στεναγμός u.ä. bei der Sinnlichkeit im Werk Philos, z.B. Leg All III § 211 ff (z.T. aber in eine etwas andere Richtung gehend); ferner das Verb in Aussagen über die bestraften Seelen in der Hermetik (Κόρη κόσμου Fragment XXIII, 33.36; vgl. ebd. 25 ff). Doch ist στενάζειν auch in der jüd. Apokalyptik, und zwar in der griech. Überlieferung äthHen 9,3 (bei Georgius Syncellus), zu beachten. Vgl. O.Michel ebd.; J.Schneider, ThW VII 600,2 ff.

47 Allerdings versteht Käsemann, Röm 228, diese Wendung als Aufnahme des ὁ νῦν καιρός in V.18 (gemeint sei der eschatologische Augenblick, welcher der Parusie vorangehe).

48 Es ist durchaus eine plerophore und nicht völlig durchreflektierte Aussageweise des Paulus zu erwägen.

Zu S. 88-90:

49 Obwohl in der Forschung weithin generell ein apokalyptischer Hintergrund herausgestellt wird, ist dabei bisher nicht genug erkannt worden, daß die "Schöpfung" hier strukturell geradezu charakteristisch im apokalyptischen Äonendualismus gesehen wird. Und zwar wird sie in der Gegenwart dem bösen Äon zugeordnet, wie die Gerechten und Frommen der jüd. Apokalyptik seiner Macht ausgesetzt. Aufgrund dieser sozusagen klassisch jüd.-apokalyptischen Vorstellungsweise kann traditionsgeschichtlich schwerlich Genaueres für einen Weg vom Judentum über das frühe Christentum zu Paulus erhoben werden. So sieht Paulsen, Überlieferung 112 ff, den Paulus in Röm 8,19-21 bezeichnenderweise nicht an urchristliche Überlieferungen anschließen, sondern in Aufnahme (apokalyptisch-)nachalttestamentlicher Begriffsfelder eigene Theologie zur Sprache bringen.

50 Man kann mit einem gewissen Recht sogar von einer gleichsam fundamentaltheologischen Funktion von Röm 8,19-22 für 8,23-25 sprechen. Das wird gleich noch deutlicher werden.

51 Die Interpretation von ἀπαρχή ist in der Forschung umstritten, und zwar hinsichtlich des geschichtlichen Hintergrunds der Vorstellung, des Verhältnisses zu ἀρραβών und des Sinns an unserer Stelle; vgl. die Ausführungen bei Balz, Heilsvertrauen 56; W.Bauer, WB 161; Behm, ThW I 474,9 ff; Delling, ThW I 483,7 ff; Käsemann, Röm 229; O.Michel, Röm 269 f; Paulsen, Überlieferung 120. Auf jeden Fall ist der göttliche Geist als Vorweggabe des eschatologisch-zukünftigen Heils anzusehen, so daß bei dem eschatologisch begonnenen Heil zugleich eine Zukunftsorientierung wichtig wird. Kaum ist gemeint, daß der Begriff eine Teilausschüttung des Geistes beschreibt. Bei der Verbindung von ἀπαρχή, ἀπολύτρωσις, υἱοθεσία ist überhaupt das Miteinander verschiedener Vorstellungszusammenhänge zu beachten, die vor allem Opfersprache, Sakral- und Kult-, Handels-, Sklaven-, Familienrecht und Recht generell betreffen. Ein terminus technicus-Charakter muß bei diesen Wörtern berücksichtigt werden. Paulus ordnet sie aber speziell der Beschreibung des eschatologischen Heils der Christen zu.

52 Dagegen ausdrücklich Kühl, Röm 296, und zwar zugunsten eines kausalen Verständnisses; umgekehrt Käsemann, Röm 229.

53 Vgl. die Parallelität zu den Aoristen in V.20. Ein gnomischer Aorist wird in V.24a bei Balz, Heilsvertrauen 60, angenommen.

54 Vgl. Cambier, Espérance 95 f.

55 Man darf hier auf eine gewisse Strukturparallele zwischen Röm 8,24a und 1 QH 3,20 f hinweisen; vgl. bereits H.-W.Kuhn, Enderwartung 179 f. Das Perfekt צרחז in 1 QH 3,21 könnte dem Aorist ἐσώθημεν in Röm 8,24a entsprechen. Doch wird in 1 QH 3,20 f anders als in der knappen Aussage Röm 8,24a die unmittelbare Gegenwart nicht lediglich durch die Existenz in der "Hoffnung" markiert, zu der hin

Zu S. 90-92:

die Rettung geschah. Auch ist in 1 QH 3,20 f die spes quae speratur stärker im Blick.

56 Bemerkenswert ist, daß Paulus in der allgemeinen Bestimmung V.
24b.c in diesem Sinn schon älter belegtes ἐλπίς und ἐλπίζειν
verwendet, während er in der christlichen Zuspitzung von V.25
noch das in unseren Quellen erst bei ihm in Synonymbedeutung
gebrauchte ἀπεκδέχεσθαι hinzufügt.

57 Wahrscheinlich steht auch 2 Kor 12,1 ff in dieser Tradition. Es
erhält bei Paulus aber theologisch einen anderen Stellenwert.

58 Vgl. z.B. Ez 1,1 ff in der Berufungsvision des Propheten und
Jes 29,18 eschatologisch-zukünftig in der bald kommenden Heilszeit. S. auch Dubarle, Lois.

59 Vgl. schon im Rahmen der Ideenlehre bei Plato, wie das sog. Höh-
lengleichnis Resp VII 514a ff zeigt. Doch ist bei Plato gerade auch
die Schau im irdischen Leben ein begehrtes Ziel (vgl. Symp 211d-
212a). Außerdem ist in der Philosophie Platos das Verhältnis
"sichtbar-denkbar" zu beachten (s. dazu Tim 92c; das sog. Li-
niengleichnis Resp VI 509c ff). Für unseren Zusammenhang der
Frage nach den Wirkungen des Platonismus ist jedoch vor allem
der Gesichtspunkt der Schau im Blick auf die Welt der Ideen festzuhalten. In Phaed 78b ff ist er entsprechend hinsichtlich der Welt
des Göttlichen, Unsterblichen usw. wichtig (vgl. dort ὁ τῆς
διανοίας λογισμός, καθ᾽ αὐτὴν σκοπεῖν bei der Seele). Solche Gedanken können dem Paulus populär-philosophisch vermittelt
worden sein.

60 Vgl. zu den Hintergründen des Problems "sichtbar-unsichtbar"
Balz, Heilsvertrauen 61 ff. Dabei meint Balz a.a.O. 66 f Anm. 94
allerdings, daß Paulus in Röm 8,24 unapokalyptisch spricht.

61 Vgl. 2 Kor 4,18; 5,7.

62 Paulsen, Überlieferung 121 f, will in V.23-25 einen predigtartigen
Zusammenhang sehen, der nicht erst von Paulus geprägt worden
sei. A.a.O. 121 weist er für V.24b.c auf die Bedeutung der paulinischen Theologie hin, erwägt aber zugleich einen weisheitlichen
Überlieferungshorizont, eine Beziehung auf urchristliche Überlieferung.

63 Hier könnte ein christliches Spezifikum vorliegen. Doch ist auch
generell in der Apokalyptik der Gedanke der Geduld oder des
Wartens belangreich. Das Gewicht des Wartens und der Geduld in
der at.-jüd. und frühchristlichen Apokalyptik zeigen z.B. Dan
12,12 und der Sachverhalt in der nt. Apk, daß dort ἐλπίς und
synonyme Wörter nicht vorkommen, sondern stattdessen ὑπομονή
(s. Moulton-Geden, Concordance 326 f.980; vgl. dazu Bultmann,
ThW II 529,22-24).

64 Vgl. das Überwiegen der spes qua speratur bei absoluten Aussagen des Paulus mit ἐλπίς.

Zu S. 92-94:

65 Die Ausführungen in V.24 f bedeuten aber nicht, daß Paulus die Objekte zu einem reinen Daß auf Kosten des Was verblassen bzw. zurücktreten lassen hat. Schon die Objekthinzufügungen in unserem Text sprechen dagegen. Deshalb dürfte sich das Unverfügbarkeits- problem vor allem auf das Eintreten der Gegenstände selbst und die volle und genaue Offenbarung angesichts einer verhüllten, gebro- chenen und paradoxen Wirklichkeit beziehen.

66 Selbst hier weist H.W.Schmidt, Röm 149 f, auf die Hoffnung hin; vgl. ferner Paulsen, Überlieferung 131.

67 Das hat immerhin bereits Lietzmann erkannt (s.o.). Entsprechend erwägt er für V.26 f nach dem eschatologischen Ausblick in V.18- 25 eine Beziehung zu V.15 f. Allerdings ist auch für ihn in unse- rem Abschnitt das Gewißheitsproblem wichtig. S. Lietzmann, Röm 19.86. Auch K.Barth, Röm 285 ff, behandelt V.18-25 als Einheit, dabei allerdings im Rahmen von 8,11-27 unter dem Gesichtspunkt "Die Wahrheit" (a.a.O. 270 ff).

68 Bemerkenswert ist, daß Paulus in Röm 8,18-25 nicht ausdrücklich von einer Neuschöpfung spricht. Das tut er selbst bei den Aussa- gen über die "Schöpfung" in V.19-22 nicht. Eigentlich paßt der Gedanke einer neuen kosmischen Schöpfung auch nicht in die Struk- tur dieser Aussagen über das Geschick der κτίσις. Insofern ur- teilt Paulus im Blick auf die gesamte Schöpfung vielleicht sogar we- niger radikal als etwa 2 Petr 3,10 ff, wo eine universale zukünfti- ge Neuschöpfung in Anlehnung an Ankündigungen wie in Jes 65,17; 66,22 vertreten wird. Paulus spricht in unserem Text aber auch nicht ausdrücklich von einer Neuschöpfung im Blick auf die Chri- sten. Allerdings tut er das an anderer Stelle, indem er καινὴ κτίσις in seinen Briefen lediglich auf Christen bezieht und da- durch den Übergang des Menschen zum Christentum beschreibt (2 Kor 5,17; Gal 6,15). Vielleicht war dem Paulus der Begriff κτίσις im Röm 8,18 ff schon zu sehr besetzt. Auch ist die star- ke Zukunftslastigkeit dieser Stelle zu beachten.

69 Deshalb wird er in der Forschung auch so in der Regel abgetrennt; s. z.B. Kümmel, EinlNT 220; Harnisch, Existenz; E.Lohse, Entste- hung 34; Oepke, 1 Thess 159.172 ff. Wenn Friedrich, 1 Thess 5 (s. das Ergebnis a.a.O. 314), 5,1-11 als apologetischen Einschub eines Späteren (aus der Zeit und dem Kreise des Lukas), also als nichtpaulinisch, ansehen will, so bleibt das aus mehreren Gründen problematisch, und zwar nicht zuletzt aus eschatologischen. Wir stoßen auch schon vorher auf kurze eschatologisch-zukünftige Aus- blicke, wie z.B. gleich in 1,3.9 f. Vgl. ferner Eschatologie in 2,12.16.19 f; 3,1-5.12 f; 4,6 und später in 5,23 f.

70 Dieser Sinn würde dem λυπεῖσθαι als "betrübt sein, traurig sein" entsprechen.

Zu S. 94-95:

71 Dafür plädiert besonders die Berücksichtigung eines Motivs (vgl.
Eph 2,12). M.Dibelius, 1 Thess 24, erwägt für 4,13 ein jüd. oder
christliches apologetisches Schlagwort.

72 Allzu leicht werden diese Differenzierungen in der Forschung ver-
kannt, so z.B. selbst noch bei Luz, Geschichtsverständnis 322 ff
(318 ff), wenn er für 4,13-18 herausstellt: "Das Ziel des Paulus:
Hoffnung aufgrund des Glaubens".

73 Jedenfalls wird Paulus zumindest nur dürftig eine zukünftige Auferstehung der Toten erwähnt haben, so daß akute Todesfälle die
Thessalonicher in Schwierigkeiten, Zweifel und Anfechtungen stür-
zen konnten, zumal die heidnische Umwelt mächtig war (vgl. 1,9;
2,14). Vielleicht hatte er gerade wegen der Konzentration auf die
Parusie in Thessalonich nicht solch einen Wert darauf gelegt, zumal das Sachanliegen der Auferstehung der Toten an sich auch
bei der "Entrückung" gewahrt war. Vgl. die Problemskizzen und Lö-
sungsversuche bei M.Dibelius, 1 Thess 23 f (u.a. mit der Bemerkung, daß die Missionspredigt des Paulus in Thessalonich nicht von
der Möglichkeit geredet hatte, daß Christen vor der Parusie sterben würden; vgl. J.Becker, Auferstehung 32 ff bzw. 46 ff; G.Lü-
demann, Paulus I,220 ff); von Dobschütz, 1 Thess 183 ff (a.a.O.
189 bestreitend, daß Paulus in Thessalonich von der Totenauferste-
hung nicht geredet habe, allerdings dabei das Problem einer ersten
und zweiten Auferstehung eintragend); Harnisch, Existenz 19 ff.
159 f (seine eigene These: Kritik des Paulus wohl an gnostischen
Auffassungen, die auf dem Hintergrund des gnostischen Selbstverständnisses die absolute Überlegenheit der Lebenden über die Toten
vertraten); Luz, Geschichtsverständnis, 318 ff (die Thessalonicher
dachten nicht systematisch-apokalyptisch, a.a.O. 321); Marxsen,
Auslegung 25 ff; Oepke, 1 Thess 172; Vielhauer, Geschichte 87 f.

74 Vielhauer, Geschichte 86 f, sieht den Akzent nicht auf der Beleh-
rung über eschatologische Ereignisse, sondern auf der Tröstung
für die Gegenwart liegen. Diese Interpretation klingt schon bei M.
Dibelius, 1 Thess S.1.28, an. Vgl. auch Luz, Geschichtsverständnis 318 ff.

75 Die Aussagen bergen im einzelnen zahlreiche Probleme in sich, wenn
wir an Inhalt und Umfang des Herrenwortes u.ä. denken. Vgl. dazu Baumgarten, Paulus 91 ff; M.Dibelius, 1 Thess 23 ff; von Dobschütz, 1 Thess 183 ff; Haack, Studie; Harnisch, Existenz 19 ff;
Luz, Geschichtsverständnis 318 ff; Marxsen, Auslegung; Nepper-
Christensen, Herrenwort; Rigaux, 1 Thess 524 ff.

76 Vielhauer, Geschichte 86 f, betont sogar, daß in 4,15-17 an sich
eine kleine Apokalypse vorliege, für die sich Paulus auf ein Herrenwort berufe.

77 Stellt man einen Vergleich mit genuin apokalyptischen Texten bzw.
Apokalypsen an, so ist 1 Thess 4,14 ff im Verhältnis z.B. zu Dan

Zu S. 95-96:

2 nur auf das Kommen des Gottesreiches, also die eine Seite, zu beziehen. Die andere Seite setzt Paulus hier demgegenüber als kompakte Größe voraus. Er entfaltet sie nicht, wie das in Dan 2 durch die aufeinanderfolgenden Weltreiche der Fall ist. Allerdings werden auch in Dan 2 die Weltreiche bereits in gewisser Weise im Verhältnis zum Gottesreich zusammengefaßt (so nach der Beobachtung von Noth, Geschichtsverständnis 262 f).

78 Vgl. die Schlußparänesen bzw. -paraklesen in äthHen 91-105.

79 Doch finden sich dort auch schon vorher solche Einfügungen; vgl. Mk 13,21-23; Mt 24,23-25.

80 Wegen des speziellen Problems in 4,13 ff sollte παρακαλεῖν in V. 18 vielleicht primär als "trösten" aufgefaßt werden.

81 So z.B. bei E.Lohse, Entstehung 34; Wohlenberg, 1 Thess 103.

82 Gegen eine Anfrage z.B. von Dobschütz, 1 Thess 184 (allerdings auch im Blick auf 4,13-18); Harnisch, Existenz 52 (ff).

83 Solche Unterschiede zwischen 4,13-18 und 5,1-11 werden in der Forschung häufig nicht genügend erkannt. Doch hätte bereits 4,9 für die περί-Wendungen Derartiges berücksichtigen lassen können. Eine Differenzierung zwischen 4,13-18 und 5,1-11 nimmt aber z.B. von Dobschütz, 1 Thess 202, vor.

84 So wird bei W.Bauer, WB 1755 f, für den Plural ein längerer, aus mehreren einzelnen Zeitabschnitten zusammengesetzter Zeitraum angenommen. Wenn der Plural allein steht, dann faßt er in jedem Fall bereits zusammen. Erst recht wenden sich die Bedeutungen "Frist, Aufschub" (vgl. W.Bauer, WB 1756) u.U. von Geschichtsüberblikken zugunsten eines existentiellen Moments ab. Allerdings interpretiert Delling, ThW IX 588,7 ff, unsere Stelle durch "Fristen" im Sinn des Ablaufs der Ereignisse vor dem Ende. In der Gräzität ist die Umschreibung durch "Termin, Tageszeit, Datum" zu beachten (vgl. Delling a.a.O. 577,27 ff). Sie kann auch im AT und antiken Judentum (vgl. Delling a.a.O. 581,1 ff) sowie im NT (vgl. Delling a.a.O. 587,5 ff) vorliegen. Entsprechend nimmt von Dobschütz, 1 Thess 203 f, in unserem Vers für das Miteinander beider Begriffe eine (im überlieferten apokalyptischen Sprachgebrauch stehende) Bezeichnung des Termins an ("Zeit der Parusie"). Bei Paulus bedeutet χρόνος meist jedoch "Zeitstrecke" (s. die Angaben bei Moulton-Geden, Concordance 1018). Neuerdings denkt auch Harnisch, Existenz 54 f, an die bis zum Eschaton noch ausstehende Zeitspanne.

85 Vgl. die wichtige Bedeutung "Zeitpunkt" bei W.Bauer, WB 779-781. Auch die Stellen der Paulusbriefe sind hier sehr viel stärker als "Zeitpunkt" zu verstehen (s. die Angaben bei Moulton-Geden, Concordance 515). Vgl. ferner Delling, ThW III 456,13 ff.

86 In dieser Richtung sind wohl z.T. auch die Zeitbegriffe der Qumrangemeinde aufzufassen, z.B. in 1 QS 3,13 ff, weniger jedoch in

Zu S. 96-97:

1,14 f (vgl. dazu die Angaben der Konkordanz von K.G.Kuhn, z.B. 194 s.v. קץ, 117 s.v. מרעד, 49 s.v. דור, 231 s.v. תולדות, entsprechend in den Nachträgen 224.204.188). Doch ist es auch in 1 QS 3,13 ff bemerkenswert, daß weniger detaillierte Geschichtsüberblicke gegeben, als daß eschatologisch-dualistische und prädestinatianische Größen einander gegenübergestellt werden. In 1 QS 4,18.25 ist ein bestimmter Zeitpunkt gemeint.

87 Es ist dabei die Richtung zu einer Hendiadyoin-Aussage zu vermuten (vgl. von Dobschütz, 1 Thess 204). Auch in Apg 1,7 scheint sich die Kombination ähnlich auf das Eintreffen der eschatologischen Zukunft zu beziehen, obgleich gerade in den lukanischen Schriften an sich eine geschichtliche Erstreckung thematisch geworden sein könnte (vgl. die Interpretation bei Haenchen, Apg 111 f: keine Naherwartung mehr, Verbot der Frage nach dem Termin der Parusie). Das gilt offensichtlich ebenfalls für Apg 3,20 f. S. zu 1 Thess 5,1 vor allem noch Best, 1 Thess 203 f.

88 Nach W.Bauer, WB 686 f, ist abgesehen von einer Stelle, und zwar einem at. Zitat (Apg 2,20/Jo 3,4), Jesus Christus der Herr eines solchen eschatologischen Tages; vgl. Delling, ThW II 955,10 ff; von Dobschütz, 1 Thess 205.

89 Zwar wendet sich Bammel dagegen, von einer Nah- oder Nächsterwartung bei der Interpretation der Theologie des Paulus auszugehen. Doch sieht er gerade im 1 Thess Naherwartung vorliegen (Judenverfolgung, bes. 310 ff); vgl. auch Marxsen, Auslegung 26 f u.ö. Dagegen hebt Friedrich, 1 Thess 5,1-11 301 ff.314 f u.ö., für unseren Abschnitt im Unterschied zu 4,13-18 das Nachlassen einer Naherwartung hervor, und zwar wegen des Gedankens der Plötzlichkeit und in Entsprechung zu seiner These eines späteren Einschubs aus der Zeit und dem Kreise des Lukas.

90 Im Blick auf derartige Probleme ist es bemerkenswert, daß Noth, Geschichtsverständnis 265, sogar für Dan 2 darauf hinweist, daß dort die Frage nach dem Zeitpunkt des Endes der Geschichte offengelassen werde; man müsse auf dieses Ende ständig gefaßt sein. Ein Miteinander von Geschichtsüberblick, Anhaltspunkten, Unwissenheit und Plötzlichkeit zeigt sich auch in der synoptischen Apokalypse (vgl. z.B. Mk 13,28 ff im Verhältnis zu den Ausführungen vorher). Solche Probleme sind in der Forschung noch längst nicht ausdiskutiert.

91 In 5,4 will G.Förster, 1 Thess 5,1-10 177, κλέπτας (so B,A) statt κλέπτης lesen. Diese Textüberlieferung steht aber gegen den ganzen Zusammenhang.

92 S. Mt 24,43 (f); Lk 12,39 (f); 2 Petr 3,10; Apk 3,3; 16,15. Vgl. Preisker, ThW III 754,42 ff. Von Dobschütz, 1 Thess 204, sieht hier die Wirkungen eines Herrenwortes vorliegen, da das Bild außerhalb des Christentums in den spätjüdischen Pseudepigraphen

Zu S. 97-98:

nicht nachgewiesen sei. Auch die Qumrantexte scheinen hier keine
neuen Erkenntnisse zu bringen (vgl. K.G.Kuhn, Konkordanz 46).
S. zu diesem Bild ferner M.Dibelius, 1 Thess 29; Harnisch, Existenz 55 f.60 ff.84 ff (Exkurs II über den Gebrauch des Bildes vom
"Dieb" in der urchristlichen Literatur). Zur Plötzlichkeit des Kommens des Messias s. für den Bereich der alten Synagoge Sanh 97[a]
(vgl. Strack-Billerbeck, Kommentar III,636 und I,601; ferner ebd.
598-601 zum zeitlichen Kommen der messianischen Zeit). Vielleicht
hat gerade das Christentum z.T. gute Voraussetzungen für das Zurücktreten oder Ablehnen einer genauen Terminbestimmung geschaffen, wenn wir etwa an die Funktion der Verkündigung Jesu und
der Christologie denken; vgl. von Dobschütz, 1 Thess 203. Allerdings will Harnisch a.a.O. 84 ff die synoptischen und paulinischen
Aussagen als Parallelüberlieferung auf eine gemeinsame jüd.-apoka-
lyptische Tradition zurückführen.

93 Das bezieht sich offensichtlich generell auf die Nichtchristen.

94 Was vor allem bei Juden der Fall wäre.

95 In eine derartige Richtung könnte die später genannte Trunkenheit
sprechen. In 1 Kor 15,32 zitiert Paulus die Auffassung über ein Auskosten der Gegenwart sogar, und zwar im Rückgriff auf Jes 22,13
(wörtlich wie LXX). Sie weist aber religions- und kulturgeschichtlich über den at.-jüd. Raum hinaus und besitzt im Sinn eines Carpe
diem in der hellenistisch-röm. Antike oder z.B. schon im Alten
Ägypten Vorbilder oder Parallelen. Vgl. zu solchen Gedanken Conzelmann, 1 Kor 330 f; Strack-Billerbeck, Kommentar III,473; W.Wolf,
Kulturgeschichte 201 ff. Hier sieht man sich z.T. zwar durchaus im
Horizont eines Endes, versucht aber, die Zeit vorher auszukosten.
Paulus will an unserer Stelle durch den Gerichtsgedanken betonen,
daß die Zukunft bedrohlich ist und das Auskosten der Gegenwart
strafen wird. Antiepikureische Kritik oder Polemik konnte in der Antike allerdings auch anders ansetzen, etwa bei der Ethik selbst, bei
der Vorsehung, Weisheit u.ä. (s. z.B. Philo Leg All III § 160 und
De providentia I § 50). Zum at. Hintergrund bei εἰρήνη und
ἀσφάλεια s. von Dobschütz, 1 Thess 205 f. Harnisch, Existenz
77 ff, schreibt 5,2 f eine kritische Funktion gegen gnostische Auffassungen zu (vgl. Pneumatiker jüd. oder judenchristlicher Herkunft).

96 Vgl. Bertram, ThW IX 673,23 ff. Zusätzlich zur Plötzlichkeit weist
von Dobschütz, 1 Thess 207, auf die Unentrinnbarkeit hin; s. auch
Harnisch, Existenz, 56.62 ff.

97 S. z.B. Jes 26,17 f; 66,7-9; Mt 24,8; Mk 13,8. Vgl. W.Bauer, WB
1770; Bertram, ThW IX 670,21 ff; 671,44 ff; 672,38 ff; 673,23 ff;
von Dobschütz, 1 Thess 206 f; Strack-Billerbeck, Kommentar I,
950. Das Bild von den Wehen braucht an sich aber nicht die Plötzlichkeit zu beschreiben.

Zu S. 98-99:

98 Dabei zeigen sich ab 5,3 Anklänge an ein gedankliches Schema. Denn Paulus schaut nach der Themaangabe in 5,1 und dem Hinweis auf die Plötzlichkeit des Kommens des Herrentages in 5,2 zunächst auf Nichtchristen (5,3), dann auf die Christen Thessalonichs in einem eschatologischen Dualismus (5,4-5a), dann generell auf die Christen im Zusammenhang eines eschatologischen Dualismus (5,5b-8), schließlich vornehmlich auf die Christen (5,8-10). Dadurch erhalten die Ausführungen über die Christen ein größeres Gewicht. Neuerdings hat Harnisch, Existenz 7 f.17 f.52 ff, eine bemerkenswerte Aufgliederung von 5,1-11 ausgearbeitet, bei der 5,4 ff theologisch eine zentrale Rolle spielen. So sieht Harnisch in 5,1-3 eine "praeteritio", in 5,4-10 das paulinische Evangelium (mit Rudimenten einer vorpaulinischen Tauftradition; vgl. eine kleine Taufparänese in 5,6-8) und in 5,11 eine Schlußmahnung. Dadurch nimmt Harnisch vor 5,4 sogar einen grundlegenden Einschnitt an. Die Gesichtspunkte von "praeteritio" und Taufbekenntnis bzw. Taufparänese haben in der Forschung schon Vorläufer, ersteres bei von Dobschütz, 1 Thess 203, letzteres bei E. Fuchs u.a. Harnisch knüpft dabei besonders an E.Fuchs an (s. Harnisch a.a.O. 17.117). Vgl. ferner Best, 1 Thess 215 f, im Blick auf das Problem von Tauftradition. Meines Erachtens können aber 5,1-3 nicht lediglich als "praeteritio" beurteilt werden. Denn der Gesichtspunkt des kommenden Tages des Herrn hält sich auch in 5,4 ff noch durch. Das Endgericht wird in 5,8-10 sogar erneut thematisch. Aber auch die Gliederung bei von Dobschütz, 1 Thess 202 ff, ist nicht völlig zufriedenstellend, wenn er 5,1 als Thema, 5,2-5 als Ausführung, 5,6-8 als Mahnung, 5,9-10 als Motivierung und 5,11 als Schlußwendung ansieht.

99 Vgl. Best, 1 Thess 206; von Dobschütz, 1 Thess 207; Oepke, 1 Thess 173. Harnisch, Existenz 125 ff.162, sieht in dem Verhältnis von noch ausstehendem "Herrentag" in 5,2 und "Tag" in 5,4 ff den Ausdruck eines schon geschehenen Zeitenwechsels bzw. eines Wechsels der Zeit in der Zeit bei den Christen zu einem gegenwärtigen Heil hin (vgl. die eschatologische Existenz des Glaubenden). Immerhin bleibt aber die pointierte Orientierung auf die eschatologische Zukunft auch in 5,4 ff thematisch, zumal ἡμέρα in 5,4 weiterhin als kommender "Tag" zu interpretieren ist.

100 S. zur Mischung eines konsekutiven und finalen Sinns W.Bauer, WB 744 ff; Blaß-Debrunner-Rehkopf, Grammatik § 388 ff.

101 Das δέ in 5,4 war dagegen antithetisch (vgl. das δέ in V.8).

102 Vgl. Blaß-Debrunner-Rehkopf, Grammatik § 364.

103 Vgl. in ähnlichem Sinn ferner οἱ ἔξω in 4,12.

104 Vielleicht sind vor allem auch auf diesem Hintergrund die negativen Aussagen über sie in 2,14-16 zu verstehen.

Zu S. 100-101:

105   S. in solchen eschatologischen Zusammenhängen zum Schlafen Mt 25,5;
Mk 13,36, zum Wachen Mt 24,42 f; 25,13; Mk 13,34.35.37; Lk 12,37.
39; Apk 3,3; 16,15, zum Nüchternsein 1 Petr 1,13 (neben ἐλπίζειν),
zur Trunkenheit Mt 24,49; Lk 12,45 (vgl. noch Apk 17,2). Das
Bild vom Dieb kann dabei eine Rolle spielen (vgl. Lk 12,35 ff bzw.
39 f). Vgl. zu diesen Begriffen Bauernfeind, ThW IV 938,20 ff;
Oepke, ThW II 337,14 ff; III 440,10 ff; Preisker, ThW IV 552,33 ff.
Religionsgeschichtlich gesehen kann der Schlaf allerdings auch ei-
ne positive Funktion erhalten, wenn wir etwa an Visionen und Träume denken; vgl. dazu Oepke, ThW III 435,26 ff; 437,34 ff; 439,30 ff.
Ähnliches gilt von der Trunkenheit; vgl. entsprechend Preisker, ThW
IV 551,16 f; 552,5 ff.

106   Vgl. dazu K.G.Kuhn, ThW V 297,44 ff. Zwar beobachten wir auch bei
Paulus im Rahmen der Wiederkunft Jesu einen "Endkrieg" (vgl. z.B.
1 Thess 4,16). Doch nimmt dieser Krieg bei Paulus nicht solche konkreten Formen an wie in der Qumrangemeinde. Auch scheint Paulus
entsprechend die überlebenden Christen nicht als daran teilnehmen-
den Truppenteil zu sehen. Wenn die Forschung gern eine Beziehung
zu Jes 59,17 reflektiert (vgl. die Annahme einer Abhängigkeit in 1
Thess 5,8 und Eph 6,17 von Jes 59,17 z.B. bei Oepke, ThW V 309,19
ff; 315,1 ff), so ist zu berücksichtigen, daß sich das Anlegen der
Waffenrüstung in Jes 59,17 auf Gott bezieht und zwar im Rahmen seines strafenden Handelns. Auf Gott bezieht sich auch Weish 5,18 f
bzw. 5,16 ff. Das Wohl der δίκαιοι ist im Blick. Dabei ist an beiden
Stellen bemerkenswert, daß das Bild der Waffenrüstung und Heilsbegriffe miteinander verbunden werden. Vgl. zu diesem Bild Best,
1 Thess 213-216; H.Braun, Qumran I, 222 ff; M.Dibelius (-Greeven),
Eph 96 f (mit religionsgeschichtlich breitem Material); von Dobschütz,
1 Thess 210 f; K.G.Kuhn und Oepke, ThW V 292,13 ff; Rigaux, 1
Thess 567 f. Zum Gedanken der militia Christi in der christlichen Kirche der ersten drei Jahrhunderte s. A.Harnack, Militia.

107   Vgl. von Dobschütz, 1 Thess 210, zur Verbindung von νήφειν und
dem Bild des Wachpostens.

108   Von einer willkürlichen Verbindung spricht Laub, Verkündigung 161.

109   Letzteres ist umstritten. Das Vorkommen der Trias gleich im 1 Thess
(s. 1,3; 5,8) kann dafür sprechen, daß Paulus sie im Christentum
schon vorgefunden hat. Andererseits sollte die Bedeutung des Glaubens in der Theologie des Paulus für die Kompositionsmöglichkeit der
Trias nicht unterschätzt werden. Vgl. zur Trias oben 8.4.

110   Vgl. zu diesen Problemen von Dobschütz, 1 Thess 211 (zugleich mit
dem Hinweis, daß die Verteilung der drei Seiten des Christenstandes
auf die zwei Waffen etwas Schwieriges habe, aber gerade beabsichtigt
scheine). Hermeneutisch ist überhaupt zu beherzigen, daß auf diese
Weise eine Bildaussage und die konkreten Verhaltensweisen der Trias
zueinandertreten.

Zu S. 102-103:

111 Ein bemerkenswerter Auslegungsaspekt könnte sich für die ἐλπίς
noch über die Gedanken von Schlaf und Trunkenheit ergeben, wenn
man den Hinweis von M.Dibelius, 1 Thess 29, bedenkt, daß in der
"orientalisch-hellenistischen Gnosis" (vgl. z.B. Philo Ebr § 154-157)
Schlaf und Trunkenheit gern als Bezeichnung der ἀγνωσία verwendet worden sind (vgl. auch den Dualismus von Licht und Finsternis, Tag und Nacht). Denn man könnte dann unter Berücksichtigung unseres Abschnittes und der Aussage in 4,5 eine antithetische Beziehung der ἐλπίς zu ἀγνωσία vermuten. Das in 5,8 ausdrücklich hinzugefügte Objekt σωτηρία könnte dem entsprechen
(vgl. auch εἰδέναι in 5,2). Doch ist Paulus an unserer Stelle wegen des eschatologischen Dualismus religionsgeschichtlich eher im
zwischentestamentlichen Judentum verwurzelt. So weist auch schon
M.Dibelius selbst auf Grenzen der Beziehung hin, indem er die relative Frische des Bildgebrauchs bei Paulus hervorhebt.

112 Vgl. W.Bauer, WB 1615 f. Doch wird dort 1616 unsere Stelle genauer durch "bestimmen" gedeutet. Das Medium unterscheidet sich nach
a.a.O. 1615 im Grunde nicht besonders vom Aktiv.

113 Vgl. in 1,4 ἐκλογή als "Erwählung, Auswählen" (s. W.Bauer, WB
481). Das braucht ebenfalls nicht unbedingt einen Prädestinations-
akt auszudrücken. Ein solcher braucht auch nicht bei einer Bedeutung "bestimmen" in τίθεσθαι vorzuliegen. All das soll vielmehr
das vorgängige Heilshandeln Gottes bei dem Weg zur christlichen
Existenz hervorheben. Insofern ist hier eine doxologische Struktur
der Aussagen vorhanden. Von Dobschütz, 1 Thess 212, nimmt allerdings wie in 1,4 einen Rückgriff auf die in der Zeit verwirklich-
te vorweltliche Bestimmung Gottes an. Prädestinatianisch (zugleich
christologisch) interpretiert auch Harnisch, Existenz 147 f.165.
Vgl. zum Problem noch B.Mayer, Heilsratschluß 61 ff, der meint,
Paulus begründe hier die Hoffnung auf das Heil mit der unbeding-
ten, absoluten Setzung Gottes; die Frage nach dem Zeitpunkt der
göttlichen Bestimmung werde nicht aufgeworfen.

114 Anders ist das in Röm 4,25, wo Tod und Auferweckung Jesu angeführt werden, und in 1 Thess 1,10, wo nur die Auferweckung gebracht wird. Der Partizipialstil könnte auf Formelgut hinweisen.
Doch ist die Aussage in 1 Thess 5,10 für eine entsprechende Auswertung wohl zu kurz.

115 So halte ich eine Auffassung, die die Wiederkunft Jesu bei Tag oder
bei Nacht annimmt und entsprechend Wachen und Schlafen biologisch-
wörtlich deutet (vgl. z.B. Erwägungen in dieser Richtung bei Wohlenberg, 1 Thess 110 Anm.1), im Textzusammenhang für abwegig.

116 So z.B. W.Bauer, WB 332.768; M.Dibelius, 1 Thess 30; von Dobschütz, 1 Thess 213 f; Harnisch, Existenz 149 f; Oepke, ThW III
439,41 f (vgl. ders., a.a.O. II 337,29 f).

Zu S. 103-105:

117 Es ist aber im NT nicht charakteristisch. So wird in 1 Thess 4,13-15 auch ein anderer Begriff gebraucht. Vgl. zu καθεύδειν und κοιμᾶσθαι die Angaben bei W.Bauer, WB 768 (dabei aber, wie gerade schon angedeutet, 1 Thess 5,10 als Todesschlummer; so eigenartigerweise auch noch für Mk 5,39 par erwägend).865; Moulton-Geden, Concordance 510.552.

118 Zwar könnte im Sinn eines Zurücklenkens auf das Problem von 4,13 (ff) die Antwort des Paulus noch einmal wiederholt werden, daß nämlich bei der Parusie Gestorbensein oder Überleben bis dahin belanglos ist. Doch sollte das Gewicht von 4,18 und das des Neueinsatzes in 5,1 für die sachliche Selbständigkeit von 5,1 ff auch im Rahmen der Texteinheit 4,13-5,11 nicht übersehen werden. Entsprechend ihrer Deutung von 5,10 weisen von Dobschütz, 1 Thess 202.214, und Harnisch, Existenz 149 f, auf eine Verbindung von 5,10 zum Problem in 4,13 ff hin.

119 Anders als die Mehrzahl der Forscher interpretiert in diesem Sinn neuerdings auch Kaye, Eschatology 51 f. Bemerkenswert ist dabei seine Fragestellung, durch die er dazu kommt, nämlich die nach Eschatologie und Ethik. Dagegen sieht B.Mayer, Heilsratschluß 66 ff, trotz seiner Frage nach der Prädestination hier Euphemismen für Tot- bzw. Lebendigsein. Man könnte nun als nt. Sachparallele an das Schlafen sowohl der törichten als auch der klugen Jungfrauen bei der Kunde von der Ankunft des Bräutigams in dem Gleichnis von den zehn Jungfrauen (Mt 25,1-13) denken. Doch weist dort der Besitz des Öls die Bereitschaft für das Kommen des Himmelreiches nach.

120 Best, 1 Thess 203.218 f, will diese Aussage auch schon auf die Gegenwart beziehen. Einige Textzeugen haben dagegen sogar direktes Futur. Vielleicht ist wegen des ἅμα σὺν αὐτῷ ζήσωμεν in V.10a vorher auch nur vom Tod Jesu die Rede. Denn in dieser Wendung ist die Auferweckung Jesu logisch mit enthalten.

121 5,11 wird als Schlußmahnung zu 4,13-5,11 bei Harnisch, Existenz 18.152 (ff), erwogen.

122 Vgl. W.Bauer, WB 1223. "Zusprechen, trösten u.ä." (vgl. W.Bauer a.a.O. 1224 f) dürfte dagegen eher für 4,18 in Frage kommen (entsprechend z.St. W.Bauer a.a.O. 1224). Vgl. auch παρακαλεῖν als ermahnender Zuspruch nach Schmitz, ThW V 792,18 ff.

123 Vgl. W.Bauer, WB 1105 f. O.Michel, ThW V 143,28 ff, nimmt einen seelsorgerlichen Zuspruch des Einzelnen an.

124 So werden beide Vokabeln in einem etwa gleichen Sinn bei Oepke, 1 Thess 174, gedeutet (vgl. als "trösten, ermuntern" bzw. "erbauen, stärken, fördern"). Harnisch, Existenz 152 ff, sieht im Rahmen seiner Annahme einer antignostischen Frontstellung in παρακαλεῖν eine mahnende Zurechtweisung (a.a.O. 152 f) und in οἰκοδομεῖν ein konstruktives und zugleich negatives und kritisches Moment (a.a.O. 154 ff).

Zu S. 105-107:

125 Vgl. das ὥστε in 4,18.

126 D.h. die Christen Thessalonichs.

127 D.h. die Christen. Die Juden erhalten in unserem Text keine Sonderstellung.

128 Wahrscheinlich hier schon generell die Nichtchristen gemeint.

129 D.h. die Nichtchristen.

130 Durch Negationen kann sich in diesem Schema bei den Einzelaussagen eine Seitenvertauschung ergeben, die wir hier aber nicht
noch extra berücksichtigen (vgl. z.B. V.4).

131 Bemerkenswert ist, daß keine ausgesprochen protologischen Aussagen gemacht werden. Das gilt im Blick auf das vorgeordnete
Heilshandeln Gottes in V.9 f. Auch im Blick auf den eschatologischen Dualismus setzt Paulus gleich bei der Antithetik ein.

132 Falls beides bildlich-übertragen wie vorher gemeint ist.

133 S. dagegen das Gegenüber in 1 Joh 4,1 ff mit ἐκ τοῦ θεοῦ εἶναι
und ἐκ τοῦ κόσμου εἶναι (vgl. Negationen dabei). Auch bezeichnet Paulus die Christen an anderer Stelle als Gottes Söhne (z.B.
Röm 8,14 ff).

134 Vgl. erneut Negationen mit dem Ergebnis einer Seitenvertauschung
oder paränetischen Perspektive.

135 Vgl. dazu z.B. Conzelmann, ThW VII 424,9 ff, speziell 442,21 ff;
IX 302,30 ff, speziell 336,21 ff (u.a. mit dem Hinweis darauf, daß
sich der Sprachgebrauch des Paulus bei "Finsternis" und "Licht"
im wesentlichen innerhalb der Grenzen des Gemeinjüdischen halte
und besonders eschatologisch geprägt sei); Friedrich, 1 Thess 5,1-
11 292 ff; Rigaux, 1 Thess 560 ff.

136 Vgl. die Bemerkung Conzelmanns, ThW IX 336 Anm. 279. S. auch
Laub, Verkündigung 192 ff.

137 S. zu solchen Fragen bereits K.G.Kuhn, Texte (1950) und Sektenschrift (1952); ferner aus der großen Zahl der Literatur J.Becker,
Heil 74 ff u.ö.; H.Braun, Qumran I,219 ff. 222 ff.234; II,165 f.
172 ff.250 ff.265 ff u.ö.; von der Osten-Sacken, Gott (197 ff auch
zu Jub und Test XII).

138 Vgl. auch Söhne der Gerechtigkeit (בני צדק) u.ä.

139 Daß dabei in 1 QS 3,13-4,26 wie überhaupt in 1 QS Begriffe der
Hoffnung, Erwartung usw. fehlen, mag angesichts anderer Aussagen der Qumrantexte als Zufall erscheinen.

140 Vgl. Harnisch, Existenz 136 f, zu 5,6-8: Paulus bringe hier nicht
den Entwurf eines Handlungsmodells, sondern das Wie der eschatologischen Existenz selbst zum Ausdruck.

141 Beide kommen in den Paulusbriefen aber vor, und zwar der Satan
z.B. in 1 Thess 2,18, Belial als Beliar in 2 Kor 6,15. An der letzten Stelle steht das sogar ausdrücklich in Antithese zu Jesus Christus. Für 2 Kor 6,14 ff ist wegen des eschatologischen Dualismus
überhaupt eine Beziehung zur Qumrangemeinde vermutet worden
(vgl. dazu Kümmel, EinlNT 249 f).

Zu S. 108-110:

142 Vgl. die Vermutung J.Beckers, Heil 74, daß Dualismus und Prädestination unabhängig vom Lehrer der Gerechtigkeit in die Theologie der Qumransekte eingedrungen sein dürften.

143 Der Vergleich zwischen 1 Thess 5,1-11 und 1 QS 3,13-4,26 bietet
sich nicht zuletzt deshalb an, weil beide Texte eine katechetische
Dimension aufweisen (vgl. M.Dibelius, 1 Thess 29, zu 1 Thess 5
und Röm 13).

144 Vgl. Bultmann, TheolNT 39 ff.

145 Vgl. zu diesen Aspekten Best, 1 Thess 209-211.

146 Vgl. dazu Bousset-Greßmann, Religion 478 ff.506 ff, und speziell
für 1 QS bereits K.G.Kuhn, Texte 211; Sektenschrift.

147 Vgl. dazu z.B. Bremer, Hinweise; ders., Licht.

148 Ein hellenistisch-synkretistischer Hintergrund ist vor allem auch
in der johanneischen Literatur zu beachten.

149 Vgl. seinen eben schon erwähnten Hinweis zu 5,6-8 darauf, daß
Paulus nicht den Entwurf eines Handlungsmodells, sondern das
Wie der eschatologischen Existenz selbst zum Ausdruck bringe
(Existenz 136 f).

150 Dabei stellt sich die Auslegung Harnischs genauer gesehen so dar
(s. bes. Existenz 52 ff und zusammenfassend 160 ff), daß Paulus
die "praeteritio" in 5,1-3 polemisch und kritisch gegen gnostische
Auffassungen im Sinn eines gnostischen Enthusiasmus bzw. pneumatischen Selbstbewußtseins sagt, indem er auf spätjüdische Apokalyptik zurückgreift. In 5,4-10, wo für Harnisch ein Taufbekenntnis und eine Taufparänese zugrundeliegen, entfalte Paulus positiv
das kerygmatisch begründete Selbstverständnis der eschatologischen
Existenz der Glaubenden. Dabei teilt Paulus das Interesse der vorgegebenen Taufüberlieferung an der Präsenz des Heils, das auch
gnostischer Denkweise entspricht, und pointiert wie die Taufüberlieferung den für die Getauften schon erfolgten Situationswechsel,
und zwar auch als Wechsel der Zeit in der Zeit.

151 S. M.Dibelius, 1 Thess 25 f.28; von Dobschütz, 1 Thess 185.199.
200; Luz, Geschichtsverständnis 318 ff; Marxsen, Auslegung;
Vielhauer, Geschichte 86 f. Das zeigt sich sogar noch bei der
folgenden Auslegung unseres Abschnitts durch M.Dibelius, wenn
sie zu 5,9 f schreibt (1 Thess 30): "Begründet wird in 9.10 nur
die Hoffnung, auf die hier alles ankommt. Und damit wird wieder
der Grundgedanke des Abschnitts aufgenommen: nicht das Wissen
um Zeit und Stunde ist wesentlich, sondern die Gewißheit des
Heils, die durch die Heilsgeschichte verbürgt ist; des zum Zeichen ist hier der Tod Christi genannt."

152 Vgl. Feine-Behm-Kümmel, EinlNT 207; ferner z.B. Vielhauer, Geschichte 143.

153 Die Exegese hat in der letzten Zeit besonders für den 2 Kor, und
zwar wegen seiner Brüche und Spannungen in der Abfolge der Aus-

Zu S. 110-111:

sagen, eine literarkritische Scheidung durchgeführt. So sind vor
allem 1. "ein Versöhnungsbrief" (1,3-2,13 und 7,5-16), 2. "eine
Apologie" (2,14-6,13 und 7,2-4), 3. "eine leidenschaftliche Polemik"
bzw. der "Tränenbrief" oder "Schmerzensbrief" (10-13), 4. und 5.
"zwei Kollektenschreiben" (8; 9), 6. "eine (wahrscheinlich unpau-
linische) apokalyptische Paränese" (6,14-7,1) unterschieden worden,
und zwar unter Berücksichtigung 7. eines Zwischenbesuchs in der
Reihenfolge: 2., 7., 3., 1., 4. und 5. (so zum größten Teil mit
Marxsen, EinlNT 95 ff, der dabei die Ergebnisse von G.Bornkamm,
Vorgeschichte, übernommen hat). Auch Vielhauer, Geschichte 150 ff,
hält an einer literarkritischen Scheidung fest, weicht dabei aber
von der gerade gegebenen etwas ab (so z.B. 2,14-7,4, ohne 6,14-
7,1 mit zum Tränenbrief); vgl. ferner E.Lohse, Entstehung 44 f.
9 Briefe will Schmithals, Korintherbriefe (vgl. 288 Anm. 70), im 1
und 2 Kor finden. Dagegen sieht den 2 Kor Hyldahl, Frage (vgl.
305), wie z.B. auch Kümmel, EinlNT 249 ff, als einheitlich an.
Mir ist es nun im Rahmen antiker Briefgewohnheiten und Brief-
überlieferung bisher noch nicht wahrscheinlich geworden, daß ein
Brief in der oben beschriebenen Weise verschachtelt zusammenge-
setzt worden ist (vgl. Kritik in diesem Sinn bei Kümmel, EinlNT
225 f; Luz, Aufbau 161 Anm. 1; anders aber G.Bornkamm, Vorgeschichte Nachtrag 193 f; Vielhauer, Geschichte 154 f). Schon deshalb möchte ich mich gegenüber einem so extremen literarkritischen
Vorgehen wie dem gerade referierten zurückhalten (vgl. kritisch
Kümmel, EinlNT 243 ff.249 ff; dagegen allerdings G.Bornkamm, Vorgeschichte 190 ff im Nachtrag.

154 So ebenfalls Feine-Behm-Kümmel, EinlNT 210 f, u.a.

155 Vgl. E.Lohse, Entstehung 42 (Hinweis auf die Gegenüberstellung
von Herrlichkeit des Apostelamtes, 2,14-4,6, und seiner Niedrig-
keit und Schmach, 4,7-6,10). Erst in 4,7 ff wird somit eine Begrenzung für den Apostel deutlich.

156 Allerdings grenzt Vielhauer, Geschichte 143, fest ab, und zwar
im Rahmen von "Die παρρησία des Paulus 2,14-4,6", dann "Das
Thema: Die Frage nach der apostolischen ἱκανότης 2,14-17";
"Das Kriterium der apostolischen ἱκανότης 3,1-6", "Charakteri-
stik der διακονία 3,7-18"; "Die Durchführung der παρρησία im
apostolischen Wirken 4,1-6". Doch erweist sich auch das genauer
besehen nicht als völlig zwingend.

157 3,7-18 wird vielfach in der Forschung abgeteilt, und zwar vor allem im Zusammenhang von 2,14-4,6 (so bei Vielhauer a.a.O. und
z.B. noch bei Bultmann, 2 Kor 65 ff.81); im Rahmen von 2,14-
7,4 bei Windisch, 2 Kor 95 f.112 ff; entsprechend 3,7-11.12-18
im Zusammenhang von 2,14-7,1 bei A.Schlatter, Paulus Bote
509 ff. 3,4-18 stellt dagegen Michaelis, EinlNT 176, zusammen

Zu S. 111-113:

(Gesichtspunkt: "Die Herrlichkeit des apostolischen Dienstes im
Vergleich mit dem Dienst des Alten Bundes"); vgl. ferner z.B.
Barrett, 2 Kor 109 ff; Lietzmann, 2 Kor 97; entsprechend 3,4-11.
12-18 bei H.-D.Wendland, 2 Kor 116 ff. Recht differenziert wird
3,1-4,6 bei Prümm, Diakonia I, 98 ff, gegliedert.

158 Vgl. z.B. Schulz, Decke 6 f (und zwar zu V.7-11). Wenn in der
Forschung gern 3,7-18 bzw. 3,4-18 in 3,7 bzw. 4-11 und 3,12-18
aufgeteilt wird (so z.B. bei Bultmann, 2 Kor 65.81 ff; A.Schlat-
ter, Paulus Bote 509 ff; H.-D.Wendland, 2 Kor 116 ff; Windisch,
2 Kor 112 ff), dann kommen dadurch allerdings die Übergangs- und
Zwischenstellung, die Fazitfunktion von V.12 nicht markant genug
zum Ausdruck.

159 Nach Bachmann, 2 Kor 160, beschreibt ἐλπίς hier nicht Hoffnung
als seelische Stimmung, sondern als objektive Anwartschaft. Beides sieht Prümm, Diakonia I,133, vorliegen.

160 Ähnlich wie Schulz, Decke 6 f, ist Lietzmann, 2 Kor 112, der Ansicht, daß ἐλπίδα wohl das ganze in V.7-11 Dargelegte umfasse,
d.h. das Amt des Paulus und seine δόξα. Auch Wendland, 2 Kor
118, will hier nur eine Aussage über das apostolische Amt des
Paulus sehen. Bultmann, 2 Kor 65.87 (ff), bezieht ebenfalls auf
die διακονία. Dabei meint er a.a.O. 87, daß ἐλπίς für διακονία
steht, d.h. die διακονία besitze einen ἐλπίς-Charakter. Prümm,
Diakonia I,132 f, interpretiert auf die beiden Bünde und das Amt.

161 Diese Funktion von 3,10 wird aber z.B. bei Windisch, 2 Kor 116 f,
nicht genügend gesehen. Überhaupt hat das Verständnis von V.10
der Forschung immer wieder Schwierigkeiten bereitet.

162 Hier liegt offensichtlich eine Anspielung auf die Gegner in Korinth
vor, die auf Empfehlungsbriefe pochen; vgl. Lietzmann, 2 Kor 110;
Windisch, 2 Kor 103 f (auch zur Umwelt).

163 Vgl. zur Vorstellung eines göttlichen Briefes an die Menschen
Lietzmann, 2 Kor 110. Dabei sieht Lietzmann den Brief hier von
Christus geschrieben. Doch meint Paulus einen solchen Brief nicht
direkt, sondern ein Schreiben durch sich als verlängerten Arm
Christi; vgl. Kümmel, Nachträge 199 zu Lietzmann, 2 Kor 110 Z.22.

164 So Windisch, 2 Kor 107.

165 So hebt Lietzmann, 2 Kor 110, zu Recht eine Reminiszenz an Ex
31,18; Jer 38 (31),33(; Prov 3,3?) hervor, in die sich noch eine
Anspielung auf Ez 11,19; 36,26 hineinmische. Wenn Lietzmann dabei ausdrücklich auf die Frage des Materials eingeht, so ist das
in unserem Zusammenhang wegen der Anspielungen auf das AT und
der Bildaspekte zu gezwungen.

166 Das soteriologische Moment wird zu stark bei Lietzmann, 2 Kor
110 f, betont, wenn er theologisch allgemein auf den Gegensatz
von Gesetz und Evangelium interpretiert (vgl. auch den Nachtrag dazu von Kümmel a.a.O. 199). Angemessener sieht Windisch,

Zu S. 113-114:

2 Kor 107, am Schluß des kleinen Abschnitts 3,1-3 einen theologischen Gedanken angedeutet, der in 3,6 ff weiter ausgeführt werde.

167 Bis hin zur Allegorese ist ein bildlich-übertragenes Denken vor allem in der hellenistischen Umwelt des Paulus wichtig gewesen. So ist eine übertragene bzw. allegorische Interpretation im hellenistischen Judentum etwa bei Philo (vgl. Leg All) und Aristobulus Philosophus (ed. Denis, Fragmenta 217 ff) zu beobachten. Zur symbolisch-allegorischen Auslegung bei den Rabbinen s. Strack-Billerbeck, Kommentar III,388 ff (zu 1 Kor 9,9.10).

168 Vgl. zu solchen Interpretationsproblemen in den Paulusbriefen Conzelmann, 1 Kor 182 f (zu 1 Kor 9,8-10); Strack-Billerbeck, Kommentar III, 385 ff.

169 Vgl. bereits διακονεῖν in 3,3. Der Gedanke des Dienens entspricht der Ermächtigung durch Gott, aber auch den Machtaspekten in 2 Kor 3. Allerdings bezeichnet Paulus ebenfalls das Amt des Mose als διακονία.

170 Die 1. Person Plural ist kaum nur auf Paulus zu beziehen. Die Person des Paulus erhält aber im Rahmen der Ausführungen in 2,14-7,4 ein besonderes Gewicht.

171 Zum Problem, ob hier "Bund" oder "Testament" bzw. "Verfügung" (so etwa W.Bauer, WB 363 f; Behm, ThW II 132,1 ff) gemeint ist, vgl. Lietzmann, 2 Kor 111 (für "Bund"), und die Nachträge dazu von Kümmel a.a.O. 199 (für "Verfügung"). Der Gedanke des Bundes korrespondiert m.E. dem soteriologischen Sachverhalt beim Judentum besser. Auch im Blick auf das Christentum dürfte "Bund" trotz allem vorgeordneten Handeln Gottes angemessener das Entgegenkommen Gottes ausdrücken und eher dem Sachverhalt der Bekehrung entsprechen. Außerdem kann auch bei der Aufrichtung eines Bundes eine Seite den Hauptanteil besitzen, wenn wir etwa an einen Gnadenbund denken.

172 Für Lietzmann, 2 Kor 111, ist es nicht eindeutig, ob γράμματος und πνεύματος zu διακόνους oder διαθήκης gehören, was jedoch den Sinn an sich nicht ändere.

173 Zur Theologie allgemeiner vgl. G.Ebeling im RGG[3]-Art. über "Geist und Buchstabe"; zu Paulus speziell s. Bachmann, 2 Kor 149 ff; Käsemann, Geist; Luz, Geschichtsverständnis 123 ff; Prümm, Diakonia I,116 ff; A.Schlatter, Paulus Bote 505 ff; Schrenk, ThW I 765,14 ff; H.-D.Wendland, 2 Kor 116 f; Windisch, 2 Kor 110 ff.

174 Der Artikelgebrauch in 2 Kor 3,6b ist anaphorisch.

175 Vgl. zum Machtcharakter Bultmann, 2 Kor 80 (als "zwei Tendenzen, bzw. zwei Prinzipien oder Mächte"); Käsemann, Geist 259 (als kosmische Mächte); Luz, Geschichtsverständnis 125 f (dabei mit Tabelle).

Zu S. 114-116:

176 In der Forschung wird hier häufig auf den Charakter eines christlichen Midrasches hingewiesen; vgl. Windisch, 2 Kor 112 ff, an den
Lietzmann, 2 Kor 111, anknüpft. Doch wird man in 2 Kor 3,7-18
nicht so sehr einen christlichen Midrasch über Ex 34,29-35 als vielmehr midraschartige Passagen sehen müssen, die bei Ex 34,29 ff
einsetzen.

177 Vgl. ein bildlich-übertragenes, allegorisches, mystisches, psycholo-
gisierendes Interpretieren im Hellenismus, das jedoch letztlich un-
geschichtlich und uneschatologisch ist. Es knüpft positiv am konkret gegenständlich oder wörtlich Gegebenen an und vergeistigt es.
Vgl. oben Anm. 167. S. auch Windisch, 2 Kor 111 f.

178 Vgl. auch paulinische Aussagen, die bei aller eschatologischen Zuspitzung "nach innen" weisen, wie z.B. in Röm 2,28 f; 2 Kor 4,16-
18 und vorher an unserer Stelle in 3,3. In diesem Rahmen dürfen
ferner räumliche Kategorien wie "oben" und "unten" in Erinnerung
gerufen werden (vgl. Phil 3,20; Gal 4,26). Die breite Streuung der
Stellen spricht schon dagegen, bei solchen Gedanken in 2 Kor 3
lediglich ein kritisches Aufgreifen gegnerischer Auffassungen, die
konkret in Korinth vorlagen, zu sehen, erst recht, was ein geschlossenes Überlieferungsstück angeht. So könnte auch das Thema "Apol-
los und die Korinther" (vgl. 1 Kor 1,12; 3,4 ff) weitergehende Dimensionen anreißen. Allerdings findet sich ein Gegenüber im Sinn
von "außen und innen" auch in der jüd. Apokalyptik, wie äthHen
96,4 zeigt.

179 Die Zukunftsbeziehung wird zu wenig bei Luz, Geschichtsverständnis 123 ff, gewürdigt. Das eschatologische Gegenüber wird dort
aber erkannt (vgl. a.a.O. 126 über den Gesichtspunkt des Gegen-
satzes zweier Zeiten, des Alten und des Neuen, der Vergangenheit
und der eschatologischen Jetztzeit), allerdings vor allem in der Zuspitzung: vom Menschen her - von Gott her.

180 Diese Gedankenbewegung ist in der Forschung schon länger beob-
achtet worden; vgl. z.B. Bultmann, 2 Kor 82; Windisch, 2 Kor 112.
S. zu diesem Schlußverfahren auch Wilckens, Röm I,298; Wolter,
Rechtfertigung 177 ff.

181 Paulus scheint ein derartiges Schlußverfahren gern zu häufen (vgl.
z.B. auch Röm 5,6 ff).

182 Dieses Verb wird noch einmal in 3,13 gebracht, dort aber semantisch zugleich etwas verschoben (s.u.).

183 Auch ἐν γράμμασιν ἐντετυπωμένη λίθοις erweckt bereits solche
Assoziationen.

184 Bemerkenswert ist in 2 Kor 3 überhaupt die Kritik an Mose, die im
antiken Judentum und speziell bei dessen Auslegung von Ex 34,29 ff
nicht zu beobachten ist. Das ist auch schon allein deshalb nicht möglich, da sonst das Judentum damals als Religion verlassen worden wä-

Zu S. 116-117:

re. Vgl. zum Problem von Parallelen zu den paulinischen Aussagen im Judentum Georgi, Gegner 259 ff; J.Jeremias, ThW IV 852,20 ff (mit dem Hinweis darauf, daß Moses im Spätjudentum gerade verherrlicht worden ist); Lührmann, Offenbarungsverständnis 49 ff; H.Vorländer, Moses 1436 f; Windisch, 2 Kor 114. Zu jüd. Texten s. auch die Angaben bei Strack-Billerbeck, Kommentar III,513 ff. Als Beispiele seien Liber antiquitatum biblicarum 12,1; Philo Vit Mos II § 69 f genannt. Dabei verwundert es nicht, daß wir erst außerhalb des Judentums auf kritische Äußerungen stoßen, so im Christentum (vgl. im NT außerhalb der Paulusbriefe z.B. Joh 6,32; s. dazu J.Jeremias, ThW IV 871,24 ff; H.Vorländer a.a.O. 1437).

185 Vgl. Kümmel 199 im Nachtrag zu Lietzmann, 2 Kor 111 Z.47.

186 Lietzmann, 2 Kor 111, weist darauf hin, daß durch μᾶλλον schillernd eine größere Sicherheit und ein höherer Grad ausgedrückt wird; vgl. Windisch, 2 Kor 114.

187 Etwa als gnomisch (vgl. Blaß-Debrunner-Rehkopf, Grammatik § 349) oder im Sinn eines Optativ potentialis (vgl. Blaß-Debrunner-Rehkopf a.a.O. § 385). Vgl. das Präsens περισσεύει in 3,9. Ein logisches Futurum nimmt auch Lietzmann, 2 Kor 111, an.

188 Ein entsprechendes futurisches Moment betont stärker Windisch, 2 Kor 118. Er berücksichtigt a.a.O. 114 f aber auch andere Deutungsmöglichkeiten, d.h. ein logisches oder zum Vordersatz relatives echtes (für die Gegenwart des Schreibers gültiges) Futur.

189 Vgl. W.Bauer, WB 1250 f, wo a.a.O. 1250 wegen des Verschleierungsversuchs des Mose der Sinn "Offenheit" aufgegriffen wird. Für "Freimütigkeit u.ä." ist Windisch, 2 Kor 118 f (u.a. mit Hinweis auf Hebr 3,6). Beides wird bei Bultmann, 2 Kor 87 f, und Prümm, Diakonia I,133, vertreten. Bultmann sieht einen Sinn wie in πεποίθησις von 3,4 vorliegen, und zwar als "Mut zur Offenheit und Öffentlichkeit, dessen Recht eben in der ἐλπίς des διάκονος der καινὴ διαθήκη gründet", als "die Offenheit des Apostels in seinem öffentlichen Wirken den Hörern gegenüber", nicht die Offenheit Gott gegenüber (gegen Windisch). Schlier, ThW V 881,10 ff, deutet auf das Offensein des apostolischen Lebens. "Offenheit" und "Freimütigkeit" sind im Kontext sinnvoll. Es besteht auch ein Sinnzusammenhang zwischen ihnen.

190 Bei χρώμεθα handelt es sich im Zusammenhang um einen deliberativen bzw. adhorativen Konjunktiv.

191 Τέλος ist hier als "Ende" aufzufassen (vgl. Lietzmann, 2 Kor 112). Ἀτενίζειν meint eigentlich "gespannt auf etwas oder jemanden hinsehen" (vgl. W.Bauer, WB 238). Das ist an unserer Stelle wohl so zu verstehen, daß das "Ende" wahrgenommen und dann gespannt betrachtet wird. Das intentionale Moment zeigt sich auch bei dem Sinn "anschauen" in 2 Kor 3,7, nämlich den auffallenden und blendenden

Zu S. 117-118:

Glanz. Der Aspekt des Durchschauens fehlt dort aber, während er in 3,13 im Textzusammenhang einkommt.

192 Auf Paulus wird in der Forschung aber gerne gedeutet; so z.B. bei Lietzmann, 2 Kor 112 (unter Beziehung zu πεποίθησις in V.4); Schlier, ThW V 881,3 ff; H.-D.Wendland, 2 Kor 118 (im Blick auf das apostolische Amt des Paulus). Dabei ist der Gesichtspunkt wichtig, daß Paulus meint, frei reden zu können und sich nicht wie Mose das Haupt verhüllen zu müssen, da seine δόξα nicht vergänglich ist. Auf die Christen im Unterschied zu den Juden interpretiert Windisch, 2 Kor 117 ff.

193 Vgl. in dieser Richtung die Deutung bei Lietzmann, 2 Kor 112 (einschließlich der Übersetzung).

194 Vgl. im Blick auf solche Fragen dann auch das κάλυμμα über dem Gesicht des Mose (3,13), über dem Lesen des AT (3,14), über den Herzen der Juden (3,15).

195 Mit παλαιά διαθήκη ist hier nun offensichtlich das "Alte Testament" als "Heilige Schrift" gemeint. Der Charakter der Schriftlichkeit hat sich bereits in γράμμα vorher angedeutet. Es liegt nun aber eine Sinnverschiebung gegenüber diesem γράμμα vor. Denn der Sachverhalt, daß sich nach V.14 ff Juden und Christen interpretierend auf παλαιά διαθήκη beziehen, läßt diese nun nicht mehr ausschließlich negativ erscheinen, so daß γράμμα in V.6 und unser παλαιά διαθήκη in V.14 theologisch zu unterscheiden sind. Der Terminus παλαιά διαθήκη wird ebenfalls von Lietzmann, 2 Kor 112 f, primär auf das AT bezogen. Überhaupt könnte er schon z.Z. des Paulus im Christentum zur Bezeichnung des AT geworden sein, wie immer man dabei im Rahmen des Kanonproblems den Umfang der Schriften annimmt (zum Kanonproblem vgl. Eissfeldt, EinlAT 757 ff). Allerdings ist im NT (παλαιά) διαθήκη nur in 2 Kor 3,14 als derartige schriftliche Quelle zu erwägen. Vielleicht bleibt das Verhältnis zwischen AT und "altem Bund" aber doch noch etwas schillernd, und zwar sowohl bei παλαιά διαθήκη als terminus technicus im beginnenden Christentum, als auch in 2 Kor 3,14 bei Paulus (vgl. Lietzmann a.a.O. 113 als "Bundesurkunde"), zumal die später in 2 Kor 3 genannte christologische Interpretation dem "Alten" etwas "Neues" zum angemessenen Verständnis hinzufügt, nämlich die Gestalt Jesu Christi (vgl. das πνεῦμα). Allerdings sieht Paulus Jesus Christus schon im AT geweissagt bzw. verkündigt oder sogar wirksam (vgl. Röm 15,12; 1 Kor 10,1 ff u.ä.). Vgl. noch Behm, ThW II 133,7 ff (das mosaische Gesetz als Inbegriff und Urkunde der alten Religion); Windisch, 2 Kor 109 f (mit dem Hinweis auf eine Entsprechung des neuen Bundes zum Brief Christi in 3,3).121 f.

196 Zu pauschal ist die Unterscheidung bei Windisch, 2 Kor 117 f, die im Rahmen des Midrasches in 3,7-11 die grundsätzliche Feststellung

Zu S. 118-120:

des verschiedenen Anteils des alten und neuen Dienstes an der Glorie und in 3,12-18 die praktische Anwendung auf Christen und Juden in der Gegenwart sieht.

197 Vgl. Lietzmann, 2 Kor 112.

198 Vgl. Lietzmann, 2 Kor 112, über das Verhältnis zum at. Text. Die Freiheit des Paulus erscheint sogar noch größer als in den Pescharim der Qumrantexte, da dort noch innerhalb des Judentums geblieben wird, während Paulus an unserer Stelle das AT als religiöse Urkunde des Judentums gegen das Judentum auslegt. Vielleicht ist es von daher z.T. verständlich, daß die Aussagen des Paulus an vielen Punkten in einer Schwebelage, schillernd und mit Spannungen behaftet bleiben.

199 Deshalb ist bei παλαιά διαθήκη vielleicht besonders an den Pentateuch zu denken.

200 Er bleibt hier sogar im Rahmen von Ex 34,29 ff selbst, meint aber wohl kaum eine Bekehrung Israels im Sinn von Röm 9-11 (so allerdings die Auslegung Lietzmanns, 2 Kor 113; vgl. H.-D.Wendland, 2 Kor 119). Dabei zitiert Paulus Ex 34,34 in einer Uminterpretation; vgl. Windisch, 2 Kor 123. Auf Terminologie urchristlicher Missionssprache weist Lührmann, Offenbarungsverständnis 47 Anm. 4, hin. Doch ist die at. Anspielung festzuhalten. Mit dieser Anspielung verbindet sich in der Umprägung eine wörtliche und übertragen-bildhafte Komponente, und zwar bis hin zu Eschatologie. So ist nun auch für Paulus der κύριος im ganzen Textzusammenhang Jesus Christus.

201 Als gnostische Glosse (aus der Hand der Gegner) sieht Schmithals 3,17.18 b an (s. Glossen, bes. 564 ff; Gnosis, bes. 299 ff).

202 Vgl. aber immerhin noch die Beziehung zwischen κύριος und πνεῦμ in 1 Kor 6,17.

203 Vgl. zu dieser schwierigen Aussage Lietzmann, 2 Kor 113, und den Nachtrag a.a.O. 200 von Kümmel dazu (s. auch den Literaturnachtrag a.a.O. 222 f); E.Schweizer, ThW VI 415,34 ff; 419,28 ff; Windisch, 2 Kor 124 f. Sechs Interpretationstypen für 3,17a bringt Greenwood, Lord 467 f.

204 In dieser Hinsicht ist der anaphorische Artikel bei κύριος und πνεῦμα zu beachten (vgl. bereits den anaphorischen Artikel in 3,6) So ist sprachlich auch das ἐστίν in den weiten Möglichkeiten des Kopulasinns von εἶναι zu beurteilen, nicht aber enger logisch und ontologisch.

205 Vgl. Bultmann, 2 Kor 93; Windisch, 2 Kor 126 f, zur Verbindung von Freiheit und Geist.

206 Κύριος meint hier in Anknüpfung an die Gedanken vorher wieder Jesus Christus.

207 Vgl. W.Bauer, WB 839 f. Das Partizip wird am besten modal verstanden. Lietzmann, 2 Kor 112.113 f, hält hier ausdrücklich den

Zu S. 120:

Gedanken des Spiegels bei dem Schauen fest. Dabei entsteht aber, sofern der Gesichtspunkt des Spiegels eine Beschränkung aus- drückt, eine Spannung zwischen der Indirektheit des Spiegels und der Direktheit des unverhüllten Antlitzes. Vielleicht soll sie gerade festgehalten werden (vgl. auch εἰκών). S. zu diesen Problemen ei- ner Schau im Spiegel ferner Bultmann, 2 Kor 93 ff (als "schauen", und zwar ohne daß vielleicht noch an eine Spiegelschau zu denken sei); Conzelmann, 1 Kor 268 f; Hugedê, Métaphore 20 ff (mit der Annahme eines beschränkenden Moments, a.a.O. 35.36); Windisch, 2 Kor 127 f ("Schau" mit keiner abschwächenden Kraft des Spiegel- gedankens). G.Kittel, ThW I 177,25 ff, sieht in der Antike an sich keinen beschränkenden Ton bei dem Bild von der Spiegelschau oder Spiegeloffenbarung. Kittel zeigt dort auf, wie wichtig bei einem der- artigen Sprachgebrauch Mose bei den Rabbinen gewesen ist. Von daher könnte Paulus hier noch einmal gegenüber dem Judentum um- polen, und zwar in gewisser Weise parallel zu den Aussagen über die δόξα. Vgl. unter dem Gesichtspunkt prophetischen Sehens (1 Kor 13,12) Dautzenberg, Prophetie 159 ff.

208   Es könnte im Rahmen des paulinischen Sprachgebrauchs von εἰκών durchaus eine Verbindung von Schöpfungsgedanken und Christolo- gie im Blick auf die Christen vorliegen (vgl. G.Kittel, ThW II 395,6 ff; s. auch die Kombination in 2 Kor 4,6). Die Art der Ge- genwartsaussage ist trotz der Zukunftsrichtung im Verhältnis zu 1 Kor 15,49 bemerkenswert. Ähnliches gilt im Blick auf μεταμορ- φοῦσθαι im Verhältnis zu μετασχηματίσειν κτλ in Phil 3,21. Auf eine Berührung mit hellenistischer Mystik weist für 2 Kor 3,18 Behm, ThW IV 765,24 ff, hin. Bei allen hellenistisch-synkretisti- schen Einflüssen sind dann aber Schöpfungsgedanken und Escha- tologie zu beachten. So hebt auch schon Behm selbst a.a.O. 766,4 ff Unterschiede gegenüber der hellenistischen Mystik bzw. der Myste- rienfrömmigkeit hervor und betont zugleich den Gesichtspunkt des Leibes, der in der Weise der Apokalyptik und im Rahmen der pau- linischen Eschatologie zu sehen sei. Bemerkenswert ist, daß μεταμορφούμεθα das verbum finitum zum Partizip κατοπτριζόμενοι darstellt, obwohl man sachlich für das umgekehrte Verhältnis plä- dieren könnte. Doch wird durch die vorliegende Beziehung u.U. das göttliche Heilshandeln stärker betont, da nun das Erleiden des μεταμορφοῦσθαι ein besonderes Gewicht erhält.

209   Vgl. dazu Lietzmann, 2 Kor 113 f (u.a. mit Hinweis auf Philo Leg All III § 101); Lührmann, Offenbarungsverständnis 64 (vermutet z.T. eine Übernahme der Licht- und Schaubegriffe von den Geg- nern).

210   Kümmel, Nachtrag 200 f zu Lietzmann, 2 Kor 115 Z.5, sieht in 3,18 die stärkste mystische Formulierung des paulinischen Erlösungsge- dankens vorliegen; vgl. ferner Windisch, 2 Kor 128 f.

Zu S. 120-121:

211 Bei dieser Wendung von V.18 scheint mir nämlich kein einigermaßen
glattes Verständnis möglich zu sein. So ist es hier immerhin verständlich, daß eine Glosse angenommen worden ist (s.o.). Die ἀπό-
Konstruktion und die Genitiv-Verbindung verursachen vornehmlich
die Schwierigkeiten, wenn man den Sinn dieser Wendung selbst und
ihre Stellung im Kontext bedenkt.

212 So z.B. bei Rissi, Studien 14 f u.ö.; Ulonska, Doxa; Vielhauer, Geschichte 149 (aber mit Kritik an den gleich noch erwähnten Rekon-
struktionsversuchen von Schulz und Georgi); erwägend und zugleich
zu Sachfragen höherer Art weiterleitend Bachmann, 2 Kor 161; ab-
lehnend Windisch, 2 Kor 112 (gegen das Judentum gerichtet; vgl.
a.a.O. 122.131); kritisch auch Hickling, Sequence; Schmithals, Gnosis 272 f.

213 Das darf aber nicht von vornherein mit dem Problem der Auffassungen der eingessenen Christen Korinths selbst identifiziert werden.
Sie berücksichtigt bei der Interpretation z.B. A.Schlatter, Paulus
Bote 508 f, wenngleich auch er von Gegnern spricht (vgl. a.a.O.
509 und überhaupt 506 ff).

214 Vgl. zu den Konzeptionen der Gegner Georgi, Gegner 7 ff u.ö.;
Kümmel, EinlNT 246 ff; Lührmann, Offenbarungsverständnis 45
Anm. 4; Vielhauer, Geschichte 146 ff.

215 Deshalb müssen die Versuche von Georgi, Gegner 246 ff.258 ff, speziell 274 ff, und Schulz, Decke, hier einen gegnerischen Text bzw.
ein entsprechendes Traditionsstück zu rekonstruieren, die Paulus
dann zitiert und glossiert hätte (vgl. auch Lührmann, Offenbarungsverständnis 46), problematisch bleiben (vgl. die Kritik von Vielhauer, Geschichte 149 Anm. 8). Aber auch die im Kontext u.U. eigenartig erscheinende Aussage in 3,10 ist, wie unsere Analyse gezeigt hat, durchaus im Gedankengang verständlich und unter bestimmten Voraussetzungen für Paulus sogar notwendig. Sie braucht
deshalb nicht als sperrig empfunden zu werden und nicht zu besonderen traditionsgeschichtlichen oder literarkritischen Rekonstruk-
tionsversuchen mit der Annahme von paulinischen Interpretamenten
zu führen (so aber Lührmann a.a.O. 46 f). Etwas vorsichtiger ist
Luz, Geschichtsverständnis 123 ff. Er vermutet a.a.O. 130 (in Klein
druck): "Wahrscheinlicher als die Übernahme eines gegnerischen
Textes scheint mir, daß Paulus an eine bereits in einer (eigenen?)
Gemeinde (in einer Schule?) geläufige alttestamentliche exegetische
Tradition anknüpft. Diese überbietet er, indem er den in ihr bereits angelegten Skopus verstärkt".

216 Offenbarungsverständnis, bes. 46-48.55-59.60 ff.141 f.

217 Kritisch zu der These von den θεῖοι ἄνδρες Vielhauer, Geschichte 149 f. Vielhauer selbst vermutet eingedrungene judenchristliche
Gnostiker bzw. gnostisierende Pneumatiker.

218 A.a.O. 59; vgl. 56 f.

Zu S. 122-124:

219 Hier taucht überhaupt das Problem einer Sonderstellung des Judentums auf, auf das wir bei der Analyse von 1 Thess 5,1-11 schon gestoßen sind, das wir aber vor allem dann in Röm 9-11 noch antreffen. Kaum ist, wie oben bereits angemerkt, in 2 Kor 3,16 parallel
zu Röm 9-11 anzunehmen, daß Paulus pointiert eine Bekehrung Israels erwartet (so aber u.a. Lietzmann, 2 Kor 113). Schon der
Wechsel in 3,15 f von der 3. Person Plural zur 2. Person Singular
scheint mir dagegen zu sprechen. Überhaupt redet Paulus hier nicht
heilsgeschichtlich, sondern hermeneutisch-existentiell. Die 2. Person Singular bezieht sich eher auf den Menschen oder Juden, insofern er die Möglichkeit hat, Christ zu werden und von da aus das
AT richtig verstehen zu lernen. Das Problem der Beurteilung des
Judentums ist in der Paulusinterpretation noch längst nicht theologisch geklärt.

220 Das Problem von Diskontinuität und Kontinuität hat Behm, ThW II
132,37 ff, erkannt, wenngleich das Ausgehen vom Verordnungsge-
danken zu eng ist; vgl. auch Luz, Geschichtsverständnis 123 ff,
Bund 322 ff.335 f. Weithin wird dieses Problem aber in der Forschung nicht genügend bemerkt oder gewürdigt, so z.B. nicht bei
Windisch, 2 Kor 113 bzw. 112 ff. Wenn Lührmann, Offenbarungsverständnis 48 Anm. 3, Mose als "Typos des christlichen Amts (und
des unbekehrten Israel)" sieht, so muß dem aber hinzugefügt werden, daß er in 2 Kor 3 vor allem der Antityp ist. Vgl. ferner zum
Typosproblem Schulz, Decke 1 u.ö.

221 Dabei beobachten wir in 2 Kor 3 die ἐλπίς und die eschatologische
Zukunft nicht als ausgesprochen entlastend gegenüber gegenwärtigem Leid u.ä.

222 Hier stoßen wir auf Denkstrukturen, wie wir sie ähnlich eben in 2
Kor 3,12 und seinem Kontext beobachtet haben. Nur wird an diesen
Stellen des Röm eine Beweiskraft des AT sehr viel wichtiger, während in 2 Kor 3 die speziellen qal-wachomer-Schlüsse und das christologische Aufbrechen des verhüllten, verstockten Verstehens hervorgetreten sind (vgl. γράμμα - πνεῦμα).

223 Falls hier nicht lediglich eine Reminiszenz an 5,2.3 vorliegt, und
zwar sozusagen in einem Einwurf oder Nachklapp.

224 So wird weithin in der Forschung abgetrennt, und zwar z.B. bei
Käsemann, Röm 123 ff; Kümmel, Einführung 75 ff und EinlNT 267
(unter dem Gesichtspunkt, "daß mit der Rechtfertigung Heilsgewißheit gegeben ist"); Kuss Röm 200 ff; O.Michel, Röm 176 ff;
Nygren, Röm 142 ff, und neuerdings bei Wilckens, Röm I,285 ff;
in der Spezialmonographie von Wolter, Rechtfertigung.

225 Vgl. Kümmel, EinlNT 267 f.

226 In 5,1-5 wird dagegen nur in 5,1-2a Christologie gebracht (vgl.
4,24 f).

Zu S. 124-125:

227 Vgl. Luz, Aufbau 178: "Die durch die Liebestat Gottes in Christus
geschenkte Hoffnung (V.5) wird von Paulus in zwei parallelen Ge-
dankengängen begründet: Durch den stellvertretenden Tod Christi
für Unschuldige (V.6-9) bzw. durch seine Versöhnungstat (V.10)
werden wir gerettet." Dabei weist Luz a.a.O. 179 darauf hin, daß
Röm 5,1-11 sachlich in den durch 1,18 ff eingeleiteten Hauptteil
über die Gerechtigkeit Gottes und die menschliche Ungerechtigkeit
hineingehöre (vgl. auch Geschichtsverständnis 209). Doch ist zu
beachten, daß in 1,18-4,25 die Darstellung sehr viel gezielter bei
dem Rechtfertigungsproblem selbst bleibt, während ab 5,1 demgegenüber Digressionen zu beobachten sind, wie gleich 5,3-5 zeigen.
Kuss, Röm 199, sieht in 5,6-11 ebenfalls eine Art Auslegung von
5,5; vgl. auch Käsemann, Röm 124, 5,1-5. (als Begründung die
chiastische Entfaltung von 5a-b in) 6-8.9-10 und 11 (Rückkehr zu
den Motiven in 5,1 f); Wilckens, Röm I,287 f, V.1-2a.2b.3-4.5.6-
8.9.10.11 (zugleich ein "Knick" zwischen V.5 und 6). Nygren, Röm
142 ff, unterteilt dagegen 5,1-11 in 5,1-4.5-8.9-11; O.Michel, Röm
176 f, in 5,1-2.3-5.6-8.9-11. Wolter a.a.O. (s. bes. 221 f) sieht in
V.1-11 eine "Argumentation". Er will deshalb "nicht nach Sinnab-
schnitten, sondern nach Thesen, Prämissen, Deduktionen, Induk-
tionen und Folgerungen, mithin also nach Argumentationsebenen"
fragen. Er findet in dem Hauptsatz V.1.2b die Hauptthese für den
ganzen Abschnitt. Sie umschließe einen Relativsatz (V.2a), der einen zusätzlichen Gedanken bringt. Der Exkurs V.3-4 führe wieder
zu V.2b zurück, der Pointe von V.1.2b, nämlich zu der Kategorie
ἐλπίς. V.5a knüpft direkt an die Hauptthese an und führt den Gedanken weiter, indem eine neue, präzisierende These über die ἐλπίς
formuliert wird. Diese neue These werde im folgenden rekursiv begründet. In V.8 erfolge ein Resümee dazu. V.9-11 bilden den eigent
lichen inhaltlichen Zielpunkt der gesamten Argumentation, deren
Schlüssel die Liebe Gottes ist: Die Liebe Gottes wird den Gerecht-
fertigten nicht nur in der Gegenwart, sondern in jeder Zukunft,
auch der eschatologischen, treu bleiben.

228 Vgl. Kümmel, EinlNT 267. Dabei führt Kümmel a.a.O. 267 Anm. 1
Forscher an, die den Einschnitt hinter 5,21 (vgl. neuerdings noch
Wilckens, Röm I) oder hinter 5,11 oder mit 5,1 annehmen. S. zu
diesem Problem noch Luz, Aufbau 163 ff; Wolter a.a.O. 201 ff.

229 Vgl. Käsemann, Röm 124 (so vor allem zu 5,1).

230 Gegen eine subjektivierte und psychologisierte Deutung der εἰρήνη-
Aussage wendet sich mit Recht die neuere Exegese in der Regel,
und zwar indem sie auf die Wirklichkeit des Friedens, auf die Relation zu Gott u.ä. hinweist; vgl. Käsemann, Röm 124; Kuss, Röm
202; O.Michel, Röm 177 (Anm. 3);Nygren, Röm 142 f; H.W.Schmidt,
Röm 90. Nach Käsemann umschreibt dabei Friede für den Semiten

Zu S. 125-126:

die Fülle des Heils. Wolter a.a.O. 95 ff will hier gerade nicht den semitischen Begriff, sondern einen Relationsbegriff sehen. Während M.Luther, Röm-Vorlesung Scholie zu 5,1 (WA 56 297,2 ff) und Melanchthon, Röm-Kommentar zu 5,1 (ed. R.Schäfer 155,30 ff) auf das Gewissen interpretiert haben, machte sich später eine subjektivierte und psychologisierte Verengung bemerkbar; so z.B. bei Kühl, Röm 160, der εἰρήνη auf den Herzensfrieden deutet, eine innere Stimmung und Haltung hervorhebt.

231 Die Lesart ἔχωμεν, die nicht schlecht, eigentlich sogar entschieden besser bezeugt ist, erweist sich im Zusammenhang wegen der pointierten Heilsaussagen als unmotiviert, textgeschichtlich jedoch in Verbindung mit der Theologiegeschichte als durch paränetische Tendenzen begründet; vgl. zum Problem Käsemann, Röm 124; Lietzmann, Röm 58; O.Michel, Röm 177; Schlier, Röm 140; Wolter a.a.O. 89 ff (alle für ursprüngliches ἔχομεν, schon Lietzmann dabei überspitzt bis zur Erwägung eines Auffassungs- bzw. Hörfehlers des Tertius beim Diktat durch Paulus); Kuss, Röm 201-203 (für ἔχωμεν, dabei kohortativ sogar bis 5,3 deutend).

232 Τῇ πίστει ist allerdings textkritisch umstritten. Wahrscheinlich ist bei seinem Fehlen aber mit Käsemann, Röm 124, eine willkürliche Auslassung anzunehmen.

233 Hier ist ein kultischer Hintergrund zu beachten (vgl. Käsemann, Röm 124; O.Michel, Röm 177 f; K.L.Schmidt, ThW I 131,11 ff). Dieser ist dann erst recht in 5,6 ff wichtig.

234 Vgl. W.Bauer, WB 1736 (hier als "Gnadenstand"); O.Michel, Röm 177 f (Gnade als "ein bleibendes, sich fortsetzendes Handeln Gottes am Menschen"; bei "Gnadenstand" dürfe nicht vergessen werden, daß Gott der Herr der Gnade bleibe); ferner Bultmann, TheolNT 290 (mit Hinweis auf die Beziehungen zum πνεῦμα); Käsemann, Röm 123.124 (als Stand in der Gnadenmacht); Wolter a.a.O. 125 (der überindividuelle Heils- und Machtbereich). Die Probleme langer protestantischer Auslegungstradition sind schon bei Melanchthon, Röm-Kommentar zu 5,2 (ed. R.Schäfer 159,11-15) angelegt, wenn er zu "In gratiam" bemerkt; "'Gratia' significat non qualitates aut dona infusa hominibus, sed relative favorem Dei, videlicet remissionem peccatorum et imputationem iustitiae, etsi necesse est effici in nobis novas virtutes."

235 Vgl. auch χάρις als Macht in Röm 5,21.

236 Auf den "Ruhm" als ein "Existential" menschlichen Daseins, auf den Gesichtspunkt der Geschöpflichkeit und einen at. Hintergrund (vgl. Jer 9,22 f) weist Käsemann, Röm 124 f, hin. Vgl. zum Sichrühmen auch den Exkurs bei Kuss, Röm 219 ff.

237 Vgl. W.Bauer, WB 567-570, zur Sinnbreite von ἐπί mit Dativ und seinen Hinweis a.a.O. 569.842 für unsere Stelle auf einen Sinn "ge-

Zu S. 126-128:

stützt auf etwas, über etwas, wegen etwas" u.ä., also kausal und gegebenenfalls objektbezogen; vgl. Schlier, Röm 144 (zugleich Grund und Gegenstand des Ruhmes). Eine modale Bedeutung ergibt sich vor allem im Rahmen formelhafter ἐπ' ἐλπίδι-Wendungen, für die wir oben im sprachlichen Teil einen at. Hintergrund erarbeitet haben. Gegen eine lokal-modale Interpretation von καυχᾶσθαι mit ἐπί in Röm 5,2 und ἐν in Röm 5,3 (d.h. "in der Trübsal") wendet sich Lietzmann, Röm 58. Die Möglichkeit formelhafter Sprache bei ἐπί in Verbindung mit ἐλπίς hat dagegen von der Osten-Sacken, Röm 8 124 Anm. 154, gesehen. Im Blick auf das καυχᾶσθαι ἐν in 5,3 lehnt er a.a.O. 125 Anm. 155 eine räumlich-zeitliche Deutung ab.

238 So ebenfalls Käsemann, Röm 33; O.Michel, Röm 96, für Röm 1,23. Überhaupt interpretiert Käsemann, Röm 49.73.85.111.123, bis Röm 5,2 einschließlich alle Stellen außer 4,20 durch "Herrlichkeit". Ähnliches gilt für andere Exegeten, wie z.B. Kuss, Röm (aber in 3,7 "Verherrlichung"); O.Michel (wie Kuss). W.Bauer, WB 404, vertritt für 3,23 und 5,2 jedoch die Bedeutung "Ehre". Kühl, Röm 161, erwägt für 5,2 "Ehre" oder "Herrlichkeit" und entscheidet sich schließlich für letzteres.

239 Vgl. auch das Gegenüber zu θλῖψις. So legen viele Forscher in Röm 5,2 durch "Herrlichkeit" aus, so z.B. Käsemann, Röm 123; Kuss, Röm 200.203; O.Michel, Röm 176; H.W.Schmidt, Röm 89.90 f.

240 O.Michel, Röm 177.178, weist hier auf den Gesichtspunkt des Lobpreises und Jubelrufes hin; dagegen Käsemann, Röm 124 f.

241 Vgl. W.Bauer, WB 1044.

242 Dem entspricht die Bemerkung bei W.Bauer, WB 1044, daß in dieser Wendung das καί fehlt, wenn das zweite Glied das erste einschließt. Vgl. Blaß-Debrunner-Rehkopf, Grammatik § 448,1; *§ 479,1 Anm. 1. An der letzten Stelle wird die Phrase der elliptischen Figur ἀπὸ κοινοῦ zugeordnet (vgl. das wiederholende ἐν τῇ παρουσίᾳ αὐτοῦ in 2 Kor 7,7) und durch "dazu auch" umschrieben. O.Michel, Röm 178 Anm. 6, weist auf weiterführenden und steigernden Sinn hin.

243 Nach 1 Thess 3,3 sind sie überhaupt für die eschatologische Existenz der Christen charakteristisch. Vgl. Kuss, Röm 204 f.

244 S. weitere jüd. Stellen bis hin zu rabb. bei Strack-Billerbeck, Kommentar III, 221 f.244 f. Vgl. auch O.Michel, Röm 178; Nauck, Freude; Wilckens, Röm I,290 ff.

245 Zur Konstruktion s. W.Bauer, WB 841 f.

246 Und zwar ist das lokal-zeitliche Verständnis des ἐν ταῖς θλίψεσιν hier i.U. zu 5,11 angebracht. Die Parallelität zu 5,2 im Verhältnis der Konstruktionen von καυχᾶσθαι mit ἐπί und ἐν spricht sogar dafür. Dagegen Käsemann, Röm 126; Lietzmann, Röm 58; von der

Zu S. 128-130:

Osten-Sacken, Röm 8 125 Anm. 155; dafür B.Weiss, Röm 220; T.Zahn, Röm 243 f mit Anm. 98 (zugleich mit dem Hinweis auf ein Schillern).

247 Käsemann, Röm 126, sieht hier aber mehr eine rhetorische Steigerung.

248 Vgl. H.W.Schmidt, Röm 91: nicht bloß theoretisches Wissen, sondern persönliche Glaubenserfahrung; ähnlich schon Kühl, Röm 158.162 f (erneut psychologisierend). Durch "in der Gewißheit" übersetzt P.Althaus, Röm 42. Auf eine Einleitungsfunktion von εἰδότες bzw. οἴδαμεν (ὅτι) für die Wiedergabe traditionellen Gutes bei Paulus weist von der Osten-Sacken, Röm 8 126 Anm. 157, hin. Nach O.Michel, Röm 178 f, soll εἰδότες bzw. οἴδαμεν als bei Paulus häufige Formel eine bestimmte Erkenntnis unterstreichen, ohne daß ihre Herkunft näher erläutert wird; es trage die Eigenart des Glaubens in sich. Überhaupt hebt er a.a.O. 178 ff Tradition hervor (vgl. paränetische Tradition, Weisheitsstil). Nach Käsemann, Röm 126, wird hier christliche Erfahrung laut, nicht eine allgemeine Wahrheit, wie die paränetische Tradition es verstanden haben mag. Es ist hier auch an das οἴδαμεν in Röm 8,18 zu erinnern (s.o. z.St.).

249 Zu Kettenschlüssen vgl. Käsemann, Röm 126; O.Michel, Röm 179 f; Strack-Billerbeck, Kommentar III,222; Wolter a.a.O. 145 Anm. 488. Gegen die Beurteilung dieser Aussagen als Kettenschluß ist H.W.Schmidt, Röm 91. Eine gradatio (vgl. Klimax) wird bei Melanchthon, Röm-Kommentar zu 5,3-5 (ed. R.Schäfer 163,16 ff; vgl. 374.386) angenommen, eine Klimax bei Blaß-Debrunner-Rehkopf, Grammatik § 493,3.

250 Der fehlende Artikel bei der ersten Erwähnung entspricht der Weglassung des Artikels im Definitionsstil oder in Reihen (vgl. Blaß-Debrunner-Rehkopf, Grammatik § 252). Die Setzung des Artikels bei der Wiederholung des Substantivs ist anaphorisch (vgl. Blaß-Debrunner-Rehkopf ebd.). Das δὲ ist floskelhaft und anknüpfend (vgl. W.Bauer, WB 340). Das Präsens κατεργάζεται gibt dabei den allgemeinen Sachverhalt wieder.

251 Röm 5,5a sehen als letztes Glied der Kette bzw. Klimax P.Althaus, Röm 44; Blaß-Debrunner-Rehkopf, Grammatik § 493,3; O.Michel, Röm 180; Strack-Billerbeck, Kommentar III,222. Nur 5,3b.4 bei von der Osten-Sacken, Röm 8 125 ff; Wolter a.a.O. 149 f.

252 Vgl. z.B. ὑπομένειν in Testamentum Iobi 4,6 und bereits LXX Hi 6,11 u.ö. (s. Hatch-Redpath, Concordance 1415 f.1416).

253 Z.B. ὑπομένειν in Sach 6,14; Dan 12,12 (Theodotion); PsSal 10,2; 14,1; 16,15; Test Naph 7,1; ὑπομονή in TestJos 10,1.2 und 4 Makk 17,4 (kombiniert mit ἐλπίς).12. Dabei sind jeweils die speziellen Auffassungen über das Eschaton und Jenseits zu beachten.

Zu S. 130-133:

254 Wolter a.a.O. 139 ff versucht hier mit guten Gründen einen jüd.
leidenstheologischen Vorstellungszusammenhang aufzuzeigen, den
Paulus auf seine zentrale Begrifflichkeit reduziert habe. Vgl. christlich 1 Petr 1,6 f; Jak 1,2 ff und ὑπομονή in Apk.

255 Zur entsprechenden Bedeutungsbreite s. W.Bauer, WB 401 f, wo
aber unsere Stelle durch "Erprobtheit" gedeutet wird. S. ferner
Grundmann, ThW II 259, 4-7; Kuss, Röm 205; Lietzmann, Röm 59
(mit Hinweis auf einen standhaften Charakter, eine feste Seelen-
stimmung); O.Michel, Röm 179 f; H.W.Schmidt, Röm 91. Offensichtlich ist das Substantiv zuerst bei Paulus belegt (vgl. Nägeli, Wortschatz 44 u.ö.). Doch ist der Gedanke der Bewährung oder Erprobtheit im Zusammenhang von Leiden und Geduld sicher schon älter als
Paulus.

256 Gegen die Interpretation des Kettenschlusses in V.3b.4 auf einen
psychologischen Prozeß wendet sich mit Recht von der Osten-Sak-
ken. Für ihn ist der Kettenschluß durch 5,1 f.5 umschlossen und
von dort her zu interpretieren (s. Röm 8 125-127). Das würdigt
aber nicht genug die selbständige Dynamik des im Kettenschluß Aus-
gesagten, die κατεργάζεται aufzeigt.

257 Sogar in Röm 8,24a liegt das nicht vor. Dabei ist Röm 8,24a die Stelle in den Paulusbriefen, wo eine soteriologische Funktion der ἐλπίς
noch am ausgeprägtesten vorliegen könnte, nämlich im Fall eines in-
strumentalen Verständnisses.

258 Vgl. den anaphorischen Artikelgebrauch.

259 V.5a wird von Wolter a.a.O. 150 ff etwas eigenartig auf das Rühmen
in V.2b bezogen.

260 Das ὅτι ist kausal.

261 Vgl. zu diesem Problem Kuss, Röm 205 f.

262 So weiß auch Kuss a.a.O. 205 f keine genauen Parallelen oder Vorformen in den Paulusbriefen und sonst anzuführen. Ähnliches gilt
für Käsemann, Röm 126-128; O.Michel, Röm 180 f; Nygren, Röm
145 ff; H.W.Schmidt, Röm 91 f.

263 So prononciert bei Wolter a.a.O. 153 ff vertreten.

264 Es wäre etwa an solche Redefiguren wie Hysteron proteron (s. dazu
Schwyzer, Grammatik II,698), Hendiadyoin (s. dazu Blaß-Debrunner-Rehkopf, Grammatik § 442,16) zu denken; vgl. auch bei der
Versetzung des Adjektivs im Lateinischen die Enallage bzw. Hypal-
lage (s. dazu Hoffmann-Szantyr, Syntax 159 f; Lausberg, Handbuch § 685,2; Menge, Repetitorium 2. Hälfte § 197).

265 Allerdings ist es bemerkenswert, daß die Textüberlieferung hier
keine besonderen Abweichungen bringt und deshalb offensichtlich
keine sachlichen Schwierigkeiten gesehen hat.

266 Vielleicht ist das schon zu stark bei T.Zahn, Röm 247 f, der Fall.

267 Vgl. a.a.O. 164 ff. Allerdings spricht Paulus hier aber eben nicht
direkt von τὸ πνεῦμα τῆς ἀγάπης τοῦ θεοῦ. Zur Theologiege-

Zu S. 133-134:

schichte vgl. Wilckens, Röm I, 292 ff. 300 ff.

268 Wenn οὐ καταισχύνει durch "täuscht nicht" gedeutet wird (vgl.
Kuss, Röm 200. 205. 206), dann kommt wohl doch schon zu stark die
spes quae speratur in den Blick. Zugleich wird ein subjektives Moment in unangemessener Weise wichtig. Wenn ein passiver Sinn
"nicht zuschanden werden" vorliegen würde, dann wäre beides be-
langreicher, als es das jetzt ist.

269 Vgl. dabei den konkreten Erweis der Liebe Gottes in christologischer Hinsicht, was bereits in 5,1-5 sachlich angelegt und in 5,1 f
direkt ausgedrückt worden war.

270 Die Parenthesen in V. 7 sind für uns hier weniger belangreich.

271 Wenn nicht V. 11 lediglich einen Nachklapp in der Erinnerung an
V. 2 f darstellt.

272 Diese Differenzierung ist von Wolter, Rechtfertigung bes. 176 ff,
nicht genügend erkannt und gewürdigt worden. Insgesamt gesehen hat Wolter die Zukunftsorientierung in Röm 5,1-11 aber gut beobachtet. Problematisch bleibt bei ihm, wie er das Verhältnis von
gegenwärtigem und eschatologisch-zukünftigem Heil bestimmt. Für
ihn ist es nicht so, daß Paulus zukünftig-eschatologisches Heil z.
T. eschatologisch vergegenwärtigt sieht. Vielmehr ist es für die
Gegenwart so, daß Gott in der Gegenwart der menschlichen Sünde
und des auf sie folgenden göttlichen Zornes die Glaubenden gerecht spricht, "indem er Christus in den Riß zwischen sich und
den Glaubenden treten läßt und so ihre Sünden sühnt und sie von
dem Zorn befreit" (33). Wolter setzt also soz. allgemein-zeitlos bei
der Rechtfertigung ein, und zwar als Relationsgeschehen. Das findet er in 3,21 ff ausgedrückt. In 5,1-11 gehe es dem Paulus um
den Aufweis, daß der Tod Jesu in der Geschichte für die Sünder
und deren Rechtfertigung aus Glauben auch das zukünftige eschatologische Heil jenseits der Geschichte sicher verbürge. Dazu führe Paulus den Begriff ἐλπίς ein. Die Liebe Gottes begründe diesen Zusammenhang. Paulus benutze die apokalyptische Eschatologie als den entscheidenden Interpretationshorizont, um seine These
von der Rechtfertigung aller Sünder aus Glauben auch apokalyptisch zu verifizieren (vgl. 217 f). In diesem Sinn kann dann eigentlich nicht mehr von der eschatologischen Einbettung der ἐλπίς
geredet werden, wie das in meiner Analyse der Fall ist. Die Argumentation von Wolters hat mich in dieser Hinsicht aber nicht über-
zeugt. Die Textbasis, die er für solch eine grundsätzliche Auffassung heranzieht, ist zu eng. So berücksichtigt er bei den zahlreichen Texten, die er außer Röm 5,1-11 exegesiert, z.B. Gal 5,5
oder Röm 8,18 ff; 1 Thess 5,1 ff nicht thematisch. Deshalb bleibt
bei ihm offen, wie das Miteinander solcher eschatologischer Aussagen wie Röm 1,17; 3,21 f und Gal 5,5; Röm 8,24a und 1 Thess 5,8;

Zu S. 134-138:

2 Kor 5,17; Gal 6,15 und Röm 8,18 ff zu verstehen ist. Gegenwartsaussagen wie an diesen Stellen sind nicht einfach uneschatologisch auf Bekehrungsterminologie, Streitterminologie u.ä. zurückzuführen (so 76-78.88 f.97 f.212). Überhaupt werde ich bei
der These von Wolter an das Miteinander der loci über die Rechtfertigung und die letzten Dinge in der luth. Tradition erinnert,
wie es sich z.B. schon in CA IV und XVII zeigt: Über die Rechtfertigung aus Glauben wird allgemein-relational argumentiert, wobei die Eschatologie im Sinn eines locus de novissimis als eine Dimension hinzugefügt wird. Vgl. Anklänge an diese Struktur auch
bei Synofzik, Gerichtsaussagen 108. Freilich ist auch den Reformatoren ein Beginn eschatologischen Heils nicht unbekannt, was
z.B. bei Melanchthon Loci 1559, 609,20 ff oder 765,29 ff zum Ausdruck kommt (vgl. Schloemann, Eschatologie).

273 Eine solche Stimmung hat bereits M.Luther für Röm 5 erkannt:
"Incundissimus et gaudio plenissimus Apostolus in hoc capitulo
loquitur." (s. Casus Summarius zu Röm 5 in der Röm-Vorlesung,
WA 56 49,1-3.17-20, Zitat ebd. Z.17 f).

274 Man sollte in unserem Abschnitt zwar nicht betont subjektivistisch-
psychologisierend interpretieren, sollte andererseits aber auch nicht
derartige Stimmungsmomente völlig auszuschalten versuchen.

275 Bezeichnenderweise stellt Paulus seine Aussagen über Leiden, Geduld, Ausdauer usw. hier aber nicht in den Rahmen von Geschichtsüberblicken und Berechnungen für die Zukunft, wie wir
das in ausgesprochen apokalyptischer Überlieferung vorfinden. Es
geschieht vielmehr auf dem Boden eines Gegenübers der beiden
apokalyptischen Äonen, indem Paulus eschatologisch auf die objektive, übergeordnete Prozeßwirklichkeit und den Existenzvollzug zu-
spitzt. Dabei kommt durch das Nacheinander im Kettenschluß aber
durchaus eine zeitliche Erstreckung für das irdische Leben in Sicht.

276 Die Forschung sieht an sich Richtiges, wenn sie den Aspekt der
Heilsgewißheit für Gegenwart und Zukunft für Röm 5,1 ff hervorhebt. Das ist der Fall etwa bei P.Althaus, Röm 42 ff; Lietzmann,
Röm 19.58; Strack-Billerbeck, Kommentar III,218 ff (mit dem Hinweis auf das Fehlen der Heilsgewißheit als hervorstechendem Merkmal der altjüd. Religion). Vgl. im Blick auf die Heilsgewißheit
schon M.Luther (Röm-Vorlesung Glossen zu Röm 5,1, WA 56 49,4-6)
und Melanchthon (Röm-Kommentar zu 5,1, ed. R.Schäfer 155, 30-
33). Wollte man hier jedoch lediglich psychologisierend deuten, so
ist das theologisch zu kurz. Auch müssen in ἐλπίς an unserer
Stelle die Intention und überhaupt weitere Strukturmerkmale der
spes qua speratur gewürdigt werden, also nicht nur die Gewißheit.

277 Im protestantischen Raum wird allerdings gern das Gewicht auf die
Frage der Heilsgewißheit gelegt, etwa im Sinn einer Heilsgewißheit

Zu S. 138-139:

für Gegenwart und Zukunft.

278 Hier besteht eine Entsprechung und sogar eine Beziehung zum at. Ergebnis von Westermann, Hoffen, und zwar in Form einer Verschiebung vom Bekenntnis der Zuversicht in den Klagepsalmen zum eschatologischen (christlichen) Heil.

279 Offensichtlich hat der Prophet selbst zu den Exilierten gehört. Vgl. zu Deuterojesaja z.B. Eissfeldt a.a.O. 444 ff; von Rad, TheolAT II, 248 ff; Westermann, Jesaja S.10 ff und Sprache 92 ff.

280 Studien 42 (ff).

281 Anlaß 36 (28 ff). Als "Sitz im Leben" der Disputationsworte wird der Alltag angenommen.

282 Das wird neuerdings auch von K.Elliger, Jesaja II 94, noch anerkannt. Anders wird unsere Stelle aber bei Eissfeldt, EinlAT 456, beurteilt, indem 40,12-31 als zusammengehöriges Gedicht zusammengestellt werden. Westermann, Jesaja S.41 ff, sieht 40,12-31 ebenfalls als eine Einheit an, grenzt in ihr aber 40,27-31 als zusammenhängende Teilgröße aus, nämlich als letzte von vier Bestreitungen (Disputationsworten), deren erste drei vorbereitenden Charakter besitzen (vgl. ders., Sprache 126 ff.164).

283 Westermann, Jesaja S.18 f, denkt als Situation nicht an private Äußerungen in Unterhaltungen mit anderen Exilierten, sondern an gottesdienstliche Worte, an Worte der Gemeinde im Gottesdienst, die der Prophet bestreitet (vgl. Aussagen der Klage). S. zu den Disputationsworten als "Redeform" noch ders., Sprache 124 ff. Dabei zieht Westermann die Bezeichnung "Bestreitung" deshalb vor, weil es sich strenggenommen nicht um Rede und Gegenrede handele. Auch sei es fraglich, ob man hier im eigentlichen Sinn von einer Gattung sprechen könne. Vgl. auch R.Albertz, Weltschöpfung 7 ff; Hermisson, Diskussionsworte bes. 672-674.

284 Falls man keinen festen "Sitz im Leben" oder keine konkrete Diskussions- bzw. Gesprächssituation annehmen will, so muß man dennoch beachten, daß es sich in 40,27-31 immerhin gedanklich um Rede und Gegenrede handelt, bei der nur die eine Seite "argumentierend" zu Wort kommt.

285 Westermann, Jesaja S.51, sieht in V.27 das Zitat eines Satzes aus der (gottesdienstlichen) Volksklage, die "Anklage Gottes"; kritisch dazu K.Elliger, Jesaja II 97.

286 Vgl. zu diesem Begriff hier K.Elliger, Jesaja II 97.

287 Es sind aber zugleich auch noch heilsgeschichtliche Dimensionen zu beherzigen. Darauf dürften die Bezeichnungen "Israel" und "Jakob" weisen. Diese Bezeichnungen sind unter dem Gesichtspunkt bemerkenswert, daß die Exilierung zu Beginn des 6. Jh. v.Chr. den übriggebliebenen Teilstaat Juda betraf. In diesem heilsgeschichtlichen Zusammenhang ist wohl auch die Berufung der "Gegner" auf ihren משפט zu sehen.

Zu S. 139-140:

288 Wenn auch hier in V.28 in einer Weise auf den Gottesbegriff zurückgegriffen wird, daß heilsgeschichtliche Traditionen Israels keine bes. Rolle spielen, so ist doch zu beachten, daß קצות הארץ in 41,8 f mit heilsgeschichtlichen Traditionen der Erwählung Israels verbunden worden ist. Zum altorientalischen Hintergrund (vgl. Cyrus Cylinder I,20) s. J.Geyer, קצות הארץ.

289 Wenn hier auch nicht von einer Neuschöpfung die Rede ist, so ist doch die Beziehung des kommenden Heilshandelns Gottes zu seiner Schöpfermacht zu beachten.

290 Nach K.Elliger, Jesaja II 94, umfaßt sie V.28 f. Allerdings kann man den ganzen Rest des Stücks in dieser Richtung auffassen, wenn man annimmt, daß das Gegenüber die Schlußfolgerung über Gottes Eingreifen selbst ziehen soll. Auf eine Unsicherheit des Einschnitts zwischen Diskussionsbasis (vgl. V.28 f) und Schlußfolgerung (vgl. V.30 f) weist Hermisson, Diskussionsworte 673, hin.

291 Vgl. schon Parallelismus in V.27 f.

292 So stoßen wir hier bei Deuterojesaja bereits auf eine "Lösung" des Problems einer Verzögerung des Heils, wie wir sie ähnlich später im beginnenden Christentum im Blick auf die "Parusieverzögerung" beobachten (s. Mk 13,32; Apg 1,7; 2 Klem 12; vgl. Bultmann, Geschichte 42 f). Im Unterschied zur Apokalyptik bzw. zu einem wichtigen Teil ihrer Aussagen fehlen in unserem Text aber noch der Versuch einer Periodisierung und Berechnung, der Determinismus einer Universalgeschichte, "die Frage nach der göttlichen Ordnung der geschichtlichen Abläufe" (von Rad, TheolAT II,322).

293 Vielleicht ist mit בחורים hier auch noch weiter verschärfend an Elitesoldaten gedacht (vgl. die Angaben bei Baumgartner, WB 114. 115).

294 Das nimmt formal den Parallelismus von vorher auf.

295 Das ו ist adversativ, drückt aber zugleich auch eine Anknüpfung aus.

296 So auch Westermann, Jesaja S.53, zu V.31b; dagegen K.Elliger, Jesaja II 102.

297 Bei der Annahme eines sprachlichen Unterschieds müßte man etwa mit Jenni, Pi'el 171, in folgendem Sinn interpretieren: "Ein Qal bildet hier die Ausnahme und kann bei den Verben des Hoffens nur ein allgemeines Hoffen an sich ohne bestimmtes Einzelziel, d.h. eine dauernde Vertrauenshaltung bedeuten. Wiederum ist für eine solche Haltung im Unterschied zum Erhoffen in einem bestimmten Fall das Ptc.act. die einzige geeignete Verbalform." Unsere Partizipform würde dem entsprechen, auch der Sachverhalt der allgemeinen Aussagen. Doch bezieht sich unser Text dabei zu sehr auf das konkrete Problem der Rückkehr aus dem Exil, als daß solch ein Sinnunterschied prägnant vorgefunden werden könnte. So ist auch die Beurteilung unserer Stelle bei Jenni a.a.O. 172 f proble-

Zu S. 140-141:

matisch. Eher ist schon sein Hinweis zu beherzigen, daß das Pi^{c}el im Partizip nicht belegt ist (a.a.O. 173). Deshalb könnte es nicht üblich gewesen sein, so daß sich das Qal schon von daher versteht. Auch ist ein formelhafter Sprachgebrauch mit Jahwe als Objekt zu bedenken (s. entsprechend die sechs Belege mit Qal, d.h. Jes 40, 31; 49,23; Ps 25,3; 37,9; 69,7; Klgl 3,25 für das AT bei Jenni a.a.O. 172, die sogar die einzigen für das Qal im AT sind; vgl. Mandelkern, Konkordanz 1017).

298 Deshalb kann diese Stelle nicht als Beleg für eine Tendenzverlagerung bei der "Hoffnung" weg von der Inhaltsbeziehung zum Gottesverhältnis und zum Akt selbst angesehen werden.

299 Vgl. auch andere formgeschichtlich wichtige Stücke mit dem Gebrauch solcher Vokabeln in Jes 40 ff, so im Heilsorakel 49,22 f (V.23, und zwar mit dem Motiv "hoffen und nicht zuschanden werden"), im "Gottesknechts"-Lied 42,1-4 (V.4). Zur formgeschichtlichen Beurteilung der ersten Stelle s. Begrich, Studien 6 (ff); von Waldow, Anlaß 28 (11 ff). Westermann, Sprache 121, sieht 49,14-26 als zusammenhängendes großes Gedicht mit drei Teilen an und behandelt es unter dem Gesichtspunkt der "Heilsankündigung" und der Aufnahme weiterer Formen. B.Duhm interpretierte unsere Hoffnungsaussage in 40,31 im Stil seiner Zeit unter dem Aspekt des Ausdrucks religiöser Hoffnung und des Propheten Deuterojesaja als religiöser Persönlichkeit, wenn er schreibt: "das Leben in der eschatologischen Hoffnung ist ihm (sc. dem Propheten) ein Adlerflug, sie gibt ihm immer neue Kraft, bis das Ziel erreicht ist, die ὑπομονή des NT.s, die aus der Hoffnung auf die Parusie hervorgeht." (Jesaja 301).

300 Vgl. den Hinweis von Westermann, Jesaja S.51.53, auf die zugrundeliegende Struktur des beschreibenden Lobpsalms.

301 Vgl. Westermann, Hoffen 250 f, zur speziellen Aufnahme des Bekenntnisses der Zuversicht an dieser Stelle im Rahmen at. Verheißungen für die Harrenden.

302 Vgl. zur Funktion des Kyros in der Botschaft des Deuterojesaja Eissfeldt, EinlAT 447 (Literatur Anm. 1).450.453.455; K.Koch, Stellung; von Rad, TheolAT II,248.254 f; Westermann, Sprache 144 ff.

303 Subjekt des יחל sind die fernsten Gestade. Objekt ist genauer die "Weisung" dieses Knechtes.

304 Umstritten ist sogar die Zugehörigkeit der "Gottesknechts"-Lieder oder eines Teils von ihnen zur Botschaft des Propheten Deuterojesaja. Die Literatur zu diesen Problemen ist überaus zahlreich. Entsprechend sind auch die Deutungen recht mannigfaltig, mag man nun an eine individuelle Gestalt bis hin zum Propheten Deuterojesaja selbst, an das Volk Israel u.ä. denken. Vgl. dazu Eissfeldt, EinlAT 448 ff.457-459; von Rad, TheolAT II,260 ff; Westermann, Jesaja S.20 f. Zur älteren Forschung bis B.Duhm

Zu S. 141-143:

s. E.Ruprecht, Auslegungsgeschichte; zur neueren Literatur die Angaben bei Eissfeldt a.a.O. 444 ff.

305 Auf das Gegenüber "natürlich-geistlich" weist K.Elliger, Jesaja II 100.101, hin. Paradoxe Aspekte findet Westermann, Jesaja S.52.

306 Als Heils- oder Erhörungsorakel bei Begrich, Studien 6 (ff), und von Waldow, Anlaß 27; als Heilsankündigung im Rahmen einer Differenzierung zwischen Heilsorakel (Heilszusage) und Heilsankündigung bei Westermann, Sprache 120 (ff).

307 Vgl. dazu Eissfeldt, EinlAT 457 Anm. 1; von Rad, TheolAT II,256 ff; von Waldow, Anlaß 239 ff (Exkurs). S. zu den Erwählungstraditionen bei Deuterojesaja von Rad, TheolAT II,249 ff (zur Exodus-, Zions-, David- und Schöpfungstradition); Rohland, Bedeutung 94 ff.200 ff.263 ff (zu den drei ersten); Zimmerli, Neuer Exodus.

308 ·Vgl. ὑπομένειν in der LXX z. St. Auf diese Weise stoßen wir bereits bei Deuterojesaja auf einen weiteren Aspekt der "Lösung" des Verzögerungsproblems eschatologischen Heils, nämlich im Sinn einer Aufforderung zu geduldigem Warten. Solches ist dann später im Christentum ebenfalls zu beobachten (s. z.B. Jak 5,7 ff), aber auch etwa schon in Hab 2,3 (bis hin zu 1 Q pHab 7,1 ff).

309 Dabei steht in 51,5 dann auch noch קוה. Zur Nähe des eschatologischen Heils bei Deuterojesaja vgl. von Rad, TheolAT II,252.

310 Das Problem einer geschichtlichen Entwicklung der Botschaft des Deuterojesaja ist vor allem seit Begrich, Studien, thematisch gestellt.

311 Vgl. die Extremität der Aussage in 48,7. Von Rad, TheolAT II, 252, sagt sogar: "Was sie (sc. die früheren Propheten) vor Zeiten geweissagt haben, beginnt sich jetzt zu erfüllen (Jes. 43 9 ff; 44 7; 45 21)". Wahrscheinlich ist an solchen Stellen aber eine Plerophorie und Verlebendigung der Aussageweise anzunehmen. Denn der neue Exodus steht noch bevor, auch bei den Heilsaussagen über Jerusalem. Als einen der Grundzüge der Verkündigung Deuterojesajas, der auf der Übernahme des Heilsorakels beruhe, sieht Westermann, Jesaja S.13, den Sachverhalt an, daß der Prophet die Wende zum Heil als Faktum verkündigt. Daneben stehe aber die übliche Heilsankündigung (a.a.O. S.15). die perfektische Form ist aber genau genommen eine Vorwegnahme. Dessen dürfte sich auch der Prophet selbst bewußt gewesen sein. Von einem Beginn der Erfüllung redet Begrich, Studien 70 ff. Das bezieht er auf die Texte, die er der Zeit zwischen 553/52 und 547 zuweist. Die zeitliche Anordnung Begrichs ist aber umstritten geblieben (vgl. Westermann, Sprache 99).

312 Vgl. Zimmerli, Neuer Exodus.

313 Dort in Jer 29 spielt zugleich aber schon ein Zeitraum von 70 Jahren eine Rolle, und zwar in Auseinandersetzung mit falschen

Zu S. 143:

Heilspropheten (vgl. entsprechende Zeitangaben auch in Jes 7,8 ;
Ez 4,4 ff). Das zeigt erneut, daß eine "Naherwartung" nicht unbedingt konstitutiv zu sein braucht (vgl. auch in Jon 3 die Zeit-
angabe von 40 Tagen und die Nutzung dieser Frist zur Buße in
Ninive, so daß Gott die Strafe nicht vollstreckt). Dan 9,1 ff versucht die Stelle Jer 29 dann apokalyptisch zu deuten und den geschichtlichen Verhältnissen der inzwischen eingetretenen und der
eigenen Zeit anzupassen (vgl. dazu und zum Judentum sonst Strack-
Billerbeck, Kommentar IV,2 996 ff). Dagegen ist die Nähe bzw. das
Nahen des Tages des Herrn in Jo 1,15; 2,1 pointiert vorhanden.

314 S. TheolAT II,121 ff (unter dem Aspekt "Die Eschatologisierung
des Geschichtsdenkens durch die Propheten"). Dort finden sich
entsprechend auch Hinweise auf "Nullpunktsituation", Bruch, Negation des bisherigen geschichtlichen Heilsgrundes u.ä. S. zur
prophetischen Eschatologie noch Fohrer, Struktur; A.Jepsen, RGG[3]
II,655 ff; Rohland, Bedeutung; H.W.Wolff, Geschichtsverständnis;
Schunck, Eschatologie; ferner die Forschungsübersicht bei Rohland
a.a.O. 1 ff.

315 Sonderprobleme ergeben sich allerdings im Blick auf die Heilsstruktur durch das geschichtliche Verhältnis von Sehern und Propheten
(vgl. 1 Sam 9,9 zur Änderung des Sprachgebrauchs; s. dazu von
Rad, TheolAT II,16 ff), die Kultprophetie, die Phänomene von Ekstase, Vision und Offenbarungsempfang, das Leidproblem, ein Läu-
terungsgericht, den Restgedanken u.ä. (vgl. Jes 8,16 ff über den
Propheten und seine Jüngerschar, die Verheißung für die Rechabi-
ten in Jer 35).

316 Eine Verbindung zur Apokalyptik besteht auch bei den Visionen und
Geschichtsüberblicken bzw. Geschichtsallegorien der Propheten (vgl.
Ez 1 ff; 8 ff; 16 u.ö.; Sach 1,7 ff). Im Zusammenhang mit dem Problem einer geschichtlichen Entwicklung soll auch noch auf eine vergleichbare Bewegung innerhalb der "Verheißung an die Harrenden"
hingewiesen werden, die Westermann, Sprache 249-251, herausstellt.

317 Vgl. zum weltweiten Horizont der Botschaft des Deuterojesaja von
Rad, TheolAT II,254 f. Es ist hier auch die Vermutung Westermanns, Sprache 251, zu beachten, daß die Verheißung für die Harrenden eine Weiterbildung des Bekenntnisses der Zuversicht ist
und vielleicht zuerst von Deuterojesaja geprägt worden ist, und
zwar dann als eine Verbindung von prophetischem Reden mit einem Psalmenmotiv.

318 Vgl. R.Albertz, Weltschöpfung 7 ff; von Rad, TheolAT II,250 f;
R.Rendtorff, Stellung. Daß der Schöpfungsgedanke für die Argumentation des Deuterojesaja charakteristisch ist, kann man auf
das Stillestehen der Heilsgeschichte durch das Exil zurückführen,
aber auch auf die Notwendigkeit einer universalen theologischen

Zu S. 143:

Auseinandersetzung mit den Göttern des Zweistromlandes (vgl. die Götterkritik in 40,18 ff u.ö.).

319 Vgl. dazu von Rad, TheolAT II,250 f (mit dem Hinweis auf eine "soteriologische" Auffassung von der Schöpfung, bei der Jahwe Schöpfer der Welt und "Schöpfer" Israels genannt werde; s. 43,1. 7.15; 44,2.21); ähnlich R.Rendtorff, Stellung.

320 Durch die Anknüpfung an Hab 2 kann dem Paulus auch das Problem einer Verzögerung des eschatologischen Heils in einer geschichtlichen Dimension bis zurück zum AT bewußt geworden sein. Vgl. zur Geschichte des Verzögerungsproblems Strobel, Untersuchungen (aufgrund der spätjüd.-urchristlichen Geschichte von Hab 2,2 ff).

321 Vgl. nach den älteren Standardwerken von Bousset-Greßmann, Religion 242 ff u.ö.; Volz, Eschatologie 4 ff u.ö., aus der großen Zahl der neueren Literatur zum Problem der Apokalyptik Baumgarten, Paulus; H.D.Betz, Problem; ders., Verständnis; Bultmann, Geschichte 27 ff; Dexinger, Zehnwochenapokalypse; Gammie, Dualism; Hanson, Apocalyptic; Harnisch, Verhängnis; Hengel, Judentum 319 ff; Kerstiens, Hoffnungsstruktur 112 ff; Koch, Apokalyptik; E.Lohse, Apokalyptik; J.Moltmann, Theologie 120 ff; U.B. Müller, Messias; Münchow, Ethik; Nissen, Tora; Noth, Geschichtsverständnis; von der Osten-Sacken, Apokalyptik; Plöger, Theokratie; von Rad, TheolAT II,316 ff; Ringgren, RGG[3] I,463 ff; Rößler, Gesetz; Rowley, Apokalyptik (behandelt dabei 66 ff ebenfalls CD und seit der 3. Aufl. a.a.O. 69 ff überhaupt auch die Qumran-Schriften, weist aber auf Unterschiede zu den Apokalypsen hin); Sauter, Zukunft 229 ff; J.M.Schmidt, Apokalyptik; ders., Forschung; Schmithals, Apokalyptik; Schreiner, Apokalyptik (184 ff über das Verhältnis zur Gedankenwelt der Qumrangemeinde); R.Schütz, RGG[3] I,467 ff; Theisohn, Richter; Vielhauer bei Hennecke, Nt.Apokryphen II,407 ff.

322 Vgl. zu all dem Beer bei Kautsch, At.Pseudepigraphen (II) 220 ff; Eissfeldt, EinlAT 837 f; Dexinger a.a.O. 98 ff.

323 Vgl. dazu Eissfeldt, EinlAT 838 ff, und zwar im Blick auf die einzelnen Teile: Zehnwochenapokalypse 93; 91,12-17 vor 170 v.Chr.; kosmologisches Buch 12-36* + 81,1-82,4a sowie astronomisches Buch 72-82* vor 150 v.Chr.; Tiersymbolapokalypse 85-90 unter Johannes Hyrkanus, d.h. 134-103 v.Chr., oder Alexander Jannäus, d.h. 103-76 v.Chr.; Mahnreden 91-105 und Bilderreden 37-71 vor 63 v. Chr.; aus derselben Zeit der Rest. Die Mahnreden 94-105 führt auch Rost, Einleitung 104 f, auf das 1.Jh. v.Chr. zurück. Das ganze Problem wird allerdings recht kompliziert vor allem durch die Überlieferung dieses Werkes in aram., äthiop. und griech. Sprache. Nur die äthiop. Überlieferung ist vollständig. Als Ursprache wird das Hebräische oder Aramäische vermutet, von wo aus die griech. (und lat.) und von da aus wieder die äth. Über-

Zu S. 143:

setzung entstanden seien (zu Ullendorffs These, die äthiop. Übersetzung stamme - eventuell bei Zuhilfenahme einer griech. Übersetzung - direkt aus dem Aramäischen, s. Milik, Books of Enoch
88; Knibb, ÄthHen II,37-46; spezielle Aramaismen in der äthiop.
Überlieferung sind vielleicht bedingt durch eine zwischenzuschal-
tende syr. Übersetzung; vgl. Littmann, Äthiop. Literatur 377).
Diese Auffassung hat gute Gründe für sich, zumal die Qumrantexte
uns für den bisher fehlenden sprachlichen Überlieferungsbereich einige Fragmente gebracht haben (in hebr. Sprache s. DJD I,19 -
oder Fragment aus einem hebr. Noah-Buch? so Milik a.a.O. 55-60 -,
in aram. s. Milik, Hénoch und jetzt Books of Enoch 340-362:
Transkription der aram. Hss.). Vgl. dazu J.Becker, Heil 32;
Beer a.a.O. 217 ff; Eissfeldt, EinlAT 842 f; Rost, Einleitung 101 f,
und am umfassendsten Milik, Problèmes und Books of Enoch. Eigenartigerweise ist nun aus den Qumranfunden keine Überlieferung der
Bilderreden (äthHen 37-71) bekannt geworden. Man mag das für Zufall halten. Man kann auch auf den Sachverhalt einer anderen Messianologie der Qumrangemeinde hinweisen, der eventuell diese Passagen unterdrücken oder beiseite bleiben ließ. Ähnliche Probleme
stellen sich im Blick auf den at. Kanon bzw. den Umfang at. Schriften bei Est (vgl. zu seinem Fehlen in den Qumranfunden Burrows,
RGG[3] V,740). Aufgrund dieses Mangels bei den Bilderreden, die
übrigens auch der Grieche nicht überliefert (s. ed. Black), eine
Spätdatierung für äthHen 37-71 und für die Redaktion des ganzen
Werkes zu erschließen (so Milik, Dix ans 31 / Ten Years 33 f: die
Bilderreden von einem Juden oder Judenchristen des 1. oder 2. Jh.
n.Chr., der auch der ganzen Komposition die vorliegende Form gegeben habe; vgl. F.M.Cross, Bibliothek 184 Anm.7; Eissfeldt, EinlAT
840 f; neuerdings datiert Milik die Komposition der Bilderreden sogar
erst in die 2. Hälfte des 3.Jh. n.Chr.: Problèmes 373 ff und Books
of Enoch 89-98.), ist philologisch nicht gesichert genug. Es beruht
auf einem argumentum e silentio. Auch braucht sich die Entstehungs-
zeit der Paränesen dadurch nicht zu ändern (vgl. ihre Bezeugung
in den Qumranfunden, wie die Aufstellung bei Milik, Problèmes
336 f, zeigt). Ferner macht etwa die synoptische Apokalypse Mk
13 par eine Schlußfunktion paränetischer Ausführungen in apokalyptischen Zusammenhängen deutlich. So könnte durchaus auch eine
Version des äthHen mit Geschichtsdarstellungen und Geschichtsvisionen und mit einem Abschluß durch paränetische Passagen existiert haben, die die Bilderreden nicht brachte, zumal zumindest dieser Umfang durch die Qumranfunde belegt ist (s. die schon genannte Aufstellung Miliks). Außerdem rückt selbst bei einer Datierung
der Gesamtkomposition in das 1. oder 2.Jh. n.Chr. dieses Werk
nicht allzu weit von der Zeit des Paulus ab. Überhaupt sind der
eschatologische Dualismus der Paränesen und die Geschichtsdarstel-

Zu S. 143-144:

lung in der Zehn-Wochen-Apokalypse u.ä. Passagen vorher außerhalb der Bilderreden durchaus als alt annehmbar, da sie strukturell etwa den Aussagen des Dan vergleichbar sind (vgl. jüngst
in Fortführung der Plögerschen Thesen Dexinger, Zehnwochenapokalypse, über den vorqumranisch-asidäischen Ursprung der
Apokalyptik). Am besten wird die Endreaktion des äthHen mit
oder kurz nach der Entstehung der jüngsten Teile vermutet, also
im 1.Jh. v.Chr. oder zu Beginn des 1.Jh. n.Chr., so daß das Ganze nicht jünger als ApkBar (syr) und 4 Esr ist. Denn die Spätdatierung der Bilderreden erscheint wohl zu problematisch (warum ist
z.B. in TestDan 5,6 schon äthHen 54,6 zitiert? Warum sind die
Bilderreden dem Origenes, gestorben 253/254 n.Chr., offensichtlich schon bekannt? Vgl. Black, ed. der griech. Fragmente S.11 f).
Sollte wirklich die vorliegende Gestalt des Werkes erst später (etwa im Sinne Miliks) anzusetzen sein, so hat jedoch die Version ohne die Bilderreden bereits sehr viel früher exisiert, wie die Qumranfunde zeigen. Das betrifft das Gerüst der Schrift mit der Aufgliederung in die Hauptteile und den hauptsächlichen Gedankengang.
Denn in einer kürzeren und in der längeren Fassung können sich
im Laufe der Zeit durchaus noch Veränderungen bei einer Überarbeitung, der Abschrift, der Übersetzung u.ä. ergeben haben, die
die Grundgestalt des Buches nicht betroffen haben. Das strukturelle
Verhältnis zwischen Geschichtsdarstellung und Paränese und die
eschatologische Einbettung der "Hoffnung", um die es uns im folgenden gehen wird, ändern sich ohnehin durch eine solche Kurzfassung und unsere Langfassung nicht. Daß die Aussagen mit Begriffen der Hoffnung in den Bilderreden christlichen Einfluß zeigen (so Miliks Vermutung für die Menschensohn-Worte), erscheint
mir unwahrscheinlich. Die historische Folie für den Sachverhalt bei
Paulus bleibt auf jeden Fall erhalten. Vgl. Kritik an Miliks Auffassungen über die Entstehung der überlieferten Form des äthHen bei
Rowley, Apokalyptik 179 f Anm. 89 zu 52 (dort auch zu weiteren
Thesen über die Abfassungsverhältnisse in der Geschichte der Forschung, und zwar bis zu einer Spätdatierung in christliche Zeit;
vgl. ferner zum äthHen a.a.O. 50 ff. 75 ff). S. zum Problem auch
noch Rost, Einleitung 101 ff, und die Rezensionen des Milikschen
Buches von Fitzmyer, bes. 341 ff, und Grelot, bes. 610 f; ferner
Knibb, Date.

324 Letzteres dürfte angesichts der anderen Stellen aber Zufall sein.

325 Es kann hier auch noch auf verwandte Stellen in Jub; PsSal; Sib
hingewiesen werden.

326 Vgl. auch die im at. Dan. In der Apokalyptik sind dabei die Bildaussagen und Allegorien zu beachten (vgl. etwa Tiersymbole für
Weltreiche). Sie sind z.T. recht bizarr, entsprechen aber der Vermittlung der Offenbarung durch Träume und Visionen.

Zu S. 145-147:

327 Bei ihnen kann man durchaus von (kleinen) christlichen Apokalypsen reden (vgl. in 1 Thess 4,13-18). Ausführlichere Apokalypsen bietet das NT dann außerhalb der Paulusbriefe in Mk 13
par und in Gestalt der Apk.

328 Da hier wieder nur die äthiop. Überlieferung vollständig ist, wird
von ihr ausgegangen und dann, soweit vorhanden, noch auf die
an sich wohl ältere griech. und aram. Überlieferung geblickt. Vgl.
zu 92-105 Nickelsburg, Message (aber für "Hoffnung" selbst weniger austragend).

329 Daß hier der überlieferte äthiop. Text redaktionell nicht in Ordnung ist, ist deutlich; vgl. zum Problem Black, Apocalypse;
Dexinger, Zehnwochenapokalypse 102 ff.

330 Auch in der aram. nicht, soweit erhalten. Ein griech. Text fehlt.

331 Daß auch in anderen jüd. Apokalypsen ähnliche Aspekte vorliegen, zeigt ApkBar (syr) 77,7, wo die Apokalypse durch 77 ff ebenfalls mit paränetischen Ausführungen abgeschlossen wird. Dabei
wird die Fiktion allerdings noch sehr viel stärker als im äthHen
durchgeführt.

332 Dadurch können Spannungen entstehen, und zwar etwa im Verhältnis zur Betonung des plötzlichen oder nahen Gerichts (vgl. 94,7;
96,1).

333 Vgl. Beer a.a.O. 303 Anm. d.

334 Vgl. Beer a.a.O. 306 Anm. g.

335 Eine Form von ሰብ : im äthiop. Text, im griech. nach der Ergänzung bei Black (ed.) ἐλπίζειν (aram. Überlieferung fehlt für
98, 10-14).

336 Die griech. Überlieferung bringt noch deutlicher auf das Endgericht bezogen als Objekt σωθῆναι. Das Problem von Tod und Sünde
wird schon in Gen 3 thematisch. Über eine Todeswirkung der Sünde s. in der jüd. Apokalyptik z.B. ApkBar (syr) 23,4, in den Paulusbriefen Röm 1,32; 5,12; 6,16. Spezielle Fälle werden religions-
gesetzlich im AT etwa in Lev 20,11 genannt. Gottes Wunsch auf eine Bekehrung des Sünders und sein Leben werden allerdings in Ez
18,23 betont.

337 Äthiop. dasselbe Verb; griech. ἐλπίδες, und zwar in der ed.
Blacks mit der Ergänzung der Textlücke zu ἐλπίδας καλὰς ἔχειν.

338 Dabei wird in einer roheren Darstellungsweise der Gedanke ausgedrückt, der bei Paulus etwa in der Mitwirkung der "Heiligen" am
Gericht über den "Kosmos" anklingt (s. 1 Kor 6,2 f).

339 Es wird äth. ein substantivisches Derivat der bisher genannten
Wurzel gebraucht: ተስፋ:. In der griech. Überlieferung: οὐ μὴ
γένηται ὑμῖν ἐλπὶς σωτηρίας.

340 Der Text ist z.T. schwierig und vielleicht verderbt; vgl. Beer
a.a.O. 306 Anm. h; die ed. von Dillmann, Flemming und Knibb z.

Zu S. 147:

St. So überliefert der Grieche auch etwas anders, indem er in 102,4 als Verhalten nur ϑαρσεῖν bringt (aram. Überlieferung fehlt). Der Äthiope hat wieder das bisher schon beobachtete Verb ሰበከ፦:. Offensichtlich wird hier der Tod nicht als Scheitern einer "Naherwartung" angesehen. Harnisch, Verhängnis 318 ff, weist für 4 Esr und ApkBar (syr) ebenfalls auf eine Entspannung der Naheschatologie hin.

341 Die griech. Überlieferung bringt in 102,4 aber nur ϑαρσεῖν (s.o.), in 102,5 negiertes λυπεῖσϑαι (vgl. 1 Thess 4,13). Die Kombination von "Hoffnung" und "Furcht" ist aufgrund unserer Stelle also nicht lediglich als profan-antik anzusehen. Dabei ist das an ihr in einem eschatologischen Sinn gemeint. Eine positive Kombination von ܩܘܝ (q w y) und ܕܚܠܬ (d ḥ l t ', d.h. "Furcht, Verehrung, Religion", vgl. Brockelmann, WB 149a) findet sich in ApkBar (syr) 44,7.

342 Wieder dasselbe äthiop. Verb; griech. ἀπελπίζειν ("verzweifeln"), und zwar mit dem Inhalt: καὶ μηκέτι εἰδέναι σωτηρίαν ("Heil, Rettung") ἡμέραν ἐξ ἡμέρας.

343 Äthiop. dasselbe Verb, ed. Dillmann und Knibb z.St ወተሰፈወ ፦ ን : - "und wir haben gehofft", ed. Flemming und Knibb Apparat z.St ን ጸ ፎ : / nəsseffo, - "wir hoffen", d.h. Imperfekt < nətseffo (t/2 Stamm); das Imperfekt ን ጸ ፎ : wohl in Angleichung an das folgende Imperfekt ን ትነ ን:, nach Knibb Apparat 1 Hs. ይ ጸ በ ፦ : "sie hoffen"; griech. ἠλπίσαμεν (aram. Überlieferung fehlt).

344 Mit dem Großteil der äth. Überlieferung und der griech. Texttradition sind 103,10 f in der 1. Person Plural zu lesen, also im Stil klagender, rückblickender Worte der Gerechten. Beer zieht die 3. Person Plural vor, so daß das Ganze eine sarkastische Beschreibung des elenden Lebensloses der Gerechten darstelle (a.a.O. 307 mit Anm. h). Man kann dabei aber auch an einen Rückblick anderer (aus der Sicht der Ungerechten, Gottlosen?) denken.

345 Äthiop. das Verb von vorher; griech. wieder ϑαρσεῖν (aram. für V.2.4 keine Überlieferung).

346 Vgl. Dan 12,3.

347 Die himmlischen Tafeln sind in der jüd. Apokalyptik wichtig (s. äth-Hen 81,1 f; 103,2; vgl. auch 97,6; 98,6-8; 104,1). Sie entsprechen dem Sachverhalt, daß das Heil im Himmel schon bereitet ist. Doch ist für diese Vorstellung auch noch der Gerichtsgedanke belangreich Das gilt ebenfalls für himmlische Bücher, die z.B. in äthHen 47,3; 81,4 genannt werden, aber auch z.T. an den gerade angeführten Stellen bereits ins Spiel gekommen sind. Vgl. bei Paulus zu solch einer Funktion himmlischer Güter Phil 3,20.

348 Äthiop. erneut dasselbe Verb, ferner sein eben schon beobachtetes substantivisches Derivat. Griech. findet sich ein anderer Text, in dem auch keine Vokabeln der Hoffnung vorkommen.

Zu S. 148-150:

349 Der Äthiope bringt das bereits genannte Verb. Eine griech. und
aram. Textüberlieferung fehlt.

350 So Dillmann, WB 1386 (als Adverb "propere, festinanter, celeriter,
cito, mox"); Knibb, ÄthHen II, 228.

351 So Beers Übersetzung a.a.O. 302; ebenfalls Rießler, Schrifttum
437.

352 Das entspricht auch der Angabe des WB von Dillmann. Leider fehlt
die griech. und aram. Überlieferung hier. In 108, 2 f scheint dann
aber der Gesichtspunkt des Wartens (ረ ፈ ሐ / ṣanḥa) vorzuherr-
schen (als "exspectavit, mansit" bei Dillmann, WB 1284; vgl. die
Übersetzungen von Beer a.a.O. 310, Knibb, ÄthHen II, 249, und
Rießler, Schrifttum 450). Das steht im Schluß des äthHen, und
zwar in einer an sich ähnlichen Aussage wie in unserem paränetischen Teil (nach Milik, Books of Enoch, äthHen 108, 1 ff ein späterer Zusatz, vielleicht christlich). Auch an dieser Stelle ist kein
griech. und aram. Text überliefert. Die Fiktion ist im Rahmen von
106-108 vielleicht stärker geworden. Ein durativer Sinn ist dadurch
und zudem unter Berücksichtigung redaktioneller Gesichtspunkte
im Abschluß des äthHen noch eher verständlich (vgl. z.B. auch
Dan 12, 12 in seinem Kontext).

353 Allerdings sollte auch im äthHen bedacht werden, daß dort wie
überhaupt weithin in der jüd. Apokalyptik nicht direkt Israel und
die Nichtjuden, sondern individuell und generalisierend Gerechte
und Frevler, Weise und Toren einander gegenübergestellt werden.

354 Die Aporie der Verheißung sieht Harnisch, Verhängnis 19 ff u.ö.,
als Grundproblem der Apokalyptik an. Der Entwurf apokalyptischen
Denkens dürfe als eine theologische Apologie der Verheißung gekennzeichnet werden (a.a.O. 326). Sauter charakterisiert die Apokalyptik als "Versuch, die Verheissung in ein eschatologisches System zu
bringen" (Zukunft 229 ff, bes. 248).

355 Moltmann sieht sogar eine "Vergeschichtlichung des Kosmos in apokalyptischer Eschatologie" vorliegen (s. Theologie 120 ff).

356 Auch viele der nicht direkt in solche Passagen eingebetteten Aussagen sind sachlich in ihrem Horizont zu sehen (vgl. 4 Esr 7, 18. 66.
117. 120; ApkBar (syr) 14, 3. 12. 13. 14; s. dabei aber das visionäre
Gespräch mit Gott). Dagegen werden bezeichnenderweise z.B. in
dem astronomischen Buch äthHen 72-82 keine Vokabeln der Hoffnung verwendet.

357 Vgl. z.B. 4 Esr 7, 60; ApkBar (syr) 59, 10.

358 Vgl. zur Fülle der apokalyptischen Vorstellungen und Strukturmerkmale die bisher zitierte Sekundärliteratur, ferner die Exkurse
28 ff bei Strack-Billerbeck, Kommentar IV, 2 764 ff. So ist in der
Apokalyptik der Sprachgebrauch auch bei dem Begriff "Äon" selbst
fließend (vgl. die genannten Stellen im Verhältnis zu 4 Esr 3, 18;
9, 18).

Zu S. 150–152:

359 Entsprechend befinden sich die Tafeln und Bücher im Himmel. Sie werden erst im Endgericht herangezogen.

360 In dieser Hinsicht bestehen soteriologische Grenzen für die Offenbarung, die der Seher erhält.

361 Das steht parallel zu den Gründen, die die Einschaltung des Heroenzeitalters in die absteigende Reihenfolge der Weltzeitalter bei Hesiod Op 106 ff erklären; vgl. dazu schon Erwägungen in philosophischer und historischer Hinsicht bei Bamberger (1842; Wege der Forschung zu Hesiod 439 ff).

362 Vgl. die konkrete Situation der Entstehung von Apokalypsen in der Zeit der Religionsverfolgung durch Antiochus Epiphanes (vgl. Dan), durch die Zerstörung Jerusalems 70 n.Chr. (vgl. ApkBar (syr), 4 Esr). So orientieren Trost (vgl. Harnisch, Verhängnis 318), Paränesen, doxologische Momente u.ä. ebenfalls stärker auf die aktuelle Situation.

363 Deshalb ist auch die Entwicklung verständlich, die Vielhauer (bei Hennecke, Nt. Apokryphen II,420 f) zur christlichen Apokalyptik hin aufzeigt.

364 Allerdings kann bis zum endgültigen Abschluß z.T. noch eine beträchtliche Zeitspanne bestehen, wenn wir etwa an die Zwischenschaltung der messianischen Zeit oder die Entwicklung von der siebten bis zur zehnten Woche in der Zehn-Wochen-Apokalypse denken.

365 Vgl. die parallele Entwicklung im beginnenden Christentum bis zur Alten Kirche.

366 Auf einen Geschichtsverlust, eine Entgeschichtlichung der Geschichte, den Verlust eines existentiellen Bezugs zur Dimension der Geschichte haben z.B. M.Buber, Prophetie; Bultmann, Geschichte 35; von Rad, TheolAT II 3. Aufl. 316 ff, 5. Aufl. 320 ff, hingewiesen. Vgl. auch J.Moltmann, Theologie 121. Nach M.Noth, Geschichtsverständnis 262 ff.270 ff, ist in Dan 2 und 7 keine Darstellung eines bestimmten Geschichtsverlaufes oder einer bestimmten geschichtlichen Entwicklung beabsichtigt. Es sei durch das Gegenüber zur Gottesherrschaft ein Schweben zwischen Nacheinander und Gleichzeitigkeit der Weltreiche zu beobachten. Es komme überhaupt auf die Gegenüberstellung von Weltgeschichte im ganzen und Gottesreich an. Darin gehe Dan 7 freilich über Dan 2 hinaus, daß der Augenblick des Endes in gewagter Weise auf die Zeit des elften Königs des letzten Weltreiches, d.h. auf die Zeit Antiochus IV., festgelegt werde. Trotzdem seien die Buntheit und das Wechselvolle der Weltgeschichte anschaulich gemacht worden (vgl. unser Auf und Ab oben). Bestimmte Entwicklungsgesetze der Geschichte habe die Apokalyptik aber nicht anerkannt. Im ganzen laute ihr Urteil über die Geschichte negativ. Weithin ist es bei den gerade genannten Positionen so, daß die Geschichtsauffassung der Apokalyptik vor allem von der Geschichtlichkeit im Sinn eines existenzbezogenen Denkens her (kritisch) beurteilt wird. Allerdings wird man nicht wie Bultmann

Zu S.152-153:

(a.a.O. 34 f.42) Geschichte bzw. geschichtliche Zeit und kommenden Äon grundsätzlich einander entgegensetzen dürfen (so offensichtlich auch Noth a.a.O. 272 f). Denn z.B. der Schluß der Zehn-
Wochen-Apokalypse in äthHen 91,16 f kennt durchaus noch eine
zeitliche Erstreckung für das zukünftige, endgültige Heil. Schließlich ist auch noch anzumerken, daß selbst von Rad in seiner eben
genannten Darstellung (a.a.O. 5. Aufl. 322) betont, in der Apokalyptik sei der heilsgeschichtliche Ansatz der älteren Geschichtsbe-
trachtung zwar preisgegeben, die Geschichte freilich damit noch
nicht aus der Verfügung Gottes entlassen worden (vgl. auch ebd.
319 zur Einbeziehung der Universalgeschichte und des eschatologischen Aspektes). Auf eine Entspannung, Erweichung, Entschärfung der Naheschatologie sowie auf zu Berechnungen und Termin-
spekulationen gegenläufige Tendenzen weist Harnisch, Verhängnis
318 ff, für 4 Esr und ApkBar (syr) hin. Nach Schmithals, Apokalyptik 13, versteht der Apokalyptiker die Geschichte nach Analogie
des griechischen Kosmos. Von da aus erklären sich für Schmithals
auch die kosmologischen Partien. Im Blick auf eine Beurteilung der
Apokalyptik sind seine Ausführungen a.a.O. 27 bemerkenswert.
Dort sagt er, daß die potentielle Bedrohung mit Geschichtsverlust,
die von dem Determinismus der Apokalyptik ausgehe, durch die apokalyptische Naherwartung weitgehend paralysiert werde. Doch müsse sich diese Bedrohung durch das Ausbleiben des Endes auswirken.

367 Der Sachverhalt von prädestinatianischen u.ä. Aussagen bei Paulus
bedarf in diesem Rahmen einer besonderen Behandlung.

368 Neuerdings versucht Schmithals die Apokalyptik unter dem Gesichtspunkt von Geschichtlichkeit und Existenz zu würdigen (vgl.
in dieser Richtung z.B. a.a.O. 37). Aber auch schon andere Forscher haben in der letzten Zeit die Apokalyptik im Rahmen der nt.
Exegese oder der theologischen Systematik recht positiv gewertet,
und zwar auch über einen enger existenztheologischen Ansatz hinaus, so z.B. Käsemann und Stuhlmacher, Pannenberg, J.Moltmann
und Sauter. Vgl. ferner dazu K.Koch, Apokalyptik 69 ff.91 ff bzw.
93 ff.

369 Vgl. zu diesen Fragen Burrows u.a., Art. Qumran; F.M.Cross,
Bibliothek; G.Jeremias, Lehrer.

370 S. zur Unterscheidung zwischen "Gemeindeliedern" und "Lehrerliedern" die Bemerkungen bereits in 9. (bes. Anm. 16).

371 Vgl. dazu J.Becker, Heil 50 ff; H.-W.Kuhn, Enderwartung 21 ff.
Speziell zu 1 QH 3,19-36 als Gemeindelied s. J.Becker a.a.O. 52 f;
H.-W.Kuhn a.a.O. 25 u.ö.

372 Vgl. ferner in der Hs. das entsprechende Einrücken.

373 Enderwartung 26-29.44 ff.

374 Vgl. H.-W.Kuhn a.a.O. 61.

Zu S. 153:

375 Vgl. die Erweiterung der Einleitung. Vielleicht gehen hier die Einzelbestandteile auch etwas ineinander über. Ferner könnte die Einleitung vorweg schon zusammenfassen, zumal die Wendung "Ich preise dich, Herr!" eine Begründung verlangt (vgl. den Hinweis auf die zusammenfassende Einleitung bei H.-W.Kuhn a.a.O. 65).

376 Zu derartiger Weite der Macht von "Grube" und "Totenwelt" s. C. Barth, Errettung 53 ff.

377 Es handelt sich dabei in 1 QH 3,19 f um einen Parallelismus. J. Becker, Heil 147, stellt heraus, daß שחת und שאול אבדון hier zu Sündenbegriffen geworden sind, und zwar im Vergleich zum AT in einem neuen Sinn. Man wird aber vor allem an Machtsphären denken müssen, wenn man den Dualismus der Qumrantexte berücksichtigt. Deshalb ist ein at. Hintergrund für diese Begriffe wichtig. So weist auch J.Becker a.a.O. 148 darauf hin, daß sich der machthaltige Sphärencharakter hier gegenüber dem AT an sich nicht geändert hat. Zugleich sind schon angesichts der anschließenden Hoffnungsaussage in 3,20 und der Apokalypse in 3,26 ff (vgl. שחת in 3,26. 27), aber überhaupt auch unter Berücksichtigung des besonderen Dualismus der Qumrantexte eschatologische Aspekte wesentlich zu beachten.

378 Vgl. zu letzterem H.-W.Kuhn a.a.O. 44 Anm. 2. A.a.O. 54 ff will er das רום עולם vorher im Sinn von "Himmel" verstehen. Die durch ה - erweiterte Imperfektform ואתהלכה ist wie entsprechend ואדעה sprachlich schwierig. Man mag zunächst an einen kohortativen Sinn denken (vgl. die Übers. von E.Lohse, Texte 123, aber so nur zum ersten Verb). H.-W.Kuhn a.a.O. 44 (vgl. 3 ff) übersetzt beidemal durch "können". Eine Selbstaufmunterung oder ein Wunsch ergebe hier keinen Sinn. Die Kohortativformen seien an dieser Stelle verblaßt und vielleicht wegen ihres vollen Klangs für das gewöhnliche Imperfekt eingetreten (a.a.O. 53, bes. Anm. 1). Bemerkenswert sind die entsprechenden ואדעה-Formen in 1 QH 6,6; 9,14 und sogar in 1 QH 15,12 f.22 f neben ידעתי öfter (vgl. z.B. noch ואדעה in 1 QH 11,17 und ידעתי in 1 QH 11,7). Man müßte hier erst einmal alle solche auf ה- endenden imperfektivischen Verbalformen in den Qumrantexten, speziell in 1 QH untersuchen, um von da aus im Rahmen des Imperfektgebrauchs des damaligen Hebräisch zu einer Erklärung zu kommen. Hat R.Meyer vielleicht recht, der in diesen Formen Reste eines alten Finalis des Kanaanäischen vermutet (s. Grammatik II,101; III,41 f.47 f) oder ist im Qumranhebräisch (sowie schon teilweise im nachexilischen Hebräisch, vor allem in der jüngeren Dichtung) der Sinn für die Modusverschiedenheiten und die Tempusunterschiede verlorengegangen, wie Bergsträßer, Grammatik II,50 f (s. bei Gesenius-Kautzsch, Grammatik), meint? Auf jeden Fall scheinen mir an unserer Stelle ואתהלכה und ואדעה eine

Zu S. 153-154:

Beschreibung eschatologischer Existenz des Qumranfrommen in der Gegenwart im weiteren Sinn vor Augen zu führen, die sich an das geschehene Heilshandeln an ihm, das פדיתה, העליתני u.ä. ausdrücken, anschließt bzw. ihre Folge, ihr Ziel ist (vgl. auch die infinitivischen ל-Konstruktionen in 3,21b-23b).

379 Vgl. die Bekehrung im beginnenden Christentum oder allgemeiner religionsgeschichtlich den Eintritt in eine neue Religionsgemeinschaft, wenn sie einen exklusiven oder auch einen besonderen Anspruch stellt. Bei dem Eintritt in die Qumraneinung handelt es sich aber genauer um einen Umkehrvorgang, da im Raum des Judentums geblieben wird, und zwar im Sinn eines geläuterten Israel.

380 Die Imperfektform ואדעה ist der in ואתהלכה parallel und schließt sich wie diese an das Perfekt העליתני an.

381 Vgl. die Übersetzung bei H.-W.Kuhn a.a.O. 34.44.

382 A.a.O. 48 ff. Uneschatologisch oder eschatologisch weniger betont ist dieser Gedanken der Neuschöpfung in sonst verwandtem Sinn im hellenistischen Judentum und bei den Rabbinen belegt (s. z.B. Jos As 8,9 bzw. 10; 15,4 f bzw. 3 f / ed. Batiffol 49,18 ff; 61,2 ff; GenR 39; vgl. dazu Brandenburger, Auferstehung 24 ff; H.-W. Kuhn a.a.O. 48 ff.75 ff; Strack-Billerbeck, Kommentar II,421 ff; III,519). Für die Neuschöpfung überhaupt läßt sich eine eschatologische Gedankentradition vom AT (s. Jes 65,17 f; 66,22) über das zwischentestamentliche Judentum (zukünftig ist in den Qumrantexten 1 QS 4,25 gemeint; s. auch äthHen 91,16; ApkBar (syr) 32,6; vgl. zum palästinischen Judentum den Exkurs III bei H.-W. Kuhn, Enderwartung 75 ff) bis zum NT (s. 2 Kor 6,15; Gal 5,17; 2 Petr 3,13 (10 ff); Apk 21,1) feststellen. Die Tendenz zur eschatologischen Endgültigkeit unterscheidet solche Aussagen z.B. von den Weltperioden in der Stoa (vgl. die ἐκπύρωσις). Bemerkenswert ist, daß sich bei Paulus καινή κτίσις anders als חדשה עשות in Qumran nicht auf die eschatologische Zukunft bezieht. Zu καινή κτίσις bei Paulus unter dem Gesichtspunkt eines ontologischen Charakters und dem at.-religionsgeschichtlichen (bes. Deuterojesaja, Tritojesaja, Apokalyptik, Qumrangemeinde, hellenistisches Judentum, Rabbinat, Gnosis) und nt. Horizont s. auch Stuhlmacher, Erwägungen zum ontologischen Charakter.

383 S.o. 9. zu einem derartigen Hoffnungsaussagentyp.

384 S. z.B. in 1 QS 3,13-4,26; im apokalyptischen Fragment DJD I, 27,1. Vgl. J.Becker, Heil 94-96; H.-W.Kuhn a.a.O. 34 ff; K.G. Kuhn, RGG³ V,747; ders., Messias/Messiahs. Weiteres s.u.

385 Vgl. zur Gabe der Erkenntnis H.-W.Kuhn a.a.O. 139 ff (in den Gemeindeliedern nicht nur intellektuell, sondern auch soteriologisch, nicht nur Wissensmitteilung, sondern auch Heilsgeschehen, das bereits in der Gegenwart eschatologisch vorhanden ist). K.G.Kuhn, Texte 203 f (vgl. Sektenschrift 314 f, zugleich religionsgeschicht-

Zu S. 154-155:

lich kritisch zu der eigenen älteren Äußerung), hatte vorher auf
eine Parallelität des essenischen mit dem gnostischen Wissensbegriff
bzw. auf das Vorliegen eines gnostischen "Wissens"begriffs hingewiesen (nicht apperzipierende Einsichtnahme in einen gegenständ-
lichen Sachverhalt wie bei den Griechen, nicht anerkennendes Inne-
werden einer in Anspruch nehmenden Wirklichkeit wie im at.-jüd.
Bereich, sondern soteriologisch ein Besitz von Kenntnissen über
göttliche Heilstaten für den festumrissenen Kreis der Gemeinde).
H.-W.Kuhn wandte sich dann aber a.a.O. 142 mit Recht dagegen,
den gnostischen Wissenbegriff zur Erklärung des besonderen Sinns
des Offenbarungswissens in den Gemeindeliedern heranzuziehen. Weniger für das Verständnis der Qumrantexte, sicherlich aber für den
antiken und z.T. auch den paulinischen Erkenntnis- und Wissensbegriff muß man jedoch noch philosophische und hellenistisch-synkretistische Traditionen der Antike mit einem religiösen oder quasi
religiösen Charakter von Wissen und Erkenntnis beachten (vgl. zu
solch einem Hintergrund Bultmann, ThW I 692,11 ff; U.Wilckens,
ThW VII 474,17 ff; 510,5 ff). Chokmatische Traditionen sind hier
ebenfalls noch wichtig. Allerdings ist festzuhalten, daß sich das
Wissen in der "Hoffnung" und in der Relation zu ihr auf die Zukunft bezieht.

386 Vgl. die Betonung der Gewißheit bei H.-W.Kuhn a.a.O. 180: Unter
Verweis auf 1 QH 3,20 f sei die Gewißheit der Anteilhabe an der
neuen Welt in der Gemeinde als der Sinn des Ineinanders von Zukunft und Gegenwart in den Gemeindeliedern zu verstehen. Entsprechend drückt H.-W.Kuhns Wiedergabe unserer Stelle a.a.O. 179
die Gewißheit aus.

387 S. aber die später noch genannten Gefährdungen und die Kampf-
situation, die doch eher auf eine "(begründete) Hoffnung" deuten.

388 Zu einseitig interpretiert in dieser Richtung vielleicht H.-W.Kuhn
a.a.O. 34, wenn er an unserer Stelle "Hoffnung" als den zum eschatologischen Terminus gewordenen Begriff bezeichnet. Es sei ein
künftiges eschatologisches Heil gemeint. Der Inhalt der "Hoffnung"
werde nicht angegeben.

389 H.-W.Kuhn a.a.O. 113 ff.139 ff.

390 Anders könnte das z.B. in der Gnosis sein, wenn die "Hoffnung"
als erfüllt bezeichnet wird, so bei der entsprechenden Interpretation von Röm 8,19.22 im basilidianischen System nach Hippolyt Ref
VII 25,1 ff (ed. Völker 52,6 ff).

391 Deshalb paßt der Vergleich mit Röm 8,24a hier weniger, insofern
man, wie oben geschehen, dort primär als Akt deutet (vgl. 10.1.
Anm. 55).

392 Vgl. die Übersetzung bei E.Lohse, Texte 123. So könnte man auch
wegen der folgenden parallelen infinitivischen ל-Konstruktionen einen Neueinsatz annehmen. Dann wäre סהרחה dem vorausgehenden

Zu S. 155-156:

פדיתה und העליתני parallel, Andererseits schließt die Art des Übergangs vom Du-Ich-Stil zum Du-Er-Stil (vgl. H.-W.Kuhn a.a.O. 45 Anm. 1) die Heilsaussagen ab כיא in 3,20 zusammen. Die Annahme eines invertierten Perfekts (so H.-W.Kuhn a.a.O. 44 f) würde ebenfalls für einen Zusammenhang mit der Hoffnungsaussage sprechen. Die Handschrift bringt keinen Schreibabstand.

393 Vgl. zu diesen Gedanken des priesterlichen und militärischen Selbstverständnisses vor allem K.G.Kuhn, RGG[3] V,748 ff, und H.-W.Kuhn a.a.O. 45 ff.66 ff (Exkurs I über die Gemeinschaft mit den Engeln).

394 Zumal wir auch dort auf einen eschatologischen Dualismus "Licht-Finsternis" gestoßen sind.

395 Der in der Hs. verdorbene Text ist mit 1 QH 11,14 als ר[נ]ה zu lesen.

396 Vgl. dann auch die Funktion der Apokalypse in 3,26 ff.

397 Vgl. dazu 1 QS 3,13 ff und z.B. K.G.Kuhn, RGG[3] V,747.

398 Allerdings will H.-W.Kuhn a.a.O. 46 f (vgl. 72 ff) in diesen "Werken" und diesem "ewigen Los" gerade einen eschatologischen Sinn sehen. Das würde dann nicht auf die Prädestination hinweisen. Doch ist גורל in 1 QS 3,24; 4,24 f sicherlich in prädestinatianischem Zusammenhang gemeint (vgl. entsprechende Bemerkungen bei H.-W. Kuhn a.a.O. 73.121 f selbst). Deshalb ist an unserer Stelle an sich eine solche Bedeutung durchaus möglich. Sollten sich die "Werke" auf die ganze Schöpfung Gottes beziehen, dann wäre, sofern sie das Lob versteht, aber schon eine "Offenbarung" vorweggenommen, die bei Paulus in vollem Sinn erst eschatologisch-zukünftig statthat. Allerdings denkt CD 20,20 f hier deutlich anders. Wenn die Schöpfung dieses Lob nicht versteht, läge ein entsprechender Anspruch vor.

399 Mit den רוחות sind allerdings wohl Engelwesen gemeint. Doch bezieht sich die דעת über den Gemeinschaftsgedanken auch auf die Männer der Einung.

400 In diesem Zusammenhang taucht überhaupt das problemreiche Verhältnis zwischen prädestinatianischen, protologischen und eschatologischen Dimensionen auf. Es ist nicht nur in Qumran und bei Paulus, sondern etwa auch in den jüd. Apokalypsen zu bedenken. Gottesbegriff, Schöpfungsgedanke, Problem des Bösen, Entsprechung von Urzeit und Endzeit, doxologische Strukturen u.ä. wirken sich hier aus. Ein Versuch logisch-systematischer Durchdringung solcher Gedanken stößt auf z.T. nicht unerhebliche Schwierigkeiten.

401 Vgl. unter diesem Gesichtspunkt auch die obigen Hinweise auf die Ausdehnung der שאול im AT oder die Aussagen des Paulus über den θάνατος in 2 Kor 1,8-10. Kaum ist bei diesen Aussagen in 1 QH 3 nur an die bereits überwundene Vergangenheit gedacht. Dafür sind die Worte zu grundsätzlich-allgemein und gegenwartsbezogen (vgl. die Nominalsätze).

Zu S. 156-157:

402 Dafür sind die Aussagen wieder zu allgemein und grundsätzlich. Entsprechend sieht sich der Beter in Machtsphären (s. גבול, גורל). Vgl. ἁμαρτία, θάνατος u.ä. bei Paulus im prägnant theologischen Sinn.

403 Vgl. den Hinweis auf die Paradoxie des neuen Seins bei H.-W. Kuhn a.a.O. 64.

404 Diese Ausführungen in 1 QH 3,26 ff sind nicht lediglich bildlich gemeint, sondern eschatologisch auf eine Prozeßwirklichkeit bezogen. Mit Recht kritisiert H.-W.Kuhn a.a.O. 42 f.61, solche abschwächenden Interpretationen, und zwar mit dem Hinweis auf ein wirkliches eschatologisches Geschehen, eine apokalyptische Schilderung.

405 H.-W.Kuhn a.a.O. 40 f, scheint hier בליעל wie die Konkordanz ed. K.G.Kuhn 33 s.v. nicht konkret als Gestalt sehen zu wollen. Substantiv und nomen proprium lassen sich wahrscheinlich aber nicht eindeutig voneinander unterscheiden.

406 Vgl. 1 QM.

407 Obgleich die Qumrangemeinde messianische Gestalten kennt, wie z.B. 1 QS 9,11; 1 QSa II,11 ff zeigen. Vgl. dazu R.Deichgräber, Messiaserwartung; Gnilka, Erwartung; H.-W.Kuhn, Messias; K.G. Kuhn, RGG[3] V,747; ders., Messias/Messiahs; Laurin, Problem; Villalón, Sources; van der Woude, Vorstellungen. Die Gestalt des Menschensohns spielt offensichtlich in Qumran überhaupt keine Rolle. Bei Paulus ist das traditionsgeschichtlich im Rahmen des beginnenden Christentums anders. Allerdings kennen die Qumrantexte eine Mitwirkung von Engelsfürsten wie Michael im Endkrieg auf der Seite Gottes (vgl. 1 QM 9,15 f; 17,6 f).

408 Vielleicht geht das z.T. auch auf eine "Bibelgläubigkeit" bzw. Schriftgelehrsamkeit des Qumranfrommen zurück. Doch ist ferner auf die Vielfalt der Vorstellungen in der jüd. Apokalyptik und selbst in den Qumrantexten hinzuweisen. Die Altertümlichkeit der Vorstellungen in 1 QH 3,26 ff ist aber bemerkenswert.

409 Man kann im Bild von einem Sich-Aufblähen des Reichs des Bösen sprechen, das dann kraftlos in sich zusammenstürzt, weil Gott es im Kampf tödlich trifft. Dazu ist die alte Vorstellung der überströmenden und hereinbrechenden Urflut bzw. Tiamat, die im AT auf altorientalische Gedanken zurückgeht, zu vergleichen. In Jes 27,1 findet sich bereits im AT der Gedanke, daß Leviathan und der Drache im Meer eschatologisch getötet werden. In einem eschatologischen Zusammenhang kommen diese Gestalten auch in den großen jüdischen Apokalypsen vor. Denn Behemoth und Leviathan werden z.B. in äthHen 60,7 ff.24; ApkBar (syr) 29,4 in einem solchen Gedankengang genannt. In der jüd. und christlichen Apokalyptik ist ferner auf Gestalten wie den Pseudomessias und den Antichristen hinzuweisen, wo sich die Vorstellungen demgegenüber aber z.T.

Zu S. 157:

doch schon verändert haben. Zugleich ist an unserer Stelle auch
noch der Gedanke des Weltuntergangs durch Feuer zu berücksichtigen, für den auf die iranische Religion hinzuweisen ist (vgl. H.-W.
Kuhn, Enderwartung 42). Doch spielt das Feuer auch in at. Ge-
richtsschilderungen eine wichtige Rolle (vgl. Jes 9,4; 10,17; Hab
2,13 u.ö.). Auf einen at. Hintergrund für das Feuer weist Ringgren, Weltbrand, hin, wobei er sich ausdrücklich gegen eine iranische Herleitung wendet (181 f), dabei unsere Stelle allerdings
nicht genau genug interpretiert. Das Sintflutgericht ist im äthHen
belangreich (s. 83-84), aber auch ein Gericht durch Feuer (s. 102,1).
Für eine zukünftige Vernichtung oder ein zukünftiges Gericht durch
Feuer und bzw. oder Wasser sind ferner z.B. äthHen 1,4 ff; 10,2 ff
(teils die Sintflut), 54,1 ff; 67,4 ff; 90,24 ff; 108,4 ff (an den
Stellen z.T. lokal); Pseud-Sophocles nach Pseud-Justinus, De Mo-
narchia 3, und Clemens Alexandrinus Strom 5,14, 121,4-122,1
(Denis, Fragmenta 168,1 ff) anzuführen. Das betrifft einen eschatologischen Zusammenhang, wenn auch vielfach besonders räumlich
oder als älteres Vorbild wie bei der Sintflut dargestellt. Sofern bei
dem Gebrauch solcher Vorstellungen in 1 QH 3 Spannungen entstehen, so sollten sie wie schon die bei der unvermittelten Anfügung der
Elendsbetrachtung nicht lediglich literarkritisch oder formgeschichtlich zu lösen versucht werden (literarkritische Erwägungen s. bei
H.-W.Kuhn a.a.O. 64 f; vgl. auch die Ausführungen zu Gattungs-
fragen a.a.O. 61 ff). Denn der Gesichtspunkt einer eschatologischen Dynamik macht hier vieles verständlich.

410 Es muß allerdings stärker als bei H.-W.Kuhn a.a.O. 40 ff (unter
dem Gesichtspunkt "Das Vorkommen reiner Enderwartung").60 f
die Dynamik dieses Gerichtsvorgangs von der Gegenwart bis zu dieser Zukunft gewürdigt werden. In diesem Zusammenhang soll auch
an die Aussagen des Paulus über die ὀργὴ θεοῦ z.B. in Röm 1,18 ff;
1 Thess 2,16 erinnert werden.

411 Die Lesung des Verbs ist umstritten: H.-W.Kuhn a.a.O. 40 mit der
Konkordanz ed. K.G.Kuhn 93 (s.v. ירה "iacere"; s. auch 181 s.v.
פרר) als יֹרוּ ("sie werden geschossen"); E.Lohse, Texte 122.123
als יפרן (von פרר, "sie vernichten"). Paläographisch ist aber in
3,27 ויורו und in 2,26 ויפרן sicher. Letzteres ist von פרר I (vgl.
Gesenius, WB 662; Koehler-Baumgartner, WB 781 f) "zerstören,
vernichten" oder פרר II (vgl. Gesenius ebd.; Koehler-Baumgartner
a.a.O. 782) "zucken" (vgl. paralleles התעופף in 3,27) herzuleiten.
Die von den Pfeilen Betroffenen sind auf jeden Fall ohne "Hoffnung".

412 Eindrücklich liegt hier at. Sphärendenken bei dem Hinweis auf die
Macht der שחת vor, allerdings eschatologisch zugespitzt.

413 Vgl. hier wieder das Verhältnis von 1 Thess 4,13 zu 5,8. Schon
von solchen Beobachtungen eines eschatologischen Sprachgebrauchs
her legt sich die Bedeutung "end" für תקוה, die Mansoor, Hymnus

Zu S. 157-159:

264 f, vertritt, nicht nahe. Auch setzt sie eine semantische Ver-
blassung voraus, die schlecht in die eindrucksvolle Gerichtsschil-
derung paßt. Ferner finden wir in DJD V 185,1-2, Col. I,7 und
12 מקורה in vergleichbarer Verwendungsweise.

414 Selbst der vergleichbare eschatologische Dualismus in 1 Thess 5,1-
11 bleibt noch relativ zurückhaltend bei der Schilderung des Gerichts über die Nichtchristen. Hier könnte sich in 2 Thess 1,5 ff
gegenüber den paulinischen Homologumena eine Entwicklung andeuten.

415 Dadurch besteht ein Unterschied zu 1 Thess 2,19 f, zumal das Endgericht dort besonders forensisch gemeint ist.

416 H.-W.Kuhn a.a.O. 113 ff, bes. 176 ff, sieht für solche eschatologische Strukturen in den Gemeindeliedern von Qumran, bei denen
eschatologische Akte und Zustände in die Gegenwart hereingenom-
men worden sind, das Miteinander hebräischen Denkens (vgl. ein
besonderes Raum- und Zeitverständnis wie die Sphärenvorstellung),
priesterlichen Selbstverständnisses (vgl. den Gedanken der Gemeinschaft mit den Engeln, die Tempelsymbolik) und apokalyptischer Tradition. Vielleicht sollte man aber darüber hinaus erwägen, ob sich hier in der Qumrangemeinde nicht noch weitergehende ältere Heilstraditionen des AT und des Judentums durchgehalten haben, und zwar solche theokratischer Art, des Kultes, der
Bundesvorstellung, des Restgedankens und überhaupt der Eschatologie. So kann z.B. auf das "Jetzt" bzw. "Heute" in der Bun-
destradition von Dtn 26,16 ff bis zu 1 QS 1,18 ff; CD passim hingewiesen werden (vgl. bei Paulus das νῦν in 2 Kor 6,2). Ein solch
weiterer Horizont wird auch bereits bei K.G.Kuhn, RGG[3] V,745 ff,
angerissen. Auf eine spezielle jüd.-hellenistische Parallelentwick-
lung stoßen wir bei der Bedeutung der Bekehrung in JosAs, wo wir
zugleich Neuschöpfung, Licht-Finsternis-Dualismus u.ä. im Zusammenhang damit vorfinden (vgl. 15,5.12, ed. Batiffol 61,3 ff; 62,11-
13). In der Qumrangemeinde und bei Paulus (vgl. 2 Kor 5,17;
Gal 6,15; 1 Thess 5,3 ff) sind derartige Gedanken aber deutlicher
eschatologisch.

417 S. aber soteriologisches Bekenntnis oder derartige formelhaft erscheinende Wendungen ohne Vokabeln der Hoffnung in 1 QH 15.

418 Vgl. dazu L'Heureux, Sources, bes. 63 f.

419 Vgl. das Zitat at. Stellen mit Vokabeln der Hoffnung (so z.B. DJD
V 171, wo die Deutung dann aber nicht bei den Aussagen mit diesen Begriffen ansetzt). S. überhaupt die Fülle des in DJD wieder-
gegebenen Textmaterials. Dazu gehören Stücke aus dem Dan, äth-
Hen, Jub u.ä. Die Qumrangemeinde besaß offensichtlich eine biblio-
theksartige Schriftensammlung.

420 Vgl. dazu die Arbeiten z.B. von J.Becker, Heil; Carmignac, Retour;
Dahl, Eschatologie; Grelot, Eschatologie (betrifft die Aussagen bei

Zu S. 159:

Flavius Josephus); I.Hahn, Josephus; C.-H.Hunzinger, Beobachtungen; Huppenbauer, Enderwartung;. ders., Eschatologie der Damaskusschrift; ders., Mensch; H.-W.Kuhn, Enderwartung; E. Lohse, Texte 63 f.177 f u.ö.; J.Maier/K.Schubert, Qumran-Essener 73 ff (K.Schubert); Nötscher, Himmlische Bücher; ders., Terminologie 149 ff; von der Osten-Sacken, Gott; E.J.Pryke, Aspects; J.Pryke, Eschatology; K.Schubert, Entwicklung 202-204; J.J.Smith, Study.

421 Die Einbettung in eine Apokalypse o.ä. (z.B. unser 1 QH 3,27) steht hier aus inhaltlichen Gründen auf einem anderen Blatt.

422 Durch das Fehlen solcher Geschichtsvisionen besteht ein wesentlicher Unterschied zu den großen zeitgenössischen jüd. Apokalypsen. Deshalb wird man die Qumrantexte nicht einfach und direkt mit der jüd. Apokalyptik, wie sie uns in jenen Apokalypsen entgegentritt, gleichsetzen dürfen. Vielleicht sind deshalb äthHen u.ä. oder Stücke daraus nur Bestandteil der Bibliothek der Einung gewesen. Auf Unterschiede zwischen der Qumrangemeinde und der Apokalyptik wird z.T. auch in der Forschung hingewiesen, so z.B. bei Rowley, Apokalyptik 69; Schreiner, Apokalyptik 190 (vgl. 186. 193); Vielhauer bei Hennecke, Nt. Apokryphen II,419. K.G.Kuhn, RGG[3] V,747, bezeichnet das Geschichtsdenken der Qumrangemeinde allerdings als apokalyptisch. Thorndike, Apocalypse, schlägt gar die Zehn-Wochen-Apokalypse in äthHen 93,1-10; 91,12-17 "as a secret history of the Qumran sect" (a.a.O. 163) vor. J.Licht, Time, rückt die Qumrantexte recht stark an die apokalyptische Literatur heran: Der Periodisierung der Geschichte in vier Epochen könne die apokalyptische Zweiteilung in diese und jene Welt zugrunde liegen; an spekulativer Geschichtsschematisierung sei die Qumransekte jedoch nicht interessiert gewesen (a.a.O. 182 mit dem Hinweis auf die hier charakteristische Aussagekraft von 1 QS 9,19 f). Dem letzteren wird man angesichts eines dynamischen eschatologischen Dualismus, und zwar vor allem in 1 QH 3,19 ff, gern zustimmen. So fehlt der Qumrangemeinde ein vergleichbares theoretisches Interesse oder ein vergleichbarer Wille zur (detaillierten) Ordnung der gesamten Geschichte. S. zum Problem jetzt auch Carmignac, Apocalyptique.

423 Vgl. doxologisch sogar recht weit gespannt in 1 QM 13,7ff.

424 S. dazu J.Maier/K.Schubert, Qumran-Essener 93 f (K.Schubert). All solche Gesichtspunkte verwundern nicht, wenn man bedenkt, daß in der Qumrangemeinde at. Geschichtsbücher, Jub, äthHen u.ä. Schriften oder Teile daraus immerhin gelesen worden sind. Überhaupt wird auch in Qumran wie bei Paulus eine zeitliche Erstreckung bis zum Ende bewußt (vgl. die קרבה-Aussage in 1 QH 3,20; ferner z.B. 1 QS 2,19; 4,19 f; 1 QpHab 7,7 ff). Das verwundert bereits angesichts der Geschichte der Gemeinde nicht. In dieser Richtung

Zu S. 159-160:

sind etwa auch die Rechtsanweisungen u.ä. instruktiv, die mit
bestimmten Zeiten rechnen (s. z.B. 1 QS 4,16 f. 25; 9,10 f), wobei sogar eschatologische Gesichtspunkte gar nicht mehr direkt
vor Augen zu stehen brauchen (so z.T. in 1 QS 5,1-9,24). Zum Problem der Nähe und Verzögerung des Endes vgl. H.Braun, Qumran II, 265 ff. M.E. kann man aber nicht unbedingt von einer ausgesprochenen und für die Qumraneinung charakteristischen eschatologischen Berechnung reden. Wohl finden sich solche Momente.
Andererseits scheinen sie aber auch wieder theologisch keine besondere Bedeutung zu besitzen. In 1 QpHab 7,12-14 wird vom Kommen
der Zeiten Gottes nach ihrer Ordnung entsprechend der Festset-
zung durch Gott in den Geheimnissen seiner Klugheit geredet, ohne daß der Sprecher sich selbst genauere Angaben darüber machen
zu können scheint. In QM finden sich Berechnungen und dazu gegenläufige Aspekte. Zur Berechnung in 1 QM s. I.Hahn, Josephus
172 ff.

425 Dabei zeigen sich Beziehungen zur Art der Predigt im Dtn. Der Hinweis auf Jub in CD 16,3 f ist zu beachten. E.Lohse, Texte 63 f,
hebt hervor, daß die Handschrift A1 von CD (s. CD 1-8) eine lange Mahnrede bringt, in der die Entstehung der Gemeinde in ein
apokalyptisches Geschichtsgemälde hineingestellt werde. Vielleicht
ist CD aber wie sonst öfter so auch hier eine gewisse Sonderstellung zuzuweisen. Festzuhalten bleibt, daß das in eine Mahnrede
eingekleidet ist. Dadurch fallen Geschichtsdarstellung und Paränese
direkt zusammen.

426 Das verdeutlicht auch die Auslegung at. Texte in den Pescharim
von Qumran, wenn dort (anders als in CD) sozusagen im Über-
springen der Zeit atomistisch eschatologisch aktualisiert und auf
die Qumrangemeinde interpretiert wird (vgl. zu diesen hermeneutischen Fragen J.Becker, Heil 168; G.Jeremias, Lehrer 57.270 f;
K.G.Kuhn, RGG[3] V, 753).

427 Bei Paulus könnte (in den Homologumena) historisch betrachtet sogar von einem Rückschritt oder einer Rückbildung gesprochen werden, wenn man die Entfaltung der Geschichtsdarstellung bereits im
Dan, die Entwicklung des eschatologischen Denkens in der beginnenden Christenheit auf dem Weg zum hellenistischen Christentum
und die Art der Aufnahme apokalyptischer Strukturen bei Paulus
bedenkt. Dabei spielt jedoch der apokalyptische Äonendualismus im
theologischen Ansatz des Paulus weiterhin eine zentrale Rolle (s.o.).
Allerdings versucht Paulus in Röm 9-11 das Problem des Heilsanteils des jüd. Volkes heilsgeschichtlich zu lösen, indem er einen
besonderen Ablauf der Geschichte vor dem Ende andeutet.

428 Das verschiebt sich aber im restlichen NT in Apk (vgl. z.B. auch
Mk 13 par).

429 Vgl. das Festhalten an der Mitwirkung zum Heil in der Qumrangemeinde. An diesem Punkt scheinen sogar Dan und die großen jüd.

Zu S. 160-162:

 Apokalypsen passivere Auffassungen als die Qumranleute zu vertreten (s. allerdings äthHen 91,11 f: Knibb, äthHen I,344; II,218 f;
4 Q En^g: Milik, Books of Enoch 265 ff; vgl. Dexinger, Zehnwochenapokalypse 179 ff).

430 Deshalb sind z.B. prädestinatianische Aussagen in den Qumrantexten eher als in den Apokalypsen unter doxologischem Gesichtspunkt
zu betrachten.

431 Dies sollte angesichts unserer begrenzten Textanalyse zumindest als
Interpretationsvorschlag angesehen werden, der durch weitere Ein-
zeluntersuchungen überprüft werden muß.

432 Allerdings muß der Frage noch weiter nachgegangen werden, inwieweit die extremen deterministisch-prädestinatianischen Gedanken
des Qumrandualismus nicht eine Parallele zu dem Determinismus und
Verlust der Geschichtlichkeit in den Geschichtsvisionen der Apokalypsen wie äthHen darstellen. Auch muß beachtet werden, daß die
Qumrangemeinde faktisch dann doch noch zu relativ ausgebauten
Geschichtsdarstellungen, und zwar ebenfalls in der Zukunftsrichtung, übergegangen ist.

433 Allerdings ist dieses Gemeindelied vielleicht nicht ganz so charakteristisch, was die eben erwähnten differenzierten Darstellungen
der Qumrantexte über die Geschichte bis zum Ende und die endgültige Heilszeit angeht, insofern es z.T. recht altertümliche und spezielle Vorstellungen bringt. Ähnliches gilt für die nomistisch-parä-
netische Dimension.

434 Bei aller Strukturparallelität sind zudem inhaltliche Unterschiede zu
berücksichtigen, wenn wir etwa an die Funktion von Christologie
und Pneumatologie in der Eschatologie des Paulus denken.

435 Vgl. in diesem Zusammenhang die extreme Aussage ApkBar (syr)
85,10.

436 Das gilt auch für die im Himmel schon bereitliegenden Heilsgüter.

437 Wenn man einmal von dem etwas pauschalen Urteil absieht, daß unsere Synonyme in den uns erhaltenen paulinischen Quellen literarisch an Briefe gebunden sind und vor allem in den Hauptteilen
dieser Schreiben verwendet werden.

438 Hier sind die Qumrantexte im Verhältnis zur genuinen Apokalyptik faktisch allerdings weniger bezeichnend. Denn Mittlergestalten
spielen in ihnen als Objekte keine besondere Rolle. Das mag Zufall
sein oder auf die besondere Messianologie der Qumraneinung zurückgehen, wenn wir etwa das Fehlen der Menschensohngestalt beachten. Es könnte aber auch auf das Gewicht formgeschichtlicher
Verankerung von Begriffen der Hoffnung zurückzuführen sein, bei
der in der Tradition at. Redeweise Gott selbst im Vordergrund geblieben ist. Schließlich kann das sogar an dem soteriologischen
Selbstverständnis der Gemeinde liegen. In der Zukunftsperspektive
dürfte somit die genuine Apokalyptik im Blick auf Paulus wichtiger
sein.

Zu S. 163:

439 Vgl. z.B. Grabgedichte (s. den Index bei Peek, Grabgedichte
      372 s.v. "Hoffnung"), das Decretum de fastis provincialibus (vgl.
      u.a. aus Priene) über Augustus (s. Dittenberger Or II 458),
      Überlieferung über die eleusinischen Mysterien (s. nach Isocrates
      Paneg. 28, abgedruckt bei Turchi 53,19).

440 Vgl. z.B. Philo PraemPoen § 10 ff.79 ff; Virt § 67. Zu Philo Quaest
      in Ex I 23 s. Wlosok, Laktanz 107 ff. Zu ausgewählten Quellen des
      hellenistischen Judentums der westlichen Diaspora s. Fischer, Es-
      chatologie. An diesem Punkt ist noch einmal JosAs zu beachten
      (vgl. dazu Fischer a.a.O. 166 ff). Dort stoßen wir nämlich im
      hellenistisch-jüd. Bereich (vgl. zum Charakter dieser Schrift Bur-
      chard, Untersuchungen) im Zusammenhang der Bekehrung zum Ju-
      dentum (vgl. bes. JosAs 11 ff, ed. Batiffol 53,5 ff) uneschatolo-
      gisch, soweit das universalgeschichtlich betrachtet wird (vgl. Bur-
      chard a.a.O. 110: keine Naherwartung und keine Eschatologie im
      apokalyptischen Sinn), in 8,9; 12,13; 15,4 f.12; 20,7 (Batiffol
      49,18 ff; 56,14 ff; 61,2 ff; 62,11 ff; 70,18 ff) auf die "Hoffnung"
      (ἐλπίς) auf Gott, den Gedanken der Neuschöpfung, der Totenbe-
      lebung und des Weges von der Finsternis zum Licht, das Buch
      des Lebens, die Ruhestatt, Unsterblichkeit und ewiges Leben und
      eine Mahlvorstellung, die ähnlich wie ein Sakrament die Unster-
      blichkeit sicher macht (vgl. zum Problem Burchard a.a.O. 121 ff).
      Hier stellt sich vor allem die Frage nach dem Verhältnis zum Sach-
      verhalt in den Qumrantexten und bei Paulus, zumal bei Paulus der
      Weg in den hellenistischen Bereich vorliegt. Unter dem Gesichts-
      punkt eines eschatologischen Strukturvergleichs spitzt sich das im
      Blick auf das Verhältnis zwischen JosAs und Qumran zunächst auf
      den Weg der Heiden zum Judentum und der Gemeindeglieder in die
      Qumraneinung zu. Im ersten Fall ist von Bekehrung zu reden, im
      zweiten Fall von Umkehr (vgl. שוב 1 QS 3,1; שובה 1 QS 3,3), da
      die Qumranleute bereits Juden gewesen sind. Parallel besteht aber
      sowohl bei dieser Bekehrung als auch bei dieser Umkehr der Weg
      von einem Unheilsbereich in einen Heilsbereich. Jeweils ist ein
      scharfes Gegenüber vorhanden. In den Qumrantexten liegt dabei
      aber deutlich ein eschatologischer Dualismus vor, während das in
      JosAs nicht so sicher ist. Zumindest sind in JosAs ein ausgespro-
      chen eschatologischer Dualismus und eine eschatologische Dynamik
      weniger als in den Qumrantexten vorhanden (vgl. Burchard a.a.O.
      110 zu Unterschieden zu Qumran). Ähnliches dürfte auch im Ver-
      hältnis zu Paulus vorliegen. Denn z.B. in 1 Thess 1,9 f sind solch
      ein Dualismus und solch eine Dynamik sogar trotz des Nebeneinan-
      ders des ἀναμένειν κτλ und des δουλεύειν κτλ eindeutiger
      und stärker als in JosAs zu beobachten. Von da aus wird man ver-
      muten dürfen, daß das hellenistische Judentum in JosAs Traditio-

Zu S.163:

nen, wie wir sie in der jüd. Apokalyptik und verwandtem eschatologischen Denken antreffen, durchaus aufgenommen hat (vgl. Buch des Lebens u.ä.). Doch hat es sie offensichtlich im Sinn hellenistischer Tendenzen umgeprägt, abgeschwächt, verwässert. Vieleicht darf man aber Eschatologie schon gar nicht mehr annehmen. In diesem Fall muß man hier uneschatologisch jüdisch und immanent hellenistisch zu deuten versuchen. Allerdings versucht Fischer a.a.O. 115 ff nachzuweisen, daß in JosAs bei der individuellen Jenseitserwartung durch die Bezeichnung der Aseneth als πόλις καταφυγῆς zugleich die Vorstellung des himmlischen Jerusalems einfließt. Ein Vergleich mit anderen missionierenden Religionsgemeinschaften der hellenistischen Welt dürfte lehrreich sein. Zum Verhältnis von "einst" und "jetzt" im NT und zu Vorformen im AT und Judentum s. Tachau, "Einst". Vgl. ferner Berger, Missionsliteratur 232 ff; Dexinger, Szenarium 250 ff; H.-W. Kuhn, Enderwartung 51 Anm. 4; Sänger, Judentum 219 f (u.ö. vorher).

441 Vgl. z.B. Asclepius 11 f.24 ff. Dabei findet sich in 24-26 die sog. Apokalypse des Asclepius, die aber keine Begriffe der Hoffnung bringt. Vgl. zu dieser Apokalypse Krause, Gedankengut. Krause geht dabei auf ägyptisches Gedankengut ein. Zum Geschichtsbild und zur Geschichtsschreibung in Ägypten s. z.B. E.Otto, Geschichtsbild.

442 Vgl. z.B. bei Simon Magus nach dem Bericht des Irenaeus Haer I 23,3 (bei Völker, Quellen 2,30 ff), im basilidianischen System nach Hippolyt Ref VII 25,1 ff (bei Völker a.a.O. 52,6 ff; in der Interpretation von Röm 8,19.22).

443 Auch müssen hier dann die Quellen der iranischen Religion berücksichtigt werden.

444 Vgl. dazu die Hinweise bei Berliner Arbeitskreis, Bedeutung 16; Peel, Eschatology. S. schon Vermutungen Vielhauers bei Hennecke, Nt. Apokryphen II,420 f. Als Text ist z.B. der Universaleschatologische Abschnitt aus der titellosen Schrift in Codex II von Nag Hammadi (II 173,32-175,17; aber ohne Vokabeln der Hoffnung) zu nennen. Aber auch in den schon länger bekannten Quellen sind solche Aspekte zu bedenken, so bei Simon Magus nach dem eben erwähnten Bericht des Irenaeus Haer I 23,3 (abgedruckt bei Völker, Quellen 2,30 ff; vgl. K.Beyschlag, Simon Magus 203 ff; H. Leisegang, Gnosis 84.87.97 f); im System des Basilides nach Hippolyt Ref VII 27,1 ff (Völker, Quellen 54,30 ff). Das Problem eines "Schon jetzt" und "Noch nicht" wird in der (allerdings auf christlichem Boden stehenden) "Abhandlung über die Auferstehung" des Codex Jung aus den Schriften von Nag Hammadi thematisch (s. dazu Haard, Abhandlung, bes. 268 f).

Zu S. 163:

445 Dabei wird auch nachzuweisen sein, ob es bei den grundsätzlichen
Unterschieden bleibt, daß im Blick auf Gnosis, Judentum und Christentum sogar bei einer soteriologischen Erkenntnis und bei einem
soteriologischen Wissen nur in der Gnosis eine Wiedererinnerung,
nämlich des Pneuma-Selbst, vorliegt, daß in der Qumrangemeinde
und bei Paulus noch nicht einmal durch die Schöpfungs- und Prä-
destinationsgedanken und die Geistvorstellungen ein ausgesprochen
subtantieller soteriologischer Prozeß hervorgerufen wird, während
wir in den Gnosis auf solch einen Prozeß stoßen.

446 S. z.B. Q Horatius Flaccus, Carmen saeculare (mit spes); Dittenberger Or II 458 (wahrscheinlich 9 v.Chr., mit ἐλπίς); ders.
Syll[3] II 797 (37 n.Chr., mit ἐλπίζειν); P Oxy VII 1021 (54 n.Chr.
mit ἐλπίζειν, προσδοκᾶν), ohne Begriffe der Hoffnung, Erwartung usw. Vergil Ecl IV. Vgl. Bultmann, ThW II 518,2-4 (mit Anm.
22); Umwelt des NT II,105 ff (Übersetzung von Texten zu Herr-
scherkult und Friedensidee). Zur Geläufigkeit der saeculum-Vor-
stellung und der Weltzeitalterlehre in der augusteischen Zeit s. Rad-
ke, Saeculum, bes. 1494,23 ff. Bei solchen Aussagen muß man aber
vieles auf Plerophorie im Gefolge eines ausschließlich lobenden Hof-
stils und Herrscherkults zurückführen (vgl. überhaupt die Gesichtspunkte von divine kingship, kosmischer Bedeutung des Königtums
u.ä. in der Antike). Zwar hatte Augustus im Verhältnis zu den
Bürgerkriegen vorher ein beachtlich befriedetes Staatswesen geschaffen. Genau und ehrlich besehen waren aber auch in ihm noch
längst nicht alle Schattenseiten beseitigt. Rein zukünftig ist die
ἐκπύρωσις-Theorie der Stoa gemeint. Die Annahme eines Weltuntergangs oder einer Weltkatastrophe ist an sich jedoch auch religionsgeschichtlich nicht ungewöhnlich. Eine Wiederholung solchen Geschehens ist möglich. Vgl. Bultmann, Geschichte 24 ff; Edsman,
RGG[3] II,650 ff; ders. a.a.O. VI,1630 und 1632 f. Das beginnende
Christentum könnt sich etwa durch den speziellen Gebrauch des
κύριος-Titels von solchen Auffassungen abgegrenzt oder sie umgeprägt und integriert haben.

447 An diesem Punkt besteht offensichtlich wieder eine Parallelität
zur Qumrangemeinde. Allerdings kennen auch die Rabbinen eine
zeitliche Berechnung. Sie geht z.T. sogar von der Entstehung der
Welt bis zum Ende und ist möglicherweise noch stärker ausgebaut
als die in der Qumrangemeinde (vgl. bSanh 97a-b, zugleich aber
auch mit Kritik an einer Berechnung des Endes).

448 Zur מלכות שמים in der rabbinischen Literatur s. K.G.Kuhn, ThW
I 570,1 ff. Ich gebe als Beispiel für die eschatologische Einbettung
der "Hoffnung" aus der Gesetzesliteratur bSanh 96b ff (Enddrang-
sale, z.T. in besondere Abschnitte aufgeteilt, Messias, u.a. חכה;
s. schon bSanh 90a ff), aus den Midraschim Bereschit Rabba Par.

Zu S. 163-164:

XCVIII zu (Gen) 49,18 (u.a. Leiden, künftige Welt, Erlösung, קַוֹּיר).
Aufgrund solcher Beobachtungen scheinen sich bei der Kontroverse
zwischen Rößler, der die Geschichtsauffassung der Apokalyptik und
der Rabbinen einander strikt gegenüberstellt (s. Gesetz), und Nissen, der ein derartiges Gegenüber bestreitet (s. Tora), im Blick
auf Geschichtsauffassung und Eschatologie die Waagschalen eher zugunsten Nissens zu neigen (vgl. zu dieser Kontroverse Koch, Apokalyptik 39 f.80 ff). Doch wird man in der Apokalyptik sicherlich
nicht lediglich (esoterische) Literatur der Rabbinen sehen dürfen
(vgl. dazu J.M.Schmidt, Apokalyptik 296 f; Vielhauer bei Hennecke,
Nt. Apokryphen II,419). So hat das orthodoxe rabb. Judentum die
Apokalyptik z.T. sogar abgelehnt und zurückgedrängt. Vielleicht
ist die Alternative "Apokalyptik-Rabbinen" hier aber schon deshalb
falsch, wenn man bedenkt, daß die rabb. Aussagen lediglich im
Strom apokalyptischen und verwandten eschatologischen Denkens
des Frühjudentums zu beurteilen sind. Zur rabb. Eschatologie (Zeit
der Tannaiten und Amoräer) vgl. noch Exkurs 28-33 bei Strack-
Billerbeck, Kommentar IV,2 764 ff (aber nicht nur rabb. Quellen);
zur "Messiaserwartung" E.Lohse, König. Dabei ist im Blick auf diesen Bereich des Judentums das Problem der Eschatologie allerdings
noch längst nicht geklärt. So sind etwa kultische Praxis (vgl. das
Versöhnungsfest u.ä.), Leben nach dem Gesetz (vgl. den durch den
"Zaun des Gesetzes" ausgegrenzten Raum) in dieser Richtung zu
durchdenken. Vgl. neuerdings Dexinger, Szenarium 266 ff, und die
Probleme, die das Ergebnis der Arbeit von Schäfer, Geschichtsauffassung (187 f) aufgibt.

449 Vgl. auch den Sachverhalt, daß die Paulusbriefe literarisch für diese Fragen die ältesten christlichen Quellen darstellen. Es wären hier
für den Bereich vor und neben Paulus im einzelnen recht kompli-
zierte traditionsgeschichtliche und formgeschichtliche Analysen nötig,
die zugleich an Grenzen stoßen.

450 Dafür finden sich in der Umwelt bemerkenswerte Voraussetzungen
und Analogien. So zeigt der Blick auf den at.-religionsgeschichtli-
chen Bereich, daß in der Prophetie, in Orakeln und Prophezeiungen
von Heil und Unheil vielfach der alte Zustand im Rahmen einer Auf-
einanderfolge von Perioden oder auch in einem einmaligen Vorgang
wiederhergestellt wird, und zwar z.T. nach einer Zwischenzeit. Der
neue Zustand kann sogar den alten übertreffen und endgültig sein,
wie wir vor allem bei den at. Propheten sehen. Dabei ist durchaus
mit Projektionen, Ableitungen und einem Folgern zu rechnen. Das
ist an sich auch noch bei Paulus der Fall. Überhaupt spielen hier
die jeweiligen kulturellen und religiösen Voraussetzungen eine Rolle. So wird etwa in ägyptischen Prophezeiungen im Rahmen typisch
ägyptischen Denkens der alte Zustand nach einer Katastrophenzeit

Zu S. 164-166:

wiederhergestellt (vgl. die Prophezeiungen eines Priesters unter König Snefru; s. AOT 46-48). Bei den at. Propheten erhalten die Erwählungstraditionen Israels ein besonderes Gewicht. In den Paulusbriefen besitzt die Christologie auf dem Boden der christlichen Katechese, des christlichen Kerygmas und überhaupt christlicher Traditionen eine zentrale Funktion (vgl. z.B. 1 Kor 15,1 ff; 1 Thess 4,14). Doch ist schon bei den at. Propheten und dann erst recht bei Paulus der lebendige Gott zu beachten.

451 Dieses Problem ist an sich in der Forschung durchaus schon berücksichtigt worden, so bei Bultmann, ThW II 529,4 ff, und stärker systematisch bei Kerstiens, Hoffnungsstruktur 210-214 ("Exkurs: Hoffnung in der Ewigkeit?"); bei A.Michel, Espérance. Vgl. ferner Dreyfus, Maintenant.

452 Eine Stelle wie 1 Kor 15,19 bleibt hier erst recht zu problematisch.

453 Vgl. Blaß-Debrunner-Rehkopf, Grammatik § 318.

454 Vgl. Käsemann, Röm 374; Strack-Billerbeck, Kommentar III,315 z.St. Außerdem hat Paulus dann noch den Schlußteil ausgelassen, nämlich καὶ ἔσται ἡ ἀνάπαυσις αὐτοῦ τιμή.

455 Vgl. Bultmann, ThW II,528 Anm. 108.

456 Die Zitate vorher sind hier weniger sperrig: Das Futur in V.9 kann kohortativ oder voluntativ entsprechend den Imperativen sonst verstanden werden. Ähnliche Probleme wie an unserer Stelle ergeben sich in Mt 12,21 als Reflexionszitat aus Jes 42,4.

457 Vgl. die Verknüpfung von ἔμπροσθεν und παρουσία in V.19.

458 Religionsgeschichtlich kann hier auf Strukturparallelen im zeitgenössischen Judentum hingewiesen werden. Dieses kennt nämlich Aussagen, wo ein schillernder Übergangsbereich zwischen "diesem Äon" und "jenem Äon" oder eine nicht eindeutige Zuordnung der messianischen Zeit o.ä. festzustellen ist. Vgl. H.-W.Kuhn, Enderwartung 12 (zum Verhältnis von "endzeitlich" und "eschatologisch"); Strack-Billerbeck, Kommentar IV,2 im 29. Exkurs 799 ff. Bemerkenswert sind ἐλπίζειν und ἐλπίς des Messias in PsSal 17,33 ff.

459 Vgl. Conzelmann, 1 Kor 273, zur Gegenstandsbeziehung.

460 Zu den Haupttypen der Interpretation s. Conzelmann, 1 Kor 272 (f); vgl. auch Schüttpelz, Weg 90 f, wo die eigene Interpretation aber nur auf die Jetztzeit geht (vgl. ferner 97); Luz, Geschichtsverständnis 325 (Hoffnung als "die durch Gott selbst gegründete Gewißheit seines Anwesens für alle Zeit"; insofern etwas, das "bleibt").

461 S. 1 Kor 273 (mit Anm. 128).

462 So hebt auch Conzelmann hervor, daß die eschatologische Intention nicht verloren geht (1 Kor 273).

463 ThW II 529,4-13.

464 1 Kor 272 in Anm. 126.

465 Vgl. den Hinweis Conzelmanns auf das bleibende Moment der Distanz in der πίστις im Unterschied zu einer mystischen Einswerdung (1 Kor 272 Anm. 126).

- 325 -

Zu S. 166-168:

466 Wenn man in 1 Kor 13,13 einer Deutung auf die eschatologische Zukunft nicht zustimmen will, so wird man sie aber auf jeden Fall als
Eventualinterpretation durchzuspielen haben, mithin auch die im folgenden gebrachten Gesichtspunkte.

467 Vgl. Hatch-Redpath, Concordance 454.

468 Vgl. zu dieser Heilsvorstellung von Rad, TheolAT I,237 mit Anm. 81.

469 Allerdings denkt PsSal 18,2 vielleicht in anderen Strukturen, wenn
es dort um den "Armen" geht. Sonderprobleme ergeben sich in Jes
28,10.13.

470 Zum Zeit- und Geschichtsdenken Israels in dieser Hinsicht vgl. von
Rad, TheolAT II,108 ff.

471 Das bezieht sich nun inhaltlich auf die Sachgegenstände der "Hoffnung". Bei Gott als Objekt kann die personale Relation zu ihm überdies selbst in Not ungetrübt sein, wenn der Gläubige, der Beter,
das Volk sich fest an ihn halten. Heil im Sinn der Rettung und des
Glücks steht dann aber noch aus. Sicherlich dürfte auch die häufige
"Hoffnung" auf Gott im AT auf die große Bedeutung des Redens von
"Hoffnung" in einer "gefüllten Zeit" hinweisen.

472 Vielleicht ist in dieser Richtung auch noch auf לקבה in 1 QH 12,2
hinzuweisen. Etwas eigenartig ist in Prophetenleben Ez 13 von einer ἐλπίς τῷ Ἰσραήλ für die Gegenwart und Zukunft (καὶ ὧδε
καὶ ἐπὶ τοῦ μέλλοντος) die Rede.

473 Dabei ist dann allerdings in 1 Kor 13,13 trotz des "Bleibens" (μένειν)
für den Akt in ἐλπίς strukturell eine gewisse Veränderung zu erwägen. Denn dieses volle und ungebrochene Heil der eschatologischen
Zukunft kann im Verhältnis zur Situation im irdischen Leben nicht
ohne Auswirkungen auf die Objektbeziehung der spes qua speratur
bleiben.

474 Ferner weist Conzelmann, 1 Kor 273, für 1 Kor 13,13, wie schon angedeutet, auf eine konstitutive Gegenstandsbeziehung hin, da die
drei "bleibenden" Gaben "nicht in eine pneumatische Emanzipation und
Selbsterbauung führen können". Dabei darf man hier in der eschatologischen Zukunft dann ein echtes Zusammenfallen von Grund und
Gegenstand (bzw. Inhalt) erwägen, was bei Bultmann für den Glauben offensichtlich für die Zeit vorher schon angenommen wird (vgl.
Jesus Christus 187 f).

475 So ist ebenfalls das ἵνα ᾖ ὁ θεὸς πάντα ἐν πᾶσιν in 1 Kor
15,28 sachlich durchaus schillernd. Bedenkenswerte systematische
Erwägungen finden sich in dem schon genannten Exkurs bei Kerstiens, Hoffnungsstruktur 210 ff. Von einer noch anderen Seite her
ergeben sich Einheitsaspekte in Phil 1,20, nämlich nicht durch den
Gottesbegriff, sondern aufgrund der Christologie. Doch bleiben auch
dort die Ausführungen schwierig.

476 Der Hinweis Bultmanns auf die christliche ἐλπίς selbst schon als
eschatologisches Gut, den er für Mt 12,21; Röm 15,12; 1 Petr 1,3;

Zu S. 168-170:

IgnMagn 9,1; Barn 16,8 u.a. Stellen gibt (ThW II 529 ff), bezieht
sich aber auf die Jetztzeit. Entsprechend bezeichnet Bultmann das
als Paradoxie. Auf eine "Hoffnung" in der Heilszeit, die nun (bald)
beginnt oder schon begonnen hat, stoßen wir z.B. auch im antiken
Kaiserkult u.ä. (s. etwa Q Horatius Flaccus, Carmen saeculare, am
Schluß Z. 74 mit spem bonam certamque domum reporto; Inschrift
aus Halikarnassos, The Collection ... ed. C.T.Newton/G.Hirsch-
feld IV 894 Z. 11 mit ἐλπίδων μὲν χρηστῶν πρὸς τὸ μέλλον;
vgl. auch Dittenberger Or II 458, 33 ff mit ἐλπίς; die letzten beiden Stellen in dt. Übers. Umwelt des NT II,106 f). Beim Kaiserkult stellt sich wieder die Frage, ob solch eine "gefüllte Hoffnung"
aufrichtiger Kritik standhält, weil durchaus noch Schattenseiten des
Lebens vorhanden sind. Deshalb ist wieder eine plerophore Aussageweise zu beachten. Daß die jüd. Apokalypsen eine zeitliche Erstreckung im kommenden Äon bzw. in der neuen Schöpfung kennen,
sehen wir anhand von äthHen 91,16 f (anders offensichtlich Bultmann, Geschichte 34; vgl. auch Dexinger, Zehnwochenapokalypse
144, mit dem Hinweis darauf, daß sich hier eine Sichtweise ergebe,
die an den philosophischen Ewigkeitsbegriff heranreiche). Man sollte solche Gedanken nicht vorschnell als chiliastisch kritisieren. Es
sei auch noch einmal auf ἐλπίζειν und ἐλπίς des Messias in PsSal
17,33 ff hingewiesen. Für die Gnosis konnte eschatologische "Hoffnung" bereits erfüllt sein, so etwa die von Röm 8,19.22 (s. im
basilidianischen System nach Hippolyt Ref VII 25,1 ff; bei Völker,
Quellen 52,6 ff).

1 Es sei an die elpophoren und vergleichbaren Namen erinnert, bei
  denen ein religiöses Fundament und eine Vertrauenshaltung z.T.
  maßgebend sind.
2 Die auffällig strukturverwandten Aussagen der Qumrantexte sind
  hier dagegen nur als Analogieformen zu beurteilen. Sie sind dabei
  aber für die Möglichkeiten einer Ausformung eschatologischen Heils
  auf at.-jüd. Boden instruktiv, auf dem auch das beginnende Christentum steht.
3 Es legt sich hier zunächst eine Unterscheidung zwischen Inhalten
  und Objekten bzw. Gegenständen nahe. Dabei würden die Inhalte
  nur das subjektiv Vorgestellte meinen, während Objekte bzw. Gegenstände zusätzlich auch noch Gott u.a. Personen umfassen würden. Ist das zwar für 2 Kor 1,10 angemessen, so erweist es sich
  aber im Blick auf die Parusie nicht als völlig glatt durchführbar.
  Auch eine Unterscheidung von Grund und Gegenstand (vgl. Bultmann, Jesus Christus 188, im Blick auf den Glauben) bzw. Grund
  und Inhalt (vgl. Stuhlmacher, NT und Hermeneutik 157 f, entsprechend im Bultmann-Referat) ist unter Berücksichtigung von

Zu S. 170-173:

Stellen wie Röm 15,12.13; 2 Kor 1,10; Phil 3,20 f; 1 Thess 1,3 nicht durchgehend angebracht, zumal man nicht sagen kann, daß für Paulus bei den Objekten theologisch eine deutliche Verschiebung zum Grund der "Hoffnung" vorliegt. Ähnliche Probleme ergeben sich im Blick auf einige weitere Differenzierungsversuche. Dafür sind objets, motifs, objets secondaires (so Grossouw, Espérance 523 ff), Motiv und Objekt bzw. Gegenstand (vgl. Fedele, Speranza 36 ff.48 ff; Olivier, Traité 36 ff.43 f u.ö.; de Orbiso, Motivos, bes. 72 ff; Spicq, Révélation 8 ff.18 ff; Terstiege, Hoffen 19-21), Formal- und Materialobjekt (vgl. Kerstiens, Hoffnungsstruktur 61.62 f, im Referat der röm.-kath. Schultheologie; Olivier, Traité 64 ff bzw. 62 ff, bei der Darstellung einer théologie de l'espérance) anzuführen. In diesem Zusammenhang kann auch noch auf die Unterscheidung zwischen einem Daß und Was (vgl. Bultmann, Christliche Hoffnung 58 f.61) sowie Akt-Inhalt und Geschichts-Inhalt (so E.Bloch, Prinzip Hoffnung 166.522) hingewiesen werden. Insgesamt am unverfänglichsten bleibt indessen die Rede von Objekten oder Gegenständen.

4 Wenn in der Literatur neben der Bezeichnung "Naherwartung" auch noch solche Klassifizierungen wie "Fernerwartung, Stetserwartung, Parusieerwartung, Parusiehoffnung, Heilshoffnung, Jenseitserwartung, Messiaserwartung, Antizipation, Zukunftsvorstellung, Zukunftsbilder" verwendet werden, so geben sie u.U. durchaus angemessen Teilaspekte wieder, bleiben aber als alleiniger Schlüssel zu pauschal.

5 Diese zeitliche Distanz wird eindrücklich deutlich, wenn schon Aristoteles in einem formalisierenden Vorgehen ἐλπίς auf die Zukunft bezieht, αἴσθησις und μνήμη dagegen auf Gegenwart und Vergangenheit (s. De Memoria 1, 449b 27 f). Das hat sich bis zum hellenistischen Judentum bei Philo durchgehalten (s. Leg All II 42 f).

6 Überhaupt müßte unter diesen Gesichtspunkten einmal den Hoffnungsaussagen religiöser Propaganda und Mission oder vergleichbarer Auffassungen in der Antike nachgegangen werden, insofern dort der Eintritt in die Religionsgemeinschaft oder ein bestimmtes Denken und Verhalten erst Heil und "Hoffnung" brachten.

7 Aber nicht um den "Deus Spes" E.Blochs (s. zu ihm Sauter, Zukunft 348 f).

8 Hier hat Käsemann Richtiges herausgestellt; vgl. Gottesgerechtigkeit, bes. 192 f; Thema urchristliche Apokalyptik 127 ff.

9 So ist in diesem Zusammenhang zu beachten, daß Paulus kosmisch nicht von einer Neuschöpfung, sondern von einer Befreiung im Gegenüber zu einer Unterwerfung und Vernichtung redet.

10 Zur Nähe des 2 Makk zu pharisäischem Denken vgl. Kamphausen bei Kautzsch, At. Apokryphen (I) 84, oder den Hinweis bei Eissfeldt, EinlAT 787. Auf jeden Fall tritt in 2 Makk die Kombination

Zu S. 173-175:

bzw. der Zusammenhang von Schöpfung und Totenauferweckung, zugleich z.T. in Verbindung mit der Verwendung von ἐλπίζειν und äquivalenten Wörtern, hervor (vgl. 2 Makk 1,24; 7,11.14. 20 ff; 12,44; 13,14). Dabei ist 2 Makk 7,28 theologiegeschichtlich für das Schöpfungsproblem überaus wichtig geworden. Auf eine Sachparallele zwischen Röm 4,17b und 2 Makk sowie auf ἐλπίς dabei weist schon Hofius, Parallele, hin und gibt dort für den Schöpfungsgedanken auch noch weitere jüd. Belege an. Überhaupt sieht er in ὁ ζωοποιῶν τοὺς νεκροὺς und ὁ καλῶν τὰ μὴ ὄντα ὡς ὄντα (s. Röm 4,17b) zwei liturgisch geprägte Gottesprädikationen altjüd. Provenienz. Vgl. ferner Strack-Billerbeck, Kommentar III,212. Die angeführten Belege zeigen, daß Paulus hier offensichtlich in einer Tradition steht. Anders als in 2 Makk 7,20 wird bei dem Christen Paulus abgesehen von Stellen wie Röm 4,17 f; 2 Kor 1,9 f an diesem Punkt nun Jesus Christus direkt wichtig (vgl. Phil 3,20 f; 1 Thess 1,10). Daß in 2 Makk 7,28 der Gedanke einer creatio ex nihilo vorliegt, bestreitet Schuttermayr, Schöpfung; vgl. auch May, Schöpfung. Es dürfte aber nicht bestreitbar sein, daß dort das "Daß" der Existenz der seienden Dinge und Schöpfungsvorgang aufeinander bezogen werden (οὐκ ἐξ ὄντων ἐποίησεν αὐτά). Das gilt auch in Röm 4,17 für Paulus (τοῦ καλοῦντος τὰ μὴ ὄντα ὡς ὄντα).

11 Vgl. z.B. Jes 40,27 ff, wo Schöpfungsaussagen, zukünftiges Heilshandeln Gottes und קוה auf Jahwe verbunden worden sind (in der LXX קוה allerdings durch ὑπομένειν im Sinn von "harren auf" wiedergegeben, das Paulus so nicht verwendet).

12 Hier kommt noch einmal die Beziehung des paulinischen Sachverhalts zum at. Bekenntis der Zuversicht bei den Hoffnungsaussagen in den Blick.

13 Vor allem würden durch die Untersuchung der ganzen Eschatologie des Paulus auch die positiven absoluten Aussagen mit ἐλπίς bzw. ἐλπίδα ἔχειν eine Abrundung erhalten, da sie an sich den ganzen Bereich der eschatologischen Zukunft einbringen können, wie er sich der positiven Sicht der Christen darstellt. Ähnliches gilt für 1 Kor 15,19 und 1 Thess 4,13 im Verhältnis zu ihrem Kontext 1 Kor 15 und 1 Thess 4,13 ff

1 In 1. Aufl. 1964 erschienen.

2 Dafür ist der Aufriß schon recht instruktiv.

3 Sogar bei den "Meditationen über die Hoffnung" in der Einleitung a.a.O. 11 ff ist das nicht der Fall.

4 Vgl. die kritischen Bemerkungen bei Sauter, Theologie der Hoffnung, bes. 127 f. Weitere Kritik findet sich z.B. an mehreren Stellen des

Zu S. 175-177:

    Diskussionsbandes über die "Theologie der Hoffnung" von J.Molt-
mann, hg. v. W.-D.Marsch.

5 Allerdings bleibt zu fragen, ob Moltmann nicht durch neuere Arbeiten hier einige Probleme beseitigt hat. Vgl. z.B. ders., Hoffnung 252 f, wo Reflexionen über die Hoffnung selbst angestellt
werden. Doch sei es mir erlaubt, mich bei dem vorliegenden Ausblick auf Moltmanns Programm einer "Theologie der Hoffnung" in
seinem gleichnamigen Buch zu beschränken, da es den konzen-
triertesten Beitrag Moltmanns zum Hoffnungsproblem darstellt.

6 Erschienen 1959, geschrieben schon 1938-1947, durchgesehen 1953
und 1959.

7 Vgl. Sauter, Zukunft 277 (ff), der im Blick auf E.Bloch von einer "Philosophie der Zukunft" spricht.

8 A.a.O. 82-84.121 ff.

9 Namen wie S.Freud, C.G.Jung, A.Adler sind dabei leitend (a.a.O.
55 ff).

10 Vgl. zur Ontologie des Noch-Nicht-Seins E.Bloch, "Tübinger Einleitung in die Philosophie", Gesamtausgabe Bd. 13, 212 ff; ferner
Sauter, Zukunft 295 ff, zur Ontologie des Noch-Nicht bei E.Bloch.
Da auch Bloch selbst, Prinzip Hoffnung 12, von Ontologie des
Noch-Nicht redet, scheint der Sprachgebrauch zwischen Ontologie des Noch-Nicht und des Noch-Nicht-Seins schwanken zu können.

11 Vgl. Prinzip Hoffnung 224 ff. Vgl. dazu Kimmerle, Zukunftsbedeutung 36 ff (dort auch zu einem Nah- und Fernhorizont: "ver-
mitteltes Novum" und "Ultimum").

12 Das ergibt sich sogar aus Blochs eigenen Bemerkungen, wenn er
betont, daß Hoffnung als Erwartungsaffekt nur Menschen zugänglich sei (a.a.O. 83).

13 A.a.O. 1623 ff. Vgl. auch a.a.O. 3 die Bemerkung über eine be-
denkliche Hoffnung, und zwar wenn der Betrug "mit schmeichel-
haft und verdorben erregter Hoffnung" arbeiten muß, damit er
wirkt.

14 A.a.O. 1627. Vgl. auch den Hinweis a.a.O. 166 auf den Prozeß,
der seinen immanentesten Was-Inhalt noch nicht herausgegeben habe, der aber immer noch im Gang stehe, der folglich selber in Hoffnung und in objekthafter Ahnung des Noch-Nicht-Gewordenen als
einem Noch-Nicht-Gutgewordenen stehe.

15 So letztlich auch z.B. a.a.O. 226.

16 Das kommt a.a.O. 1624 bei Bloch selbst zum Ausdruck, wenn er
sagt: "Das heißt, die in der noch so unbeugsamen, auch aktiv
bis zum letzten anfeuernden, hoffenden Hoffnung bezeichnete Sache, die objektive Hoffnungssache in der Welt selber, ist ihrer
durchaus noch nicht garantiert sicher und gewiß; sonst wäre die

Zu S. 177-179:

> Zuversicht der hoffenden Hoffnung, statt mutig und, wie so oft, aufrecht-paradox zu sein, lediglich trivial". Das wird aber gleich wieder überspielt, indem auf die Vermittlung rechter Hoffnung mit dem objektiven Prozeß der Welt hingewiesen wird.

17 Vgl. Bloch, Materialismusproblem, Gesamtausgabe Bd. 7, 479 ff; Prinzip Hoffnung 238 f. Hier kommt gegenüber dem Einwirken eschatologisch-apokalyptischer Tradition ein enger philosophischer Ansatz zum Tragen.

18 Vgl. einen kurzen Hinweis auf Röm 8,18 Prinzip Hoffnung 1523, und zwar bezeichnenderweise im Rahmen einer anthropologischen Interpretation nt. Hoffnung. S. dazu Balz, Heilsvertrauen 13.

19 S. Prinzip Hoffnung 166.522.

20 S. a.a.O. 1623 f.

21 Ein anderer Kritikansatz wird bei Sauter, Zukunft, betont, nämlich daß Bloch eine genuin vertikal gedachte (ontologische) Konstruktion um einen rechten Winkel dreht und sie auf einer zeitlichen Horizontalen einzeichnet (a.a.O. 296 f); bei der Suche der ἀρχή in der Zukunft bleibe Bloch protologisch und am Leitbild des Uranfänglichen haften, sozusagen in einer Seitenvertauschung (a.a.O. 353); dabei verbürge der Logos entsprechend einer philosophischen Grundregel die Kontinuität des Wirklichen (a.a.O. 354).

22 Zum Abrücken der Hoffnung von der Zuversicht bei Bloch vgl. Sauter, Zukunft 348 ff bzw. 349 ff. Bemerkenswert ist, daß Bloch, Prinzip Hoffnung 10 f, die Hoffnung nicht nur als Affekt (Gegensatz: Furcht), sondern auch als Richtungakt kognitiver Art (Gegensatz: Erinnerung) sehen will. Die Vorstellung und Gedanken der so bezeichneten Zukunftsintention seien utopisch, und zwar im positiven Sinn des Traums nach vorwärts, der Antizipation überhaupt.

23 Vgl. z.B. Theologie 308.311.312.

24 S.G.Sauter, Zukunft; vgl. im prot. Bereich noch U.Hedinger, Hoffnung; im röm.-kath. Raum F.Kerstiens, Hoffnungsstruktur; J.B.Metz, Theologie. Mittlerweile ist die theologische Literatur zu diesem Themenbereich überaus zahlreich geworden.

25 Vgl. Sauter, Frage nach der Zukunft, zum Verhältnis zwischen Marxismus und Christentum im Blick auf das Problem einer absoluten Zukunft.

26 Vgl. E.Bloch, Prinzip Hoffnung; ders., "Geist der Utopie" (Gesamtausgabe Bd. 3 und 16) u.ö. S. auch Sauter, Zukunft 129 ff, zu neuerem utopischen Denken.

27 Vgl. je auf ihre Weise J.Moltmann, Theologie; Sauter, Zukunft.

28 Vgl. biologisch das Problem des Alterns und des Todes des Individuums, kosmisch die naturwissenschaftliche Aussicht eines Wärmetodes und eines Alterns unseres Sonnensystems, und zwar etwa im Verhältnis zur biologischen Evolution.

Zu S. 179-180:

29 Vgl. dazu z.B. Sauter, Zukunft 15 ff.

30 S.o. zu E.Bloch.

31 S. z.B. J.B.Metz, Theologie 99 ff. Vgl. zum Problem auch Gräßer, Politisch gekreuzigter Christus.

32 S.o. zu J.Moltmann.

33 So G.Sauter, Zukunft 160 f u.ö.

34 S.o. die Darstellung zu Paulus und zu den Qumrantexten. Es soll- te für diesen Aspekt auch die "Prozeß-Theologie" beherzigt wer- den, die sich im Raum der amerikanischen Theologie entwickelt hat; vgl. dazu Williams, Prozeß-Theologie. Gerade hier erscheint es reiz- voll, dem Problem ihrer Konvergenz zu unseren obigen exegetischen Ergebnissen nachzugehen.

35 Vgl. J.Moltmann, Gekreuzigter Gott; Grabner-Haider, Paraklese 155 f.157; Schaeffler, Hoffen 281 ff u.ö.

36 S. z.B. die Problemstellung bei Balz, Heilsvertrauen.

37 Vgl. z.B. W.Pannenberg u.a., Offenbarung.

38 Vielfach gehen solche Fragestellungen, Antworten und hermeneuti- schen Wege schon geschichtlich recht weit zurück. S. z.B. antike Utopien (vgl. Birt, Elpides passim) und antike Elpistiker (s. Plutarch, Moralia 668E), eine "Theologie der Hoffnung" bei den Freunden des Hiob (nach Westermann, Hoffen 228 f). Vgl. auch die geschichtlich- enzyklopädische Anlage vieler Passagen in E.Blochs "Das Prinzip Hoffnung".

39 Vgl. neuerdings auf röm.-kath. Seite Schaeffler, Hoffnung.

1 Enderwartung.

2 NT im 20.Jh. (1970) 104 f als Fazit zu 93-105.

3 Vgl. TheolNT 1948/1953.

4 100 f.

5 Vgl. z.B. "Christus und die Zeit"; "Heil als Geschichte".

6 Vgl. z.B. Enderwartung; TheolNT 121 ff; Heilsgeschichte, bes. 171 ff.

7 Vgl. auch Stuhlmacher, Erwägungen 423-425.

8 Wenn Kümmel (vgl. NT im 20.Jh. 100 f) Bultmann und seinen Schü- lern kein eschatologisches Verständnis zugesteht, dann ist das m.E. nicht angebracht. Denn die existentiale Interpretation legt gerade auf die eschatologische Existenz des Glaubenden Gewicht.

9 Vgl. die röm.-kath. Untersuchung über die paulinische Eschatolo- gie von GUNTERMANN (1932). S. allerdings außerhalb des deutsch- sprachigen Raumes den neueren Versuch zur ganzen Bibel von ZEDDA,L'escatologia.

10 Vgl. hier z.B. BALZ, Heilsvertrauen; BAUMGARTEN, Paulus; J.BECKER, Auferstehung 18 ff; HARNISCH, Existenz; P.HOFF- MANN, Die Toten; LUZ, Geschichtsauffassung; MATTERN, Ver-

Zu S. 180-185:

ständnis; VON DER OSTEN-SACKEN, Römer 8; PAULSEN, Überlieferung; POKORNÝ, Hoffnung, bes. 16 ff; ROGAHN, Function; SIBER, Mit Christus; SYNOFZIK, Gerichtsaussagen; WILCKE, Problem.

11 Vgl. Kümmel, TheolNT 126.128 f.

12 Vgl. Kümmel a.a.O. 126-128.209 ff

13 Vgl. zu den entsprechenden religionsgeschichtlichen und theologischen Problemen Bultmann, TheolNT 186.352 f; ders., Urchristentum 192 ff; Schrage, Stellung.

14 Nach O.Michel, Röm 200 Anm. 1, ist die eschatologische Erwartung die eigentliche Lösung des Problems Fleisch und Geist.

15 Das ist dann anders z.B. in Genealogien (Mt 1,1 ff; Lk 3,23 ff), Reden der Apg (vgl. 7,2 ff) und Hebr 11.

16 Vgl. dazu neuerdings Stuhlmacher, Exegese; Wolter, Rechtfertigung 11 ff.

17 Vgl. dazu Gnilka, Phil 108 ff.

18 So z.B. in 1 Thess 5 und 2 Kor 3 (s.o. 10.2. und 3.).

19 Die einzige Ausnahme in den Homologumena sind die Aussagen über Israel in der Zukunftsrichtung in Röm 9-11. Hier kann von einem ausgesprochenen heilsgeschichtlichen Lösungsversuch geredet werden.

20 S. "Kerygma und Apokalyptik", 1967 (den einzelnen Abschnitten verschiedene Vorträge und Aufsätze zugrundeliegend).

21 7 (als exegetische Erkenntnis und exegetisches Programm).

22 Vgl. den Untertitel "Ein religionsgeschichtlicher und theologischer Beitrag zur Christusfrage".

23 Heilsgeschichte, 1965.

24 5 ff.

25 20 ff.

26 33 ff.

27 Vgl. 42 Anm. 79.

28 Geschichtsverständnis 401 (1970).

29 "Offenbarung als Geschichte", 1961 hg. v. Pannenberg und einem Kreis von Theologen um ihn.

30 A.a.O. 42-90.

31 87; vgl. überhaupt die Zusammenfassung 87-90.

32 An sich hat Paulus nach Wilckens zunächst auf dem gemeinchristlichen Boden gestanden, auf dem die gegenwärtige Erfahrung des Geistes ein einziger starker Erfahrungsbeweis gewesen sei für den heilsgeschichtlichen Zusammenhang von Jesusgeschick, Gegenwart und zukünftigem Eschaton als eines einzigen kosmischen Geschehenszusammenhanges, in welchem Gott das Ende der Zeiten heraufzuführen im Begriff sei: als zusammengehörige Momente des einen Offenbarungshandelns Gottes (65; vgl. 63 ff).

Zu S. 186-190:

33 90.

34 Allerdings bringt Wilckens auch Kritik an Lukas zum Ausdruck, indem er z.B. von einer erheblichen Reduktion in der Soteriologie spricht (vgl. a.a.O. 90 und Aspekt 202 Anm. 85).

35 S. Bekehrung (1959); vgl. auch "Offenbarung als Geschichte" 70 f; Röm I (1973), 220-222.239.249 f.297 f.

36 Vgl. Rechtfertigung (1961); Röm 3,21-4,25 (1964).

37 Rechtfertigung, bes. 49; vgl. auch Röm 3,21-4,25 S.71 f; Röm I, 202.280 ff. Zur eschatologischen Dimension dabei s. Röm 3,21-4,25 S.76.

38 S. den gleichnamigen Beitrag (1966/1974).

39 Aspekt 202; vgl. auch 201 f.

40 Röm 3,21-4,25 S.66 will Wilckens den Terminus "Erwählungsgeschichte" vorziehen.

41 Vgl. Paulusstudien 7 f.

42 "Offenbarung als Geschichte" 88; vgl. 65 f zu Paulus.

43 Vgl. schon Kümmels Hinweis darauf: NT im 20.Jh. 104.

44 426-428.

45 Vgl. 424 f Anm. 4 und 440 f Anm. 40 (als Anfrage an Cullmann und Kuss).

46 Vgl. 439-441 (Anm. 38.40).

47 Vgl. 441 f (Anm. 41).

48 430.

49 431.

50 Vgl. 432 (der Begriff "Innenschau" von A.Schweitzer übernommen). 444.

51 431.

52 427 f Anm. 8. 444.

53 432 f.

54 433 ff.

55 440.

56 441.

57 Vgl. 446 f.

58 Vgl. 444.

59 443 f.

60 444 u.ö.

61 Vgl. 429 Anm. 11. 438 ff.

62 425.

63 303.

64 398 f.

65 398; vgl. überhaupt 398 f.

66 Vgl. 13 f. 279 Anm. 51.

67 18 Anm. 28.

68 303.

69 39 ff. 265 ff.

Zu S. 190-192:

70 41 ff. 136 ff.
71 227 ff.
72 268 ff.
73 301 ff. 318 ff. 359 ff. 387 ff.
74 S. gleich die Prolegomena 19 ff.
75 Vgl. 28. S. dazu Wilckens, Geschichtsverständnis 404.
76 401.
77 37.
78 Ebd.
79 37 u.ö.
80 21 u.ö.; vgl. auch 383.
81 84.
82 351.
83 Z.B. 307.315.
84 Z.B. 348. Vgl. zu beidem 358 (das Fazit zur hier geradezu gegen-
    läufigen Interpretation von 1 Thess 4,13 ff und 1 Kor 15,23 ff).
85 Vgl. 136 f. 156.170 f.196.
86 Vgl. 14 ff.84.278 (mit Anm. 51). Ähnlich wie bei Dietzfelbinger fin-
    den sich bei Luz Hinweise auf eine Unheilsgeschichte der Vergan-
    genheit (vgl. 204 f).
87 16 f.
88 370.
89 223; vgl. 137.
90 342 f.
91 357.
92 193 ff.
93 305.
94 376.
95 Vgl. 211 ff.
96 214.
97 214 f.
98 Vgl. 248.255.
99 So z.B. 303 ff.357.359.367.395 ff.
100 Z.B. 310.350.384-386-396.
101 Kommt vielleicht nicht zuletzt deshalb der Gerichtsgedanke, der stra-
    fende Gott (trotz z.B. 296 f.310 ff) viel zu kurz?
102 Das wird von Luz selbst 387 ff nicht beobachtet bzw. anerkannt.
103 Vgl. die Kritik bei Wilckens, Geschichtsverständnis 410 f.
104 Allerdings sind die methodischen Hinweise von Luz a.a.O. 303 m.E.
    nicht völlig befriedigend.
105 Vgl. die Kritik von Wilckens a.a.O. 410. Hier ist an sich Strobel bei
    seiner Frage nach Kerygma und Apokalyptik schon weiter vorgesto-
    ßen.
106 Die Begründung 16 f ist hier nicht ausreichend. Vielleicht fehlt
    nicht von ungefähr eine gezielte Zusammenfassung, die die beiden
    Teile aufeinander bezieht (so nur 400 f).

Zu S. 192-194:

107 So z.B. sogar bei der Analyse von Röm 15,4 f; Röm 4,23 ff;
     1 Kor 10,11; 2 Kor 3 (a.a.O. 110 ff).
108 Vgl. Luz selbst a.a.O. 398.
109 1975 erschienen.
110 1. Er setzt mit einem Zitat aus der "Theologie der Hoffnung" von
     J.Moltmann ein. Bei diesem Programm wird ein Teil dessen aufge-
     griffen, was Luz, Geschichtsverständnis 303, gefordert hatte.
111 2; vgl. 5.
112 3.
113 16.
114 6.
115 9 ff.
116 55 ff.
117 227 ff.
118 Vgl. 180 ff.
119 159 ff bzw. 162 ff.
120 Vgl. 180 ff; ferner 229. S. auch Münchow, Ethik 349 ff.
121 198 ff. Allerdings orientiert er sich gar nicht an Vokabeln der Hoff-
     nung, Erwartung usw.
122 236-238, und zwar mit dem Hinweis darauf, daß Paulus das eschato-
     logische Sein der Glaubenden bedenke, kein logischer Denker im
     abendländischen Sinn sei, sondern assoziierend, situationsorien-
     tiert und damit aspektivisch denke. Vgl. auch 4 f.
123 Die speziellen Ausführungen zur "spätisraelitischen" Apokalyptik
     9-16 (dort zugleich noch zur "urchristlichen" Apokalyptik) und
     34-42 (bes. zu den Trägerkreisen) reichen hier nicht aus.
124 Vgl. 165 f.193 f, und zwar trotz der richtigen Beobachtung, daß
     in den Qumrantexten הזה עולם und הבא עולם fehlen.
125 Gut ist allerdings, daß Baumgarten auf die neuen Probleme für die
     Apokalyptikforschung hinweist, die sich durch die Nag Hammadi-
     Funde ergeben (vgl. 10 ff u.ö.).
126 Auch das Programm "Offenbarung als Geschichte" (W.Pannenberg
     u.a.) wird in den Blick genommen (2).
127 239.
128 239. Zu beachten sind auch die Annahme einer Reduktion, die Auf-
     nahme von anthropologischer Interpretation, Entmythologisierung
     u.ä. 232 ff.
129 239. Vgl. auch 243; "Die präsentische Eschatologie mit ihrer Orien-
     tierung am Christusgeschehen ist das entscheidende Interpretament,
     das jedoch ohne seine traditionellen futurisch-eschatologischen Di-
     mensionen in seiner Intentionalität beschnitten wird."
130 Vgl. 227 f.238 f.
131 Vgl. die sachkritischen Ausführungen zum Äonendualismus bei
     Paulus 180 ff.

Zu S. 194-196:

132 Vgl. z.B. die Folgerung 197: "Aus diesem Befund ergibt sich, daß sich christologisch und ekklesiologisch orientierte Gegenwart und Zukunft weder auf Indikativ und Imperativ ... noch auch auf 'Glaube' und 'Hoffnung' verteilen, ferner ebensowenig existenzdialektisch auflösen lassen. Jede vereinheitlichende oder einen Aspekt herausgreifende und verabsolutierende Darstellung des paulinischen Zeitverständnisses scheitert am pluriformen Textbefund."

133 So z.B. zu Röm 8,18 ff 170 ff.

134 1973 erschienen. Dabei zeigt sich Laub schießlich, daß der 2 Thess eher unecht ist (vgl. XI f.96 ff.136 ff).

135 164 ff. Vgl. schon 157 ff und die Zusammenfassung 202.

136 Überhaupt wird der spätjüd. Hintergrund, bes. auch in den Qumrantexten, herangezogen (vgl. 179 ff, bes. 192 ff).

137 Vgl. auch das Miteinander von Enthusiasmus und Realismus (63. 171.175 ff u.ö.).

138 Vgl. 131.132 f.164 f.170.174.175. u.ö.

139 131 Anm.132.

140 169: Es handele sich um eine "echte Antinomie", um gegensätzliche Aussagen, die nach dem Verständnis des Paulus "sachlich zusammengehören" (Bultmann). Laub weist öfter auf Antinomien und Spannungen bei Paulus hin.

141 169; vgl. ferner 164 f (u.a. noch "Ablauf der Geschichte").

142 Der Schlußsatz des Buches, 202. Vgl. ferner 24.177 f.

143 1968 erschienen.

144 59 (trotz der Würdigung der Geschichtlichkeit des Menschen mit ausdrücklicher Abgrenzung von der existentialen Interpretation der Eschatologie 59 f). Allerdings wird 152 gesagt, es wäre Paulus angemessener, von einer Kainologie statt von einer Eschatologie zu sprechen.

145 S. 108-112, als Ergebnis zu 57 ff ("Die eschatologische Begründung der Paraklese").

146 150, zu Beginn von Zusammenfassung und Ergebnis zu 113 ff ("Die eschatologische Ausrichtung der Paraklese").

147 Vgl. 139 f.151.

148 151.

149 152.

150 Vgl. im Blick auf den Christen 151-153 und überindividuell oder von Gott her 108 f.151-153.

151 Vgl. 64 f.67 f.111.

152 Vgl. 66 f.92. Bei Grabner-Haider gewinnt man auch den Eindruck, daß er Paulus unmittelbarer in die Gegenwart hineinsprechen läßt. Vgl. zum Problem noch Kuss, Paulus 16 ff.282 ff.437 ff.452 ff; Röm 275-291.

153 Vgl. 64 ("heilsgeschichtliche Spannung").65.111.128 ("Heilsplan Gottes"). Es könnte wieder auf Kuss verwiesen werden (vgl. z.B. Paulus 398 f).

Zu S. 197-204:

154 Vgl. z.B. 109: Gottes vollendendes Handeln steht schon als Gegenwart in die Endzeit herein. S. auch 150.151 über die Zukunftsdi-
mensionen Gottes, 147-150.152 zur Kategorie Novum.

155 Vgl. z.B. 125.132 ff.150 ff im Verhältnis zu Röm 8,19 ff. Laub ist
hier zu anderen Ergebnissen gekommen (177 f z.B.).

156 Stärker von einem speziell christologisch geschehenen oder geschehenden Heil her interpretiert hier Siber (vgl. Mit Christus 251 ff),
allerdings mehr im Sinn Ebelings, Luz' und Baumgartens. Die Forscher, die eben besprochen worden sind, mögen mir die Kritik um
des Bemühens willen verzeihen, den Apostel Paulus zu verstehen.
Ich weiß mich mit ihnen immerhin im Ausgangspunkt beim "exegetischen Leiden" am paulinischen Aporien- und Antinomienproblem einig.

1 Vgl. für die BH s.v. קוה, מקוה, תקוה, יחל (die Bildungen יחיל,
חיל u.ä.), תחלת, חכה, שבר. שֶׁבֶר, כתר ; für die LXX (dabei
in (...) solche Vokabeln, die nur in den at. Apokryphen in äqui-
valentem Sinn vorhanden sind) s.v. ἀναμένειν, ἐγγίζειν (?),
ἐλπίζειν, ἐλπίς, ἐμμένειν, ἐπελπίζειν, ἐπέχειν, εὔελπις,
μένειν, πείθειν (?), περιμένειν, προσδέχεσθαι, προσδοκᾶν,
προσδοκεῖν (v.l.), προσδοκία, προσμένειν (im AT nur v.l.),
ὑπομένειν, ὑπομονή, ὑπόστασις, ὑφιστάναι und als Negativ-
bildungen oder Gegenaussagen ἀνέλπιστος (und Adverb),
ἀπελπίζειν, (ἀδόκητος, ἀπροσδόκητος und Adverb, παράδοξος
und Adverb) - vgl. auch noch Wörter wie ἀπορέω, ἀπορία,
(ἀπογινώσκειν); für das NT außerhalb der Paulusbriefe s.v.
ἀπεκδέχεσθαι, ἐκδέχεσθαι, ἐλπίζειν, ἐλπίς ferner ἐκδοχή,
μακροθυμεῖν, μένειν, περιμένειν, προελπίζειν, προσδέχεσθαι,
προσδοκᾶν, προσδοκία, vielleicht ὑπομονή (vgl. W.Bauer, WB
1674), als Negativbildung ἀπελπίζειν.

2 Allerdings ist das für Teilgebiete z.T. anders. So kann vor allem
auf die Aufstellungen bei Pott, Hoffen 7 ff (aber nicht genau genug),
sowie die Angaben bei Wahl, Clavis Anhang 511 ff bzw. 517 ff, und
K.G.Kuhn, Konkordanz (einschließlich der Nachträge), hingewiesen
werden.

3 D.h. ohne at. Zitat.

4 Dieses äthiop. Verb ist an den im folgenden genannten Stellen jeweils im Doppelungsstamm belegt.

5 Die Veröffentlichung der aram. Fragmente bringt keine Stellen (קוה
in 4 Q Enastr[b] - s. die Stellen nach Milik, Books of Enoch 391 -
kein Begriff der Hoffnung).

6 In der neu veröffentlichten Tempelrolle kommen keine entsprechenden Begriffe vor.

Zu S. 206-207:

1 Wien-Freiburg-Basel (Herder).
2 W. hat seine Habilitationsschrift also zeitlich parallel zu meiner
  Diss. ausgearbeitet (vgl. meine Diss. 1976/1977, Anzeige in ZNW
  68, 1977, S.294). Vgl. in dieser Richtung auch schon seine Diss.
  theol. Innsbruck 1963 (masch.) über: "Prinzip Hoffnung - Myste-
  rium Hoffnung. Ernst Bloch's Ontologie des Noch-Nicht-Seins und
  eine christliche Metaphysik der Hoffnung" (Darstellung der Blochschen Auffassung und Kritik von einem transzendentalen und existentiellen Ansatz her, mit bes. Berücksichtigung von G.Marcel).
3 Leider ohne jedes Register.
4 S. 1.
5 Von der patristischen Literatur bis in unsere Gegenwart in einem
  Überblick S. 10-61.
6 S. Vorwort.
7 Themenkreis 1, S.63-218.
8 S. 67 ff.
9 Auch A.Gleissner: Die Sicherheit der Hoffnung. Eine Studie über
  die ἐλπίς und ἐλπίζειν-Stellen des NT in den Schriftkommenta-
  ren der lat. Kirchenväter und Theologen bis zum 13. Jahrhundert,
  Diss. Pont. Univ. Gregorianae, Roma 1959 (78 S., s. Elenchus
  Bibliographicus der Biblica 54, 1973, Nr. 9809), finde ich nicht
  aufgegriffen. Er wäre im Überblick über die Zeit von der Patristik
  an instruktiv gewesen.
10 Dieser Terminus wird kritiklos weiterverwendet.
11 S. 219-331.
12 S. 333-758.
13 Die Hochkulturen des Alten Orients, Ägyptens, des Iran werden
   gar nicht gewürdigt (vgl. das Programm), obgleich sie für die Genese des abendländischen Denkens sicher nicht belanglos sind.
14 Mensch, 1968.
15 A.a.O. S. 7ff.
16 Vgl. S. 222 im Verhältnis zu 1.-6. S. 222-230. Im Unterschied zu
   S. 222 ist שבר direkt zum Wortfeld zu zählen. כתר fehlt (wie bei
   Westermann und Zimmerli).
17 Hoffen S.220.221 f.
18 Trotz solcher Ausführungen wie S.219-221.
19 Vgl. S. 317-321 zu Dan, äthHen, 4 Esr, ApkBar (syr) (!), 324-327
   zu Qumran (mit wenig Gespür für das von H.-W.Kuhn aufgezeigte
   eschatologische Problem).
20 Vgl. z.B. S. 434.557 zum Gewicht der jüd.-apokalyptischen Begrifflichkeit und Vorstellungsweise. Die jüd.-rabb. Literatur und
   die Gnosis kommen nur en passant, nicht thematisch vor.
21 S. 333 ff.
22 Doch s. immerhin schon S.1 ff.
23 S. 429-635 zum Corpus Paulinum, dabei bis S.571 zu den echten

Zu S. 207-208:

Briefen (d.h. 1 Thess, 1-2 Kor, Röm, Gal, Phil und zur Trias, wohingegen der Phlm nicht eigens bedacht wird).

24 Z.B. S. 430 f.433.556.

25 Vgl. dazu z.B. S. 338 f.431.433 ff.459.467.478.483.486.488 f.491. 516.541.547.566. W. bringt zu Q S.378-381 allerdings einen Integrationsversuch.

26 S. 339 ff, bes. 352 ff, wo gepoolt das ganze NT anvisiert wird. Der Sprachgebrauch des Paulus wird nicht zusammenfassend beleuchtet.

27 Zu pauschal ist es, wenn W. die (schon alte) Auffassung vertritt, daß ἐλπ- im NT immer in bonam partem verwendet wird (S. 339. 342).

28 S. 361 ff.

29 S. bes. S. 361 ff.387 ff.

30 Gerade solch einen Bündelungsversuch vermisse ich bei W. (vgl. seine Bemerkungen zu Paulus S.430.439). R.Bultmann war hier schon einmal zu einer größeren Bündelung gekommen, und zwar in Aufarbeitung gerade der 3 Themenkreise, die auch W. aufgreift.

ABKÜRZUNGEN UND SIGLA

Die Abkürzungen entsprechen denen der RGG[3], erweitert durch solche des ThW. Die zusätzlich verwendeten sind entweder allgemein verständlich oder die folgenden:

BH	:	Biblia Hebraica
Col.	:	Kolumne
inscr.	:	inscriptio
JosAs	:	Joseph und Aseneth
Par.	:	Parascha
phil.	:	philosophisch
RelNT	:	Religion des NT
RdQ	:	Revue de Qumran
4 Q En u.ä.	:	nach MILIK, Books of Enoch
4 Q Sl	:	4 Q Serek Šîrôt ᶜÔlat Haššabbāt (s. Qumrantexte)
11 Q Psᵃ Plea	:	s. DJD IV S.76 ff
11 Q Psᵃ Zion	:	s. DJD IV S.85 ff
ThHWBAT	:	Theologisches Handwörterbuch zum AT
ThWBAT	:	Theologisches Wörterbuch zum AT
v.l.	:	varia lectio
WMANT	:	Wissenschaftliche Monographien zum Alten und Neuen Testament

nach N.TURCHI (Fontes historae mysteriorum ...):

Aelius Aristides Eleus. (= ʼΕλευσίνιος)
Cicero De leg. (= De legibus)
Isocrates Paneg. (= Panegyricus)

Die Sigla folgen einem allgemein üblichen Gebrauch:
vgl. z.B. die sprachwissenschaftlichen Sigla < (= entstanden aus),
> (= geworden zu), * (= nicht belegte, vermutete, erschlossene Form),
[...] (= unsicher oder ergänzt bei der Textüberlieferung).

LITERATURVERZEICHNIS

1.   Textausgaben und Übersetzungen

1.1. Bibel

Biblia Hebraica, ed. R.KITTEL, 14.Aufl., Stuttgart 1966.
Biblia Hebraica Stuttgartensia, ed. K.ELLIGER et W.RUDOLPH, Stuttgart
  1968 ff.
Septuaginta. Id est Vetus Testamentum Graece iuxta LXX interpretes,
  ed. A.RAHLFS, Bd.1-2, 7.Aufl., Stuttgart 1962.
Septuaginta. Vetus Testamentum Graecum. Auctoritate Academiae
  Scientiarum Gottingensis editum, Göttingen 1931 ff.
Origenis Hexaplorum quae supersunt sive veterum interpretum Graecorum
  in totum Vetus Testamentum fragmenta, ed. F.FIELD, Bd.1-2, Oxford
  1875.
Biblia Sacra iuxta Vulgatam Versionem, ed. R.WEBER, Tomus I-II,
  Stuttgart 1969.
Novum Testamentum Graece cum apparatu critico curavit EB.NESTLE,
  novis curis elabroaverunt ERW.NESTLE et K.ALAND, ed. vicesima
  quinta, Stuttgart 1963.
The Greek New Testament, ed. K.ALAND, M.BLACK, B.M.METZGER,
  A.WIKGREN, Stuttgart 1966.
J.WETTSTEIN: Novum Testamentum Graecum, Tomus I-II, Graz 1962
  (unveränderter Abdruck der Ausgabe Amsterdam 1752).

1.2. Alter Orient, Altes Ägypten u.ä.

Religionsgeschichtliches Lesebuch, in Verbindung mit Fachgelehrten hg.
  v. A.BERTHOLET, Heft 1 ff, 2.Aufl., Tübingen 1926 ff.
A.COWLEY: Aramaic Papyri of the Fifth Century B.C., Osnabrück 1967
  (Oxford 1923).
A.ERMAN: Die Literatur der Ägypter. Gedichte, Erzählungen und Lehr-
  bücher aus dem 3. und 2. Jahrtausend v.Chr., Leipzig 1923.
Sumerische und akkadische Hymnen und Gebete, eingeleitet und über-
  tragen von A.FALKENSTEIN und W. VON SODEN, Die Bibliothek der
  Alten Welt, Reihe Der Alte Orient, Zürich/Stuttgart 1953.
Altorientalische Texte und Bilder zum Alten Testament, hg. v. H.GRESS-
  MANN, 2.Aufl., Berlin und Leipzig 1926 und 1927 (in Verbindung mit
  E.EBELING u.a.).
Spätbabylonische Texte aus Uruk, Teil I, bearb. v. H.HUNGER, Aus-
  grabungen der Deutschen Forschungsgemeinschaft in Uruk-Warka, Bd.
  9, Berlin 1976.
The Seven Tablets of Creation, or the Babylonian and Assyrian Legends
  Concerning the Creation of the World and of Mankind, ed, L.W.KING,
  Bd.1-2, London 1902.

Ancient Near Eastern Texts Relating to the Old Testament, ed. J.B.
PRITCHARD, 2.Aufl., Princeton 1955. The Ancient Near East in Pic-
tures Relating to the Old Testament, Princeton 1954. The Ancient Near
East, Supplementary Texts and Pictures Relating to the Old Testament,
Princeton 1969.

1.3. Antikes Judentum

1.3.1. Apokryphen und Pseudepigraphen u.ä.

The Apocrypha and Pseudepigrapha of the Old Testament in English ...
ed. ... by R.H.CHARLES, Bd.1-2, Oxford 1913 (Neudruck 1963).
Fragmenta Pseudepigraphorum quae supersunt Graeca una cum histori-
corum et auctorum Judaeorum Hellenistarum fragmentis, ed. A.-M.
DENIS, Pseudepigrapha Veteris Testamenti Graece 3, Leiden 1970,
45-246.
Apocrypha Anecdota. A Collection of Thirteen Apocryphal Books and
Fragments, ed. M.R.JAMES, TSt II,3, Cambridge 1893.
Apocrypha Anecdota. Socond Series, ed. M.R.JAMES, TSt V,1, Cambridge
1897.
Die Apokryphen und Pseudepigraphen des Alten Testaments, in Verbin-
dung mit Fachgenossen übers. und hg. v. E.KAUTZSCH, Bd.1-2, Tü-
bingen 1900 (2., unveränderter Neudruck, Darmstadt 1962).
Jüdische Schriften aus hellenistisch-römischer Zeit, hg. v. W.G.KÜMMEL
in Zusammenarbeit mit C.HABICHT u.a., I,1 ff, Gütersloh 1973 ff
(Übers.).
Altjüdisches Schrifttum außerhalb der Bibel, übers. und erläutert v. P.
RIESSLER, 2.Aufl., Darmstadt 1966 (Nachdruck der Ausgabe Heidelberg 1928).
K.VON TISCHENDORF. Apocalypses Apocryphae Mosis, Esdrae, Pauli,
Iohannis, item Mariae dormitio additis Evangeliorum et actuum Apocry-
phorum supplementis, Hildesheim 1966 (reprographischer Nachdruck der
Ausgabe Leipzig 1866).
M.DELCOR: Le Testament d'Abraham. Introduction, traduction du texte
grec et commentaire de la recension grecque longue, suivi de la traduc-
tion des testaments d'Abraham, d'Isaak et de Jacob d'après les versions
orientales, Studia in Veteris Testamenti Pseudepigrapha 2, Leiden 1973.
The Testament of Abraham ... by M.R.JAMES, with an Appendix Contain-
ing Extracts from the Arabic Version of the Testaments of Abraham,
Isaac and Jacob by W.E.BARNES, TSt II,2, Cambridge 1892.
G.KISCH: Pseudo Philo's Liber Antiquitatum Biblicarum, Publications in
Mediaeval Studies 10, Notre Dame 1949.
 : Pseudo-Philo's Liber Antiquitatum Biblicarum, Postlegomena to the
New Edition, in: HUCA 23 (1950-1951) Part 2, 81-93.
Lettre d'Aristée à Philocrate, ed. A.PELLETIER, Sources Chrétiennes 89,
Paris 1962.

Aristeae ad Philocratem epistula ... ed. P.WENDLAND, Lipsiae 1900.

Apocalypse of Baruch, ed. S.DEDERING, in: The Old Testament in Syriac According to the Peshitta Version IV,3, Leiden 1973.

Epistola Baruch Filii Neriae, ed. M.KMOSKO, PS R.GRAFFIN I,2, Parisiis 1907, 1209-1236.

Die Apokalypsen des Esra und des Baruch in deutscher Gestalt, hg. v. B.VIOLET, GCS 32, Leipzig 1924.

Apocalypsis Baruchi Graece, ed. J.-C.PICARD, Pseudepigrapha Veteris Testamenti Graece 2, Leiden 1967, 61-96.

Paralipomena Jeremiae Prophetae, quae in Aethipica versione dicuntur Reliqua Verborum Baruchi, ed. A.M.CERIANI, in: Monumenta sacra et profana ex codicibus praesertim Bibliothecae Ambrosianae V/1,9-18, Augustae Taurinorum et Florentiae, Londini 1868.

Paralipomena Jeremiou, ed. and transl. R.A.KRAFT/A.-E.PURINTUN, Texts and Translations 1, Pseudepigrapha Series 1, Society of Biblical Literature, Missoula, Montana 1972.

Liber Baruch, in: Chrestomathia Aethiopica, ed. A.DILLMANN, Darmstadt 1967 (Nachdruck der Ausgabe Leipzig 1866, mit Addenda et Corrigenda v. E.LITTMANN 1950).

Die Apokalypse des Elias. Eine unbekannte Apokalypse und Bruchstücke der Sophonias-Apokalypse. Koptische Texte, Übersetzung, Glossar von G.STEINDORFF, TU NF 2,3a, Leipzig 1899.

M.BUTTENWIESER: Die hebräische Elias-Apokalypse und ihre Stellung in der apokalyptischen Litteratur des rabbinischen Schrifttums und der Kirche, 1.Hälfte, Leipzig 1897.

The Fourth Book of Ezra. The Latin Version Edited from the MSS by ... R.L.BENSLY, TSt III,2, Cambridge 1895.

Liber Henoch, Aethiopice, ... cura A.DILLMANN, Lipsiae 1851.

Das Buch Henoch. Äthiopischer Text, hg. v. J.FLEMMING, TU NF 7,1, Leipzig 1902.

The Ethiopic Book of Enoch. A New Edition in the Light of the Aramaic Dead Sea Fragments, ed. M.A.KNIBB (in consultation with E.ULLENDORFF), Bd.1-2, Oxford 1978.

Apocalypsis Henochi Graece, ed. M.BLACK, Pseudepigrapha Veteris Testamenti Graece 3, Leiden 1970, 1-44.

J.T.MILIK: Hénoch au pays des Aromates (ch. XXVII à XXXII). Fragments araméens de la grotte 4 de Qumran (Pl. I), in: R B 65 (1958) 70-77.

The Books of Enoch. Aramaic Fragments of Qumrân Cave 4, ed. J.T. MILIK, with Collaboration of M.BLACK, Oxford 1976.

Die Bücher der Geheimnisse Henochs. Das sogenannte slavische Henochbuch, hg. v. G.N.BONWETSCH, TU 44,2, Leipzig 1922 (Übers.).

A.VAILLANT: Le Livre des secrets d'Henoch. Texte slave et traduction française. Textes publiés par l'Institut d'Études slaves 4, Paris 1952.

Ascensio Isaiae Aethiopice et Latine ... edita ab A.DILLMANN, Lipsiae 1877.

Testamentum Iobi, ed. S.P.BROCK, Pseudepigrapha Veteris Testamenti
    Graece 2, Leiden 1967, 1-59.
P.BATIFFOL: Le livre de la Prière d'Aseneth, in: BATIFFOL: Studia
    Patristica, Paris 1889-1890, 1-115.
M.PHILONENKO: Joseph et Aséneth. Introduction, texte critique, traduc-
    tion et notes, Studia Post-Biblica 13, Leiden 1968.
Liber Jubilaeorum ... Aethiopice ... ed. A.DILLMANN, Kiliae-Londini
    1859.
C.CLEMEN: Die Himmelfahrt des Mose, KlT 10, Bonn 1904.
The Greek Versions of the Testaments of the Twelve Patriarchs, ed. ...
    R.H.CHARLES, 3.Aufl., Darmstadt 1966 (Oxford 1908).
C.C.TORREY: The Lives of the Prophets. Greek Text and Translation,
    JBL Monograph Series 1, Philadelphia 1946.
Die Psalmen Salomo's, hg. v. O.VON GEBHARDT, TU 13,2, Leipzig 1895.
The Testament of Solomon, ed. ... C.C. MC Cown, UNT 9, Leipzig 1922.
Die Oracula Sibyllina, bearb. v. J.GEFFCKEN, GCS (8), Leipzig 1902.
Sybillinische Weissagungen. Urtext und Übersetzung, ed. A.KURFESS,
    (München:) Heimeran 1951.
The Hebrew Text of the Book of Ecclesiasticus, ed. I.LÉVI, Semitic Study
    Series 3, Leiden 1969 (photomechanical reprint 1904, 1951[2], 1969[3]).
Die Weisheit des Jesus Sirach. Hebräisch und deutsch, hg. v. R.SMEND,
    Berlin 1906.
The Book of Ben Sira. Text, Concordance and an Analysis of the Vocabu-
    lary, The Historical Dictionary of the Hebrew Language, Jerusalem 1973.

1.3.2. Qumran

A Genesis Apocryphon. A Scroll from the Wilderness of Judaea, ed. N.
    AVIGAD and Y.YADIN, Jerusalem 1956.
M.BURROWS: The Dead Sea Scrolls of St.Mark's Monastery, Bd.1-2,
    New Haven 1950, 1951.
Discoveries in the Judaean Desert I ff, ed. D.BARTHÉLEMY, J.T.MILIK
    u.a., Oxford 1955 ff.
E.LOHSE: Die Texte aus Qumran. Hebräisch und deutsch, 2.Aufl., Darm-
    stadt 1971.
The Books of Enoch ... s. 1.3.1.
J.STRUGNELL: The Angelic Liturgy at Qumrân 4 Q Serek Šîrôt ᶜOlat
    Haššabbat, in: Supp. VT 7 (1960, d.h. Congress Volume 1959) 318-
    345.
E.L.SUKENIK: The Dead Sea Scrolls of the Hebrew University, Jerusalem
    1955.
Die Tempelrolle vom Toten Meer. Übers. und erläutert v. J.MAIER, Uni-
    Taschenbücher 829, München 1978.
Y.YADIN: Megillat ham-Miqdaš. The Tempel Scroll (Hebrew Edition), Bd.
    I-IIIA, Jerusalem 1977.

1.3.3. Rabbinen

Das Tagesgebet (Achtzehngebet), in: Berakot, ed. O.HOLTZMANN,
Gießener Mischna I,1, 10 ff, Gießen 1912.·

W.STAERK: Altjüdische liturgische Gebete, KlT 58, 2.Aufl., Berlin 1930.

Pesikta de Rav Kahana ... with Commentary and Introduction by B.MAN-
DELBAUM, Bd.1-2, New York 1962.

Midrasch rabba, Jerusalem 1958.

Bibliotheca Rabbinica. Eine Sammlung alter Midraschim. Zum ersten Male
ins Deutsche übertragen von A.WÜNSCHE, Bd.1-5, Hildesheim 1967
(reprografischer Nachdruck der Ausgabe Leipzig 1880-1885).

Mischnajot. Die sechs Ordnungen der Mischna. Hebräischer Text mit
Punktation, deutscher Übersetzung und Erklärung, Berlin bzw. Wiesbaden 1887 ff.

Die Mischna. Text, Übersetzung und ausführliche Erklärung, hg. v.
G.BEER, O.HOLTZMANN u.a., I,1 ff, Gießen, Berlin, New York 1912 ff.

Pirqê Aboth. Die Sprüche der Väter, von H.L.STRACK, Schriften des
Institutum Judaicum in Berlin 6, 4.Aufl., Leipzig 1915.

The Bible in Aramaic ... edited by A.SPERBER, I - IV A und B, Leiden
1959, 1962, 1968, 1973.

Das Fragmententhargum (Thargum jeruschalmi zum Pentateuch), hg. v.
M.GINSBURGER, Berlin 1899.

Pseudo-Jonathan (Thargum Jonathan ben Usiël zum Pentateuch), hg. v.
M.GINSBURGER, Berlin 1903.

The Targums of Onkelos and Jonathan Ben Uzziel on the Pentateuch with
the Fragments of the Jerusalem Targum. From the Chaldee by J.W.
ETHERIDGE, New York 1968.

Tosephta, ed. M.S.ZUCKERMANDEL, Jerusalem 1963 (Pasewalk 1880).

Die Tosefta. Übersetzung und Erklärung, Rabbinische Texte, hg. v.
(G.KITTEL und) K.H.RENGSTORF, 1.Reihe, Stuttgart-Berlin-Köln-
Mainz 1960 ff (bisher nur Teile).

Der babylonische Talmud mit Einschluss der vollstaendigen Mišnah, hg.
nach der ersten, zensurfreien Bombergschen Ausgabe (Venedig 1520-
23) ... v. L.GOLDSCHMIDT, Bd.1-9, Berlin, Leipzig, Haag 1897-1935.

Der babylonische Talmud. Ausgewählt, übersetzt und erklärt von R.MAYER,
Goldmanns Gelbe Taschenbücher 1330-1332, München 1963.

1.3.4. Philo von Alexandrien, Flavius Josephus

Philonis Alexandrini Opera quae supersunt, ed. L.COHN et P.WENDLAND,
mit Index, bearb. v. I.LEISEGANG, Bd.1-7, Berlin 1962, 1963 (1896-
1930).

Philo with an English Translation by F.H.COLSON and G.H.WHITAKER,
Bd.1-10, The Loeb Classical Library, London, Cambridge (Massachusetts)
1929 ff. Suppl. Bd.1-2, Questions and Answers on Genesis/Exodus,
englische Übers. v. R.MARCUS, 1953.

Philo von Alexandria. Die Werke in deutscher Übersetzung, hg. v. L.
  COHN, I.HEINEMANN, M.ADLER und W.THEILER, Bd.1-7, 2.Aufl.,
  Berlin 1962, 1964.
Flavii Iosephi Opera, ed. B.NIESE, Bd.1-7, Berlin 1887 ff.
Josephus with an English Translation by H.ST.J.THACKERAY u.a.,
  Bd.1-9, The Loeb Classical Library, London, Cambridge (Massachusetts)
  1926 ff.
Flavius Josephus: De Bello Judaico, zweisprachige Ausg., hg. v.
  O.MICHEL und O.BAUERNFEIND, Bd.1-3, Darmstadt 1959-1969.

1.3.5. Weitere Quellen

Corpus Inscriptionum Iudaicarum. Recueil des inscriptions juives qui vont
  du IIIe siècle avant Jésus-Christ au VIIe siècle de notre ère, ed. R.P.
  J.-B.FREY, Bd.1-2, Sussidi allo studio della antichità christiane I, III,
  Rom 1936, 1952.
Beth She^carim, Vol. II: The Greek Inscriptions, by M.SCHWABE und
  B.LIFSHITZ, Jerusalem 1974.

1.4. Frühes Christentum (ohne Gnosis)

Agrapha. Außercanonische Schriftfragmente, gesammelt und untersucht
  ... hg. v. A.RESCH, 2.Aufl., Darmstadt 1967 (= TU NF 15,3/4, 2.Aufl.,
  Leipzig 1906).
Antilegomena. Die Reste der außerkanonischen Evangelien und urchristli-
  chen Überlieferungen, hg. und übers. v. E.PREUSCHEN, 2.Aufl.,
  Gieszen 1905.
E.HENNECKE: Neutestamentliche Apokryphen in deutscher Übersetzung,
  3.Aufl., hg. v. W.SCHNEEMELCHER, Bd.1-2, Tübingen 1959.1964.
Acta Apostolorum Apocrypha, ed. R.A.LIPSIUS - M.BONNET, I-II,2,
  Darmstadt 1959 (Leipzig 1891-1903).
Evangelia Apocrypha ... collegit atque recensuit C. DE TISCHENDORF,
  2.Aufl., Lipsiae 1876.
Die ältesten Apologeten. Texte mit kurzen Einleitungen, hg. v. E.J.
  GOODSPEED, Göttingen 1915.
Altkirchliche Apologeten, hg. v. G.RUHBACH, Texte zur Kirchen- und
  Theologiegeschichte 1, Gütersloh 1966.
Die Apostolischen Väter, eingeleitet, hg., übertragen und erläutert v.
  J.A.FISCHER, Schriften des Urchristentums 1, Darmstadt 1956.
Die Apostolischen Väter, Neubearb. der FUNKschen Ausg. v. K.BIHL-
  MEYER, 1.Teil, Sammlung ausgewählter kirchen- und dogmengeschicht-
  licher Quellenschriften II/1,1, Tübingen 1924.
Die Apostolischen Väter I. Der Hirt des Hermas, hg. v. M.WITTAKER,
  GCS 48, 2.Aufl., Berlin 1967.

CLEMENS ALEXANDRINUS: Bd.1 Protrepticus und Paedagogus, hg. v.
  O.STÄHLIN, 3.Aufl. (durchgesehen v. U.TREU), GCS 12, Berlin
  1972.
ders.: Bd.2 Stromata I-VI, hg. v. O.STÄHLIN - L.FRÜCHTEL, GCS 52
  (15), 3.Aufl., Berlin 1960.
ders.: Bd. 3 Stromata VII-VIII u.a., hg. v. O.STÄHLIN, GCS 17, Leipzig 1909, 2.Aufl., neu hg. v. L.FRÜCHTEL - U.TREU, Berlin 1970.
ders.: Bd. 4 Register, hg. v. O.STÄHLIN, GCS 39, Leipzig 1936.
K.STAAB: Pauluskommentare aus der griechischen Kirche. Aus Katenen-
  handschriften gesammelt und herausgegeben, NTA 15, Münster 1933.

1.5. Gnosis und Hermetik

Die Gnosis, eingeleitet, übers. und erläutert v. W.FOERSTER, E.HAEN-
  CHEN, M.KRAUSE, Bd.1-2, Die Bibliothek der Alten Welt, Reihe Antike
  und Christentum, Zürich und Stuttgart 1969, 1971.
R.HAARDT: Die Gnosis. Wesen und Zeugnisse, Salzburg 1967.
H.LEISEGANG: Die Gnosis, Kröners Taschenausgabe 32, 4.Aufl., Stuttgart 1955.
Quellen zur Geschichte der christlichen Gnosis, hg. v. W.VÖLKER, Samm-
  lung ausgewählter kirchen- und dogmengeschichtlicher Quellenschrif-
  ten NF 5, Tübingen 1932.
Die gnostischen Schriften des koptischen Papyrus Berolinensis 8502, hg.,
  übers. und bearb. v. W.C.TILL, TU 60, 2.Aufl., bearb. v. H.-M.
  SCHENKE, Berlin 1972.
The Facsimile Edition of the Nag Hammadi Codices, published under the
  auspices of the Department of Antiquities of the Arab Republic of Egypt
  in conjunction with the United Nations Educational, Scientific and
  Cultural Organization (editorial board J.M.ROBINSON u.a.), Leiden
  1972 ff.
Epistula Iacobi Apocrypha, ed. M.MALININE, H.-C.PUECH, G.QUISPEL,
  W.TILL, R.KASSER u.a., Zürich und Stuttgart 1968.
Evangelium Veritatis, ed. M.MALININE, H.-C.PUECH, G.QUISPEL, W.TILL,
  Studien aus dem C.G.Jung-Institut 6, Zürich 1956, 1961.
R.HAARDT: "Die Abhandlung über die Auferstehung" des Codex Jung aus
  der Bibliothek gnostischer koptischer Schriften von Nag Hammadi, in:
  Kairos 11 (1969) 1-5; vgl. 12 (1970) 237-269.
De Resurrectione (Epistula ad Rheginum), ed. M.MALININE, H.-C.PUECH,
  G.QUISPEL, W.TILL u.a., Zürich und Suttgart 1963.
Gnostische und hermetische Schriften aus Codex II und Codex VI, ed.
  M.KRAUSE - P.LABIB, Abhandlungen des Deutschen Archäologischen
  Instituts Kairo, Koptische Reihe 2, Glückstadt 1971.
Die Koptisch-gnostische Schrift ohne Titel aus Codex II von Nag Hammadi
  im Koptischen Museum zu Alt-Kairo, hg., übers. und bearb. v. A.
  BÖHLIG - P.LABIB, Deutsche Akademie der Wissenschaften zu Berlin,
  Institut für Orientforschung, Veröffentlichung 58, Berlin 1962.

Die drei Versionen des Apokryphon des Johannes im Koptischen Museum zu Alt-Kairo, Abhandlungen des Deutschen Archäologischen Instituts Kairo, Koptische Reihe 1, Wiesbaden 1962.

J.LEIPOLDT: Das Evangelium nach Thomas. Koptisch und deutsch, TU 101, Berlin 1967.

Das Evangelium nach Philippos, hg. und übers. v. W.C.TILL, Patristische Texte und Studien 2, Berlin 1963.

R.A.BULLARD: The Hypostasis of the Archons. The Coptic Text with Translation and Commentary, with a Contribution by M.KRAUSE, Patristische Texte und Studien 10, Berlin 1970.

"Das Wesen der Archonten", (übers.) v. H.-M.SCHENKE, in: ThLZ 83 (1958) 661-670.

A.BÖHLIG - P.LABIB: Koptisch-gnostische Apokalypsen aus Codex V von Nag Hammadi im Koptischen Museum zu Alt-Kairo, WZ Halle-Wittenberg Sonderband, Halle-Wittenberg 1963.

Die Schriften aus Nag-Hammadi-Codex VI und VII, eingeleitet und übers. v. Berliner Arbeitskreis für koptisch-gnostische Schriften (Leiter H.-M. SCHENKE), in: ThLZ 98 (1973)ff.

Die Oden Salomos, hg. v. W.BAUER, KlT 64, Berlin 1933.

The Odes and Psalms of Solomon, re-ed. ... by R.HARRIS - A.MINGANA, Bd.1 (Text with Facisimile Reproductions), Manchester-London-New York 1916.

A.F.J.KLIJN: The Acts of Thomas. Introduction-Text (= Übers.)-Commentary, Suppl.Nov.Test 5, Leiden 1962.

Corpus Hermeticum, ed. A.D.NOCK - A.-J.FESTIGUIÈRE, Bd.1-4, Paris 1945-1954.

Hermetica, ed. W.SCOTT, Bd.1-3, Oxford 1924-1926.

1.6. Sonstige griechische und lateinische Quellen der Antike

AESCHYLI Septem quae supersunt tragoediae, ed. G.MURRAY, 2.Aufl., Oxonii 1955, ed. D.PAGE, Oxonii 1972.

Epigrammatum Anthologia Palatina, ed. F.DÜBNER - E.COUGNY, Bd.1-3, Parisiis 1864, 1872, 1890.

APULEIUS. Metamorphosen oder Der goldene Esel, lat. und dt. v. R.HELM, Schriften und Quellen der Alten Welt 1, Berlin 1956.

ARISTOTELIS Opera. Ex recensione I.BEKKERI ed. Academia Regia Borussica, ed. altera quam curavit O.GIGON, Bd.1-2, 4-5, Berolini 1960, 1961 (1831, 1836, 1870; nicht vollständiger Index v. H.BONITZ in Bd.5).

Aegyptische Urkunden aus den koeniglichen Museen zu Berlin. Griechische Urkunden, Bd.1-8, Berlin 1895-1933.

The Collection of Ancient Greek Inscriptions in the British Museum, ed. by C.T.NEWTON, Part Iff, speziell Part IV, Section I (Knidos, Halikarnassos and Branchidae) by G.HIRSCHFELD, Oxford 1893.

Anthologia Lyrica Graeca, ed. E.DIEHL, fasciculus 2 (Theognis, Pseud-Pythagoras, Pseud-Phocylides, Chares, Anonymi Aulodia), ed. tertia, Lipsiae 1950.

DIOGENES LAERTIUS. Leben und Meinungen berühmter Philosophen, übers. aus dem Griech. v. O.APELT, Bd.1-2, Berlin 1955.

DIOGENIS LAERTII Vitae Philosophorum, ed. H.S.LONG, Bd.1-2, Oxford 1964.

W.DITTENBERGER: Orients Graeci Inscriptiones Selectae, Bd.1-2, Leipzig 1903, 1905.

ders.: Sylloge Inscriptionum Graecarum, Bd.1-4, 3.Aufl., Leipzig 1915-1924.

EPICTETI Dissertationes ab Arriano digestae ... recensuit H.SCHENKL, accedunt fragmenta, Enchiridion ex recensione Schweighaeuseri, Gnomologiorum Epicteteorum reliquiae, indices, Lipsiae 1894.

EPIKTET. Handbüchlein der Moral und Unterredungen, hg. (= übers.) v. H.SCHMIDT, Kröners Taschenausgabe 2, Stuttgart 1973.

EPICURO Opere, ed. G.ARRIGHETTI, Biblioteca di cultura filosofica 41, Torino 1960.

EPIKUR. Philosophie der Freude. Eine Auswahl aus seinen Schriften, übers. ... v. J.MEWALDT, Kröners Taschenausgabe 198, Stuttgart 1960.

Epicurea, ed. H.USENER, Lipsiae 1887.

EURIPIDES: Alcestis, ed. A.M.DALE (with introduction and commentary), Oxford 1961 (1954).

W.PEEK. Griechische Grabgedichte, griech. und dt., Darmstadt 1960.

HESIODI Carmina, ed. A.RZACH, 3.Aufl., Stutgardiae 1958 (1913).

HIPPARCHI in Arati et Eudoxi Phaenomena commentariorum libri tres, ed. C.MANITIUS (mit dt. Übers.), Lipsiae 1894.

Die Fragmente der Griechischen Historiker, ed. F.JACOBY, Leiden 1954 ff (1923 ff).

HOMERI Opera, ed. D.B.MONRO - T.W.ALLEN, Bd.1-5, 1.-3.Aufl., Oxonii 1912-1920.

Q.HORATI FLACCI Opera, tertium recognovit F.KLINGNER, Lipsiae 1959.

Kaiser MARC AUREL: Wege zu sich selbst, hg. und übertragen v. W. THEILER, Zürich 1951.

Fontes historiae mysteriorum aevi Hellenistici, ed. N.TURCHI, Collezione "ΓΡΑΦΗ" ...3, Roma 1923.

Der Isishymnus von Andros und verwandte Texte, erkl. v. W.PEEK, Berlin 1930.

Sylloge inscriptionum religionis Isiacae et Sarapicae, collegit L.VIDMAN, Religionsgeschichtliche Versuche und Vorarbeiten 28, Berlin 1969.

O.WEINREICH: Neue Urkunden zur Sarapis-Religion, Tübingen 1919.

F.CUMONT: Textes et monuments figurés relatifs aux mystères de Mithra, Bd.1-2, Bruxelles 1899, 1896.

M.J.VERMASEREN: Corpus inscriptionum et monumentorum religionis Mithriacae, The Hague 1956.

Orphica, recensuit E.ABEL, Lipsiae, Pragae 1885.

Orphicorum Fragmenta, collegit O.KERN, 2.Aufl., Berolini 1963.

OVIDE: Les Métamorphoses, texte établi et traduit par G.LAFAYE, Bd. 1-3, 3.Aufl., Paris 1960-1962.

PANAETII RHODII Fragmenta, collegit tertioque ed. M.VAN STRAATEN, Philosophia Antiqua 5, Leiden 1962.

The Oxyrhynchus Papyri, ed. B.P.GRENFELL, A.S.HUNT u.a., Part 1 ff, London 1898 ff.

PLATONIS Opera, recognovit ... I.BURNET, Bd.1-5, Oxonii 1900 ff.

PLATON. Werke in acht Bänden, griech. (aus der Sammlung Budé) und dt. (gemäß der Schleiermacherschen Übers.), hg. v. G.EIGLER, Darmstadt 1970 ff.

PLATON. Sämtliche Werke, in der Übers. v. F.SCHLEIERMACHER ... hg. v. W.F.OTTO, E.GRASSI, G.PLAMBÖCK, Bd.1-6, Rowohlts Klassiker 1/1a.14.27/27a.39.47.54/54a, 1957 ff.

PLUTARCHI CHAERONENSIS Moralia, recognovit G.N.BERNARDAKIS, Bd.1-7, Lipsiae 1888-1896.

PLUTARCH: Vermischte Schriften, mit Anm. nach der Übers. v. KALT-WASSER vollständig hg., Bd.1-3, Klassiker des Altertums I, 1,2,13, München und Leipzig 1911.

Königliche Museen zu Berlin. Inschriften von Priene, unter Mitwirkung v. C.FREDRICH u.a. hg. v. F.FRHR. HILLER VON GAERTRINGEN, Berlin 1906 (1968).

SOPHOCLIS Fabulae, recognovit ... A.C.PEARSON, Oxonii 1928.

IOHANNIS STOBAEI Anthologium, recensuerunt C.WACHSMUTH et O.HENSE, ed. altera ex ed. anni 1884 ff, Bd.1-5, Berolini 1958.

Stoicorum Veterum Fragmenta, collegit I. AB ARNIM, Bd.1-4, Stutgardiae 1964 (1903 ff, Bd.4 Indices von M.ADLER).

THUCYDIDIS Historiae, recognovit ... H.S.JONES, Bd.1-2, Oxonii 1942.

P.VERGILI MARONIS Opera, recognovit ... F.A.HIRTZEL, Oxonii 1963 (1902).

VETTII VALENTIS Anthologiarum Libri, ed. G.KROLL, Berolini 1908.

Die Fragmente der Vorsokratiker, griech. und dt. v. H.DIELS, hg. v. W.KRANZ, Bd.1-3, 12.Aufl., Dublin/Zürich 1966-1967 (mit Wortindex in Bd.3).

2. Lexika, Wörterbücher

AMMONII qui dicitur Liber De Adfinium Vocabulorum Differentia, ed. K.NICKAU, Lipsiae 1966.

F.AST: Lexicon Platonicum sive vocum Platonicarum index, Bd.1-3, Bonn 1956 (Lipsiae 1835-1838).

W.BAUMGARTNER: Hebräisches und aramäisches Lexikon zum Alten Testament, 3.Aufl., neu bearb., Leiden 1967 ff.

W.BAUER: Griechisch-deutsches Wörterbuch zu den Schriften des Neuen Testaments und der übrigen urchristlichen Literatur, 5.Aufl., Berlin 1958.

Theologisches Begriffslexikon zum Neuen Testament, hg. v. L.COENEN,
E.BEYREUTHER und H.BIETENHARD, I-II, 1 und 2, Wuppertal 1967-
1971.

É.BOISACQ: Dictionnaire étymologique de la langue grecque, étudiée
dans ses rapports avec les autres langues indo-européennes, 4.Aufl.,
Heidelberg 1950.

C.BOCKELMANN: Lexicon Syriacum, Hildesheim 1966 (2.Aufl., Halle
1928).

W.E.CRUM: A Coptic Dictionary, Oxford 1939, Compléments ... par
R.KASSER, Publications de l'Institut français d'archéologie orientale,
Bibliothèque d'études coptes 7, Le Caire 1964.

C.F.A.DILLMANN: Lexicon Linguae Aethiopicae, Osnabrück 1970 (Leipzig 1865).

H.EBELING: Lexicon Homericum, Bd.1-2, Leipzig 1885, 1880.

A.ERMANN-H.GRAPOW: Wörterbuch der ägyptischen Sprache, Bd.1-7,
Berlin 1971.

A.FICK: Vergleichendes Wörterbuch der indogermanischen Sprachen,
Teil 1-3, 4.Aufl., Göttingen 1891-1909, Bd.4, 3.Aufl., Göttingen 1876.

H.FRISK: Griechisches etymologisches Wörterbuch, Bd.1-3, Indogermanische Bibliothek 2.Reihe, Heidelberg 1960-1972.

W.GEMOLL: Griechisch-deutsches Schul- und Handwörterbuch, 9.Aufl.
(durchgesehen und erweitert v. K.VRETSKA), München/Wien 1965.

K.E.GEORGES: Ausführliches lateinisch-deutsches Handwörterbuch, Bd.
1-2, 8.Aufl. (v. H.GEORGES), Hannover und Leipzig 1913, 1928, Ba-
sel/Stuttgart 1967.

W.GESENIUS-F.BUHL: Hebräisches und aramäisches Handwörterbuch über
das Alte Testament, 17.Aufl., Berlin/Göttingen/Heidelberg 1962 (1915).

J. und W.GRIMM: Deutsches Wörterbuch, Bd.1 ff, Leipzig 1854 ff.

Theologisches Handwörterbuch zum Alten Testament, hg. v. E.JENNI unter Mitarbeit v. C.WESTERMANN, Bd. 1-2, München-Zürich 1971.1976
(Abk.: ThHWBAT).

HESYCHII ALEXANDRINI Lexicon, recensuit et emendavit K.LATTE, Bd.
1-2, Hauniae 1953, 1966.

J.B.HOFMANN. Etymologisches Wörterbuch des Griechischen, München
1949.

M.JASTROW: A Dictionary of the Targumim, the Talmud Babli and Yerushal-
mi, and the Midrashic Literature, Bd.1-2, New York 1950.

F.KLUGE: Etymologisches Wörterbuch der deutschen Sprache, 20.Aufl.,
bearb. v. W.MITZKA, Berlin 1967.

L.KOEHLER - W:BAUMGARTNER. Lexicon In Veteris Testamenti Libros,
Leiden 1953 bzw. 1958 (mit Suppl.1958).

P.KRETSCHMER - E.LOCKER: Rückläufiges Wörterbuch der griechischen
Sprache, Göttingen 1944.

Rückläufiges hebräisches Wörterbuch, unter Mitarbeit von H.STEGEMANN
und G.KLINZING hg. v. K.G.KUHN, Göttingen 1958.

G.W.H.LAMPE: A Patristic Greek Lexicon, Oxford 1961.

J.LEVY: Wörterbuch über die Talmudim und Midraschim Bd 1-4, Darmstadt
1963 (2.Aufl., Berlin und Wien 1924).

A Greek-English Lexicon, Compiled by H.G.LIDDELL and R.SCOTT, neu
hg. v. H.ST.JONES u.a., 9.Aufl., Oxford 1973 (1940), Supplement
1973 (1968).

K.LOKOTSCH: Etymologisches Wörterbuch der europäischen (germanischen
romanischen und slavischen) Wörter orientalischen Ursprungs, Indogermanische Bibliothek I,2,3, Heidelberg 1927.

H.MÖLLER: Vergleichendes indogermanisch-semitisches Wörterbuch, Göttingen 1970 (1911).

The Vocabulary of the Greek Testament, illustrated form the papyri and
other non-literary sources by J.H.MOULTON and G.MILLIGAN, London
1957 (1930).

W.PAPE: Griechisch-deutsches Handwörterbuch, Bd.1-2, 2.Aufl., Braunschweig 1857, 3.Aufl., bearb. v. M.SENGEBUSCH, Graz 1954 (Braunschweig 1914); Bd.3, 3.Aufl., neu bearb. v. G.E.BENSELER, Braunschweig 1884; Bd.4, 2.Aufl., bearb. v. M.SENGEBUSCH, Braunschweig
1859.

F.PASSOW: Handwörterbuch der griechischen Sprache, neu bearb. v.
V.C.F.ROST u.a., I-II,2, Leipzig 1841-1857, völlig neu bearb. v. W.
CRÖNERT, 1 Lfg., Göttingen 1912.

H.PAUL: Deutsches Wörterbuch, 5.Aufl., neu bearb. v. W.BETZ, Tübingen 1966.

J.POKORNY: Indogermanisches etymologisches Wörterbuch, Bd.1-2, Bern
und München 1959,1969.

F.PREISIGKE: Wörterbuch der griechischen Papyrusurkunden mit Einschlu
der griechischen Inschriften, Aufschriften, Ostraka, Mumienschilder
usw. aus Ägypten, Bd.1-3, Berlin 1925-1931, Bd.4,1 ff, bearb. und hg.
v. E.KIESSLING u.a., Berlin-Marburg-Amsterdam 1944 ff.

A.SCHALIT: Namenwörterbuch zu Flavius Josephus, Suppl. I zu A Complete Concordance to Flavius Josephus, ed. K.H.RENGSTORF, Leiden
1968.

G.SCHREGLE: Deutsch-arabisches Wörterbuch, unter Mitwirkung v. Fahmi
Abu l-Fadl u.a., Wiesbaden 1974.

W.VON SODEN: Akkadisches Handwörterbuch, Bd. 1 ff, Wiesbaden 1965 ff.

E.A.SOPHOCLES: Greek Lexicon of the Roman and Byzantine Periods, New
York 1887.

SUIDAE Lexicon, ed. A.ADLER, Pars 1-5, Lexicographi Graeci 1, Lipsiae
1928-1938.

H.ST.J.THACKERAY: A Lexicon to Josephus, Teil 1, Paris 1930 (nicht
weiter erschienen).

Thesaurus Graecae Linguae, ed. H.STEPHANUS, Bd.1 ff, Parisiis 1831 ff.

Thesaurus Linguae Latinae, Bd.1 ff, Lipsiae 1900 ff.

THOMAE MAGISTRI sive THEODULT MONACHI Ecloga Vocum Atticarum, ed
F.RITSCHELIUS, Halis Saxonum 1832.

R.C.TRENCH: Synonyma des Neuen Testaments, ausgewählt und übers. v.
H.WERNER, Tübingen 1907.

TRÜBNERs Deutsches Wörterbuch, ... hg. v. A.GOETZE, W.MITZKA u.a.
Bd.1-8, Berlin 1939-1957.

C.A.WAHL: Clavis Librorum Veteris Testamenti Apocryphorum Philologica,
Graz 1972 (Leipzig 1853); mit Index Verborum In Libris Pseudepigraphis
Usurpatorum v. J.B.BAUER.
A.WALDE - J.B.HOFMANN: Lateinisches etymologisches Wörterbuch, Bd.
1-3, Indogermanische Bibliothek I,2,1, 3.Aufl., Heidelberg 1938-1956.
A.WALDE: Vergleichendes Wörterbuch der indogermanischen Sprachen,
hg. und bearb. v. J.POKORNY, Bd.1-3, Berlin und Leipzig 1930-1932.
H.WEHR: Arabisches Wörterbuch für die Schriftsprache der Gegenwart,
4.Aufl., Wiesbaden 1968, Suppl. 1959.
W.WESTENDORF: Koptisches Handwörterbuch, Lfg. 1 ff, Heidelberg
1965 ff.
Theologisches Wörterbuch zum Alten Testament, in Verbindung mit G.W.
ANDERSON u.a. hg. v. G.J.BOTTERWECK und H.RINGGREN, Stutt-
gart-Berlin-Köln-Mainz 1970 ff (Abk.: ThWBAT).
Theologisches Wörterbuch zum Neuen Testament, in Verbindung mit O.
BAUERNFEIND u.a. hg. v. G.KITTEL, G.FRIEDRICH, Bd.1-9, Stutt-
gart-Berlin-Köln-Mainz 1933-1973.

3. Konkordanzen und Indizes

Vollständige Konkordanz zum griechischen Neuen Testament, unter Zugrundelegung aller modernen kritischen Textausgaben und des textus
receptus in Verbindung mit H.RIESENFELD u.a. neu zusammengestellt
unter Leitung v. K.ALAND Bd.1,1 ff, Berlin-New York 1975 ff (einschließlich Computer-Konkordanz).
D.BARTHÉLEMY - O.RICKENBACHER: Konkordanz zum hebräischen Sirach,
mit syrisch-hebräischem Index, Göttingen 1973.
A.-M.DENIS - Y.JANSSENS: Concordance de l'apcalypse grecque de Baruch,
Publications de l'Institut orientaliste de Louvain 1, Louvain 1970.
E.J.GOODSPEED: Index Apologeticus sive Clavis Iustini Martyris operum
aliorumque apologetarum pristinorum, Leipzig 1912.
ders.: Index Patristicus sive Clavis patrum apostolicorum operum, Leipzig
1907.
A Concordance to the Septuagint ... by E.HATCH and H.A.REDPATH,
Bd.1-2, Graz 1954 (Oxford 1897).
C.Y.KASOVSKY (bzw. C.J.KASOWSKI): Thesaurus Mishnae, Bd.1-4, Tel
Aviv 1957-1960.
ders.: Thesaurus Talmudis, Bd.1 ff, Jerusalem 1954 ff.
ders.: Thesaurus Thosephthae, Bd.1-6, Jerusalem 1932-1961.
H.KRAFT: Clavis Patrum Apostolicorum, Darmstadt 1963 (Mithilfe v. U.
FRÜCHTEL).
Konkordanz zu den Qumrantexten, in Verbindung mit P.A.-M.DENIS, R.
DEICHGRÄBER, W. EISS, G.JEREMIAS und H.-W.KUHN hg. v. K.G.
KUHN, Göttingen 1960.
Nachträge zur "Konkordanz zu den Qumrantexten", unter Mitarbeit v.
U.MÜLLER, W.SCHMÜCKER und H.STEGEMANN hg. v. K.G.KUHN, in:
RdQ IV (1963) 163-243.

H.LIGNÉE: Concordance "de I Q Genesis Apocryphon", in: RdQ I (1958-1959) 163-186.

G.LISOWSKY: Konkordanz zum hebräischen Alten Testament, verb. Aufl., Stuttgart 1958.

S.MANDELKERN: Veteris Testamenti Concordantiae Hebraicae atque Chaldaicae, 2.Aufl., Teil 1-2, Graz 1955 (1937).

G.MAYER: Index Philoneus, Berlin-New York 1974.

W.F.MOULTON - A.S.GEDEN: A Concordance to the Greek Testament, 4.Aufl., revised by H.K.MOULTON, Edinburgh 1974 (1963).

F.PREISIGKE: Namenbuch, enthaltend alle ... Menschennamen ... in griech. Urkunden ... Ägyptens ..., Amsterdam 1967 (Heidelberg 1922).

J.REIDER - N.TURNER: An Index to Aquila. Greek-Hebrew, Hebrew-Greek Latin-Hebrew with the Syriac and Armenian Evidence, Suppl. VT 12, Leiden 1966.

K.H.RENGSTORF: A Complete Concordance to Flavius Josephus, Leiden Bd.1 1973, Bd.2 1975 (freundlicherweise konnte ich das noch nicht Erschienene in den Druckfahnen und dem sonstigen Material im Institutum Judaicum Delitzschianum, Münster i.W., vollständig einsehen).

R.SMEND: Griechisch-syrisch-hebräischer Index zur Weisheit des Jesus Sirach, Berlin 1907.

4. Grammatiken und besondere sprachwissenschaftliche Arbeiten

J.BARTH: Die Nominalbildung in den semitischen Sprachen, 2.Aufl. Hildesheim 1967 (Leipzig 1894).

H.BAUER - P.LEANDER: Historische Grammatik der hebräischen Sprache des Alten Testaments I, mit einem Beitrag von P.KAHLE, Olms Paperbacks 19, Hildesheim 1965 (Halle 1922).

W.BAUER: Zur Einführung in das Wörterbuch zum Neuen Testament (1955), wieder abgedruckt in: Aufsätze 61-90.

K.BEYER: Semitische Syntax im Neuen Testament. Band I. Satzlehre Teil 1, Studien zur Umwelt des NT 1, 2.Aufl., Göttingen 1968.

F.BLASS - A.DEBRUNNER: Grammatik des neutestamentlichen Griechisch, 12.Aufl., Göttingen 1965, Ergänzungsheft zuer 12.Aufl., v. D.TABACHOVITZ, Göttingen 1965, Bearbeitung v. F.REHKOPF in 14.Aufl., Göttingen 1976.

W.BRANDENSTEIN: Griechische Sprachwissenschaft, I-III,1, Sammlung Göschen 117, 118/118a, 924/924a, Berlin 1954-1966.

C.BROCKELMANN: Grundriß der vergleichenden Grammtik der semitischen Sprachen, Bd.1-2, Hildesheim 1966 (Berlin 1908 und 1913).

ders.: Syrische Grammatik, Lehrbücher für das Studium der orientalischen Sprachen 4, 9.Aufl., Leipzig 1962.

K.BRUGMANN und B.DELBRÜCK: Grundriss der vergleichenden Grammatik der indogermanischen Sprachen, I,1 ff, 1.-2. Bearbeitung, Straßburg (1886) 1897 ff.

L.BRUNNER: Die gemeinsamen Wurzeln des semitischen und indogermanischen Wortschatzes. Versuch einer Etymologie, Bern und München 1969.

A.DEBRUNNER: Griechische Wortbildungslehre, Indogermanische Bibliothek II,8, Heidelberg 1917.

A.DEBRUNNER - O.HOFFMANN - A.SCHERER: Geschichte der griechischen Sprache, Bd. 1-2, Sammlung Göschen 111/111a, 114/114a, 2.-4.
Aufl., Berlin 1969.

W.GESENIUS - E.KAUTSCH - G.BERGSTRÄSSER: Hebräische Grammatik,
28.Aufl., Hildesheim 1962 (Leipzig 1909, d.h. W.Gesenius' hebr. Grammatik in 28.Aufl. von E.Kautzsch bearb., verbunden mit der fragmen-
tarischen Neubearbeitung dieses Werkes durch G.BERGSTRÄSSER, Teil
1-2, Leipzig 1918).

Handbuch der Linguistik. Allgemeine und angewandte Sprachwissenschaft,
aus Beiträgen von H.ARENS u.a. unter Mitarbeit v. H.JANSSEN zusammengestellt v. H.STAMMER-JOHANN, Darmstadt 1975.

R.HELBING: Grammatik der Septuaginta. Laut- und Wortlehre, Göttingen
1907.

ders.: Die Kasussyntax der Verba bei den Septuaginta. Ein Beitrag zur
Hebraismenfrage und zur Syntax der Κοινή, Göttingen 1928.

J.B.HOFMANN - A.SZANTYR: Lateinische Syntax und Stilistik, HAW II,
2,2, München 1965.

H.HIRT: Handbuch der griechischen Laut- und Formenlehre. Eine Einführung in das sprachwissenschaftliche Studium des Griechischen, Indogermanische Bibliothek I,1,2, Heidelberg 1912.

E.JENNI: Das hebräische Piᶜel. Syntaktisch-semasiologische Untersuchung
einer Verbalform im Alten Testament, Zürich 1968.

L.KOPF: Arabische Etymologien und Parallelen zum Bibelwörterbuch, in:
VT 8 (1958) 161-215.

H.KRAHE: Indogermanische Sprachwissenschaft, Bd.1-2, Sammlung Göschen 59 und 64, 5. und 3.Aufl., Berlin 1966, 1959.

S.KRAUSS: Griechische und lateinische Lehnwörter im Talmud, Midrasch
und Targum, Teil 1-2, Hildesheim 1964 (Berlin 1898-1899).

R.KÜHNER: Ausführliche Grammatik der griechischen Sprache, 1.Teil:
Elementar- und Formenlehre, Bd.1-2, 3.Aufl., neu bearb. v. F.BLASS,
Darmstadt 1966 (Hannover 1890, 1892); 2.Teil: Satzlehre, Bd.1-2, 3.
Aufl., neu bearb. v. B.GERTH, Darmstadt 1966 (Hannover und Leipzig
1898-1904); Index locorum zu Kühner-Gerth v. W.M.CALDER III, Darm-
stadt 1965.

S.LANDERSDORFER: Sumerisches Sprachgut im Alten Testament. Eine
biblisch lexikalische Studie, BWAT 21, Leipzig 1916.

H.LAUSBERG: Elemente der literarischen Rhetorik. Eine Einführung für
Studierende der klassischen, romanischen, englischen und deutschen
Philologie, 3.Aufl., München 1967.

ders.: Handbuch der literarischen Rhetorik. Eine Grundlegung der Lite-
raturwissenschaft, Bd.1-2, München 1960.

M.LEUMANN: Lateinische Laut- und Formenlehre, HAW II,2,1, München
1963.

H.LEWY: Die semitischen Fremdwörter im Griechischen, Berlin 1895.

Lexikon der Germanistischen Linguistik, hg. v. H.P.ALTHAUS, H.HENNE, H.E.WIEGAND, Tübingen 1973.

J.LYONS: Einführung in die moderne Linguistik, 5.Aufl., München 1980 (englische Orginalausgabe 1968, übers. v. W. und C.Abraham).

J.MARTIN: Antike Rhetorik. Technik und Methode, HAW II,3, München 1974.

E.MAYSER: Grammatik der griechischen Papyri aus der Ptolemäerzeit mit Einschluss der gleichzeitigen Ostraka und der in Ägypten verfassten Inschriften, I,1-3 und II,1-3, 1.-2. Aufl., Berlin und Leipzig 1906 ff.

H.MENGE: Repetitorium der lateinischen Syntax und Stilistik, 13.Aufl. (besorgt v. A.THIERTFELDER), München 1962.

R.MEYER: Hebräische Grammatik, Bd.1-3, Sammlung Göschen 763/763a/763b, 764/764a/764b, 5765, 3.Aufl., Berlin-New York 1966-1972.

J.H.MOULTON: Einleitung in die Sprache des Neuen Testaments, auf Grund der v. Verfasser neu bearb. 3. englischen Aufl. übers. dt. Ausg., Indogermanische Bibliothek I,1,9, Heidelberg 1911.

T.NÄGELI: Der Wortschatz des Apostels Paulus. Beitrag zur sprachgeschichtlichen Erforschung des Neuen Testaments, Göttingen 1905.

E.NORDEN: Die antike Kunstprosa vom VI. Jahrhundert v.Chr. bis in die Zeit der Renaissance, Bd.1-2, 5.Aufl., Darmstadt 1958 (Nachdruck als Sonderausgabe).

F.PRAETORIUS: Aethiopische Grammatik, New York 1955 (1886).

H.RECKENDORF: Über Paronomasie in den semitischen Sprachen. Ein Beitrag zur allgemeinen Sprachwissenschaft, Giessen 1909.

E.SCHWYZER: Griechische Grammatik, HAW II,1, München, Bd. 1, 4.Aufl. 1968, Bd.2 (vervollständigt und hg. v. A.DEBRUNNER) 1966, Bd.3 (Register, v. D.J.GEORGACAS) 3.Aufl. 1968, Bd.4 (Stellenregister, hergestellt v. F.RADT, hg. v. S.RADT) 1971.

W.VON SODEN: Grundriss der akkadischen Grammatik (samt Ergänzungsheft), AnOr 33/47, Roma 1969.

W.C.TILL: Koptische Grammatik (Saïdischer Dialekt), Lehrbücher für das Studium der orientalischen und afrikanischen Sprachen 1, 3.Aufl., Leipzig 1966.

R.C.TRENCH: Synonyma des Neuen Testaments, ausgewählt und übers. v. H.WERNER, Tübingen 1907.

M.WAGNER: Die lexikalischen und grammatikalischen Aramaismen im alttestamentlichen Hebräisch, BZAW 96, Berlin 1966.

5. Nachschlagewerke u.ä.

H.BONNET: Reallexikon der ägyptischen Religionsgeschichte, Berlin 1952.

C.DAREMBERG - E.SAGLIO: Dictionnaire des antiquités grecques et romaine d'après les textes et les monuments, Bd.1 ff, Paris 1877 ff.

Handbuch philosophischer Grundbegriffe, hg. v. H.KRINGS, H.M.BAUM-GARTNER und C.WILD, Bd.1-3, München 1973-1974.

Handbuch theologischer Grundbegriffe, unter Mitarbeit zahlreicher Fachgelehrter hg. v. H.FRIES, Bd.1-2, München 1962, 1963.

Handbuch der Orientalistik, hg. v. B.SPULER unter Mitarbeit v. H.FRAN-
KE u.a., Leiden 1948 ff.

Handbuch der Religionsgeschichte, hg. v. J.P.ASMUSSEN und J.LAESSØE
in Verbindung mit C.COLPE, Bd.1-3, Göttingen 1971-1975 (Übers. aus
dem Dänischen v. F.NOTHARDT, R.GERECKE, E.HARBSMEIER).

Evangelisches Kirchenlexikon. Kirchlich-theologisches Handwörterbuch,
unter Mitarbeit v. R.FRICK u.a. hg. v. H.BRUNOTTE und O.WEBER,
I-IV, Göttingen 1956-1961.

Lexikon für Theologie und Kirche, hg. v. J.HÖFER, K.RAHNER, Bd. 1 ff
2.Aufl., Freiburg 1957 ff, Das Zweite Vatikanische Konzil I-III, Freiburg-Basel-Wien 1966-1968.

Lexikon der Alten Welt, hg. v. C.ANDRESEN u.a., Zürich-Stuttgart 1965.

F.LÜBKERs Reallexikon des klassischen Altertums, 8.Aufl., hg. v. J.
GEFFCKEN und E.ZIEBARTH, Leipzig-Berlin 1914.

PAULYs Real-Encyclopädie der classischen Altertumswissenschaft. Neue
Bearbeitung, hg. v. G.WISSOWA, W.KROLL u.a., Bd.1 ff, Stuttgart-
München 1894 ff.

Der kleine PAULY. Lexikon der Antike, ... bearb. und hg. v. K.ZIEG-
LER und W.SONTHEIMER, Bd.1-5, Stuttgart 1964-1975.

Realencyklopädie für protestantische Theologie und Kirche, hg. v. A.HAUCK,
Bd.1-24, 3.Aufl., Leipzig 1896-1913.

Reallexikon für Antike und Christentum, hg. v. T.KLAUSER, Bd.1 ff,
Stuttgart 1950 ff.

Reallexikon der Assyriologie, unter Mitwirkung zahlreicher Fachgelehrter
hg. v. E.EBELING, B.MEISSNER, E.WEIDNER, W.VON SODEN, D.O.
EDZARD, Bd.1 ff, Berlin-Leipzig-New York 1932 ff.

Die Religion in Geschichte und Gegenwart, hg. v. F.M.SCHIELE und L.
ZSCHARNACK, Bd.1-5, Tübingen 1909-1913; hg. v. H.GUNKEL und
L.ZSCHARNACK, Bd.1-5 und RegBd., 2.Aufl., Tübingen 1927-1932;
hg. v. K.GALLING, Bd.1-6 und RegBd., 3.Aufl., Tübingen 1957-1965.

W.H.ROSCHER: Ausführliches Lexikon der griechischen und römischen
Mythologie, Bd.1 ff, Hildesheim 1965 (Leipzig 1884 ff).

Sacramentum Mundi. Theologisches Lexikon für die Praxis, hg. v. K.
RAHNER u.a., Bd.1-4, Freiburg-Basel-Wien 1967-1969.

Wörterbuch der philosophischen Begriffe, hg. v. J.HOFFMEISTER, 2.
Aufl., Hamburg 1955.

Historisches Wörterbuch der Philosophie, unter Mitwirkung von mehr als
700 Fachgelehrten ... hg. v. J.RITTER, Bd.1 ff, Darmstadt 1971 ff.

7. Sekundärliteratur u.ä.

S.AALEN: Die Begriffe "Licht" und "Finsternis" im Alten Testament, im Spätjudentum und im Rabbinismus, SNVAO II Hist.-Flos. Klasse. 1951. No.1, Oslo 1951.

K.ABEL: Art.: Spes, in: Kleiner Pauly 5 (1975) 304,3-20.

G.ADAM - O.KAISER - W.G.KÜMMEL: Einführung in die exegetischen Methoden, studium theologie 1, München 1975.

R.ALBERTZ: Weltschöpfung und Menschenschöpfung. Untersucht bei Deuterojesaja, Hiob und in den Psalmen, Calwer Theologische Monographien A, 3, Stuttgart 1974.

Le P.E. - B.ALLO: Saint Paul. Première épître aux Corinthiens, Études Bibliques, Paris 1956.

ders.: Saint Paul. Seconde épître aux Corinthiens, Études Bibliques, Paris 1956.

P.ALTHAUS: Der Brief an die Römer, NTD 6, 9.Aufl., Göttingen 1959.

ders.: Der Brief an die Galater (neue Bearbeitung der Auslegung von H.W.BEYER), NTD 8, 1-55, 11.Aufl., Göttingen 1968.

ders.: Die letzten Dinge. Lehrbuch der Eschatologie, 9.Aufl., Gütersloh 1964.

P.ALTHAUS - H.W.BEYER - H.CONZELMANN - G.FRIEDRICH - A.OEPKE: Die kleineren Briefe des Apostels Paulus, NTD 8, 11.Aufl., Göttingen 1968.

P.ALTHAUS - H.CONZELMANN - C.-M.EDSMAN - A.JEPSEN - H.KRAFT - R.MEYER: Art.: Eschatologie, in: RGG³ II,650-689.

P.ALTHAUS - H.SEEGER - E.WISSMANN: Art.: Hoffnung, in: RGG² II (1928) 1978-1982.

D.E.AUNE: The Cultic Setting of Realized Eschatology in Early Christianity, Suppl. Nov. Test 28, Leiden 1972.

BACHMANN: Der erste Brief des Paulus an die Korinther, KNT 7, 2.Aufl., Leipzig 1910.

ders.: Der zweite Brief des Paulus an die Korinther, KNT 8, 1. und 2. Aufl., Leipzig 1909.

W.BALDENSPERGER: Die messianisch-apokalyptischen Hoffnungen des Judentums, 3.Aufl., Strassburg 1903.

D.BALTZER: Ezechiel und Deuterojesaja. Berührungen in der Heilserwartung der beiden großen Exilspropheten, BZAW 121, Berlin-New York 1971, Rezension dazu von C.WESTERMANN in: Bibl. 55 (1974) 107-109.

W.BAIRD: Pauline Eschatology in Hermeneutical Perspective, in: NTS 17 (1970-1971) 314-327.

H.R.BALZ: Heilsvertrauen und Welterfahrung. Strukturen der paulinischen Eschatologie nach Römer 8,18-39, BEvTh 59, München 1971.

ders.: Methodische Probleme der neutestamentlichen Christologie, WMANT 25, Neukirchen-Vluyn 1967.

E.BAMMEL: Judenverfolgung und Naherwartung. Zur Eschatologie des Ersten Thessalonicherbriefs, in: ZThK 56 (1959) 294-315.

R.BARACALDO: La Gloria de Dios según San Pablo. La Esperanza de la
Gloria, in: Virtud y Letras 16 (1957) 181-192.

G.BARBAGLIO: La speranza cristiana secondo s. Paolo, in: Vita e pensiero.
Milano 55 (1972) 33-49.

H.BARDTKE: Literaturbericht über Qumran IX.Teil. Die Loblieder
(Hodajoth) von Qumran, in: ThR 40 (1975) 210-226.

H.BARDTKE - H.CONZELMANN - E.SCHLINK: Art.: Hoffnung, in: RGG[3]
III (1959) 415-420.

Bibel und Qumran. Beiträge zur Erforschung der Beziehungen zwischen
Bibel- und Qumranwissenschaft, H.BARDTKE zum 22.9.1966, Berlin
1968 (hg. v. S.WAGNER).

A.BARR: "Hope" ('ΕΛΠΙ'Σ, 'ΕΛΠΙ'ΖΩ) in the New Testament, in: SJTh
3 (1950) 68-77.

J.BARR: The Semantics of Biblical Language, Oxford 1961 (Nachdrucke;
dt. Übers. v. E.GERSTENBERGER: Bibelexegese und moderne Semantik.
Theologische und linguistische Methode in der Bibelwissenschaft, mit
einem Geleitwort von H.CONZELMANN, München 1965).

C.K.BARRETT: A Commentary on the Second Epistle to the Corinthians,
Black's New Testament Commentaries, London 1973.

C.BARTH: Die Errettung vom Tode in den individuellen Klage- und Dank-
liedern des Alten Testamentes, Zollikon 1947.

K.BARTH: Die Auferstehung der Toten. Eine akademische Vorlesung über
I.Kor.15, 4.Aufl., Zürich 1953.

ders.: Der Römerbrief, zehnter Abdr. der neuen Bearbeitung (erstmals München 1922), Zürich 1967.

K.-A.BAUER: Leiblichkeit das Ende aller Werke Gottes. Die Bedeutung der
Leiblichkeit des Menschen bei Paulus, Studien zum NT 4, Gütersloh 1971.

W.BAUER. Aufsätze und kleine Schriften, hg. v. G.STRECKER, Tübingen 1967.

W.BAUER - M.DIBELIUS - R.KNOPF - H.WINDISCH: Die apostolischen Väter, erklärt, HNT Ergänzungsband, Tübingen 1923.

O.BAUERNFEIND: Art.: μάταιος κτλ, in: ThW IV 525,5-530,13.

ders.: Art.: νήφω κτλ, in: ThW IV 935,36-940,47.

G.BAUMBACH: Die Zukunftserwartung nach dem Philipperbrief, in: Kirche des Anfangs, Festschr. H.SCHÜRMANN, 1978, 435-457.

F.BAUMGÄRTEL - E.SCHWEIZER: Art.: σῶμα κτλ, in: ThW VII 1024,20-
1091,11.

F.BAUMGÄRTEL - W.BIEDER - H.KLEINKNECHT - E.SCHWEIZER -
E.SJÖBERG: Art.: πνεῦμα κτλ, in: ThW 330,36-453,20.

J.BAUMGARTEN: Paulus und die Apokalyptik. Die Auslegung apokalyptischer Überlieferungen in den echten Paulusbriefen, WMANT 44, Neukirchen-Vluyn 1975.

F.C.BAUR: Paulus, der Apostel Jesu Christi. Sein Leben und Wirken, seine Briefe und seine Lehre. Ein Beitrag zu einer kritischen Geschichte
des Urchristentums, Teil 1 und 2, 2.Aufl. (besorgt v. E.ZELLER), Leipzig 1866.

ders.: Vorlesungen über neutestamentliche Theologie, hg. v. F.F.BAUR,
Leipzig 1864 (vgl. Darmstadt 1973).

J.BECKER: Auferstehung der Toten im Urchristentum, Stuttgarter Bibelstudien 82, Stuttgart 1976.

ders.: Erwägungen zu Phil. 3,20-21, in: ThZ 27 (1971) 16-29.

ders.: Erwägungen zur apokalyptischen Tradition in der paulinischen
Theologie, in: EvTh 30 (1970) 593-609.

ders.: Das Heil Gottes. Heils- und Sündenbegriffe in den Qumrantexten
und im Neuen Testament, Studien zur Umwelt des NT 3, Göttingen 1964.

Travels in the World of the Old Testament. Studies Presented to Professor
M.A.BEEK on the Occasion of his 65th Birthday, ed. M.S.H.G.HERRMA
VAN VOSS u.a., Assen 1974.

J.BEGRICH: Gesammelte Studien zum Alten Testament, hg. v. W.ZIMMER-
LI, ThB 21, München 1964.

ders.: Berīt (1944), wieder abgedruckt in: Gesammelte Studien 55-66.

ders.: Die Vertrauensäußerungen im israelitischen Klagelied des Einzelnen und in seinem Babylonischen Gegenstück (1928), wieder abgedruckt
in: Gesammelte Studien 168-216.

ders.: Studien zu Deuterojesaja, BWANT 77, Stuttgart 1938.

J.BEHM: Art.: ἀρραβών, in: ThW I 474,9-28.

ders.: Art.: μορφή κτλ, in: ThW IV 750,12-767,4.

J.BEHM - G.QUELL: Art.: διατίθημι, διαθήκη, in: ThW II 105,4-
137,29.

Die Bekenntnisschriften der evangelisch-lutherischen Kirche, Bd.1-2,
8.Aufl., Göttingen 1979.

S.BEN-CHORIN. Paulus. Der Völkerapostel in jüdischer Sicht, München
1970.

D.J.A.BENGELLII Gnomon Novi Testamenti, ed. tertia (hg. v. M.E.BEN-
GEL - P.STEUDEL), Tübingen 1855.

P.BENOIT: "Nous gémissons, attendant la délivrance de notre corps"
(Rom., VIII,23) (1951/1952), wieder abgedruckt in: Exégèse et théologie Bd.2, Paris 1961, 41-52.

K.BERGER: Zum traditionsgeschichtlichen Hintergrund christologischer
Hoheitstitel, in: NTS 17 (1970-1971) 391-425.

ders.: Jüdisch-hellenistische Missionsliteratur und apokryphe Apostel-
akten, in: Kairos NF 17 (1975) 232-248.

Berliner Arbeitskreis für koptisch-gnostische Schriften: Die Bedeutung
der Texte von Nag Hammadi für die moderne Gnosisforschung, in:
K.W.TRÖGER (Hg.), Gnosis 13-76, Berlin 1973.

A.BERTHOLET: Die Bücher Esra und Nehemia, KHC 19, Tübingen und
Leipzig 1902.

G.BERTRAM: Ἀποκαραδοκία, in: ZNW 49 (1958) 264-270.

ders.: Art.: δέχομαι κτλ, s. bei W.Grundmann.

ders.: Art.: ἔργον κτλ, in: ThW II 631,30-653-5.

ders.: Art.: ὠδίν, ὠδίνω, in: ThW IX 668,3-675,22.

G.BERTRAM - A.DIHLE - E.JACOB - E.LOHSE - E.SCHWEIZER -
K.W.TRÖGER: Art.: ψυχή κτλ, in: ThW IX 604,7-667,41.

E.BEST: A Commentary on the First and Second Epistles to the Thessalonians, Black's New Testament Commentaries, London 1972.

H.D.BETZ: Zum Problem des religionsgeschichtlichen Verständnisses der
Apokalyptik, in: ZThK 63 (1966) 391-409.

ders.: Das Verständnis der Apokalyptik in der Theologie der Pannen-
berg-Gruppe, in: ZThK 65 (1968) 257-270.

H.W.BEYER - P.ALTHAUS - H.CONZELMANN - G.FRIEDRICH - A.OEPKE:
Die kleineren Briefe des Apostels Paulus, NTD 8, Göttingen 1968.

K.BEYSCHLAG: Simon Magus und die christliche Gnosis, WUNT 16, Tübingen 1974.

W.BEYSCHLAG: Neutestamentliche Theologie oder Geschichtliche Darstellung der Lehren Jesu und des Urchristentums nach den neutestamentlichen Quellen, Bd. 1-2, Halle 1891, 1892.

U.BIANCHI (Hg.): Le origini dello Gnosticismo. Colloquio di Messina 13-
18 Aprile 1966. Testi e discussioni, Leiden 1967.

W.BIEDER: Art.: πνεῦμα κτλ s. F.Baumgärtel.

P.H.M.BIEDERMANN: Die Erlösung der Schöpfung beim Apostel Paulus.
Ein Beitrag zur Klärung der religionsgeschichtlichen Stellung der paulinischen Erlösungslehre, Würzburg 1940 (Diss. theol. Würzburg).

H.BIETENHARD: Die himmlische Welt im Urchristentum und Spätjudentum,
WUNT 2, Tübingen 1951.

(H.L.STRACK-) P.BILLERBECK: Kommentar zum Neuen Testament aus
Talmud und Midrasch, Bd.1-4, 2.Aufl., München 1956, Bd.5-6 (Register, hg. v. J.JEREMIAS/K.ADOLPH), München 1956, 1961.

T.BIRT: Elpides. Eine Studie zur Geschichte der griechischen Poesie,
Marburg 1881.

M.BLACK: The Apocalypse of Weeks in the Light of 4 QEnᵍ, in: VT 28
(1978) 464-469.

H.A.BLAIR: Romans 8,22 f, and Some Pagan African Intuitions, in:
Studia Evangelica IV (ed. F.L.CROSS) = TU 102, 377-381, Berlin 1968.

E.BLOCH: Gesamtausgabe Bd.1 ff, Frankfurt am Main 1959 ff, dort Bd.5:
Das Prinzip Hoffnung, 1959 (geschrieben 1938-1947 in den USA, durchgesehen 1953 und 1959).

P.A.H.DE BOER: Étude sur le sens de la racine qwh, in: OTS 10 (1954)
225-246.

H.BOERS: The Form Critical Study of Paul's Letters. I Thessalonians as
a Case Study, in: NTS 22 (1975-1976) 140-158.

P.C.BÖTTGER: Die eschatologische Existenz der Christen. Erwägungen
zu Philipper 3 20, in: ZNW 60 (1969) 244-263.

H.BOJORGE: Fundamento Veterotestamentario de la Esperanza Cristiana,
in: Perspectiva Teológica 3,4 (São Leopoldo 1971) 67-80.

T.BOMAN: Das hebräische Denken im Vergleich mit dem griechischen,
5.Aufl., Göttingen 1968.

J.BONSIRVEN: Théologie du Nouveau Testament, Théologie 22, Paris 1951.

G.BORNKAMM: Die Hoffnung im Kolosserbrief. Zugleich ein Beitrag zur
Frage der Echtheit des Briefes (1961), wieder abgedruckt in: Geschich-

te und Glaube. Zweiter Teil, BEvTh 53, Gesammelte Aufsätze Bd.4, München 1971, 206-213.

G.BORNKAMM: Art.: μυστήριον, μυέω, in: ThW IV 809,5-834,20.

ders.: Art.: Paulus, in : RGG^3 V, 166-190.

ders.: Paulus, Urban-Bücher 119, Stuttgart-Berlin-Köln-Mainz 1969.

ders.: Die Vorgeschichte des sogenannten Zweiten Korintherbriefes (1961), wieder abgedruckt in durchgesehener und durch einen Nachtrag erweiterter Fassung in: Gesammelte Aufsätze Bd.4, 162-194.

G.BORNKAMM - R.BULTMANN - F.K.SCHUMANN: Die christliche Hoffnung und das Problem der Entmythologisierung, Stuttgart 1954 (jeweils Rede und dann freies Gespräch im Süddeutschen Rundfunk, "Studio Heidelberg" 1953).

G.BORNKAMM - C.KUHL: Art.: Formen und Gattungen, in: RGG^3 II, 996-1005.

W.BOUSSET: Kyrios Christos. Geschichte des Christusglaubens von den Anfängen des Christentums bis Irenaeus, 5.Aufl., Göttingen 1965 (2. Aufl. 1921).

W.BOUSSET - H.GRESSMANN: Die Religion des Judentums im späthellenistischen Zeitalter, 4.Aufl., mit einem Vorwort v. E.LOHSE, HNT 21, Tübingen 1966 (3.Aufl., Tübingen 1926).

G.BRAKEMEIER: Resurreição dos mortos e esperança em S. Paolo, in: Perspektiva Teológica. São Leopoldo 3,4 (1971) 81-90.

E.BRANDENBURGER: Adam und Christus. Exegetisch-religionsgeschichtliche Untersuchung zu Röm.5 12-21 (1.Kor.15), WMANT 7, Neukirchen 1962.

ders.: Die Auferstehung der Glaubenden als historisches und theologisches Problem, in: WuD NF 9 (1967) 16-33.

ders.: Fleisch und Geist. Paulus und die dualistische Weisheit, WMANT 29, Neukirchen-Vluyn 1968.

H.BRAUN: Qumran und das Neue Testament, Bd.1-2, Tübingen 1966.

Neues Testament und christliche Existenz, Festschr. für H.BRAUN zum 70.Geburtstag, hg. v. H.D.BETZ und L.SCHOTTROFF, Tübingen 1973.

D.BREMER: Hinweise zum griechischen Ursprung und zur europäischen Geschichte der Lichtmetaphysik, in: Archiv für Begriffsgeschichte 17 (1973) 7-35.

ders.: Licht als universales Darstellungsmedium. Materialien und Bibliographie, in: Archiv für Begriffsgeschichte 18 (1974) 185-206.

A.BRIEGER: Die urchristliche Trias Glaube - Liebe - Hoffnung, Diss. Heidelberg Masch. o.J. (1925?).

W.A.BROWN: The Christian Hope. A Study in the Doctrine of Immortality, London 1912.

E.BRUNNER: Dogmatik Bd.1 3.Aufl. 1960, Bd.2 2.Aufl. 1960, Bd.3 2. Aufl. 1964, Zürich und Stuttgart.

ders.: Das Ewige als Zukunft und Gegenwart, Siebenstern-Taschenbuch 32, München und Hamburg 1965 (1953); englische Übers. durch H. KNIGHT: Eternal Hope, London-Philadelphia 1954.

E.BRUNNER: Faith, Hope, and Love, Philadelphia 1956, London 1957.

M.BUBER: Werke. Erster Band. Schriften zur Philosophie, München 1962.

ders.: Zwei Glaubenweisen (1950), a.a.O. I 651-782.

ders.: Prophetie und Apokalyptik (1954), a.a.O. II 925-942.

G.W.BUCHANAN: Eschatology and the "End of Days", in: JNES 20 (1961) 188-193.

ders.: The Eschatological Expectations of the Qumran Community, Diss. Drew University, Madison, New Jersey 1959 (vgl. die Zusammenfassung in: Dissertation Abstracts 20 (1960) 3410).

T.G.BUCHER: Nochmals zur Beweisführung in den 1.Korinther 15,12-20, in: ThZ 36 (1980) 129-152.

BUCHRUCKER: Art.: Hoffnung, in RE[3] VIII (1900) 232-234.

F.BÜCHSEL: Art.: ἄνω κτλ, in: ThW I 376,22-378,30.

ders.: Art.: ἀπολύτρωσις, in: ThW IV 354,12-359,12.

ders.: Theologie des Neuen Testaments. Geschichte des Wortes Gottes im Neuen Testament, Gütersloh 1935.

R.BULTMANN: Beiträge zum Verständnis der Jenseitigkeit Gottes im Neuen Testament, Reihe "Libelli" 170, Darmstadt 1965.

ders.: Exegetica. Aufsätze zur Erforschung des Neuen Testaments, ausgewählt, eingeleitet und hg. v. E.DINKLER, Tübingen 1967.

ders.: Ist die Apokalyptik die Mutter der christlichen Theologie? Eine Auseinandersetzung mit Ernst Käsemann (1964), wieder abgedruckt in: Exegetica 476-482.

ders.: Der zweite Brief an die Korinther, hg. v. E.DINKLER, MeyerK Sonderband, Göttingen 1976.

ders.: Geschichte und Eschatologie, 2.Aufl., Tübingen 1964.

ders.: Zur Geschichte der Lichtsymbolik im Altertum (1948), wieder abgedruckt in: Beiträge ... 7-42.

ders.: Art.: γινώσκω κτλ, in: ThW I 688,24-719,15.

ders.: Jesus Christus und die Mythologie (1964, englisch 1958), wieder abgedruckt in: Glauben und Verstehen Gesammelte Aufsätze Bd.4, Tübingen 1965, 141-189.

ders.: Zum Problem der Entmythologisierung (1963), wieder abgedruckt in: Glauben und Verstehen Bd.4, 128-137.

ders.: Exegetische Probleme des zweiten Korintherbriefes (1947), wieder abgedruckt in: Exegetica 298-322.

ders.: Der Stil der paulinischen Predigt und die kynisch-stoische Diatribe, FRLANT 13, Göttingen 1910.

ders.: Theologie des Neuen Testaments, Neue Theologische Grundrisse, 6.Aufl., Tübingen 1968.

ders.: Die Unsichtbarkeit Gottes (1930), wieder abgedruckt in: Beiträge ... 43-63.

ders.: Das Urchristentum im Rahmen der antiken Religionen, rowohlts deutsche enzyklopädie 157/158, 1962.

ders.: Die christliche Hoffnung ... s. bei G.Bornkamm.

R.BULTMANN - K.H.RENGSTORF: Art.: ἐλπίς κτλ, in: ThW II (1935) 515,5-531,35.

R.BULTMANN - A.WEISER: Art.: πιστεύω κτλ,in: ThW VI 174,17-230,28.

Zeit und Geschichte. Dankesgabe an R.BULTMANN zum 80.Geburtstag, hg. v. E.DINKLER (Im Auftrag der Alten Marburger und in Zusammenarbeit mit H.THYEN), Tübingen 1964.

C.BURCHARD: Untersuchungen zu Joseph und Aseneth. Überlieferung - Ortsbestimmung, WUNT 8, Tübingen 1965.

ders.:Der dreizehnte Zeuge. Traditions- und kompositionsgeschichtliche Untersuchungen zu Lukas' Darstellung der Frühzeit des Paulus, FRLANT 103, Göttingen 1970.

M.BURROWS - C.-H.HUNZINGER - K.G.KUHN - R.MEYER - R.DE VAUX: Art.: Qumran, in: RGG³ V,740-756.

F.DE LA CALLE FLORES: La esperanza de la creación, según el apóstol Pablo (Rom 8,18-22), in: La Esperanza ..., Madrid 1972 (1970) 169-186.

ders.: La "huiothesian" de Rom. 8,23, in: Estudios Biblicos 30 (1971) 77-98.

IOANNIS CALVINI Opera quae supersunt omnia, ed. G.BAUM - E.CUNITZ - E.REUSS, Bd.1 ff, CR 29 ff, Brunsuigae 1865 ff.

J.CAMBIER: L'espérance et le salut dans Rom. 8,24, in: Message et Mission. Recueil Commémoratif du Xᵉ Anniversaire de la Faculté de Théologie Louvain, Publications de l'Université Lovanium de Kinshasa, Paris 1968, 77-107.

J.CARMIGNAC: Le retour de Docteur de Justice à la fin des jours?, in: RdQ I (1958-1959) 235-248.

ders.: Les dangers de l'eschatologie, in: NTS 17 (1970-1971) 365-390.

(J.CARMIGNAC): Qu'est-ce que l'Apocalyptique? Son emploi à Qumran, in: RdQ X (1979-1980) 3-33.

H.C.C.CAVALLIN: Life after Death. Paul's Argument for the Resurrection of the Dead in I Cor 15. Part I An Enquiry into the Jewish Background, Lund 1974.

L.CERFAUX: Théologie ... s.u. R.P.Lemonnyer.

J.-F. COLLANGE: Enigmes de la deuxième épître de Paul aux Corinthiens. Etude exégétique de 2 Cor. 2:14 -7:4, Society for NTS Monograph Series 18, Cambridge 1972.

J.J.COLLINS: Apocalyptic Eschatology as the Transcendence of Death, in: CBQ 36 (1974) 21-43.

C.COLPE: Die religionsgeschichtliche Schule. Darstellung und Kritik ihres Bildes vom gnostischen Erlösermythos, FRLANT 78, Göttingen 1961.

H.CONZELMANN: Der erste Brief an die Korinther, MeyerK 5, 11.Aufl., Göttingen 1969.

ders.: Art.: Eschatologie s. bei P.Althaus.

ders.: Gegenwart und Zukunft in der synoptischen Tradition, in: ZThK 54 (1957) 277-296.

ders.: Geschichte des Urchristentums, Grundrisse zum NT, NTD-Ergänzungsreihe 5, Göttingen 1969.

H.CONZELMANN: Grundriss der Theologie des Neuen Testaments, Einführung in die ev. Theologie 2, München 1967.

ders.: Die Mitte der Zeit. Studien zur Theologie des Lukas, BHTh 17, 5.Aufl., Tübingen 1964.

ders.: Art.: σκότος κτλ, in: ThW VII 424,9-446,10.

ders.: Art.: φῶς κτλ, in:ThW IX 302,30-349,14.

ders.: Art.: Hoffnung s. H.Bardtke.

H.CONZELMANN - A.LINDEMANN: Arbeitsbuch zum Neuen Testament, Uni-Taschenbücher 52, Tübingen 1975.

H.CONZELMANN - W.ZIMMERLI: Art.: χαίρω κτλ, in: ThW IX 350,1-405,26.

C.E.B.CRANFIELD: Some Obervations on Romans 8:19-21, in: Festschr. L.L.MORRIS (Reconciliation), 1974, 224-230.

F.M.CROSS (Jr.): Die antike Bibliothek von Qumran und die moderne biblische Wissenschaft. Ein zusammenfassender Überblick über die Handschriften vom Toten Meer und ihre einstigen Besitzer, Neukirchener Studienbücher 5, Neukirchen-Vluyn 1967 (aus dem Englischen übers. v. K.BANNACH und C.BURCHARD).

O.CULLMANN: Christus und die Zeit. Die urchristliche Zeit- und Geschichtsauffassung, Zollikon - Zürich 1947.

ders.: La foi en la résurrection et l'espérance de la résurrection dans le N.T., in: EThR 18 (1943) 3-8.

ders.: Heil als Geschichte. Heilsgeschichtliche Existenz im Neuen Testament, 2.Aufl., Tübingen 1967.

ders.: Albert Schweitzers Auffassung der urchristlichen Reichsgotteshoffnung im Lichte der heutigen neutestamentlichen Forschung, in: EvTh 25 (1965) 643-656.

ders.: Vorträge und Aufsätze 1925-1962, hg. v. K.FRÖHLICH, Tübingen-Zürich 1966.

ders.: Die Hoffnung der Kirche auf die Wiederkunft Christi nach dem Neuen Testament (1944), wieder abgedruckt in: Vorträge und Aufsätze 378-402.

ders.: Was erhofft der Christ als noch immer zukünftiges Heil? (1962), wieder abgedruckt in: Vorträge und Aufsätze 456-465.

Neues Testament und Geschichte. Historisches Geschehen und Deutung im Neuen Testament. O.CULLMANN zum 70.Geburtstag, hg. v. H. BALTENSWEILER und BO REICKE, Zürich-Tübingen 1972.

F.CUMONT: Lux Perpetua, Paris 1949.

ders.: Die orientalischen Religionen im römischen Heidentum, nach der 4.französischen Aufl. unter Zugrundelegung der Übers. GEHRICHs bearb. v. A.BURCKHARDT-BRANDENBERG, 4.Aufl., Darmstadt 1959.

N.A.DAHL: Eschatologie und Geschichte im Lichte der Qumrantexte, in: Zeit und Geschichte, Festschr. Bultmann 1964, 3-18.

God's Christ and His People. Studies in Honour of N.A.DAHL, ed. J.JERVELL and W.A.MEEKS, Oslo-Bergen-Tromsö 1977.

G.DAUTZENBERG: Urchristliche Prophetie. Ihre Erforschung, ihre Voraussetzungen im Judentum und ihre Struktur im ersten Korintherbrief, BWANT 104, Stuttgart-Berlin-Köln-Mainz 1975.

G.L.DAVENPORT: The Eschatology of the Book of Jubilees, Studia Post-
Biblica 20, Leiden 1971.

R.DEICHGRÄBER: Gotteshymnus und Christushymnus in der frühen
Christenheit. Untersuchungen zu Form, Sprache und Stil der frühchristlichen Hymnen. Studien zur Umwelt des NT 5, Göttingen 1967.

ders.: Zur Messiaserwartung der Damaskusschrift, in: ZAW 78 (1966)
333-343.

G.A.DEISSMANN: Die neutestamentliche Formel "in Christo Jesu", Marburg 1892.

A.DEISSMANN: Licht vom Osten. Das Neue Testament und die neuent-
deckten Texte der hellenistisch-römischen Welt, 4.Aufl., Tübingen 1923.

K.DEISSNER: Auferstehungshoffnung und Pneumagedanke bei Paulus,
Leipzig 1912.

G.DELLING: Art.: ἀποκαραδοκία, in:ThW I (1933) 392,24-39.

ders.: Art.: ἄρχω κτλ, in: ThW I 476,34-488,9.

ders.: Art.: καιρὸς κτλ, in: ThW III 456,10-465,48.

ders.: Art.: λαμβάνω κτλ, in: ThW IV 5,17-16,41.

ders.: Art.: νύξ, in: ThW IV 1117,7-1120,15.

ders.: Art.: χρόνος, in: ThW IX 576,5-589,21.

ders.: Die Bezeichnung "Söhne Gottes" in der jüdischen Literatur der helle
nistisch-römischen Zeit, in: Festschr. N.A.DAHL, 1977, 18-28.

ders.: Die "Söhne (Kinder) Gottes" im Neuen Testament, in: Kirche des
Anfangs, Festschr. H.SCHÜRMANN, 1978, 615-631.

ders.: Studien zum Neuen Testament und zum hellenistischen Judentum.
Gesammelte Aufsätze 1950-1968, hg. v. F.HAHN - T.HOLTZ - N.WALTER
Göttingen 1970.

ders.: SPERANDA FUTURA. Jüdische Grabinschriften Italiens über das
Geschick nach dem Tode, in: Studien 39-44.

G.DELLING - G. VON RAD: Art.: ἡμέρα, in: ThW II 945,28-956,38.

F.J.DENBEAUX: The Biblical Hope, in: Interpretation 5 (1951) 285-303.

A.-M.DENIS: Introduction aux pseudépigraphes grecs d'Ancien Testament,
Studia in Veteris Testamenti Pseudepigrapha 1, Leiden 1970.

A.DESCAMPS: La structure de Rom 1-11, in: Studiorum Paulinorum congressus ... I (1963), 3-14.

F.DEXINGER: Ein "messianisches Szenarium" als Gemeingut des Judentums
in nachherodianischer Zeit?, in: Kairos NF 17 (1975) 249-278.

ders.: Henochs Zehnwochenapokalypse und offene Probleme der Apokalyp-
tikforschung, Studia Post-Biblica, XXIX, Leiden 1977.

J.AOLONSO DÍAZ: Cómo explicar la esperanza de la segunda venida de
Cristo, in: La Esperanza ..., Madrid 1972 (1970), 203-214.

M.DIBELIUS: An die Kolosser, Epheser, an Philemon, HNT 12, 3.Aufl.,
neu bearb. v. H.GREEVEN, Tübingen 1953.

ders.: Paulus, hg. und zu Ende geführt v. W.G.Kümmel, Sammlung Göschen 1160, 3.Aufl., Berlin 1964.

ders.: An die Thessalonicher I II, an die Philipper, HNT 11,3.Aufl., Tübingen 1937.

ders.: Apostolische Väter s. W.Bauer.

C.DIETZFELBINGER: Heilsgeschichte bei Paulus? Eine exegetische Studie zum paulinischen Geschichtsdenken, ThEx NF 126, München 1965.

A.DIHLE: ψυχή κτλ, s.G. Bertram.

E.DINKLER: Art.: Korintherbriefe in: RGG³ IV, 17-23.

ders.: Signum crucis. Aufsätze zum Neuen Testament und zur Christlichen Archäologie, Tübingen 1967.

ders.: The Idea of History in Earliest Christianity (1955), wieder abgedruckt in: Signum crucis 313-349, Literaturnachtrag 349 f.

E.DINKLER - H.-G.GADAMER - W.PHILLIPP - O.PLÖGER - W.TRILLHAAS: Art.: Geschichte und Gesichtsauffassung, in: RGG³ II, 1473-1496.

Diskussion über die "Theologie der Hoffnung" v. J.MOLTMANN s. dort.

E.VON DOBSCHÜTZ: Die Thessalonicher-Briefe, mit einem Literaturverzeichnis v. O.MERK hg. v. F.HAHN, MeyerK, Göttingen 1974 (7.Aufl. 1909).

E.R.DODDS: Die Griechen und das Irrationale, Darmstadt 1970 (englische Ausgabe v. 1966 übers. v. H.-J.DIRKSEN).

H.DÖRRIE: Art.: Physis, in: Kleiner Pauly IV, 841,20-844,4.

B.W.DOMBROWSKI: Wertepriameln in hellenistisch-jüdischer und urchristlicher Literatur, in: ThZ 22 (1966) 396-402.

D.J.DOUGHTY: The Presence and Future of Salvation in Corinth, in: ZNW 66 (1975) 61-90.

F.DREYFUS: Maintenant la foi, l'espérance et la charité demeurent toutes les trois (1 Cor 13,13), in: Studiorum Paulinorem congressus ... I (1963), 403-412.

A.M.DUBARLE: Le gémissement des créatures dans l'ordre divin du cosmos (Rom. 8,19-22), in: RSPhTh 38 (1954) 445-465.

ders.: Lois de l'univers et vie chrétienne. Rm 8,18-23, in: Assemblées de Seigneur 46 (1974) 11-16.

B.DUHM: Das Buch Jesaja übersetzt und erklärt, mit einem biographischen Geleitwort v. W.BAUMGARTNER, 5.Aufl., Göttingen 1968 (4.Aufl. 1922).

J.DUPONT: Le problème de la structure littéraire de l'épître aux Romains, in: RB 62 (1955) 365-397.

G.EBELING: Art.: Geist und Buchstabe, in: RGG³ II,1290-1296.

ders.: Der Grund christlicher Theologie. Zum Aufsatz Ernst Käsemanns über "Die Anfänge christlicher Theologie", in: ZThK 58 (1961) 227-244.

ders.: Das Wesen des christlichen Glaubens, Tübingen 1959.

C.-M.EDSMAN: Art.: Eschatologie s. P.Althaus.

ders.: Art.: Weltende, in: RGG³ VI,1630.

ders.: Art.: Weltperioden, in: RGG³ VI,1632 f.

G.EICHHOLZ: Die Theologie des Paulus im Umriß, Neukirchen-Vluyn 1972.

O.EISSFELDT: Einleitung in das Alte Testament unter Einschluß der Apokryphen und Pseudepigraphen sowie der apokryphen- und pseudepigraphenartigen Qumrān-Schriften. Entstehungsgeschichte des Alten Testaments. Neue Theologische Grundrisse, 3.Aufl., Tübingen 1964.

M.ELIADE: Die Religionen und das Heilige. Elemente der Religionsgeschichte, Salzburg 1954 (übers. aus dem Französischen v. M.RASSEM
und J.KÖCK).

K.ELLIGER: Jesaja II, Biblischer Kommentar XI, Neukirchen-Vluyn 1970 ff
(bisher bis Jes 44,6-8).

P.ENGELHARDT - E.NEUHÄUSLER: Art.: Hoffnung, in: LThK V (1960)
416-424.

Erwartung, Verheißung, Erfüllung, hg. v. W.HEINEN und J.SCHREINER,
Würzburg 1969.

Eschatologie im Alten Testament, hg. v. H.D.PREUSS, Wege der Forschung CDLXXX, Darmstadt 1978.

La Esperanza en la Biblia. XXX Semana Bíblica Española (Madrid, 21-25
Sept. 1970), Madrid 1972.

The Evanston Report. The Second Assembly of the World Council of
Churches 1954, London 1955.

Evanston Dokumente. Berichte und Reden auf der Weltkirchenkonferenz in
Evanston 1954, hg. v. F.LÜPSEN, Witten/Ruhr 1954.

H.FAHRENBACH: Wesen und Sinn der Hoffnung. Versuch über ein Grenz-
phänomen zwischen philosophischer und theologischer Daseinsauslegung,
Diss. Heidelberg (philosophisch) 1956 (Masch.).

E.FASCHER: Art.: Briefliteratur, urchristliche, in: RGG[3] I,1412-1415.

W.FAUTH: Art.: Elpis, in: Kleiner Pauly II 253,17-42.

ders.: Art.: Pantheos, in: Kleiner Pauly IV 474,46-475,45.

L.FEDELE: La speranza cristiana nelle lettere di S.Paolo, in: Aloisiana
1.Studia di scienze ecclesiastiche, Napoli 1960, 21-67 (nach 21 Anm.
1 Teil aus des Verfassers tesi di laurea mit dem Titel "La speranza
cristiana nelle Epistole Paoline").

H.FEICK: Index zu Heideggers "Sein und Zeit", 2.Aufl., Tübingen 1968.

P.FEINE: Der Apostel Paulus. Das Ringen um das geschichtliche Verständnis des Paulus, BFChTh II,12, Gütersloh 1927.

ders.: Die Religion des Neuen Testaments, Leipzig 1921.

ders.: Theologie des Neuen Testaments, 8.Aufl., Berlin 1953 (1.Aufl.
1910 erschienen).

P.FEINE - J.BEHM - W.G.KÜMMEL: Einleitung in das Neue Testament,
16.Aufl., Heidelberg 1970.

F.C.FENSHAM: Covenant, Promise and Expectation in the Bible, in: ThZ
23 (1967) 305-322.

R.FERRARA: La esperanza cristiana en las epístolas paulinas (Ensayo de
teología bíblica), in: Theología 1,1, Buenos Aires 1962, 55-88.

A.FEUILLET: L'attente de la parusie dans le Nouveau Testament, in: L'ami
du clergé 70 (1960) 456-458.

J.FICHTNER - O.GRETHER - H.KLEINKNECHT - O.PROCKSCH -E.SJÖ-
BERG - G.STÄHLIN: Art.: ὀργή κτλ, in: ThW V 382,1-448,29.

F.V.FILSON: Geschichte des Christentums in neutestamentlicher Zeit,
Kommentare und Beiträge zum Alten und Neuen Testament, Düsseldorf
1967 (übers. und für die dt. Ausg. bearb. v. F.J.SCHIERSE).

H.-G.FINKE: Furcht und Hoffnung als antithetische Denkform in der römischen Literatur von Plautus bis Tacitus, Diss. Tübingen (Masch.).

E.SCHÜSSLER FIORENZA: Apocalyptic and Gnosis in the Book of Revelation and Paul, in: JBL 92 (1973) 565-581.

U.FISCHER: Eschatologie und Jenseitserwartung im hellenistischen Diasporajudentum, BZNW 44, Berlin-New York 1978.

J.A.FJTZMYER: Implications of the New Enoch Literature from Qumran, in: ThSt 38 (1977) 332-345.

N.FLANAGAN: Messianic Fulfilment in St.Paul, in: CBQ 19 (1957) 474-484.

H.FLENDER: Das Verständnis der Welt bei Paulus, Markus und Lukas, in: KuD 14 (1958) 1-27.

G.FÖRSTER: 1 Thessalonicher 5,1-10, in: ZNW 17 (1916) 169-177.

W.FOERSTER: Art.: Josephus, Flavius, in: RGG[3] III, 868 f.

ders.: Art.: κτίζω κτλ, in: ThW III 999,41-1034,45

W.FOERSTER - G.FOHRER: Art.: σώζω κτλ, in: ThW VII 966,1-1024,19.

W.FOERSTER - G.QUELL: Art.: κύριος κτλ, in: ThW III 1038,13-1098,11.

G.FOHRER: Glaube und Hoffnung. Weltbewältigung und Weltgestaltung in alttestamentlicher Sicht, in: ThZ 26 (1970) 1-21.

ders.: Die Struktur der alttestamentlichen Eschatologie, in: ThLZ 85 (1960) 401-420.

ders.: σώζω κτλ s. W.Foerster.

G.FOHRER - U.WILCKENS: Art.: σοφία κτλ, in: ThW VII 465,22-529,8.

G.FOHRER - E.LOHSE - W.SCHNEEMELCHER - E.SCHWEIZER - WULFING VON MARTINEZ: Art.: υἱός, υἱοθεσία, in: ThW VIII 334,1-402,32.

M.FRAEYMANN: Essentialia de spe Christiana in theologia Paulina, in: Collationes Gandavenses II,2 (1952) 38-43.

G.FRIEDRICH: Die Gegner des Paulus im 2.Korintherbrief, in: Abraham unser Vater, Festschr. O.Michel 1963, 181-215.

ders.: Semasiologie und Lexikologie, in: ThLZ 94 (1969) 801-816.

ders.: Ein Tauflied hellenistischer Judenchristen, in: ThZ 21 (1965) 502-516.

ders.: 1.Thessalonicher 5,1-11, der apologetische Einschub eines Späteren, in: ZThK 70 (1973) 288-315.

H.FRIES: Spero ut intelligam. Bemerkungen zu einer Theologie der Hoffnung (1967), wieder abgedruckt in: Diskussion über die "Theologie der Hoffnung" 81-105.

I.I.FRIESEN: The Glory of the Ministry of Jesus Christ. Illustrated by a Study of 2 Cor. 2:14-3:18, Diss. theol. Basel, Theologische Dissertationen 7, Basel 1971.

K. VON FRITZ: Pandora, Prometheus und der Mythos von den Weltaltern (1947), wieder abgedruckt in: Hesiod (Wege der Forschung) 367-410.

E.FUCHS: Über die Aufgabe einer christlichen Theologie. Zum Aufsatz Ernst Käsemanns über "Die Anfänge christlicher Theologie", in: ZThK 58 (1961) 245-267.

ders.: Art.: Bultmann, Rudolf, in: RGG[3] I,1511 f.

ders.: Glaube und Erfahrung. Zum christologischen Problem im Neuen Testament, Gesammelte Aufsätze III, Tübingen 1965.

E.FUCHS: Die Zukunft des Glaubens nach 1.Thess 5,1-11, in: Glaube und Erfahrung 334-363.

H.-G.GADAMER: Wahrheit und Methode. Grundzüge einer philosophischen Hermeneutik, 2.Aufl. (durch einen Nachtrag erweitert), Tübingen 1965.

ders.: Art.: Geschichtlichkeit, in: RGG³ II,1496-1498.

J.G.GAGER: Functional Diversity in Paul's Use of End-Time Language, in: JBL 89 (1970) 325-337.

K.GALLING: Die Bücher der Chronik, Esra, Nehemia, ATD 12, Göttingen 1954.

J.G.GAMMIE: Spatial and Ethical Dualism in Jewish Wisdom and Apocalyptic Literature, in: JBL 93 (1974) 356-385.

D.GEORGI: Die Gegner des Paulus im 2.Korintherbrief. Studien zur religiösen Propaganda in der Spätantike, WMANT 11, Neukirchen-Vluyn 1964.

U.GERBER: Röm VIII 18 ff als exegetisches Problem der Dogmatik, in: NovTest 8 (1966) 58-81.

G.GERLEMANN: Art.: Bibelübersetzungen I, in: RGG³ I,1193-1195.

J.GEYER: קצות הארץ - Hellenistic?, in: VT 20 (1970) 87-90.

C.H.GIBLIN: In Hope of God's Glory. Pauline Theological Perspectives, New York 1970.

G.GLOEGE - G.MENSCHING: Art.: Dualismus, in: RGG³ II,272-276.

J.GNILKA: Die Erwartung des messianischen Hohenpriesters in den Schriften von Qumran und im Neuen Testament, in: RdQ II (1959-1960) 395-426.

ders.: Die biblische Jenseitserwartung: Unsterblichkeitshoffnung - Auferstehungsglaube?, in: Bibel und Leben 5 (1964) 103-116.

ders.: 2 Kor 6,14-7,1 im Lichte der Qumranschriften und der Zwölf-Patriarchen-Testamente, in: Nt. Aufsätze, Festschr. J.Schmid 1963, 86-99.

ders.: Der Philipperbrief, HThK 10,3, Freiburg-Basel-Wien 1968.

Gnosis ... s. K.Rudolph.

F.GOGARTEN: Entmythologisierung und Kirche, Stuttgart 1953.

ders.: Die christliche Hoffnung, in: Deutsche Universitätszeitung 9, 24 (1954) 3-7.

ders.: Verhängnis und Hoffnung der Neuzeit. Die Säkularisierung als theologisches Problem, Siebenstern-Taschenbuch 72, München und Hamburg 1966 (1958).

M.GOGUEL: L'espérance chrétienne d'après l'Apôtre Paul, in: Foi et vie 50 (1952) 289-326.

P.GOICOECHEA MANDIZÁBAL: De conceptu ΄ΥΠΟΜΟΝΗ΄ apud S. Paulum, Romae 1965.

E.R.GOODENOUGH: Jewish Symbols in the Greco-Roman Period, Bd.1-12, Bollingen Series 37, New York, Toronto 1953-1965.

L.GOPPELT: Paulus und die Heilsgeschichte. Schlussfolgerungen aus Röm. IV und I.Kor. X. 1-13, in: NTS 13 (1966-1967) 31-42.

L.GOPPELT: Typos. Die typologische Deutung des Alten Testaments im
Neuen. Anhang: Apokalyptik und Typologie bei Paulus, Darmstadt 1969
(ersteres Gütersloh 1939, letzteres ThLZ 89 (1964) 321-344).

A.GRABNER-HAIDER: Paraklese und Eschatologie bei Paulus. Mensch
und Welt im Anspruch der Zukunft Gottes, NTA NF 4, Münster 1968.

ders.: Welt und Mensch in Gottes Zukunft, in: Theologie der Gegenwart
10 (1967) 139-144.

R.GRABS: Art.: Schweitzer, Albert, in: RGG[3] V,1607 f.

E.GRÄSSER: "Der politisch gekreuzigte Christus". Kritische Anmerkungen zu einer politischen Hermeneutik des Evangeliums, in: ZNW 62
(1971) 266-294.

ders.: Die Naherwartung Jesu, Stuttgarter Bibelstudien 61, Stuttgart
1973.

GRAFE: Art.: Hoffnung im NT, in: RGG[1] III (1912) 94-97.

D.GREENWOOD: The Lord is the Spirit: Some Considerations of 2 Cor
3:17, in: CBQ 34 (1972) 467-472).

P.GRELOT: L'eschatologie des Esséniens et le livre d'Hénoch, in: RdQ I
(1958-1959) 113-131.

ders.: Renzension zu J.T.MILIK, The Books of Enoch, in: RB 83 (1976)
605-618.

O.GRETHER: ὀργή κτλ, s. J.Fichtner.

W.GROSSOUW: L'espérance dans le Nouveau Testament, in: RB 61 (1954)
508-532.

W.GRUNDMANN (- G.BERTRAM): Art.: δέχομαι κτλ, in: ThW II 49,1-
59,12.

W.GRUNDMANN: Art.: δόκιμος κτλ, in: ThW II 258,21-264,7.

ders.: Art.: δύναμαι κτλ, in: ThW II 286,24-318,23.

ders.: Art.: σύν - μετά κτλ, in: ThW VII 766,11-798,21.

ders.: Überlieferung und Eigenaussage im eschatologischen Denken des
Apostels Paulus, in: NTS 8 (1961-1962) 12-26.

W.GRUNDMANN - F.HESSE - M. DE JONGE - A.S. VAN DER WOUDE:
Art.: χρίω κτλ, in: ThW IX 482,1-576,4.

E.GÜTTGEMANNS: Sprache des Glaubens - Sprache der Menschen. Probleme einer theologischen Linguistik, in: VF 14 (1969) 86-114.

ders.: Der leidende Apostel und sein Herr. Studien zur paulinischen
Christologie, FRLANT 90, Göttingen 1966.

J. DE GUIBERT: Sur l'empoi d'ἐλπίς et ses synonymes dans le Nouveau
Testament, in: RechSR 4 (1913) 565-569.

H.GUNKEL: Art.: Hoffnung, messianische, in: RGG[1] III (1912) 94.

ders.: Schöpfung und Chaos in Urzeit und Endzeit. Eine religionsgeschichtliche Untersuchung über Gen 1 und ApJoh 12, mit Beiträgen
v. H.ZIMMERN, 2.Aufl., Göttingen 1921.

ders.: Die Wirkungen des heiligen Geistes nach der populären Anschau-
ung der apostolischen Zeit und der Lehre des Apostels Paulus. Eine
biblisch-theologische Studie, 3.Aufl., Göttingen 1909.

EYXAPIΣTHPION. Studien zur Religion und Literatur des Alten und Neuen Testaments, H.GUNKEL zum 60.Geburtstage (1922), hg. v. H.SCHMIDT, Teil 1-2, FRLANT NF 19, 1 und 2, Göttingen 1923.

F.GUNTERMANN: Die Eschatologie des Hl.Paulus, NTA 13, 4/5, Münster 1932.

J.J.GUNTHER: St.Paul's Opponents and their Background. A Study of Apocalyptic and Jewish Sectarian Teachings, Suppl. Nov Test 35, Leiden 1973, Renzension dazu v. G.BAUMBACH in: ThLZ 100 (1975) 511-513.

E.HAACK: Eine exegetisch-dogmatische Studie zur Eschatologie über 1.Thessalonicher 4,13-18, in: ZSTh 15 (1938) 544-569.

H.HAAG: Hoffnung und Verzweiflung in biblischer Sicht, in: Anima 13 (1958) 111-118.

R.HAARDT: "Die Abhandlung über die Auferstehung" s.o. 1.5.

W.HADORN: Zukunft und Hoffnung. Grundzüge einer Lehre von der christlichen Hoffnung, BFChTh 18,1, Gütersloh 1914.

F.HAHN: Christologische Hoheitstitel. Ihre Geschichte im frühen Christentum, FRLANT 83, 3.Aufl., Göttingen 1966.

I.HAHN: Josephus und die Eschatologie von Qumrān, in: Qumran-Probleme (Symposium 1961), Berlin 1963, 167-191.

K.HANHART: Paul's Hope in the Face of Death, in: JBL 88 (1969) 445-457.

P.D.HANSON: Jewish Apocalyptic Against its Near Eastern Environment, in: RB 78 (1971) 31-58.

G.HARDER: Art.: φθείρω κτλ, in: ThW IX 94,12-106,47.

A. VON HARNACK: Das hohe Lied des Apostels Paulus von der Liebe (I.Kor. 13) und seine religionsgeschichtliche Bedeutung, in: SAB 1911,1 132-163.

ders.: Militia Christi. Die christliche Religion und der Soldatenstand in den ersten drei Jahrhunderten, Tübingen 1905.

ders.: Über den Ursprung der Formel "Glaube, Liebe, Hoffnung", in: PrJ 1916 (April bis Juni) 1-14 (vgl. Aus der Friedens- und Kriegsarbeit, Giessen 1916, 1-18; zitiert nach PrJ).

ders.: Das Wesen des christlichen Glaubens (Vorlesungen 1899/1900), Leipzig 1900/1920.

W.HARNISCH: Eschatologische Existenz. Ein exegetischer Beitrag zum Sachanliegen von 1.Thessalonicher 4,13-5,11, FRLANT 110, Göttingen 1973.

ders.: Verhängnis und Verheißung der Geschichte. Untersuchungen zum Zeit- und Geschichtsverständnis im 4.Buch Esra und in der syr. Baruchapokalypse, FRLANT 97, Göttingen 1969.

L.HARTMAN: The Functions of Some So-Called Apocalyptic Timetables, in: NTS 22 (1975-1976) 1-14.

R.HAUBST: Eschatologie. "Der Wetterwinkel" - "Theologie der Hoffnung", in: TThZ 77 (1968) 35-65.

HAUCK: μένω κτλ, in: ThW IV 578,24-593,12.

U.HEDINGER: Glaube und Hoffnung bei Ernst Fuchs und Jürgen Moltmann, in: EvTh 27 (1967) 36-51.

ders.: Hoffnung zwischen Kreuz und Reich. Studien und Meditationen über die christliche Hoffnung, Basler Studien zur historischen und systematischen Theologie 11, Zürich 1968.

M.HEIDEGGER: Sein und Zeit (1927), 10.Aufl., Tübingen 1963 (vgl. H.Feick, Index dazu).

S.HEINE: Leibhafter Glaube. Ein Beitrag zum Verständnis der theologischen Konzeption des Paulus, Wien-Freiburg-Basel 1976.

J.HEISE: Bleiben. Menein in den Johanneischen Schriften, Hermeneutische Untersuchungen zum NT 8, Tübingen 1967.

M.HENGEL: Judentum und Hellenismus. Studien zu ihrer Begegnung unter besonderer Berücksichtigung Palästinas bis zur Mitte des 2.Jh.s v.Chr., WUNT 10, 2.Aufl., Tübingen 1973.

H.-J.HERMISSON: Diskussionsworte bei Deuterojesaja. Zur theologischen Argumentation des Propheten, in: EvTh 31 (1971) 665-680.

S.HERRMANN: Die prophetischen Heilserwartungen im Alten Testament, BWANT 85, Stuttgart 1965.

W.HERRMANN: Schriften zur Grundlegung der Theologie. Mit Anmerkungen und Registern hg. v. P.FISCHER-APELT, Teil 1-2, ThB 36/I und II, München 1966, 1967.

ders.: Der geschichtliche Christus der Grund unseres Glaubens (1892), wieder abgedruckt in: Schriften, Teil 1 149-185.

HESIOD, hg. v. E.HEITSCH, Wege der Forschung 44, Darmstadt 1966.

F.HESSE: χρίω κτλ s. W.Grundmann.

C.J.A.HICKLING: The Sequence of Thought in II Corinthians, Chapter Three, in: NTS 21 (1975) 380-395.

P.HÖFFKEN: Heilszeitherrschererwartung im babylonischen Raum. Überlegungen im Anschluß an W 22307.7, in: WO IX (1977-78) 57-71.

E.HOFFMANN: Art.: Hoffnung (ἐλπίς, ἀποκαραδοκία u.a. stammverwandte Hoffnungswörter), in: Theologisches Begriffslexikon NT II,1 (1969) 722-728.

P.HOFFMANN: Die Toten in Christus. Eine religionsgeschichtliche und exegetische Untersuchung zur paulinischen Eschatologie, NTA NF 2, 2.Aufl., Münster 1966.

P.HOFFMANN - J.PIEPER: Art.: Hoffnung, in: Handbuch theologischer Grundbegriffe 1 (1962) 698-706.

Hoffnung in der Bibel. Bericht von zwei von der Studienabteilung des Oekumenischen Rates der Kirchen einberufenen Tagungen in Zetten, Holland (15.-19.April 1952) und in Drew University, USA (5.-6.Juni 1952), Genf 1952.

Hoffnung und die Zukunft des Menschen, in: EvTh 32 (1972) 309-402, mit Beiträgen v. J.MOLTMANN, C.E.BRAATEN, J.B.COBB Jr., P. HEFFNER, J.B.METZ, W.PANNENBERG.

Die Hoffnungen unserer Zeit. Zehn Beiträge (K.JASPERS u.a.), Das Heidelberger Studio, 27.Sendefolge, München 1963.

O.HOFIUS: Eine altjüdische Parallele zu Röm.IV. 17b, in: NTS 18 (1971-1972) 93 f.

K.HOLL: Gesammelte Aufsätze zur Kirchengeschichte, Bd.1 2. und 3. Aufl. Tübingen 1923, Bd.2 Darmstadt 1964 (Tübingen 1928), Bd.3 Darmstadt 1965 (Tübingen 1928).

ders.: Urchristentum und Religionsgeschichte (1924), wieder abgedruckt: Gesammelte Aufsätze Bd.2 1-32.

T.HOLTZ: "Euer Glaube an Gott". Zu Form und Inhalt von 1 Thess 1,9 f, in: Kirche des Anfangs, Festschr. H.SCHÜRMANN, 1978, 459-488.

H.J.HOLTZMANN: Lehrbuch der neutestamentlichen Theologie, Bd.1-2, 2.Aufl., hg. v. A.JÜLICHER und W.BAUER, Tübingen 1911.

U.HOLZMEISTER: Zum Dekret der Bibelkommission über die Parusieerwartung in den Paulinischen Briefen, in: ZKTh 40 (1916) 167-182.

H.HOMMEL: Schöpfer und Erhalter. Studien zum Problem Christentum und Antike, Sonderausgabe ThViat IV (1952) und V (1953/54), Berlin 1956.

"The Meaning of Hope in the Bible" (Introduction by W.HORTON; betr. Vorbereitungen der Evanston-Konferenz), in: ER 4 (1951/52) 419-426.

The Nature of the Christian Hope (Beiträge v. D.M.MAC KINNON, R.MEHL, L.NEWBIGIN, E.SCHLINK), in: ER 4 (1951/52) 282-295.

The Christian Hope and the Task of the Church. Six Ecumenical Essays and the Report of the Assembley Prepared by the Advisory Commission on the Main Theme, New York 1954.

R.A.HORSLEY: "How can some of you say that there is no resurrection of the dead?" Spiritual Elitism in Corinth, in: NovTest 20 (1978) 203-231.

H.HÜBNER: Das Gesetz bei Paulus. Ein Beitrag zum Werden der paulinischen Theologie, FRLANT 119, Göttingen 1978.

N.HUGEDÉ; La métaphore du miroir dans les Epîtres de saint Paul aux Corinthiens, Neuchatel-Paris 1957.

H.HUNGER - S.A.KAUFMAN: A New Akkadian Prophecy Text, in: JAOS 95 (1975) 371-375.

A.M.HUNTER: Faith, Hope, Love - a Primitive Christian Triad, in: ET 49 (1937-1938) 428 f.

C.-H.HUNZINGER: Beobachtungen zur Entwicklung der Disziplinarordnung der Gemeinde von Qumrān, in: Qumran-Probleme (Symposion 1961), Berlin 1963, 231-247.

ders.: Die Hoffnung angesichts des Todes im Wandel der paulinischen Aussagen, in : Leben angesichts des Todes, Festschr. H.Thielicke, Tübingen 1968, 69-88.

ders.: Art.: Qumran s. M.Burrows.

H.-W.HUPPENBAUER: Enderwartung und Lehrer der Gerechtigkeit im Habakuk-Kommentar, in: ThZ 20 (1964) 81-86.

ders.: Zur Eschatologie der Damaskusschrift, in: RdQ IV (1963-1964) 567-573.

H.-W.HUPPENBAUER: Der Mensch zwischen zwei Welten. Der Dualismus der Texte von Qumran (Höhle I) und der Damaskusfragmente. Ein Beitrag zur Vorgeschichte des Evangeliums, AThANT 34, Zürich 1959.

N.HYLDAHL: Die Frage nach der literarischen Einheit des Zweiten Korintherbriefes, in: ZNW 64 (1973) 289-306.

J.PIKAZA IBARRONDO: La Esperanza en Bultmann y Moltmann, in: La Esperanza ..., Madrid 1972 (1970), 215-245.

P.VAN IMSCHOOT: Art.: Hoffnung, in: Bibel-Lexikon (1968) 746-748.

E.JACOB: Art.: ψυχή s. G.Bertram.

S.JELLICOE: The Septuagint and Modern Study, Oxford 1968.

A.JEPSEN: Art.: Eschatologie s. P.Althaus.

G.JEREMIAS: Der Lehrer der Gerechtigkeit, Studien zur Umwelt des NT 2, Göttingen 1963.

J.JEREMIAS: Der Gedanke des "Heiligen Restes" im Spätjudentum und in der Verkündigung Jesu, in: ZNW 42 (1949) 184-194.

ders.: Art.: Μωυσῆς in: ThW IV 852,19-878,22.

R.JEWETT: Paul's Anthropological Terms. A Study of their Use in Conflict Settings, Arbeiten zur Geschichte des antiken Judentums und des Urchristentums 10, Leiden 1971.

H.JONAS: Gnosis und spätantiker Geist, Teil 1: Die mythologische Gnosis. Mit einer Einleitung zur Geschichte und Methodologie der Forschung, FRLANT NF 33, 3.Aufl., Göttingen 1964; Teil 2,1: Von der Mythologie zur mystischen Philosophie, FRLANT NF 45, 2.Aufl., Göttingen 1966.

M.DE JONGE: Art.: χρίω κτλ s. W.Grundmann.

E.JÜNGEL: Paulus und Jesus. Eine Untersuchung zur Präzisierung der Frage nach dem Ursprung der Christologie, HUTh 2, 3.Aufl., Tübingen 1967.

ders.: Tod, Themen der Theologie 8, Stuttgart-Berlin 1971.

E.KÄSEMANN: Exegetische Versuche und Besinnungen, Bd.1-2, Göttingen 1964.

ders.: Die Anfänge christlicher Theologie (1960), wieder abgedruckt in: Exegetische Versuche Bd.2, 82-104.

ders.: Gottesgerechtigkeit bei Paulus (1961), wieder abgedruckt in: Exegetische Versuche Bd.2, 181-193.

ders.: Sätze heiligen Rechtes im Neuen Testament (1954/55), wieder abgedruckt in: Exegetische Versuche Bd.2, 69-82.

ders.: Zum Thema der urchristlichen Apokalyptik (1962), wieder abgedruckt in: Exegetische Versuche Bd.2, 105-131.

ders.: Paulinische Perspektiven, Tübingen 1969.

ders.: Zur paulinischen Anthropologie, in: Perspektiven 9-60.

ders.: Geist und Buchstabe, in: Perspektiven 237-285.

ders.: Rechtfertigung und Heilsgeschichte im Römerbrief, in: Perspektiven 108-139.

E.KÄSEMANN: Der gottesdienstliche Schrei nach der Freiheit (1964),
   wieder abgedruckt in: Perspektiven 211-236.
ders.: An die Römer, HNT 8a, 3.Aufl., Tübingen 1974.
E.KÄSEMANN - G.MENSCHING: Art.: Formeln, in: RGG³ II, 992-996.
J.KAFTAN: Neutestamentliche Theologie. Im Abriß dargestellt, Berlin
   1927.
J.KAHMANN: Die Heilszukunft in ihrer Beziehung zur Heilsgeschichte
   nach Isaias 40-55, in: Bibl 32 (1951) 65-89.141-172.
O.KAISER: Einführung ... s. G.Adam.
O.KAISER - E.LOHSE: Tod und Leben, Kohlhammer Taschenbücher,
   Biblische Konfrontationen 1001, Stuttgart, Berlin, Köln, Mainz 1977.
H.KAISER: Die Bedeutung des leiblichen Daseins in der paulinischen
   Eschatologie, Teil I: Studien zum religions- und traditionsgeschichtli-
   chen Hintergrund der Auseinandersetzung in 2.Kor 5,1-10 (und 1.Kor
   15) im palästinensischen und hellenistischen Judentum, Diss. Heidelberg
   1974 (Masch.).
E.KAMLAH: Buchstabe und Geist. Die Bedeutung dieser Antithese für
   die alttestamentliche Exegese des Apostels Paulus, in: EvTh 14 (1954)
   276-282.
W.KASCH: Art.: ῥύομαι, in: ThW VI 999,2-1004,26.
B.N.KAYE: Eschatology and Ethics in 1 and 2 Thessalonians, in: Nov
   Test 17 (1975) 47-57.
G.KEGEL: Auferstehung Jesu - Auferstehung der Toten. Eine traditionsgeschichtliche Untersuchung zum Neuen Testament, Gütersloh 1970.
U.KELLERMANN: Messias und Gesetz. Grundlinien einer alttestamentlichen
   Heilserwartung. Eine traditionsgeschichtliche Einführung, BSt 61, Neukirchen-Vluyn 1971.
ders.: Überwindung des Todesgeschicks in der alttestamentlichen Frömmigkeit vor und neben dem Auferstehungsglauben, in: ZThK 73 (1976) 259-
   282.
F.KERSTIENS: Art.: Hoffnung, in: Sacramentum Mundi II (1968) 725-735.
ders.: Die Hoffnungsstruktur des Glaubens, Mainz 1969.
H.KIMMERLE: Die Zukunftsbedeutung der Hoffnung. Auseinandersetzung
   mit Ernst Blochs "Prinzip Hoffnung" aus philosophischer und theologischer Sicht, Abhandlungen zur Philosophie, Psychologie und Pädagogik
   34, 2.Aufl., Bonn 1974.
GERHARD KITTEL: Art.: αἴνιγμα (ἔσοπτρον), in: ThW I 177,9-179,23;
   Abk. des Namens: G.Kittel.
ders.: Art.: ἔσχατος, in: ThW II 694,22-695,45.
GERHARD KITTEL - G.VON RAD: Art.: δοκέω κτλ, in: ThW II 235,13-
   258,20.
GERHARD KITTEL - H.KLEINKNECHT - G.VON RAD: Art.: εἰκών,
   in: ThW II 378,14-396,13.
GISELA KITTEL: Erwählung und Gericht. Ein Vergleich prophetischer
   und paulinischer Gotteserkenntnis. Diss. (theol.) Marburg 1967 (Masch.).

G.KLEIN: Bibel und Heilsgeschichte. Die Fragwürdigkeit einer Idee, in: ZNW 62 (1971) 1-47.

ders.: Christusglaube und Weltverantwortung als Interpretationsproblem neutestamentlicher Theologie, in: VF 18 (1973) 45-76.

ders.: Apokalyptische Naherwartung bei Paulus, in: NT und christliche Existenz, Festschr. H.Braun 1973, 241-262.

ders.: Theologie des Wortes Gottes und die Hypothese der Universalge-schichte. Zur Auseinandersetzung mit W.Pannenberg, BEvTh 37, München 1964.

H.KLEINKNECHT - K.G.KUHN - G.VON RAD - K.L.SCHMIDT: Art.: βασιλεὺς κτλ, in: ThW I 562,1-595,33.

H.KLEINKNECHT: εἰκών s. Gerhard Kittel.

H.KLEINKNECHT - K.G.KUHN - G.QUELL - E.STAUFFER (-G.FRIED-RICH): Art.: ϑεὸς κτλ, in ThW III 65,1-123,43.

H.KLEINKNECHT: Art.: ὀργή κτλ s. J.Fichtner.

ders.: Art.: πνεῦμα κτλ s. F.Baumgärtel.

G.KLINZING: Die Umdeutung des Kultes in der Qumrangemeinde und im Neuen Testament, Studien zur Umwelt des NT 7, Göttingen 1971.

M.A.KNIBB: The Date of the Parables of Enoch: A Critical Review, in: NTS 25 (1978/79) 345-359.

R.KNOPF: Apostolische Väter s. W.Bauer.

ders.: Die Zukunftshoffnungen des Urchristentums, RV I,13, Tübingen 1907.

K.KOCH: Ratlos vor der Apokalyptik. Eine Streitschrift über ein ver-nachlässigtes Gebiet der Bibelwissenschaft und die schädlichen Auswir-kungen auf Theologie und Philosophie, Gütersloh 1970.

ders.: Die Stellung des Kyros im Geschichtsbild Deuterojesajas und ihre überlieferungsgeschichtliche Verankerung, in: ZAW 84 (1972) 352-356.

J.KÖRNER: Eschatologie und Geschichte. Eine Untersuchung des Begrif-fes des Eschatologischen in der Theologie Rudolf Bultmanns, ThF 13, Hamburg-Bergstedt 1957 (vgl. Diss. ev.-theol. Bonn 1952).

ders.: Endgeschichtliche Parousieerwartung und Heilsgegenwart im Neuen Testament in ihrer Bedeutung für eine christliche Eschatologie, in: EvTh 14 (1954) 177-192.

S.KÖRNER. Art.: Erwartung, in: Historisches WB der Philosophie (hg. v. J.Ritter) II (1972) 731 f.

H.KÖSTER - J.M.ROBINSON: Entwicklungslinien durch die Welt des frü-hen Christentums, Tübingen 1971.

B.KÖTTING: Von der Naherwartung der frühen Kirche zur christlichen Hoffnung auf die Endzeit, in: Erwartung ... (hg. v. W.Heinen und J.Schreiner) 1969, 184-205.

A.B.KOLENKOW: The Genre Testament and Forecasts of the Future in the Hellenistic Jewish Milieu, in: Journal for the Study of Judaism 6 (1975) 57-71.

H.KRAFT - H.RINGGREN - R.SCHÜTZ: Art.: Apokalyptik, in: RGG[3] I, 463-472.

H.KRAFT: Art.: Eschatologie s. P.Althaus.

W.KRAMER: Christos Kyrios Gottessohn. Untersuchungen zu Gebrauch und Bedeutung der christologischen Bezeichnungen bei Paulus und den vorpaulinischen Gemeinden, AThANT 44, Zürich-Stuttgart 1963.

M.KRAUSE: Ägyptisches Gedankengut in der Apokalypse des Asclepius, ZDMG Suppl. I,1, 1969, 48-57 (XVII. deutscher Orientalistentag 1968).

W.KRECK: Die Zukunft des Gekommenen. Grundprobleme der Eschatologie, München 1966).

E.KÜHL: Der Brief des Paulus an die Römer, Leipzig 1913.

W.G.KÜMMEL: Einführung ... S. G.Adam.

ders.: Einleitung in das Neue Testament, 17.Aufl., Heidelberg 1973 (vgl. P.Feine - J.Behm - W.G.Kümmel: Einleitung in das NT).

ders.: Heilsgeschehen und Geschichte. Gesammelte Aufsätze 1933-1964, hg. v. E.GRÄSSER, O.MERK und A.FRITZ, Marburger Theologische Studien 3, Marburg 1965; Bd.2, Gesammelte Aufsätze, 1965-1977, hg. v. E.GRÄSSER und O.MERK, Marburger Theologische Studien 16, Marburg 1978.

ders.: Die Bedeutung der Enderwartung für die Lehre des Paulus (1934), wieder abgedruckt in: Heilsgeschehen 36-47.

ders.: Heilsgeschichte im Neuen Testament? (1974), wieder abgedr. Heilsgeschehen II, 157-176.

ders.: Das Neue Testament. Geschichte der Erforschung seiner Probleme. Orbis Academicus III,3, 2.Aufl., Freiburg/München 1970.

ders.: Das Neue Testament im 20.Jahrhundert. Ein Forschungsbericht, Stuttgarter Bibelstudien 50, Stuttgart 1970.

ders.: Römer 7 und das Bild des Menschen im Neuen Testament. Zwei Studien, ThB, München 1974.

ders.: Römer 7 und die Bekehrung des Paulus (1929), wieder abgedruckt a.a.O. IX-160.

ders.: Das Bild des Menschen im Neuen Testament (1948), wieder abgedruckt a.a.O. 161-214.

ders.: Die Theologie des Neuen Testaments nach seinen Hauptzeugen Jesus-Paulus-Johannes, Grundrisse zum NT 3, NTD Ergänzungsreihe, Göttingen 1969.

Jesus und Paulus. Festschr. für W.G.KÜMMEL zum 70.Geburtstag, hg. v. E.E.ELLIS und E.GRÄSSER, Göttingen 1975.

C.KUHL: Art.: Formen und Gattungen s. G.Bornkamm.

H.-W.KUHN: Enderwartung und gegenwärtiges Heil. Untersuchungen zu den Gemeindeliedern von Qumran mit einem Anhang über Eschatologie und Gegenwart in der Verkündigung Jesu, Studien zur Umwelt des NT 4, Göttingen 1966.

ders.: Die beiden Messias in den Qumrantexten und die Messiasvorstellung in der rabbinischen Literatur, in: ZAW 70 (1958) 200-208.

K.G.KUHN: Art.: βασιλεὺς κτλ s. H.Kleinknecht.

ders.: Art.: θεὸς κτλ s. H.Kleinknecht.

ders.: Die beiden Messias Aarons und Israels, in: NTS 1 (1954-1955)168-179.

K.G.KUHN: The Two Messiahs of Aaron and Israel, in: The Scrolls and the NT (hg. v. K.Stendahl) 1957, 54-64.

ders.: Die in Palästina gefundenen hebräischen Texte und das Neue Testament, in: ZThK 47 (1950) 192-211.

ders.: Die Sektenschrift und die iranische Religion, in: ZThK 49 (1952) 296-316.

K.G.KUHN - A.OEPKE: Art.: ὅπλον κτλ, in: ThW V 292,13-315,24.

O.KUSS: Paulus. Die Rolle des Apostels in der theologischen Entwicklung der Urkirche, Auslegung und Verkündigung III, Regensburg 1971.

ders.: Der Römerbrief, Regensburg 1957, 1959, 1978 (1.-3. Lfg., d.h. bis Röm 11,36).

ders.: Die Theologie des Neuen Testamentes. Eine Einführung, Regensburg 1937.

M.KWIRAN: The Resurrection of the Dead. Exegesis of 1 Cor. 15 in German Protestant Theology form F.C.Baur to W.Künneth, Diss. Basel 1969, Theologische Dissertationen 8, Basel 1972.

M.-F.LACAN: Notre espérance: Jésus Christ, in: Lumière et vie VIII/41 (Lyon 1959) 17-39.

ders.: "Nous sommes sauvés par l'espérance" (Rom VIII, 24), in: A la rencontre de Dieu, Memorial A.Gelin, Le Puy 1961, 331-339.

ders.: Les Trois qui demeurent (I Cor. 13,13), in: RechSR 46 (1958) 321-343.

O.LACHNIT. Elpis. Eine Begriffsuntersuchung, Diss. (phil.) Tübingen 1965 (mündliche Prüfung 28.2.1963).

P.LAIN ENTRALGO: La espera y la esperanza. Historia y teoria del esperar humano, Madrid 1957 (Übers. auch in andere Sprachen).

G.W.H.LAMPE: The New Testament Doctrine of Ktisis, in: SJTh 17 (1964) 449-462.

LATTE: Art.: Spes, in: PW II,3 (1929) 1634,51-1636,12.

F.LAUB: Eschatologische Verkündigung und Lebensgestaltung nach Paulus. Eine Untersuchung zum Wirken des Apostels beim Aufbau der Gemeinde in Thessalonike, Biblische Untersuchungen 10, Regensburg 1973.

R.B.LAURIN: The Problem of the Two Messiahs in the Qumran Scrolls, in: RdQ IV (1963-1964) 39-52.

H.LEISEGANG: Die Gnosis s.o. 1.5.

R.P.LEMONNYER - L.CERFAUX: Théologie du Nouveau Testament, Paris 1963.

E.LEWIS: A Christian Theodicy. An Exposition of Romans 8, 18-39, in: Interpretation 11 (1957) 405-420.

C.E.L'HEUREUX: The Biblical Sources of the "Apostrophe to Zion", in: CBQ 29 (1967) 60-74.

J.LICHT: Time and Eschatology in Apocalyptic Literature and in Qumran, in: JJS 16 (1965) 177-182.

H.LIETZMANN: An die Galater, HNT 10, 4.Aufl. mit einem Literaturnachtrag v. P.VIELHAUER, Tübingen 1971.

ders.: An die Korinther I.II, HNT 9, 5.Aufl., ergänzt v. W.G.KÜMMEL,
durch einen Literaturnachtrag erweitert, Tübingen 1969.

ders.: Einführung in die Textgeschichte der Paulusbriefe. An die Römer, HNT 8, 5.Aufl., Tübingen 1971.

H.-G.LINK: Art.: Hoffnung, in: Historisches WB der Philosophie (hg.
v. J.Ritter) III (1974) 1157-1166.

Literatur und Religion des Frühjudentums. Eine Einführung, hg. v.
J.MAIER und J.SCHREINER mit Beiträgen v. G.BAUMBACH u.a.,
Würzburg 1973.

E.LITTMANN: Die äthiopische Literatur, in: Hdb. der Orientalistik, I,3
(1964) 375-385.

M.L.LOANE: The Hope of Glory. An Exposition of the Eighth Chapter in
the Epistle to the Romans, London 1968.

K.LÖWITH: Weltgeschichte und Heilsgeschehen. Die theologischen Voraussetzungen der Geschichtsphilosophie, Urban-Bücher 2, 4.Aufl.,
Stuttgart 1961 (1953).

E.LOHMEYER: Die Briefe an die Philipper, an die Kolosser und an Philemon, MeyerK 9, 9.Aufl., Göttingen 1953, Beiheft v. W.SCHMAUCH,
Göttingen 1964.

E.LOHSE: Apokalyptik und Christologie, in: ZNW 62 (1971) 48-67.

ders.: Der Brief an die Kolosser und an Philemon, MeyerK 9,2, Göttingen 1968.

ders.: Die Entstehung des Neuen Testaments, Theologische Wissenschaft
4, Stuttgart-Berlin-Köln-Mainz 1972.

ders.: Grundriß der neutestamentlichen Theologie, Theologische Wissenschaft 5, Stuttgart-Berlin-Köln-Mainz 1974.

ders.: Der König aus Davids Geschlecht. Bemerkungen zur messianischen
Erwartung der Synagoge, in: Abraham unser Vater, Festschr. O.Michel
1963, 337-345.

ders.: Umwelt des Neuen Testaments, Grundrisse zum NT, NTD Ergänzungsreihe 1, Göttingen 1971.

ders.: Tod und Leben s. O.KAISER.

ders.: Art.: υἱός κτλ s. G.Fohrer.

ders.: Art.: ψυχή κτλ s. G.Bertram.

G.LÜDEMANN: Paulus, der Heidenapostel. Bd.1. Studien zur Chronologie, FRLANT 123, Göttingen 1980.

D.LÜHRMANN: Das Offenbarungsverständnis bei Paulus und in paulinischen Gemeinden, WMANT 16, Neukirchen-Vluyn 1965.

W.LÜTGERT: Der Römerbrief als historisches Problem, BFChTh 17,2,
Gütersloh 1913.

M.LUTHER: Vorlesungen über den Römerbrief 1515/16, lat.-dt. Ausgabe,
J.FICKER - E.ELLWEIN, Bd.1-2, Darmstadt 1960.

ders.: Werke. Kritische Gesamtausgabe, Bd. 1 ff, Weimar 1883 ff ("Wei-
marer Ausgabe").

U.LUZ: Zum Aufbau von Röm. 1-8, in: ThZ 25 (1969) 161-181.

ders.: Der alte und der neue Bund bei Paulus und im Hebräerbrief, in: EvTh 27 (1967) 318-336.

ders.: Entmythologisierung als Aufgabe der Christologie, in: EvTh 26 (1966) 349-368.

ders.: Das Geschichtsverständnis des Paulus, BEvTh 49, München 1968.

S.LYONNET: Redemptio cosmica secundum Rom 8, 19-23, in: VD 44 (1966) 225-242.

D.GONZALO MAESO: La "esperanza" en el mundo futuro (^{c}olām ha-bā') en la literatura rabínica, in: La Esperanza ..., Madrid 1972 (1970) 93-108.

G.MAIER: Mensch und freier Wille nach den jüdischen Religionsparteien zwischen Ben Sira und Paulus, WUNT 12, Tübingen 1971.

J.MAIER - K.SCHUBERT: Die Qumran-Essener. Texte der Schriftrollen und Lebensbild der Gemeinde, Uni-Taschenbücher 224, München/Basel 1973.

W.MANSOOR: The Thanksgiving Hymns and the Massoretic Text (Part I), in: RdQ III (1961-1962) 259-266.

G.MARCEL: Philosophie der Hoffnung. Die Überwindung des Nihilismus, mit einem Nachwort v. F.HEER, List Taschenbücher 84, München 1964 (aus dem Französischen übers. v. W.RÜTTENAUER und E.BEHLER).

R.FERNANDEZ MARCOS: ἐλπίζειν or ἐγγίζειν? in Prophetarum Vitae Fabulosae 12,9 and in the Septuagint, in: VT 30 (1980) 357-360.

R.R.MARETT: Glaube, Hoffnung und Liebe in der primitiven Religion. Eine Urgeschichte der Moral, Stuttgart 1936 (aus dem Englischen übers. v. E.SCHÜLER).

W.-D.MARSCH: Diskussion über die "Theologie der Hoffnung" von J. Moltmann s. dort.

ders.: Hoffen worauf? Auseinandersetzung mit Ernst Bloch, Stundenbuch 23, Hamburg 1963.

ders.: Zukunft, Themen der Theologie 2, Stuttgart-Berlin 1969.

WÜLFING VON MARTINEZ: Art.: υἱός κτλ s. G.Fohrer.

W.MARXSEN: Auslegung von 1 Thess 4,13-18, in: ZThK 66 (1969) 22-37.

ders.: Einleitung in das Neue Testament. Eine Einführung in ihre Probleme, 4.Aufl., Gütersloh 1978.

S.MATHEWS: The Messianic Hope in the New Testament, Chicago 1905.

L.MATTERN: Das Verständnis des Gerichtes bei Paulus, AThANT 47, Zürich/Stuttgart 1966.

C.MAURER: Art.: προσδοκάω, προσδοκία, in: ThW VI (1959) 725,20-727,21.

G.MAY: Schöpfung aus dem Nichts. Die Entstehung der Lehre von der creatio ex nihilo, AKG 48, Berlin-New York 1978.

B.MAYER: Unter Gottes Heilsratschluß. Prädestinationsaussagen bei Paulus, forschung zur bibel 15, Würzburg 1974.

M.MEINERTZ: Theologie des Neuen Testamentes, Bd.1-2, Die heilige Schrift des NT, Ergänzungsband I-II, Bonn 1950.

P.MELANCHTHON: Loci communes von 1521. Loci praecipui theologici
    von 1559, hg. v. H.ENGELLAND, Melanchthons Werke in Auswahl (hg.
    v. R.STUPPERICH) II,1-2, Gütersloh 1952-1953.

ders.: Römerbrief-Kommentar 1532, in Verbindung m. G.EBELING hg. v.
    R.SCHÄFER, ebd. V, 1965.

G.MENSCHING: Art.: Formeln s. E.Käsemann.

ders.: Art.: Dualismus s. G.Gloege.

J.B.METZ: Zur Theologie der Welt, Mainz-München 1968.

ders.: Weltverständnis im Glauben, unter Mitarbeit v. J.SPLETT hg.,
    Mainz 1965 (Beiträge mehrerer Verfasser).

J.B.METZ - J.MOLTMANN - W.OELMÜLLER: Kirche im Prozeß der Auf-
    klärung. Aspekte einer neuen "politischen Theologie", Gesellschaft
    und Theologie, Abt.: Systematische Beiträge 1, München-Mainz 1970.

R.MEYER: Art.: Eschatologie s. P.Althaus.

ders.: Art.: Qumran s. M.Burrows.

W.MICHAELIS: Der Brief des Paulus an die Philipper, ThHK 11, Leipzig
    1935.

ders.: Einleitung in das Neue Testament. Die Entstehung, Sammlung und
    Überlieferung der Schriften des Neuen Testaments, 3.Aufl., Bern 1961.

A.MICHEL: L'espérance persistera-t-elle? ..., in: L'ami du clergé 71
    (1961) 712-715.

O.MICHEL: Der Brief an die Römer, MeyerK 4, 14./5. Aufl., Göttingen
    1978.

ders.: Art.: οἶκος κτλ, in: ThW V 122,15-161,11.

Abraham unser Vater. Juden und Christen im Gespräch über die Bibel,
    Festschr. für O.MICHEL zum 60.Geburtstag, hg. v. O.BETZ, M.HEN-
    GEL, P.SCHMIDT, Leiden/Köln 1963.

J.T.MILIK: Dix ans de découvertes dans le désert de Juda, Paris 1957
    (englische Übers. v. J.STRUGNELL: Ten Years of Discovery in the
    Wilderness of Judaea, London 1959).

ders.: Problèmes de la littérature hénochique à la lumière des fragments
    araméens de Qumran, in: HThR 64 (1971) 333-378.

P.S.MINEAR: The Time of Hope in the New Testament, in: SJTh 6 (1953)
    337-361.

G.MOLIN: Entwicklung und Motive der Auferstehungshoffnung vom AT
    bis zur rabbinischen Zeit, in: Judaica 9 (1953) 225-239.

J.MOLTMANN: Der gekreuzigte Gott. Das Kreuz Christi als Grund und
    Kritik christlicher Theologie, München 1972.

ders.: Perspektiven der Theologie. Gesammelte Aufsätze, München-Mainz
    1968.

ders.: Hoffnung und Planung (1966), wieder abgedruckt in: Perspektiven
    251-268.

ders.: Kirche im Prozeß der Aufklärung s. J.B.Metz.

ders.: Probleme der neueren evangelischen Eschatologie, in: VF 11 (1966)
    100-124.

ders.: Theologie der Hoffnung. Untersuchungen zur Begründung und zu
    den Konsequenzen einer christlichen Eschatologie, BEvTh 38, München
    1964 (vgl. spätere Aufl.).

Diskussion über die "Theologie der Hoffnung" von Jürgen Moltmann, hg. und eingeleitet v. W.-D.MARSCH, München 1967.

G.T.MONTAGUE: The Growth of Faith, Hope and Charity According to Saint Paul, in: American Ecclesiastical Review 147 (1962) 308-318.

A.L.MOORE: The Parousia in the New Testament, Suppl. NovTest 13, Leiden 1966.

J.LEAL MORALES: La Esperanza como objeto y virtud en las dos cartas más antiguas de San Pablo (1.2. Tesalonicenses), in: La Esperanza ..., Madrid 1972 (1970) 131-167.

Reconciliation and Hope. New Testament Essaxs on Atonement and Eschatology presented to L.L.MORRIS on his 60th Birthday, ed. R.BANKS, Grand Rapids 1974.

C.F.D.MOULE: 2 Kor 3:18^b, καθάπερ $^{(I)}$ άπὸ κυρίου πνεύματος, in: NT und Geschichte, O.Cullmann zum 70.Geburtstag 1972, 231-237.

ders.: The Meaning of Hope. A Biblical Exposition with Concordance, London 1953.

H.-P.MÜLLER: Ursprünge und Strukturen alttestamentlicher Eschatologie, BZAW 109, Berlin 1969.

ders.: Mantische Weisheit und Apokalyptik, in: Suppl. VT 22 (1972) 268-293.

U.B.MÜLLER: Messias und Menschensohn in jüdischen Apokalypsen und in der Offenbarung des Johannes, Studien zum NT 6, Gütersloh 1972.

ders.: Prophetie und Predigt im Neuen Testament. Formgeschichtliche Untersuchungen zur urchristlichen Prophetie, Studien zum NT 10, Gütersloh 1975.

C.MÜNCHOW: Ethik und Eschatologie in der frühjüdischen Apokalyptik und bei Paulus. Ein Beitrag zum Verständnis der Apokalyptik und deren Rezeption in den paulinischen Briefen, Diss. Berlin/DDR 1977 (Masch.).

J.MUNCK: Paulus und die Heilsgeschichte, Acta Jutlandica XXVI,1, Theologisk Serie 6, København 1954.

ders.: I Thess. 1. 9-10 and the Missionary Preaching of Paul. Textual Exegesis and Hermeneutic Reflexions, in: NTS 9 (1962-1963) 95-110.

F.MUSSNER: Der Galaterbrief, HThK 9, Freiburg-Basel-Wien 1974.

J.L.MYRES: Ἐλπίς, ἔλπω, ἔλπομαι, ἐλπίζειν, in: The Classical Review 63 (1949) 46.

W.NAUCK: Freude im Leiden. Zum Problem einer urchristlichen Verfolgungstradition, in: ZNW 46 (1955) 68-80.

F.NEIRYNCK: Die Lehre des Paulus über "Christus in uns" und "Wir in Christus" (Bericht), in: Concilium 5 (1969) 790-795 (übers. v. H.A. MERTENS).

P.NEPPER-CHRISTENSEN: Das verborgene Herrenwort. Eine Untersuchung über 1.Thess. 4,13-18, in: StTh 19 (1965) 136-154.

F.NEUGEBAUER: In Christus. EN ΧΡΙΣΤΩΙ. Eine Untersuchung zum Paulinischen Glaubensverständnis, Göttingen 1961.

E.NEUHÄUSLER: Art.: Hoffnung s. P.Engelhardt.

ders.: Hoffnung. Ein biblischer Grundbegriff, in: Bibel und Leben 9 (1968) 306-312 (Entwurf für den LThK-Art.).

G.W.E.NICKELSBURG (Jr.): The Apocalyptic Message of 1 Enoch 92-105, in: CBQ 39 (1977) 309-328.

ders.: Resurrection, Immortality, and Eternal Life in Intertestamental Judaism, Harvard Theological Studies 26, Cambridge 1972.

A.NISSEN: Tora und Geschichte im Spätjudentum. Zu Thesen Dietrich Rösslers, in: NovTest 9 (1967) 241-277.

F.NÖTSCHER: Altorientalischer und alttestamentlicher Auferstehungs- glauben, Neudruck durchgesehen und mit einem Nachtrag hg. v. J.SCHARBERT, Darmstadt 1970 (Würzburg 1926).

ders.: Himmlische Bücher und Schicksalsglaube in Qumran, in: RdQ I (1958-1959) 405-411.

ders.: Prophetie im Umkreis des alten Israel, in: Biblische Zeitschrift 10 (1966) 161-197.

ders.: Zur theologischen Terminologie der Qumran-Texte, BBB 10, Bonn 1956.

E.NORDEN: Die antike Kunstprosa s.o. 4.

R.NORMANDIN: Saint Paul et l'espérance, in: Revue de l'université d'Ottawa 17 (1947) 50-68.

M.NOTH: Die israelitischen Personennamen im Rahmen der gemeinsemi- tischen Namensgebung, BWANT III,10, Hildesheim 1966 (Stuttgart 1928).

ders.: Gesammelte Studien zum Alten Testament, ThB 6, München 1957.

ders.: Das Geschichtsverständnis der alttestamentlichen Apokalyptik (1954), wieder abgedruckt in: Gesammelte Studien 248-273.

ders.: Die Ursprünge des alten Israel im Lichte neuer Quellen, Arbeits- gemeinschaft für Forschung des Landes Nordrhein-Westfalen, Geistes- wissenschaften Heft 94, Köln und Opladen 1961.

A.NYGREN: Der Römerbrief, 4.Aufl., Göttingen 1965.

W.OELMÜLLER: Kirche im Prozeß der Aufklärung s. J.B.Metz.

A.OEPKE: Der Brief des Paulus an die Galater, ThHK 9, 2.Aufl., Ber- lin 1957.

ders.: Art.: ἐγείρω κτλ, in: ThW II 332,9-337,31.

ders.: Art.: ἐν , in: ThW II 534,1-539,35.

ders.: Art.: καθεύδω, in: ThW III 434,22-440,34.

ders.: Art.: καλύπτω κτλ, in: ThW III 558,28-597,7.

ders.: Art.: ὅπλον κτλ s. K.G.Kuhn.

ders.: Art.: παρουσία, πάρειμι, in: ThW V 856,8-869,27.

ders.: Die Briefe an die Thessalonicher, NTD 8, 157-187, 11.Aufl., Göttingen 1968.

B.OLIVIER: Petit traité de l'espérance chrétienne, Études religieuses 683, Liège-Paris 1952.

T.DE ORBISO: Los motivos de la esperanza christiana, según San Pablo, in: Estudios Biblicos 4 (1945) 61-85. 197-210.

F.ORTIZ DE URTARAN DÍAZ: Esperanza y Caridad en el Nuevo Testamento, in: Scriptorium Victoriense 1 (1954) 1-50.

M.OSSEGE: Einige Aspekte zur Gliederung des neutestamentlichen Wortschatzes, in: Linguistica Biblica 34 (1975) 37-101.

P.VON DER OSTEN-SACKEN: Die Apokalyptik in ihrem Verhältnis zu Prophetie und Weisheit, ThEx 157, München 1969.

ders.: Beiträge zur Umwelt des Neuen Testaments, in: VF 16 (1971) 82-95.

ders.: Gott und Belial. Traditionsgeschichtliche Untersuchungen zum Dualismus in den Texten aus Qumran, Studien zur Umwelt des NT 6, Göttingen 1969.

ders.: Gottes Treue bis zur Parusie. Formgeschichtliche Beobachtungen zu 1 Kor 1 7b-9, in: ZNW 68 (1977) 176-199.

ders.: Römer 8 als Beispiel paulinischer Soteriologie, FRLANT 112, Göttingen 1975.

H.OTT: Eschatologie. Versuch eines dogmatischen Grundrisses, ThSt(B) 53, Zollikon 1958.

E.OTTO: Geschichtsbild und Geschichtsschreibung in Ägypten, in: WO 3 (1964-66) 161-176.

P.OTZEN: "Gute Hoffnung" bei Paulus, in: ZNW 49 (1958) 283-285.

H.VAN OYEN: Zur Deutungsgeschichte des "En Christo", in: ZEE 11 (1967) 129-135.

W.PANNENBERG: Christentum und Mythos. Späthorizonte des Mythos in biblischer und christlicher Überlieferung, Gütersloh 1972.

ders.: Der Gott der Hoffnung (1965 in Festschr. E.Bloch), wieder abgedruckt in: Grundfragen systematischer Theologie. Gesammelte Aufsätze, Göttingen 1967, 387-398.

ders.: Grundzüge der Christologie, 2.Aufl., Gütersloh 1966.

ders.: Was ist der Mensch? Die Anthropologie der Gegenwart im Lichte der Theologie, Kleine Vandenhoeck-Reihe 139/140, 4.Aufl., Göttingen 1972.

ders.: Art.: Dialektische Theologie, in: RGG[3] II, 168-174.

Offenbarung als Geschichte, in Verbindung mit R.RENDTORFF, U.WILCKENS, T.RENDTORFF hg. v. W.PANNNENBERG, KuD Beiheft 1, 3.Aufl., mit einem Nachwort, Göttingen 1965.

A.P.PARK: The Christian Hope According to Bultmann, Pannenberg, and Moltmann, in: Westminster Theological Journal 33 (1971) 153-174.

H.PAULSEN: Überlieferung und Auslegung in Römer u, WMANT 43, Neukirchen-Vluyn 1974.

Das Paulusbild in der neueren deutschen Forschung, in Verbindung mit U.LUCK hg. v. K.H.RENGSTORF, Wege der Forschung 24, Darmstadt 1964.

M.L.PEEL: Gnostic Eschatology and the New Testament, in: NovTest 12 (1970) 141-165.

J.PEDERSEN: Israel. Its Life and Culture I-II. III-IV, London-Copenhagen 1946 (1926), 1947 (1940).

G.PFEIFER: Ursprung und Wesen der Hypostasenvorstellungen im Judentum, Arbeiten zur Theologie I,31, Stuttgart 1967.

W.PHILIPP: Art.: Geschichte ... S. E.Dinkler.

J.PIEPER: Über die Hoffnung, Leipzig 1935.

ders.: Art.: Hoffnung s. P.Hoffmann.

J.VAN DER PLOEG: L'espérance dans l'Ancien Testament, in: RB 61 (1954) 481-507.

O.PLÖGER: Art.: Geschichte ... s. E.Dinkler.

ders.: Theokratie und Eschatologie, 2.Aufl., WMANT 2, Neukirchen 1962.

M.POHLENZ: Die Stoa. Geschichte einer geistigen Bewegung, Bd.1 3.Aufl. Göttingen 1964, Bd.2 4.Aufl. 1972.

P.POKORNÝ: Die Hoffnung auf das ewige Leben im Spätjudentum und Urchristentum, Aufsätze und Vorträge zur Theologie und Religionswissenschaft 70, Berlin 1978.

R.M.POPE: Studies in Pauline Vocabulary. Of Earnest Expectation, in: ET 22 (1910-1911) 71-73.

W.POST: Art.: Hoffnung, in: Handbuch philosophischer Grundbegriffe II (1973) 692-700.

A.POTT: Das Hoffen im Neuen Testament in seiner Beziehung zum Glauben, UNT 7, Leipzig 1915.

H.PREISKER: Art.: κλέπτω, κλέπτης, in: ThW III 753,15-756,10.

ders.: Art.: μέθη κτλ, in: ThW IV 550,27-554,4.

H.D.PREUSS: Jahweglaube und Zukunftserwartung, BWANT NF 7/87, Stuttgart-Berlin-Köln-Mainz 1968.

O.PROCKSCH: Art.: ὀργή κτλ s. J.Fichtner.

K.PRÜMM: Diakonia Pneumatos. Der zweite Korintherbrief als Zugang zur apostolischen Botschaft. Auslegung und Theologie, Bd. I und II, 1-2, Rom-Freiburg-Wien 1960-1967.

E.J.PRYKE: Some Aspects of Eschatology in the Dead Sea Scrolls, in: Studia Evangelica V / TU 103 (1968) 296-302.

J.PRYKE: Eschatology in the Dead Sea Scrolls, in: The Scrolls and Christianity 1969, 45-57.

G.QUELL: Art.: διατίθημι κτλ s. J.Behm.

ders.: Art.: θεός κτλ s. H.Kleinknecht.

ders.: Art.: κύριος κτλ s. W.Foerster.

G.QUELL - G.SCHRENK: Art.: δίκη κτλ, in: ThW II 176,1-229,21.

G.QUELL - E.STAUFFER: Art.: ἀγαπάω κτλ, in: ThW I 20,38-55,23.

Qumran-Probleme. Vorträge des Leipziger Symposions über Qumran-Probleme vom 9. bis 14.Oktober 1961, hg. v. H.BARDTKE, Deutsche Akademie der Wissenschaften zu Berlin, Schriften der Sektion für Altertumswissenschaft 42, Berlin 1963.

G.VON RAD: Art.: βασιλεύς κτλ s. H.Kleinknecht.

ders.: Art.: δοκέω κτλ s. Gerhard Kittel.

ders.: Art.: εἰκών s. Gerhard Kittel.

ders.: Art.: ἡμέρα s. G.Delling.

ders.: Theologie des Alten Testaments, Bd.1-2, Einführung in die evangelische Theologie 1, München Bd.1, 6.Aufl. 1969 und Bd.2, 5.Aufl. 1968 (Angaben aus anderen Auflagen mit ausdrücklicher Kennzeichnung).

ders.: Weisheit in Israel, Neukirchen-Vluyn 1970.

Probleme biblischer Theologie, GERHARD VON RAD zum 70.Geburtstag, hg. v. H.W.WOLFF, München 1971.

G.RADKE: Art.: Saeculum, in: Kleiner Pauly IV,1492,37-1494,35.

K.RAHNER: Theologische Prinzipien der Hermeneutik eschatologischer Aussagen (1960), wieder abgedr. in: Schriften zur Theologie, Bd.4, 3.Aufl., Einsiedeln-Zürich-Köln 1962, 401-428.

E.RANWEZ: L'espérance, in: Revue diocésaine de Namur 5 (1950) 119-135.

G.REESE: Die Geschichte Israels in der Auffassung des frühen Judentums. Eine Untersuchung der Tierversion und der Zehnwochenapokalypse des äthiopischen Henochbuches, der Geschichtsdarstellung der Assumptio Mosis und der des 4 Esrabuches, Diss (theol.) Heidelberg 1967 (Masch.).

BO REICKE: Neutestamentliche Zeitgeschichte. Die biblische Welt 500 v. - 100 n.Chr., Sammlung Töpelmann II,2, Berlin 1965.

R.REITZENSTEIN: Die Entstehung der Formel "Glaube, Liebe, Hoffnung", in: HZ 116 (1916) 189-208.

ders.: Die Formel "Glaube, Liebe, Hoffnung" bei Paulus, in: NGG (philosophisch-historisch) 1916, 367-416; 1917, 130-151; 1922, 256.

ders.: Historia Monachorum und Historia Lausiaca. Eine Studie zur Geschichte des Mönchtums und der frühchristlichen Begriffe Gnostiker und Pneumatiker, FRLANT NF 7, Göttingen 1916.

ders.: Die hellenistischen Mysterienreligionen nach ihren Grundgedanken und Wirkungen, 3.Aufl., Darmstadt 1973 (Leipzig 1927).

ders.: Poimandres. Studien zur griechisch-ägyptischen und frühchristlichen Literatur, Darmstadt 1966 (Leipzig 1904).

R.RENDTORFF: Offenbarung ... s. W.Pannenberg.

ders.: Die theologische Stellung des Schöpfungsglaubens bei Deuterojesaja, in: ZThK 51 (1954) 3-13.

K.H.RENGSTORF: Art.: δοῦλος κτλ, in: ThW II 264,8-283,38.

ders.: Art.: ἐλπίς κτλ s. R.Bultmann.

ders.: Das Paulusbild ... s. dort.

H.RIDDERBOS: Paulus. Ein Entwurf seiner Theologie, Wuppertal 1970 (dt. v. E.-W.POLLMANN).

B.RIGAUX: Paulus und seine Briefe. Der Stand der Forschung, Biblische Handbibliothek 2, München 1964 (dt. v. A.BERZ).

ders.: Saint Paul. Les épîtres aux Thessaloniciens, Études Bibliques, Paris-Gembleux 1956.

ders.: Tradition et rédaction dans I Th. V. 1-10, in: NTS 21 (1975) 318-340.

Mélanges Bibliques en hommage au R.P.BÉDA RIGAUX, hg. v. A.DES-
CAMPS und A.DE HALLEUX, Gembloux 1970.

H.RINGGREN: Art.: Apokalyptik s. H.Kraft.

ders.: Der Weltbrand in den Hodajot, in: Bibel und Qumran, Festschr.
H.Bardtke 1968 (1966) 177-182.

M.RISSI: Studien zum Zweiten Korintherbrief. Der alte Bund - Der Pre-
diger - Der Tod, AThANT 56, Zürich 1969.

ders.: Die Taufe für die Toten. Ein Beitrag zur paulinischen Tauflehre,
AThANT 42, Zürich/Stuttgart 1962.

D.RÖSSLER. Gesetz und Geschichte. Untersuchungen zur Theologie der
jüdischen Apokalyptik und der pharisäischen Orthodoxie, WMANT 3,
2.Aufl., Neukirchen 1962.

K.W.ROGAHN: The Function of Future-Eschatological Statements in the
Pauline Epistles, Ph.D., Princeton Theological Seminary, 1975 (Xerox
University Microfilms).

E.ROHDE: Psyche. Seelencult und Unsterblichkeitsglaube der Griechen,
Bd. 1-2 in einem Bd., 2.Aufl., Darmstadt 1961 (Freiburg i.Br., Leipzig und Tübingen 1898).

E.ROHLAND: Die Bedeutung der Erwählungstraditionen für die Eschatologie der alttestamentlichen Propheten, Diss. (theol.) Heidelberg 1956.

O.ROLLER: Das Formular der paulinischen Briefe. Ein Beitrag zur Lehre
vom antiken Briefe, BWANT IV,6/58, Stuttgart 1933.

W.G.ROLLINS: The New Testament and Apocalyptic in: NTS 17 (1970-71)
454-476.

K.ROMANIUK: Der Begriff der Furcht in der Theologie des Paulus, in:
Bibel und Leben 11 (1970) 168-175.

W.H.ROSCHER: Art.: Elpis, in: Roscher I,1 (1884-1886 bzw. 1965) 1242,3-
27.

L.ROST: Einleitung in die alttestamentlichen Apokryphen und Pseudepigraphen einschließlich der großen Qumran-Handschriften, Heidelberg
1971.

H.H.ROWLEY: Apokalyptik. Ihre Form und Bedeutung zur biblischen
Zeit. Eine Studie über jüdische und christliche Apokalypsen vom Buch
Daniel bis zur geheimen Offenbarung, 3.Aufl., Einsiedeln-Zürich-Köln
1965 (aus dem Englischen übers. v. I. und R.PESCH).

K.RUDOLPH (Hg.): Gnosis und Gnostizismus, Wege der Forschung 262,
Darmstadt 1975.

W.RUDOLPH: Esra und Nehemia samt 3.Esra, HAT I,20, Tübingen 1949.

E.RUPRECHT. Die Auslegungsgeschichte zu den sogenannten Gottes-
knechtsliedern im Buch Deuterojesaja unter methodischen Gesichtspunkten bis zu Bernhard Duhm, Diss. (theol.) Heidelberg 1972 (Masch.).

D.SÄNGER: Antikes Judentum und die Mysterien. Religionsgeschichtliche Untersuchungen zu Joseph und Aseneth, WUNT II,5, Tübingen
1980.

A.SAND: Zur Frage nach dem "Sitz im Leben" der apokalyptischen Texte
des Neuen Testaments, in: NTS 18 (1971-72) 167-177.

E.P.SANDERS: Paul and Palestinian Judaism. A Comparison of Patterns of Religion, London 1977.

G.SAUTER: Die Frage nach der Zukunft im Gespräch mit Marxisten, in: Concilium 5 (1969) 55-59.

ders.: Begründete Hoffnung. Erwägungen zum Begriff und Verständnis der Hoffnung heute, in: EvTh 27 (1967) 406-434.

ders.: Theologie der Hoffnung, in: VF 11 (1966) 124-128.

ders.: Die Zeit des Todes. Ein Kapitel Eschatologie und Anthropologie, in: EvTh 25 (1965) 623-643.

ders.: Zukunft und Verheißung. Das Problem der Zukunft in der gegenwärtigen theologischen und philosophischen Diskussion, Zürich/Stuttgart 1965.

P.SCHÄFER: Zur Geschichtsauffassung des rabbinischen Judentums, in: Journal for the Study of Judaism 6 (1975) 167-188.

R.SCHAEFFLER: Was dürfen wir hoffen? Die katholische Theologie der Hoffnung zwischen Blochs utopischem Denken und der reformatorischen Rechtfertigungslehre, Darmstadt 1979.

K.H.SCHELKLE: Die Hoffnung als Grundkraft des christlichen Lebens, in: Geist und Leben 41 (1968) 193-204.

ders.: Theologie des Neuen Testaments, Kommentare und Beiträge zum A und NT, Bd. I ff, Düsseldorf 1968 ff.

T.SCHERMANN: Propheten- und Apostellegenden nebst Jüngerkatalogen des Dorotheus und verwandter Texte, TU 31,3, Leipzig 1907.

G.SCHLÄGER: Das ängstliche Harren der Kreatur. Zur Auslegung von Römer 8,19 ff, in: Nieuw Theologisch Tijdschrift 19 (1930) 353-360.

A.SCHLATTER: Der Glaube im Neuen Testament, 3.Bearbeitung, Calw und Stuttgart 1905.

ders.: Gottes Gerechtigkeit. Ein Kommentar zum Römerbrief, 3.Aufl., Stuttgart 1959.

ders.: Paulus der Bote Jesu. Eine Deutung seiner Briefe an die Korinther, Stuttgart 1956.

ders.: Die Theologie des Neuen Testaments, Teil 1-2, Calw und Stuttgart 1909 und 1910.

H.SCHLIER: Über die Hoffnung (1960), wieder abgedr. in: Besinnung auf das Neue Testament. Exegetische Aufsätze und Vorträge II, Freiburg-Basel-Wien 1964, 135-145.

ders.: Der Brief an die Galater, MeyerK 7 13.Aufl., 4.Aufl., Göttingen 1965.

ders.: Art.: ἐλεύθερος κτλ, in: ThW II 484,1-500,14.

ders.: Das, worauf alles wartet. Eine Auslegung von Römer 8,18-30 (1965), wieder abgedr. in: Das Ende der Zeit. Exegetische Aufsätze und Vorträge III, Freiburg-Basel-Wien 1971, 250-270.

ders.: Art.: παρρησία, παρρησιάζομαι, in: ThW V 869,28-884,46.

ders.: Der Römerbrief, HThK 6, Freiburg-Basel-Wien 1977.

E.SCHLINK: Christus - die Hoffnung für die Welt (1954), wieder abgedr. in: Der kommende Christus und die kirchlichen Traditionen. Beiträge zum Gespräch zwischen den getrennten Kirchen, Göttingen 1961, 211-220.

E.SCHLINK: Die Struktur der dogmatischen Aussage als ökumenisches Problem (1957), wieder abgedr. a.a.O. 24-79.

M.SCHLOEMANN: Philipp Melanchthons Eschatologie. Grundgedanken nach den Loci praecipui theologici von 1559, in: Diskussionsbeiträge des Fachbereichs 2 -Philosophie/Theologie- der Gesamthochschule Wuppertal, Wuppertal 1980, Nr.3 (W.ECKEY zum 50.Geburtstag), 33-56.

J.SCHMID - A.WIKENHAUSER: Einleitung in das Neue Testament, 6.Aufl., Freiburg-Basel-Wien 1973.

Neutestamentliche Aufsätze, Festschr. für J.SCHMID zum 70.Geburtstag, hg. v. J.BLINZLER - O.KUSS - F.MUSSNER, Regensburg 1963.

U.SCHMID: Die Priamel der Werte im Griechischen von Homer bis Paulus, Wiesbaden 1964.

H.SCHMIDT: Auferstehungshoffnung im Neuen Testament, Diss. Heidelberg 1925, teilveröffentlicht Oldenburg 1928.

J.M.SCHMIDT: Die jüdische Apokalyptik. Die Geschichte ihrer Erforschung von den Anfängen bis zu den Textfunden von Qumran, Neukirchen-Vluyn 1969.

ders.: Forschung zur jüdischen Apokalyptik, in: VF 14 (1969) 44-69.

ders.: Probleme der Prophetenforschung, in: VF 17 (1972) 39-81.

H.W.SCHMIDT: Der Brief des Paulus an die Römer, ThHK 6, 2.Aufl., Berlin 1966.

K.L.SCHMIDT: Art.: ἀγωγή κτλ, in: ThW I 128,28-134,35.

ders.: Art.: βασιλεύς κτλ s. H.Kleinknecht.

ders.: Art.: καλέω κτλ, in: ThW III 488,1-539,17.

L.SCHMIDT (Hg.): Wortfeldforschung. Zur Geschichte und Theorie des sprachlichen Feldes, Wege der Forschung 250, Darmstadt 1973.

W.H.SCHMIDT: Zukunftsgewißheit und Gegenwartskritik. Grundzüge prophetischer Verkündigung, BSt 64, Neukirchen-Vluyn 1973.

W.SCHMITHALS: Die Apokalyptik. Einführung und Deutung, Göttingen 1973.

ders.: Zwei gnostische Glossen im Zweiten Korintherbrief, in: EvTh 18 (1958) 552-573.

ders.: Die Gnosis in Korinth. Eine Untersuchung zu den Korintherbriefen, FRLANT 66/NF 48, 2.Aufl., Göttingen 1965.

ders.: Die Korintherbriefe als Briefsammlung, in: ZNW 64 (1973) 263-288.

ders.: Der Römerbrief als historisches Problem, Studien zum NT 9, Gütersloh 1975.

ders.: Die Theologie Rudolf Bultmanns. Eine Einführung, Tübingen 1966.

O.SCHMITZ - G.STÄHLIN: Art.: παρακαλέω, παράκλησις, in: ThW V 771,11-798,14.

H.SCHMÖKEL: Kulturgeschichte des Alten Orient. Mesopotamien, Hethiterreich, Syrien-Palästina, Urartu, in Zusammenarbeit mit H.OTTEN, V.

MAAG und T.BERAN hg., Kröners Taschenausgabe 298, Stuttgart 1961.

R.SCHNACKENBURG: Leben auf Hoffnung hin. Christliche Existenz nach Röm 8, in: Bibel und Liturgie 39 (1966) 316-319.

W.SCHNEEMELCHER: Art.: υἱός κτλ s. G.Fohrer.

H.SCHNEIDER: Die Bücher Esra und Nehemia, HSAT 4,2, Bonn 1959.

J.SCHNEIDER: Art.: στενάζω κτλ, in: ThW VII 600,1-603,41.

ders.: Art.: σχῆμα, μετασχηματίζω, in: ThW VII 954,28-959,12.

H.J.SCHOEPS: Paulus. Die Theologie des Apostels im Lichte der jüdischen Religionsgeschichte, Tübingen 1959.

W.SCHRAGE: Die Stellung zur Welt bei Paulus, Epiktet und in der Apokalyptik. Ein Beitrag zu 1 Kor 7,29-31, in: ZThK 61 (1964) 125-154.

ders.: Theologie und Christologie bei Paulus und Jesus auf dem Hintergrund der modernen Gottesfrage, in: EvTh 36 (1976) 121-154.

J.SCHREINER: Alttestamentlich-jüdische Apokalyptik. Eine Einführung, Biblische Handbibliothek 6, München 1969.

G.SCHRENK: Art.: δίκη κτλ s. G.QUELL.

ders.: Art.: γράφω κτλ, in: ThW I 742,31-773,41.

ders.: Die Geschichtsanschauung des Paulus, in: Studien zu Paulus, AThANT 26, Zürich 1954, 49-80 (s. bereits Jahrbuch der Theologischen Schule Bethel 3 (1932) 59-86).

J.J.A.SCHRIJEN: Elpis. De voorstelling van de hoop in de griekse literatuur tot Aristoteles, Groningen 1965 (Diss. Amsterdam 1965).

K.SCHUBERT: Die Entwicklung der Auferstehungslehre von der nachexilischen bis zur frührabbinischen Zeit, in: BZ 6 (1962) 177-214.

ders.: Qumran-Essener ... s. J.Maier.

J.SCHÜPPHAUS: Stellung und Funktion der sogenannten Heilsankündigung bei Deuterojesaja, in: ThZ 27 (1971) 161-181.

E.SCHÜRER: Geschichte des jüdischen Volkes im Zeitalter Jesu Christi, Bd.1-3 und Register-Bd., 3. und 4.Aufl., Leipzig 1901-1911 (Hildesheim 1964).

ders.: The History of the Jewish People in the Age of Jesus Christ (175 B.C. - A.D. 135), a New English Version Revised and ed. G.VERMES and F.MILLAR, Vol. I, Edinburgh 1973.

Die Kirche des Anfangs. Festschr. zum 65.Geburtstag für H.SCHÜRMANN, hg. v. R.SCHNACKENBURG, J.ERNST, J.WANKE, Freiburg-Basel-Wien 1978.

O.SCHÜTTPELZ: Der höchste Weg. 1 Korinther 13, Diss. (theol.) Heidelberg 1973 (Masch.).

P.SCHÜTZ: Gesammelte Werke Bd.1-4, Hamburg 1963-1975.

R.SCHÜTZ: Art.: Apokalyptik s. H.Kraft.

R.SCHÜTZ: Der Streit zwischen A. v. Harnack und R.Reitzenstein über die Formel "Glaube, Liebe, Hoffnung", 1 Kor 13,13, in: ThLZ 42 (1917) 454-457.

S.SCHULZ: Die Decke des Moses. Untersuchungen zu einer vorpaulinischen Überlieferung in II Cor 3 7-18, in: ZNW 49 (1958) 1-30.

W.SCHULZ: Art.: M.Heidegger, in: RGG[3] III,121-123.

F.K.SCHUMANN: Die christliche Hoffnung ... s. G.Bornkamm.

G.SCHUNACK: Das hermeneutische Problem des Todes. Im Horizont von Römer 5 untersucht, HUTh 7, Tübingen 1967.

K.-D.SCHUNCK: Die Eschatologie der Propheten des Alten Testaments und ihre Wandlung in exilisch-nachexilischer Zeit, Suppl. VT 26 (1974) 116-132.

G.SCHUTTERMAYR: "Schöpfung aus dem Nichts" in 2 Makk 7,28? Zum Verhältnis von Position und Bedeutung, in: BZ 17 (1973) 203-228.

H.SCHWANTES: Schöpfung der Endzeit. Ein Beitrag zum Verständnis der Auferweckung bei Paulus, Arbeiten zur Theologie I,12, Stuttgart 1963.

A.SCHWEITZER: Geschichte der paulinischen Forschung von der Reformation bis auf die Gegenwart, Tübingen 1911.

ders.: Die Mystik des Apostels Paulus, 2.Aufl., Tübingen 1954 (erster Entwurf 1906, 1.Aufl. Tübingen 1930).

E.SCHWEIZER: Gegenwart des Geistes und eschatologische Hoffnung bei Zarathustra, spätjüdische Gruppen, Gnostikern und den Zeugen des Neuen Testamentes (1956), wieder abgedr. in: Neotestamentica. Deutsche und englische Aufsätze 1951-1963, Zürich/Stuttgart 1963, 153-179.

ders.: Art.: πνεῦμα κτλ s. F.Baumgärtel.

ders.: Art.: σῶμα κτλ s. F.Baumgärtel.

ders.: Art.: υἱός κτλ s. G.Fohrer.

ders.: Art.: ψυχή κτλ s. G.Bertram.

The Scrolls and Christianity, S·P·C·T Theological Collections 11, London 1969.

The Scrolls and the New Testament, ed. K.STENDAHL, New York 1957.

H.SEEGER: Art.: Hoffnung s. P.Althaus.

H.SEIFFERT: Einführung in die Wissenschaftstheorie, Beck'sche Schwarze Reihe 60-61, Bd.1, 5.Aufl. und Bd.2, 4.Aufl., München 1972.

P.SIBER: Mit Christus leben. Eine Studie zur paulinischen Auferstehungshoffnung, AThANT 61, Zürich 1971.

D.C.SIEGRIED: Esra, Nehemia und Esther, HK I,6,2, Göttingen 1901.

R.SIMON: Art.: Hoffnung s. P.Schmidt.

J.A.SINT: Parusie-Erwartung und Parusie-Verzögerung im paulinischen Briefkorpus, in: ZKTh 86 (1964) 47-79.

E.SJÖBERG: Art.: ὀργή κτλ s. J.Fichtner.

ders.: Art.: πνεῦμα κτλ s. F.Baumgärtel.

R.SMEND: Elemente alttestamentlichen Geschichtsdenkens, ThSt(B) 95, Zürich 1968.

J.J.SMITH: A Study of the Alleged "Two Messiah" Expectation of the Dead Sea Scrolls against the Background of Developing Eschatology, Diss. Philosophy Faculty of the Graduate School of Vanderbilt University 1970, Nashville, Tennessee (microfilm).

H.VON SODEN: Was ist Wahrheit? Vom geschichtlichen Begriff der
  Wahrheit (1927), wieder abgedr. in: Urchristentum und Geschichte.
  Gesammelte Aufsätze und Vorträge, hg. v. H.VON CAMPENHAUSEN,
  Bd.1, Tübingen 1951, 1-24.
W.VON SODEN: Sprache, Denken und Begriffsbildung im Alten Orient,
  AAMz 1973,6, Mainz-Wiesbaden 1974.
C.SPICQ: Agapè. Prolégomènes à une étude de théologie néotestament-
  aire, Studia Hellenistica 10, Louvain-Leiden 1955.
ders.: Agapè dans le Nouveau Testament. Analyse des textes, Études
  Bibliques, Bd.1-3, Paris 1958-1959.
ders.: La révélation de l'espérance dans le Nouveau Testament, Avig-
  non-Paris (1931).
ders.: Théologie moral du Nouveau Testament, Études Bibliques, Bd.
  1-2, Paris 1970.
B.SPÖRLEIN: Die Leugnung der Auferstehung. Eine historisch-kriti-
  sche Untersuchung zu 1 Kor 15, Biblische Untersuchungen 7, Regensburg 1971.
W.D.STACEY: Paul's Certanities II. God's Purpose in Creation - Romans VIII. 22-23, in: ET 69 (1957-1958) 178-181.
ders.: The Pauline View of Man. In Relation to its Judaic and Hellenistic Background, London 1956.
G.STÄHLIN: Art.: ὀργή κτλ s. J.Fichtner.
ders.: Art.: παρακαλέω κτλ s. O.Schmitz.
J.J.STAMM: Die akkadische Namengebung, 2.Aufl., Darmstadt 1968
  (Leipzig 1939).
ders.: Eine Gruppe hebräischer Personennamen, in: Travels ...,
  Festschr. M.A.Beek, Assen 1974, 230-240.
R.T.STAMM: New Testament Literature, 1954. I. The Literature of Hope,
  in: Interpretation 9 (1955) 200-212.
E.STAUFFER: Art.: ἀγαπάω κτλ s. G.Quell.
ders.: Art.: θεός κτλ s. H.Kleinknecht.
ders.: Die Theologie des Neuen Testaments, 3.Aufl., Stuttgart 1947.
L.STEFANIAK: Messianische oder eschatologische Erwartungen in der
  Qumransekte?, in: Nt. Aufsätze, Festschr. J.Schmid 1963, 294-302.
W.STEGEMÜLLER: Hauptströmungen der Gegenwartsphilosophie. Eine
  kritische Einführung, Bd.1 3.Aufl., Bd.2, Kröners Taschenausgabe
  308 und 309, Stuttgart 1965.1975.
E.STEIN: Gute Hoffnung, in: MGWJ 82 (1938) 376-381.
K.STOCK: Creatio nova - creatio ex nihilo. Bemerkungen zum Problem
  einer eschatologischen Schöpfungslehre, in: EvTh 36 (1976) 202-216.
M.E.STONE: The Book of Enoch and Judaism in the Third Century
  B.C.E., in: CBQ 40 (1978) 479-492.
H.L.STRACK: Einleitung in Talmud und Midrasch, 5.Aufl., München
  1961 (unveränderter Abdruck, München 1920).
H.L.STRACK - P.BILLERBECK: Kommentar ... s. P.Billerbeck.
H.STRATHMANN: Art.: πόλις κτλ in: ThW VI 516,1-535,42.

I.R.STRIEDER: Die Bewertung der Leiblichkeit in den Hauptbriefen
des Apostels Paulus und in seiner Kulturwelt, Diss.theol. (kath.)
Münster i.W. 1974/75.

A.STROBEL: Kerygma und Apokalyptik. Ein religionsgeschichtlicher
und theologischer Beitrag zur Christusfrage, Göttingen 1967.

ders.: Untersuchungen zum eschatologischen Verzögerungsproblem auf
Grund der spätjüdisch-urchristlichen Geschichte von Habakuk 2,2 ff.,
Suppl. NovTest 2, Leiden/Köln 1961.

Studiorum Paulinorum congressus internationalis Catholicus 1961, Bd.
1-2, Analecta Biblica 17-18, Romae 1963.

P.STUHLMACHER: Das Auferstehungszeugnis nach 1.Korinther 15,
1-20, in: Theologie und Kirche. Reichenau-Gespräch, hg. v. der
Ev.Landessynode in Württemberg, Stuttgart 1967, 33-59.

ders.: Der Brief an Philemon, Ev.-Kath. Kommentar zum NT, Zürich-
Einsiedeln-Köln-Neukirchen-Vluyn 1975.

ders.: Erwägungen zum ontologischen Charakter der καινὴ κτίσις
bei Paulus, in: EvTh 27 (1967) 1-35.

ders.: Erwägungen zum Problem von Gegenwart und Zukunft in der
paulinischen Eschatologie, in: ZThK 64 (1967) 423-450.

ders.: Das paulinische Evangelium. I.Vorgeschichte, FRLANT 95,
Göttingen 1968.

ders.: Zur neueren Exegese von Röm 3,24-26, in: Festschr. W.G.
KÜMMEL 1975, 315-333.

ders.: Gerechtigkeit Gottes bei Paulus, FRLANT 87, Göttingen 1965.

ders.: Neues Testament und Hermeneutik - Versuch einer Bestands-
aufnahme, in: ZThK 68 (1971) 121-161.

J.SUDBRACK: Der Hymnus auf die Hoffnung. Eine Einführung in das
Verständnis von Röm 8,19-39, in: Geist und Leben 41 (1968) 224-
228.

A.SUHL: Paulus und seine Briefe. Ein Beitrag zur paulinischen Chronologie, Studien zum NT 11, Gütersloh 1975.

A.De SUTTER: L'espérance chrétienne. Littérature des dix dernières
années, in: Ephemerides Carmelitae (Rom) 20 (1969) 127-149.

J.SWETNAM: On Romans 8,23 and the "Expectation of Sonship", in:
Bibl 48 (1967) 102-108.

E.SYNOFZIK: Die Gerichts- und Vergeltungsaussagen bei Paulus. Eine
traditionsgeschichtliche Untersuchung, Göttinger theologische Arbeiten 8, Göttingen 1977.

E.TACHAU: "Einst" und "Jetzt" im Neuen Testament. Beobachtungen
zu einem urchristlichen Predigtschema in der neutestamentlichen
Briefliteratur und zu seiner Vorgeschichte, FRLANT 105, Göttingen
1972.

S.TALMON: Typen der Messiaserwartung um die Zeitenwende, in: Probleme biblischer Theologie, G.v.Rad zum 70.Geburtstag 1971, 571-
588.

W.TARN: Die Kultur der hellenistischen Welt, 3.Aufl., unter Mitarbeit v. G.T.GRIFFITH durchgesehen, Darmstadt 1966 (aus dem Englischen übers. v. G.BAYER).

P.A.TERSTIEGE: Hoffen und Glauben. Eine biblisch-theologische Studie über die Wechselbeziehungen zwischen Hoffen und Glauben in den Hauptbriefen des heiligen Paulus, Diss. Rom, Münster 1964 (nicht im Buchhandel).

J.THEISOHN: Der auserwählte Richter. Untersuchungen zum traditionsgeschichtlichen Ort der Menschensohngestalt der Bilderreden des Äthiopischen Henoch, Studien zur Umwelt des NT 12, Göttingen 1975.

G.THEISSEN: Legitimation und Lebensunterhalt. Ein Beitrag zur Soziologie urchristlicher Missionare, in: NTS 21 (1975) 192-221.

ders.: Soziale Schichtung in der korinthischen Gemeinde. Ein Beitrag zur Soziologie des hellenistischen Urchristentums, in: ZNW 65 (1974) 232-272.

Leben angesichts des Todes. Beiträge zum theologischen Problem des Todes, H.THIELICKE zum 60.Geburtstag, Tübingen 1968.

K.THIEME: Die Struktur des Ersten Thessalonicher-Briefes, in: Abraham unser Vater, Festschr. O.Michel 1963, 450-458.

A.C.THISELTON: Realized Eschatology at Corinth, in: NTS 24 (1977/78) 510-526.

S.THOMAE AQUINATIS Doctoris Angelici Super epistolas S.Pauli lectura, ed. P.RAPHAELIS CAI, ed. VIII revisa, Bd.1-2 Tourini-Romae 1953.

J.P.THORNDIKE: The Apocalypse of Weeks and the Qumran Sect, in: RdQ III (1961-1962) 163-184.

W.THÜSING: Erhöhungsvorstellung und Parusieerwartung in der ältesten nachösterlichen Christologie, in: Stuttgarter Bibelstudien 42, Stuttgart 1969.

ders.: Der Gott der Hoffnung [Röm 15,13], in: Erwartung ... (hg. v. W.Heinen und J.Schreiner) 1969, 63-85.

H.THYEN: Der Stil der Jüdisch-Hellenistischen Homilie, FRLANT 65, Göttingen 1955.

ders.: Studien zur Sündenvergebung im Neuen Testament und seinen alttestamentlichen und jüdischen Voraussetzungen, FRLANT 96, Göttingen 1970.

S.P.TREGELLES: The Hope of Christ's Second Coming. How it is Taught in Scripture? And why? 5.Aufl., London 1964 (reprint der ed. 1864).

W.TRILLHAAS: Art.: Geschichte ... s. E.Dinkler.

K.W.TRÖGER (Hg.): Gnosis und Neues Testament. Studien aus Religionswissenschaft und Theologie, Berlin 1973.

ders.: Art.: ψυχή κτλ s. G.Bertram.

N.TURNER: The "Testament of Abraham": Problems in Biblical Greek, in: NTS 1 (1954-1955) 219-223.

H.ULONSKA: Die Doxa des Mose. Zum Problem des Alten Testaments in 2.Kor. 3,1-16, in: EvTh 26 (1966) 378-388.

Umwelt des Urchristentums, in Verbindung mit G.HANSEN u.a. hg. v.
J.LEIPOLDT und W.GRUNDMANN, Bd.1-3, 2.Aufl. Bd.1 und 3, Berlin
1967.

W.C.VAN UNNIK: "With unveiled face", an exegesis of 2 Corinthians III
12-18, in: NovTest 6 (1963) 153-169.

ders.: Tarsus or Jerusalem. The City of Paul's Youth (transl. out of the
Dutch by G.Ogg), London 1962.

R.DE VAUX: Art. Qumran s. M.Burrows.

A.VIARD: Expectatio creaturae (Rom., VIII, 19-22), in: RB 59 (1952)
337-354.

J.R.VILLALÓN: Sources vétéro-testamentaires de la doctrine qumrânien-
ne de deux Messies, in: RdQ VIII (1972) 56-63.

P.VIELHAUER: "Einleitung" zu "C. Apokalypsen und Verwandtes", in:
E.HENNECKE: Nt. Apokryphen II,407-427.

ders.: Geschichte der urchristlichen Literatur. Einleitung in das Neue
Testament, die Apokryphen und die Apostolischen Väter, de Gruyter
Lehrbuch, Berlin-New York 1975.

A.VÖGTLE: Das Neue Testament und die Zukunft des Kosmos, Düsseldorf
1970.

ders.: Röm 8,19-22: eine schöpfungstheologische oder anthropologisch-
soteriologische Aussage?, in: Mélanges Bibliques en hommage au R.P.
Béda Rigaux, Gembloux 1970, 351-366.

P.VOLZ: Die Eschatologie der jüdischen Gemeinde im neutestamentlichen
Zeitalter. Nach den Quellen der rabbinischen, apokalyptischen und
apokryphen Literatur, Hildesheim 1966 (Tübingen 1934).

H.VORLÄNDER: Art.: Moses, in: Kleiner Pauly III 1436,28-1438,16.

K.VORLÄNDER: Philosophie des Altertums. Geschichte der Philosophie
I, rowohlts deutsche enzyklopädie 183/184, 1963.

T.C.VRIEZEN: Die Hoffnung im Alten Testament. Ihre Voraussetzungen und äußeren Formen, in: ThLZ 78 (1953) 577-586.

ders.: Hope in the Old Testament. Its Inner Presuppositions and out-
ward Forms, in: Hervormde Teologiese Studies 11 (1954) 145-155.

S.WAGNER: יד״ע in den Lobliedern von Qumran, in: Bibel und Qumran,
Festschr. H.Bardtke 1966/1968, 232-252.

H.-E.VON WALDOW: Anlass und Hintergrund der Verkündigung des Deuterojesaja, Diss. (theol.) Bonn 1953.

M.WALLENSTEIN: Some Lexical Material in the Judean Scrolls, in: VT 4
(1954) 211-214.

E.WALTER: Glaube, Hoffnung und Liebe im Neuen Testament, Freiburg
im Breisgau 1940.

G.WANKE: "Eschatologie". Ein Beispiel theologischer Sprachverwirrung,
in: KuD 16 (1970) 300-312.

WASER: Art.: Elpis, in: PW V,2 (1905) 2454,43-2456,35.

H.WEBER - H.WEYDT (Hg.): Sprachtheorie und Pragmatik. Akten des

10. linguistischen Kolloquiums. Tübingen 1975, Bd.1 Tübingen 1976.

H.E.WEBER: "Eschatologie" und "Mystik" im Neuen Testament. Ein Versuch zum Verständnis des Glaubens, BFChTh II, 20, Gütersloh 1930.

H.WEINEL: Die spätere christliche Apokalyptik, in: EYXAPIΣTHPION, Festschr. H.Gunkel 1923 II, 141-173.

ders.: Biblische Theologie des Neuen Testaments. Die Religion Jesu und des Urchristentums, Grundriss der theologischen Wissenschaften 3,2, 4.Aufl., Tübingen 1928.

A.WEISER: Art.: πιστεύω κτλ s. R.Bultmann.

B.WEISS: Der Brief an die Römer, MeyerK 4, 8.Aufl., Göttingen 1891.

ders.: Lehrbuch der Biblischen Theologie des Neuen Testaments, 2.Aufl., Berlin 1873.

ders.: Die Religion des Neuen Testaments, Stuttgart und Berlin 1903.

J.WEISS: Der Erste Korintherbrief, MeyerK 5, 9.Aufl., Göttingen 1970 (1910).

C.F.VON WEIZSÄCKER: Die Geschichte der Natur. Zwölf Vorlesungen, Kleine Vandenhoeck-Reihe 1/1a, 6.Aufl., Göttingen 1964.

H.-D.WENDLAND: Die Briefe an die Korinther, NTD 7, 4.Aufl., Göttingen 1946.

P.WENDLAND: Die hellenistisch-römische Kultur in ihren Beziehungen zu Judentum und Christentum. Die urchristlichen Literaturformen, HNT I, 2 und 3, 2. und 3.Aufl., Tübingen 1912.

K.WENGST: Christologische Formeln und Lieder des Urchristentums, Studien zum NT 7, Gütersloh 1972.

R.J.Z.WERBLOWSKY: Faith, Hope and Trust: A Study in the Concept of Bittahon, in: Papers of the Institute of Jewish Studies, London 1, 95-139, Jerusalem 1964.

P.WERNLE: Die Anfänge unserer Religion, 2.Aufl., Tübingen und Leipzig 1904.

ders.: Die Reichsgotteshoffnung in den ältesten christlichen Dokumenten und bei Jesus, Tübingen 1903.

C.WESTERMANN: Das Buch Jesaja. Kapitel 40-66, ATD 19, Göttingen 1966.

ders.: Das Hoffen im Alten Testament. Eine Begriffsuntersuchung (1952), wieder abgedr. in: Forschung am Alten Testament. Gesammelte Studien, ThB 24, München 1964, 219-265.

ders.: Sprache und Struktur der Prophetie Deuterojesajas (1964), wieder abgedr. a.a.O. 92-170.

ders.: Grundformen prophetischer Rede, BEvTh 31, 4.Aufl., München 1971.

ders.: Das Loben Gottes in den Psalmen, 3.Aufl., Göttingen 1963.

ders.: Art.: יחל, in: ThHWBAT 1 (1971) 727-730.

ders.: Art.: קוה a.a.O. 2 (1976) 619-629.

ders.: Rezension zu D.Baltzer: Ezechiel ... s. dort.

H.WEYDT (Hg.): Sprachtheorie ... s. H.Weber.

G.WIDENGREN: Quelques rapports entre Juifs et Iraniens à l'époque des Parthes, in: Suppl. VT 4 (1957) 197-241.

ders.: Stand und Aufgaben der iranischen Religionsgeschichte I und II, in: Numen 1 (1954) 16-83; 2 (1955) 47-134.

H.WIEFEL: Die missionarische Eigenart des Paulus und das Problem des frühchristlichen Synkretismus, in: Kairos NF 17 (1975) 218-231.

ders.: Die Hauptrichtung des Wandels im eschatologischen Denken des Paulus, in: ThZ 30 (1974) 65-81.

ders.: Paulus in jüdischer Sicht, in: Judaica 31 (1975) 109-115.151-172.

A.WIKENHAUSER: EinlNT s. J.Schmid.

H.-A.WILCKE: Das Problem eines messianischen Zwischenreichs bei Paulus, AThANT 51, Zürich/Stuttgart 1967.

U.WILCKENS: Auferstehung. Das biblische Auferstehungszeugnis historisch untersucht und erklärt, Themen der Theologie 4, Stuttgart-Berlin 1970.

ders.: Der Brief an die Römer (Röm 1-5), Ev.-Kath. Kommentar zum NT VI/1, Zürich, Einsiedeln, Köln; Neukirchen-Vluyn 1978.

ders.: Das Geschichtsverständnis des Paulus, in: ThLZ 95 (1970) 401-412 (zu U.Luz: Das Geschichtsverständnis ...).

ders.: Offenbarung ... s. W.Pannenberg.

ders.: Rechtfertigung als Freiheit. Paulusstudien, Neukirchen-Vluyn 1974.

ders.: Die Bekehrung des Paulus als religionsgeschichtliches Problem (1959), wieder abgedr. a.a.O. 11-32.

ders.: Die Rechtfertigung Abrahams nach Römer 4 (1961), wieder abgedr. a.a.O. 33-49.

ders.: Zu Römer 3,21-4,25. Antwort an G.Klein (1964), wieder abgedr. a.a.O. 50-76.

ders.: Lukas und Paulus unter dem Aspekt dialektisch-theologisch beeinflußter Exegese (1966), überarbeitet wieder abgedr. a.a.C. 171-202.

ders.: Art.: σοφία κτλ s. G.Fohrer.

D.D.WILLIAMS: Prozeß - Theologie: Eine neue Möglichkeit für die Kirche, in: EvTh 30 (1970) 571-582 (aus dem Englischen übers. v. H.KRÜGER).

J.H.WILSON: The Corinthians who say there is no resurrection of the dead, in: ZNW 59 (1968) 90-107.

H.WINDISCH: Der zweite Korintherbrief, MeyerK 6, 9.Aufl., hg. v. G.STRECKER, Göttingen 1970 (1924).

ders.: Apostolische Väter s. W.Bauer.

E.WISSMANN: Art.: Hoffnung s. P.Althaus.

G.WISSOWA: Art.: Spes, in: Roscher IV (1909-1915) 1295,1-1297,42.

R.WITTRAM: Das Interesse an der Geschichte. Zwölf Vorlesungen über Fragen des zeitgenössischen Geschichtsverständnisses, Kleine Vandenhoeck-Reihe 59-61, 2.Aufl., Göttingen 1963.

ders.: Zukunft in der Geschichte. Zu Grenzfragen der Geschichtswissenschaft und Theologie, Kleine Vandenhoeck-Reihe 235-236, Göttingen 1966.

A.WLOSOK: Laktanz und die philosophische Gnosis. Untersuchungen zur
Geschichte und Terminologie der gnostischen Erlösungsvorstellung, AAH
Philosophisch-historische Klasse 1960,2, Heidelberg 1960.

G.WOHLENBERG: Der erste und zweite Thessalonicherbrief, KNT 12,
Leipzig 1903.

W.WOLF: Kulturgeschichte des Alten Ägypten, Kröners Taschenausgabe
321, Stuttgart 1962.

H.W.WOLFF: Anthropologie des Alten Testaments, München 1973.

ders.: Gesammelte Studien zum Alten Testament, ThB 22, 2.Aufl., München 1973.

ders.: Das Gesichtsverständnis der alttestamentlichen Prophetie (1960),
wieder abgedruckt in: Gesammelte Studien 289-307.

M.WOLTER: Rechtfertigung und zukünftiges Heil. Untersuchungen zu
Röm 5,1-11, BZNW 43, Berlin-New York 1978.

R.WONNEBERGER: Textgliederung bei Paulus. Eine Problemskizze am
Beispiel von Römer 3,21; 1 Kor 13 und Römer 5, in: H.Weber - H.Weydt:
Sprachtheorie ... 1976. 305-314.

A.S.VAN DER WOUDE: Die messianischen Vorstellungen der Gemeinde
von Qumrân, Studia Semitica Neerlandica 3, Assen/Neukirchen 1957.

ders.: Art.: χρίω κτλ s. W.Grundmann.

WÜLFING VON MARTINEZ: s. M...

T.ZAHN: Der Brief des Paulus an die Galater, KNT 9, 2.Aufl., Leipzig
1907.

ders.: Der Brief des Paulus an die Römer, KNT 6, 1.und 2.Aufl., Leipzig 1910.

ders.: Grundriß der Neutestamentlichen Theologie, 2.Aufl., Leipzig
1932.

S.ZEDDA: L'escatologia biblica, Vol.I-II, Brescia 1972, 1975.

W.ZIMMERLI: Der "neue Exodus" in der Verkündigung der beiden großen Exilspropheten (1960), wieder abgedr. in: Gottes Offenbarung.
Gesammelte Aufsätze zum Alten Testament, ThB 19, München 1963,
192-204.

ders.: Der Mensch und seine Hoffnung im Alten Testament, Kleine
Vandenhoeck-Reihe 272S, Göttingen 1968.

ders.: Art.: χαίρω κτλ s. H.Conzelmann.

O.ZÖCKLER: Die Apokryphen des Alten Testaments nebst einem Anhang
über die Pseudepigraphenliteratur, Kurzgefaßter Kommentar zu den
heiligen Schriften Alten und Neuen Testaments sowie zu den Apokryphen
A. 9, München 1891.

ders.: De vi ac notione vocabuli ελπις in Novo Testamento, Gissae 1856.

Die Zukunft als Drohung und Chance. 5. deutscher evangelischer Aka-
dēmikertag 14.-16. Oktober 1966 in Essen, Der Kreis, Sonderreihe
Heft 5.

Folgende Literatur war mir nicht zugänglich:

G.BRAKEMEIER: A esperança na segunda vinda de Cristo em sua import-
ância para a teologia do apóstolo Paulo, in: Estudos Teológicos 9 (1969)
8-18.
L.FEDELE: Tesi di laurea ... s. L.Fedele: La speranza ...
W.GROSSOUW: De hoop der christenen volgens St.Paulus, in: Neder-
landsche Katholieke Stemmen 51 (1955) 265-276.
G.ROSSÉ: La speranza nelle lettere di S.Paolo, in: Ekklesia 4,5 (Roma
1970) 41-50.
B.VILLEGAS: La unidad como realdad, esperanza y tarea de la Iglesia
según S.Pablo, in: Anales de la Fac. de Teol. Universidad Católica
Santiago de Chile 11 (1960) 148-155.
D.R.DENTON: 'Αποκαραδοκία, in: ZNW 73 (1982) 138-140.

REGISTER

1. <u>WORTREGISTER</u>

1.1. <u>Akkadisch</u>

ana qāti naṭalu 241

panī dagalū 241

puqqu(m) (vgl. mit ana) 241

qu''û(m) (vgl. mit ana) 235.241

1.2. Hebräisch /Aramäisch

1.3. Äthiopisch

1.4. Syrisch

1.5. Griechisch

1.6. Koptisch

COMC (mit ЄΒΟΛ) 233 f   ϬⲱϢⲦ (mit ЄΒΟΛ) 234
Ⲱ2Є (auch mit E) 234

1.7. Lateinisch

exspectare 232   spes 13.39.92.202.235.326
exspectatio 39.232   Spes 39.77.258.322
saeculum 322   spirare 238
sperare 201 f.222.224.235.238.256

2. STELLENREGISTER

2.1. Alter Orient und Altes Ägypten

2.2. Altes Testament (+ LXX)

2.3. Alttestamentliche Apokryphen und jüdische Pseudepigraphen

67,4 ff	315	102,4	201.250(gr)
72-82	143.302.307	103,2	306
81,1-82,4a	302	103,3 f	256(gr)
81,1 f	306	103,10	201.306
81,4	306	103,11	201.306
83-90	143	104,1 ff	47.83
83-84	315	104,1 f	54
85-90	302	104,1	306
85,1 ff	96.108	104,2.4	47
90,1 ff	108	104,2	201
90,24 ff	315	104,3 f	248
91-105	143 ff.145 ff.	104,4	79.201
	271.302	106-108	143.307
91,1-19	146	106,17 f	265
91,1-10	146	108,1 ff	307
91,11-17	143	108,2	201
91,11 f	319	108,3	201
91,11	146	108,4 ff	315
91,12-17	143.149.263.302.		
	317	**Jdt**	
91,14 ff	86		
91,16 f	308.326	6,9	68
91,16	311	8,17.20	241
91,18 f	146.148	9,7	33
92	146	9,11	241
92,1 ff	127		
92,1	143	**JosAs** (ed Battiffol)	
93	143.149.263.302	8,9.10	311
93,1-10	317	8,9	320
93,3b-10	143	11 ff	320
94-105	146	12,13	320
94,1 ff	97	15,4 f.12	320
94,7	305	15,4 f bzw. 3 f	311
96,1 ff	47	15,5	316
96,1	148.201.305	15,12	109.316
96,4	283	20,7	320
97,6	306	24,8 bzw. 9	226
98,2-102,3	146 f	50,10	203
98,6-8	306	56,15	203
98,10	201.248.250	77,1	203
98,12(gr)	79		
98,12	77.201	**Jubiläenbuch**	304.317
98,14	201.250(gr)		
102,1	315	20,9	200.241
102,4 ff	47.146 ff	22,22	200
102,4 f	256	31,32	200

2.5. Philo von Alexandrien und Flavius Josephus

2.6. Rabbinica

2.7. Weitere jüd. Quellen

Aristobulus Philosophus 282
Beth She^{c}arim

II,124.132   240

CIJ Nr.1513,7-9   236
Lachisch-Ostrakon

20,2   240

2.8. Neues Testament

Evangelium nach Matthäus

1,1 ff	332
11,3 par	42.47.163
12,21	42.244.324 f
12,32	261
24,8	273
24,23-25	271
24,37 ff par	256
24,42 f	275
24,43(f)	272
24,49	275
24,50 par	42
25,1-13	277
25,5	275
25,13	275

Evangeliums nach Markus

5,39	277
13 par	95.246.303.305.318
13,1 ff par	96.144
13,8	273
13,21-23	271
13,28 ff	272
13,32	298
13,33 ff	144
13,34-37	275
15,43 par	42

Evangelium nach Lukas

2,25.38	42.47
3,23 ff	332
7,19 f	47
12,8	246

12,35 ff	275
12,36	42.244
12,37	275
12,39 f	275
12,39	272.275
12,45	275
12,46	224
21,26	42.47.224.256
23,8	42
24,21	42.47

Evangelium nach Johannes

3,17 ff	248
5,24	248
5,45	42
6,32	284
12,31	248
16,11	248

Apostelgeschichte

1,7	272.298
2,26	42.68.167.235
3,20 f	272
7,2 ff	332
19,23 ff	242
22,3	240
23,6	79.218.253.259
24.15	218.244.246.253
26,6 f	42.79
27,20	234
28,20	79

Römer   82.208.339

1,1-7	123

Jakobus

1,2 ff	294
5,7 ff	300

1.Petrus

1,3	325
1,6 f	128.294
1,13	246.275
3,15	79
3,20	25

2.Petrus

3,10 ff	47.244.269.311
3,10	272
3,12	249
3,13	311

1.Johannes

4,1 ff	278

4,4 f	108
4,6	108

2.Johannes

12	237

3.Johannes

14	237

Apokalypse 193.268.294.305.
318

3,3	272.275.
16,14	249
16,15	272.275
17,2	275
21,1	311

2.9. Apostolische Väter

Barnabas

11,8	79
16,2	79
16,8	326

1.Clemens

27,1	68.246
51,1	79
57,2	79

2.Clemens

12	298
17,7	79

Ignatius

Epheser

1,2	79

Magnesier

9,1	326
9,2	226

Philadelphier

5,2	79.226

Trallianer

inscriptio	237
2,2	244

Hirt des Hermas 227

33,7	234

2.10. Frühchristliche Apologeten

Justinus Martyr

Apol

32,1.4	244
32,12	235
54,5	244

Dial

11,3	235
47,2	235
69,4	235
115,3	237
135,2	235

2.11. Gnosis und Hermetik

Asclepius

11 f	321
12	249
24 ff	321

Basilides
(nach Cl Al Strom

II 6, § 27,2)	222

Basilidianisches System
(nach Hippolyt)

Ref. VII 25,1 ff	312.321.326
Ref. VII 27,1 ff	321

Kore Kosmu

Fragment XXIII

14 ff	263
25 ff	260
28	240
33.36	266
56	76

Naassener-Psalm

(Hippolyt Ref.

V 10,2)	263

Nag Hammadi

II 173,32-175,17	321
De resurrectione	321
Evangelium veritatis 17,3	76

Simon Magus

(Irenaeus Haer I

23,3)	321

Thomasakten

108 ff (Perlen-lied)	263

Valentinianisches System
(nach Hippolyt)

Ref. VI 29,1 ff	263
REf. VI 30,5	240

2.12. Griechische und lateinische außerjüdische und außerchristliche Literatur

3. NAMEN- UND SACHREGISTER